LAYOUT STYLE GRAPHICS

Table of contents, title pages, pagination, &c. — editorial design looked at through its compositional elements

CONTENTS — TITLE PAGES — PAGE NUMBERS — CAPTIONS — HEADINGS/TITLES — CHARTS

LAYOUT STYLE GRAPHICS

Table of contents, title pages, pagination, &c.—editorial design looked at through its compositional elements

PIE BOOKS
2-32-4, Minami-Otsuka, Toshima-ku, Tokyo 170-0005 Japan
Phone: +81-3-5395-4811 Fax: +81-3-5395-4812
e-mail: editor@piebooks.com sales@piebooks.com

http://www.piebooks.com

ISBN4-89444-263-9 C3070

Printed in Japan

INDEX

はじめに

カタログや雑誌・書籍・フリーペーパーなどのページデザイン。その役割は文字組・マージン（余白）・図版配置などのバランスをはかりつつ、表紙から目次・扉へと連なるページの連動性や、全体の統一感を生み出していくことです。読みやすさ・わかりやすさを前提として、誌面に躍動感を与えていくのが優れたエディトリアルデザインといえるでしょう。シンプルなものから遊び心に富んだものまで、媒体別に読者層・目的に添って様々なレイアウトが存在しています。

本書は、エディトリアルデザインの構成要素をクローズアップし、そのヴァリエーションをまとめた本です。冊子レイアウトをする上で必要不可欠な、目次や扉ページ・ノンブル・柱などの細かい要素をパーツごとにコンテンツわけして、シンプルなものから遊び心に富んだものまで、優れた作品例を多数ピックアップし紹介しています。ノンブル・柱などサイズが小さいものは、細かいディテールがわかるように拡大写真も併載。またいくつかコンテンツをまたいで登場する作品に対しては、各作品タイトルの上にリンク先として、各コンテンツ名とページ数を記してあります。ページの連動性の参考としてご利用ください。

収録した雑誌・書籍・カタログ・会社案内・フリーペーパーなどは、2000年から2003年に制作されたものを中心としています。また一部のカタログをのぞいて、原則的に冊子形態の作品に焦点を絞りました。そして、以下の6つのカテゴリー別に作品を分類しています。

【目次】タテ組・ヨコ組を問わず、本文への導入部として機能的かつデザイン性の高いレイアウトを紹介。
【扉】各章の内容を的確に伝え、区切りを示し、ヴィジュアルインパクトのあるレイアウトを紹介。
【ノンブル】ページ全体の中でのバランス・機能性を保ちつつ、書体・ポイント数・位置などがユニークな形の作品を紹介。
【キャプション】写真などのヴィジュアルとバランスが良く、情報伝達に優れたレイアウトを紹介。
【柱 / 見出し】数ページにわたる特集内で、連続して使用されるコンテンツ名やタイトルの中から、アイキャッチに優れたデザインを紹介。
【チャート】グリッド状の罫線や色の組み合わせから構成された表組や、ものごとの流れを図式化した作品の中から、見やすく美しいレイアウトを紹介。

ヴィジュアルインパクトがあり、機能性が高く、美しくレイアウトされた、様々な媒体の中での様々なヴァリエーションを持ったページデザインをご堪能していただければ幸いです。個性的なエディトリアルデザインをする上でのアイデアソースとしてご活用ください。

忙しい中ご協力いただいた出版社の方々、そして快く作品をご提供いただいたクリエイターの方々にこの場を借りてお礼を申し上げます。

Foreword

Catalog, magazine, book and newspaper page design. Its role, in addition to balancing type, margins (white space), placement of illustrations, and other design elements, is creating a sense of interconnectivity and continuity from cover to table of contents to title page and so on. Presupposing readability and understandability, it might be said that outstanding editorial design gives the printed page a sense of dynamic. From simple to playful, the array of layouts is as wide-ranging as the range of media, readership, and objectives they target.

This book focuses on the compositional elements of editorial design in their many variations. The collection presents numerous outstanding examples of the art, ranging from minimal to playful, broken down and categorized by the essential components of bound publication layout-contents and title pages, pagination, titles, &c. Smaller elements such as page numbers and titles are shown along with photo enlargements that elucidate their details. Works that are exemplary in multi-categories have references to the chapters and page numbers of their other appearances printed next to their titles. We hope readers will use these to reference page-to-page interconnectivity.

Most of the magazines, books, catalogs, company brochures, free newspapers, &c. recorded in this volume were produced from 2000 to 2003. In principle, except for a portion of the catalogs, we have concentrated on bound printed pieces.

The works are grouped in the following six categories:

Contents pages - layouts-both horizontal and vertical format-that show a high degree of functionality and design finesse in introducing the contents of the printed piece.
Title pages - layouts that accurately convey the content of each chapter, signal a division and have visual impact.
Page numbers - pagination that is unique in typeface, point size, and placement, yet preserves the balance and function of the overall page.
Captions - layouts that show good balance with photographs and other visuals, and convey information well.
Headings/Titles - content headings and titles that are eye-catching yet maintain continuity.
Charts - attractive yet easy-to-decipher layouts that organize and trace the flow of information using grids, lines, color and other graphic devices.

An idea sourcebook that we hope will aid in creating unique and original editorial design. Readers are certain to enjoy the wide variation represented in these beautiful, highly functional layouts with strong visual impact from a wide range of media.

We would like to take this opportunity to express our gratitude to the many publishers and designers for their cooperation and for supplying the works.

EDITORIAL NOTES

■クレジットフォーマット　Credit Format

※いくつかコンテンツをまたいで登場する作品に対しては、各作品タイトルの上にリンク先として、各コンテンツ名とページ数を記してあります。ページの連動性の参考としてご利用ください
Works that are exemplary in multi-categories have references to the chapters and page numbers of their other appearances printed next to their titles. We hope readers will use these to reference page-to-page interconnectivity.

■制作スタッフクレジット　Creative Stuff

CL: Client（クライアント）
PB: Publisher（出版社）
E: Editor（編集）※
CD: Creative Director（クリエイティヴディレクター）
AD: Art Director（アートディレクター）
D: Designer（デザイナー）
CHIEF D: Chief Designer（チーフデザイナー）
P: Photographer（カメラマン）
I: Illustrator（イラストレーター）
CW: Copywriter（コピーライター）
DF: Design Firm（デザイン会社）

※上記以外の制作スタッフの呼称は、略さずに記載しています。
Full names of all others involved in the creation/production of the work.

※Editor（編集）：雑誌の場合は基本的に編集長の名前を記入していますが、複数の名前が記載されている場合は、先頭に明記されているのが編集長となります。
The managing editor is credited for magazines; where multiple names appear, the first is the managing editor.

※提供者の意向によりクレジットデータの一部を掲載していないものがあります。
Please note that some credit data has been omitted at the request of the submittor.

目次
CONTENTS

タテ組・ヨコ組とわず、本文への導入部として機能的かつデザイン性の高いレイアウトを紹介します。
Layouts–both horizontal and vertical format–that show a high degree of functionality and design finesse in introducing the contents of the printed piece.

MOOK ムック　**X-Knowledge HOME エクスナレッジホーム**　**Vol.12 January 2003**

PB: (株) エクスナレッジ X-Knowledge Co., Ltd.　E: 澤井聖一 Seiichi Sawai　AD: 角田純一 Junichi Tsunoda
D: イトー・マユミ Mayumi Ito (cluster) / 大村太一 Taichi Ohmura (MANAS) / 小澤加代子 Kayoko Ozawa (MANAS)　P (COVER): 清野賀子 Yoshiko Seino

COVER

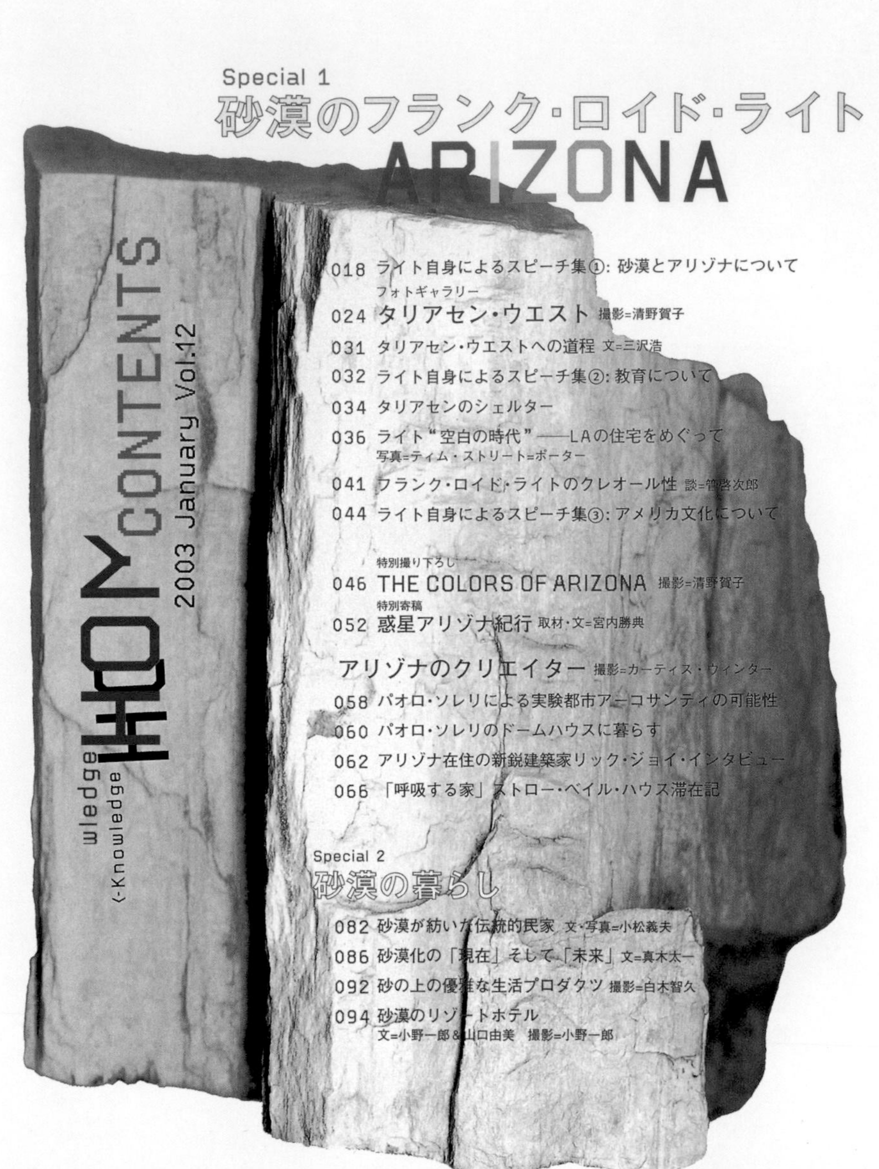

Special 1
砂漠のフランク・ロイド・ライト
ARIZONA

X-Knowledge HOME CONTENTS 2003 January Vol.12

Cover: Art Direction by Junichi Tsunoda
Photograph by Yoshiko Seino

MOOK ムック　X-Knowledge HOME　エクスナレッジホーム　Vol.11 December　2002
PB: (株) エクスナレッジ X-Knowledge Co., Ltd.　E: 澤井聖一 Seiichi Sawai　AD: 角田純一 Junichi Tsunoda
D: イトー・マユミ Mayumi Ito (cluster) / 大村太一 Taichi Ohmura (MANAS) / 小澤加代子 Kayoko Ozawa (MANAS)　P (COVER): 上田義彦 Yoshihiko Ueda

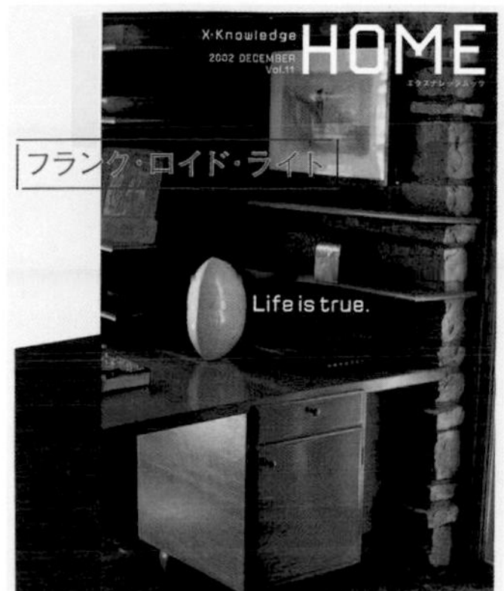

COVER

Special: フランク・ロイド・ライト
Life is true.

X-Knowledge HOME CONTENTS 2002 December Vol.11

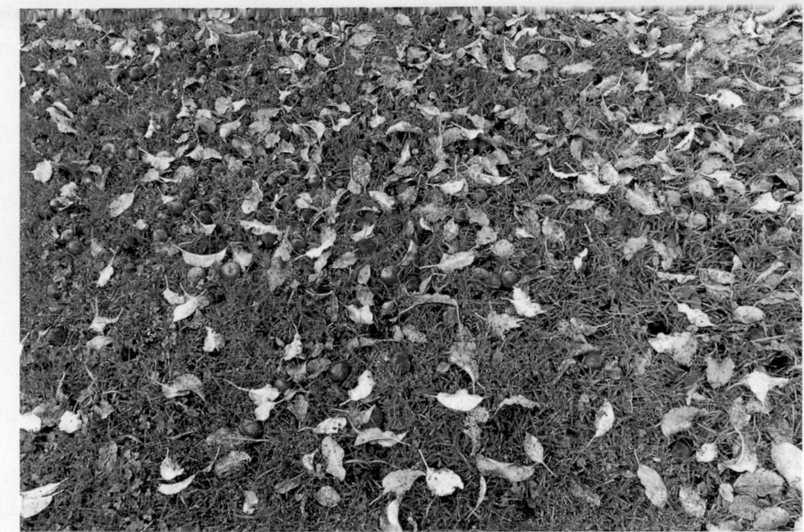

Cover: Art Direction by Junichi Tsunoda
Photograph by Yoshihiko Ueda

MOOK ムック **X-Knowledge HOME エクスナレッジホーム** **Vol.1 January 2002**

PB: (株) エクスナレッジ X-Knowledge Co., Ltd. E: 澤井聖一 Seiichi Sawai AD: 角田純一 Junichi Tsunoda
D: イトー・マユミ Mayumi Ito (cluster) / 大村太一 Taichi Ohmura (MANAS) / 小澤加代子 Kayoko Ozawa (MANAS) P (COVER): 高橋恭司 Kyoji Takahashi

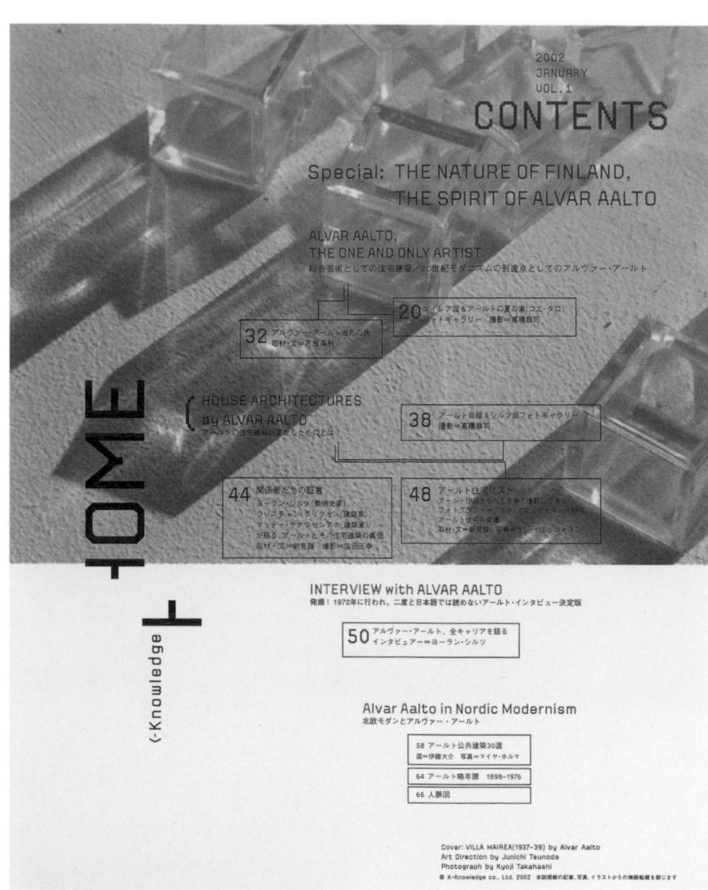
2002
JANUARY
VOL.1
CONTENTS

Special: THE NATURE OF FINLAND, THE SPIRIT OF ALVAR AALTO

ALVAR AALTO, THE ONE AND ONLY ARTIST
総合芸術としての住宅建築／20世紀モダニズムの到達点としてのアルヴァー・アールト

HOUSE ARCHITECTURES by ALVAR AALTO
アールトの住宅建築が果たしたものとは？

INTERVIEW with ALVAR AALTO
発掘！ 1972年に行われ、二度と日本語では読めないアールト・インタビュー決定版

Alvar Aalto in Nordic Modernism
北欧モダンとアルヴァー・アールト

Cover: VILLA MAIREA(1937-39) by Alvar Aalto
Art Direction by Junichi Tsunoda
Photograph by Kyoji Takahashi

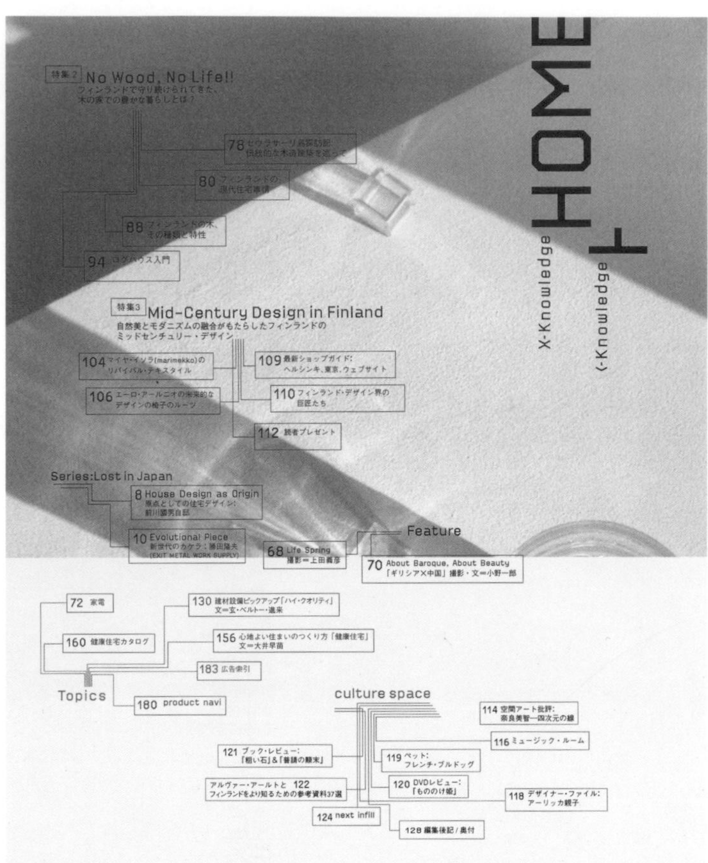
特集2 No Wood, No Life!!

特集3 Mid-Century Design in Finland
自然美とモダニズムの融合がもたらしたフィンランドのミッドセンチュリー・デザイン

Series:Lost in Japan

Feature

Topics

culture space

COVER

MOOK　ムック　　**X-Knowledge HOME　エクスナレッジホーム**　**Vol.4 April　2002**

PB: (株) エクスナレッジ X-Knowledge Co., Ltd.　E: 澤井聖一　Seiichi Sawai　AD: 角田純一　Junichi Tsunoda
D: イトー・マユミ　Mayumi Ito (cluster) / 大村太一　Taichi Ohmura (MANAS) / 小澤加代子　Kayoko Ozawa (MANAS)　P (COVER): 鈴木 親　Chikashi Suzuki

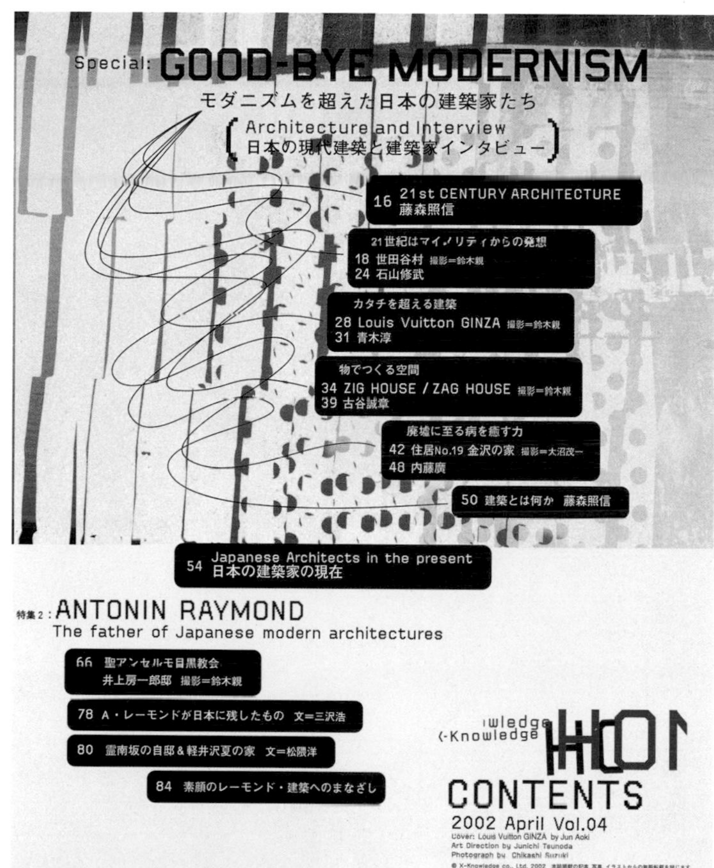

Special: GOOD-BYE MODERNISM
モダニズムを超えた日本の建築家たち
Architecture and Interview
日本の現代建築と建築家インタビュー

16 21st CENTURY ARCHITECTURE 藤森照信
21世紀はマイノリティからの発想
18 世田谷村 撮影=鈴木親
24 石山修武
カタチを超える建築
28 Louis Vuitton GINZA 撮影=鈴木親
31 青木淳
物でつくる空間
34 ZIG HOUSE / ZAG HOUSE 撮影=鈴木親
39 古谷誠章
廃墟に至る病を癒す力
42 住居No.19 金沢の家 撮影=大沼改一
48 内藤廣
50 建築とは何か　藤森照信
54 Japanese Architects in the present 日本の建築家の現在

特集2: ANTONIN RAYMOND
The father of Japanese modern architectures
66 聖アンセルモ目黒教会 井上房一郎邸 撮影=鈴木親
78 A・レーモンドが日本に残したもの　文=三沢浩
80 霊南坂の自邸 & 軽井沢夏の家　文=松隈洋
84 素顔のレーモンド・建築へのまなざし

X-Knowledge HOME
CONTENTS
2002 April Vol.04
Cover: Louis Vuitton GINZA by Jun Aoki
Art Direction by Junichi Tsunoda
Photograph by Chikashi Suzuki
© X-Knowledge co., Ltd. 2002　本誌掲載の記事, 写真, イラストからの無断転載を禁じます

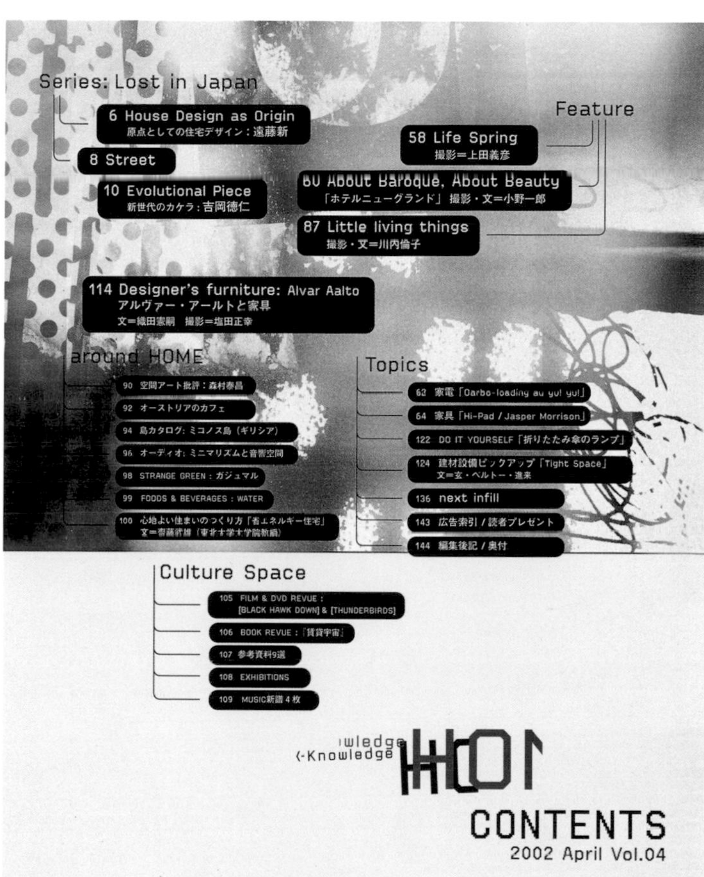

Series: Lost in Japan
6 House Design as Origin 原点としての住宅デザイン：遠藤新
8 Street
10 Evolutional Piece 新世代のカケラ：吉岡徳仁

Feature
58 Life Spring 撮影=上田義彦
60 About Baroque, About Beauty 「ホテルニューグランド」 撮影・文=小野一郎
87 Little living things 撮影・文=川内倫子

114 Designer's furniture: Alvar Aalto アルヴァー・アールトと家具 文=織田憲嗣　撮影=塩田正幸

around HOME
90 空間アート批評：森村泰昌
92 オーストリアのカフェ
94 島カタログ：ミコノス島（ギリシア）
96 オーディオ：ミニマリズムと音響空間
98 STRANGE GREEN：ガジュマル
99 FOODS & BEVERAGES：WATER
100 心地よい住まいのつくり方「省エネルギー住宅」 文=齋藤武雄（東北大学大学院教授）

Topics
62 家電「Oarbo-loading au yu! yu!」
64 家具「Hi-Pad / Jasper Morrison」
122 DO IT YOURSELF「折りたたみ傘のランプ」
124 建材設備ピックアップ「Tight Space」 文=玄・ベルトー・進来
136 next infill
143 広告索引 / 読者プレゼント
144 編集後記 / 奥付

Culture Space
105 FILM & DVD REVUE：[BLACK HAWK DOWN] & [THUNDERBIRDS]
106 BOOK REVUE：「賃貸宇宙」
107 参考資料9選
108 EXHIBITIONS
109 MUSIC新譜4枚

X-Knowledge HOME
CONTENTS
2002 April Vol.04

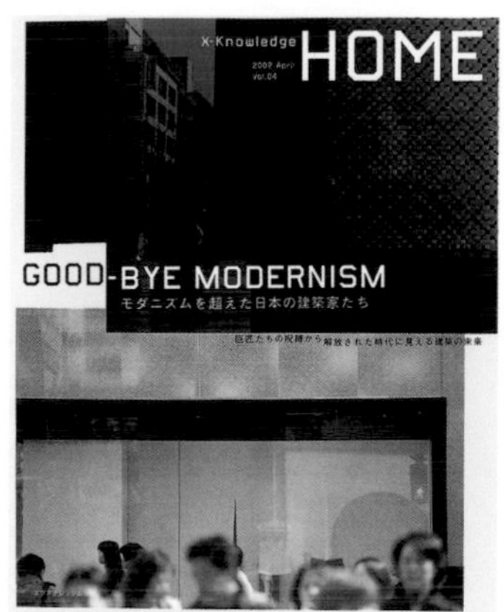

COVER

BOOK 書籍 **Nemoto Kico Street Food 根本きこのストリートフード 2002**

PB: 日本放送出版協会 JAPAN BROADCAST PUBLISHING Co., Ltd. E: 多久美 素 Motori Takumi / 伍堂由季子 Yukiko Goto AD, I: 大島依提亜 Idea Oshima D: 勝部浩代 Hiroyo Katsube / 富岡克朗 Yoshiaki Tomioka P: 長嶺輝明 Teruaki Nagamine I: 根本きこ Kico Nemoto

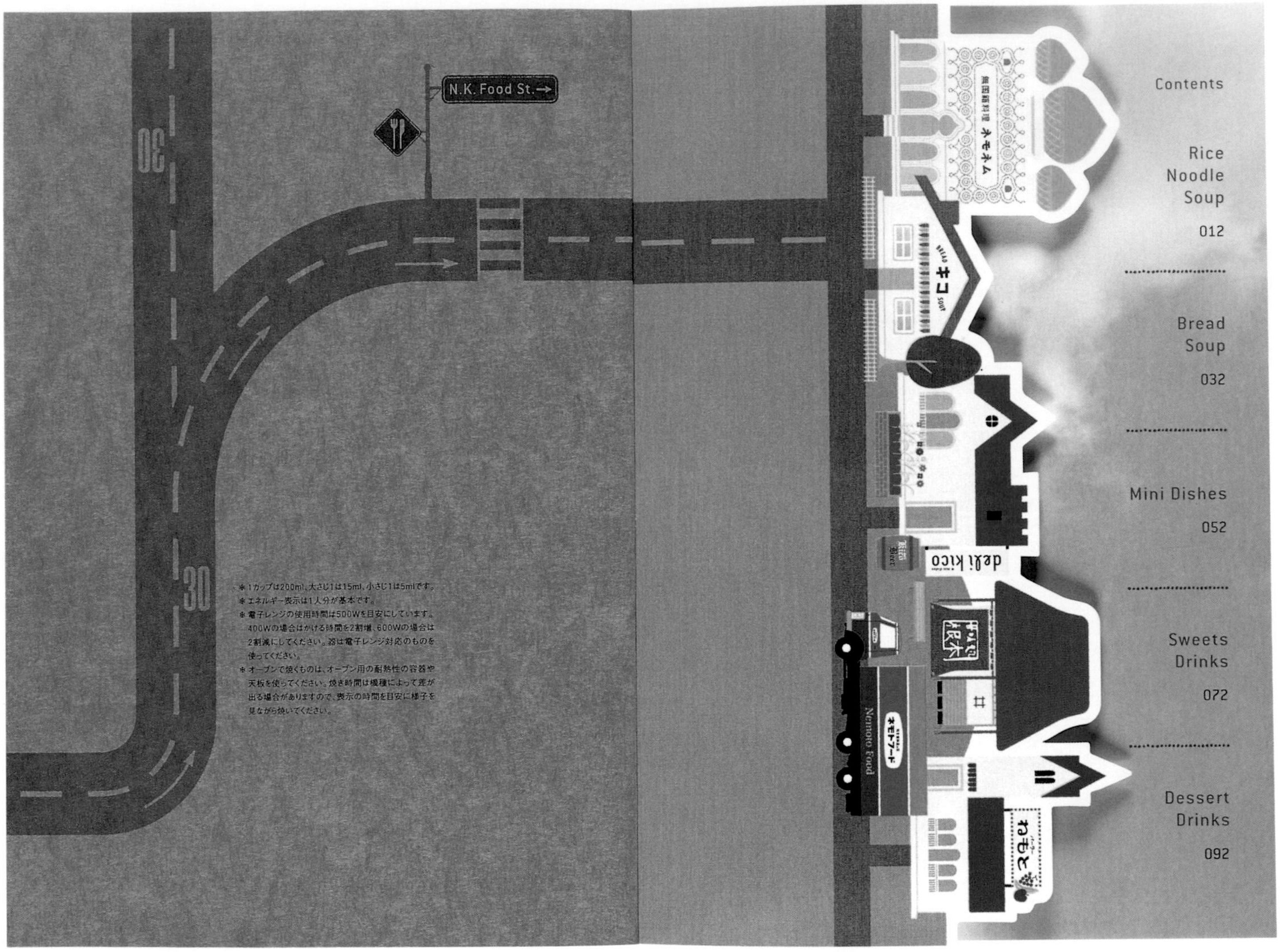

N.K. Food St.→
30
30
※ 1カップは200ml、大さじ1は15ml、小さじ1は5mlです。
※ エネルギー表示は1人分が基本です。
※ 電子レンジの使用時間は500Wを目安にしています。400Wの場合はかける時間を2割増、600Wの場合は2割減にしてください。器は電子レンジ対応のものを使ってください。
※ オーブンで焼くものは、オーブン用の耐熱性の容器や天板を使ってください。焼き時間は機種によって差が出る場合がありますので、表示の時間を目安に様子を見ながら焼いてください。
ネモネム
キコ
deli kico
根本
Nemoto food
ねもと
Contents
Rice
Noodle
Soup
012
Bread
Soup
032
Mini Dishes
052
Sweets
Drinks
072
Dessert
Drinks
092

根本きこの
ストリートフード
Nemoto kico Street Food

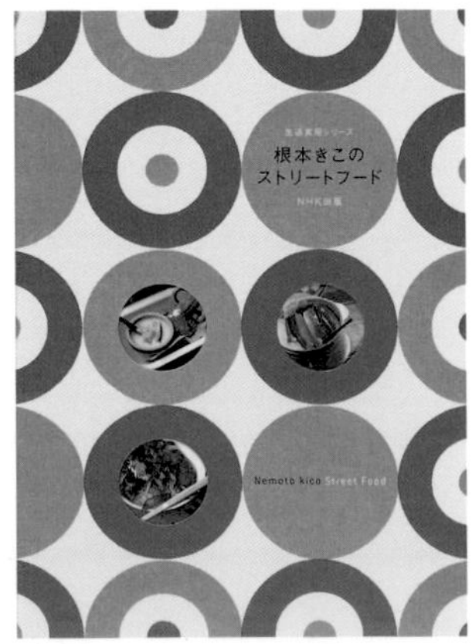

COVER

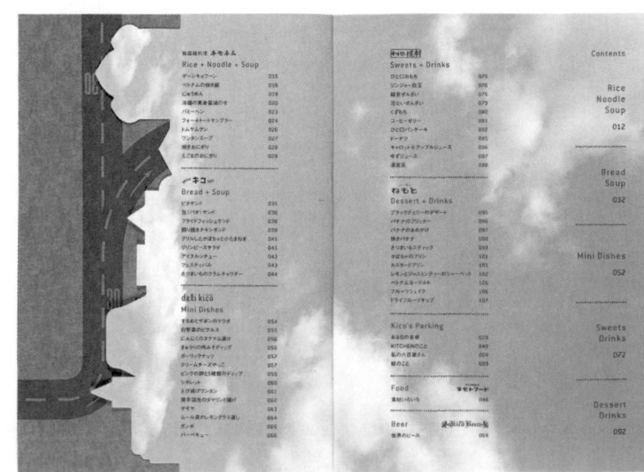

MAGAZINE 雑誌 **spoon. スプーン** **No.14 February 2003**

PB: (株) プレビジョン prevision inc. E: 斉藤まこと Makoto Saito AD: 大溝 裕 Hiroshi Ohmizo P (COVER): 恩田義則 Yoshinori Onda MODEL (COVER): 高橋マリ子 Mariko Takahashi I: 冬野さほ Saho Tono
DF: グランツ Glanz

spoon.

http://www.spoon01.com

CONTENTS

spoon. 2003年2月号

編集発行人：斉藤まこと
編集：林 みき／藤本裕子
編集管理：藤田 勇
アートディレクション・デザイン：大溝 裕（Glanz）
デザイン：勝見真紀、赤松幸子（Glanz）

発行：株式会社プレビジョン
〒150-0001 東京都渋谷区神宮前6-29-4 原宿こみやビル6F
編集部 03-5766-8001
発売：株式会社 角川書店
〒102-8177 東京都千代田区富士見2-13-3
営業部 03-3238-8605

COVER

MAGAZINE 雑誌　Ryuko Tsushin 流行通信　No.477 March 2003

PB: インファス INFAS　E: 石田 純 Jun Ishida　AD: 服部一成 Kazunari Hattori　I: キャサリン・ヒッコリー Katherene Hickory

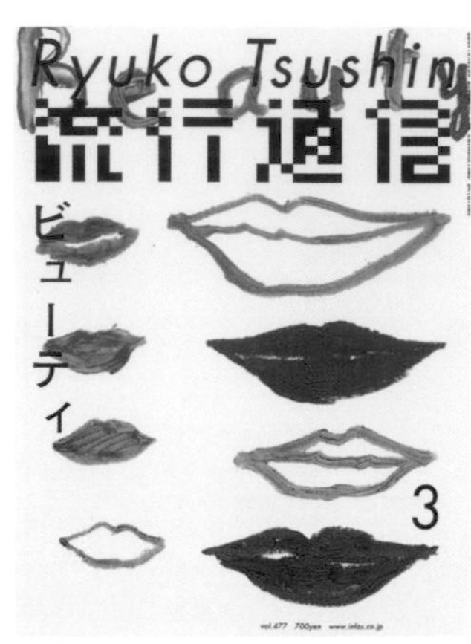

COVER

Ryuko Tsushin
流行通信

特集　ビューティ／カラー

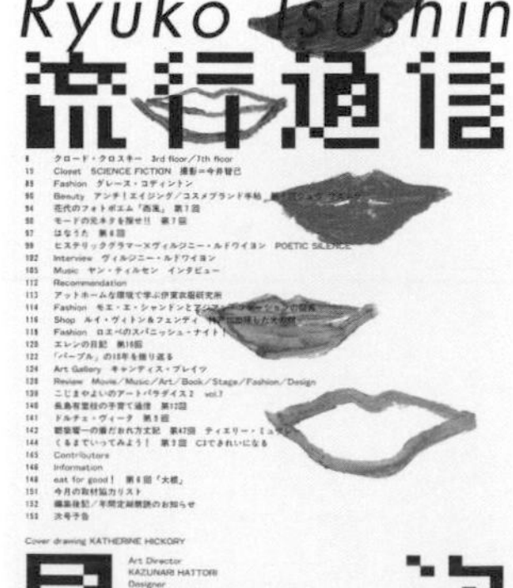

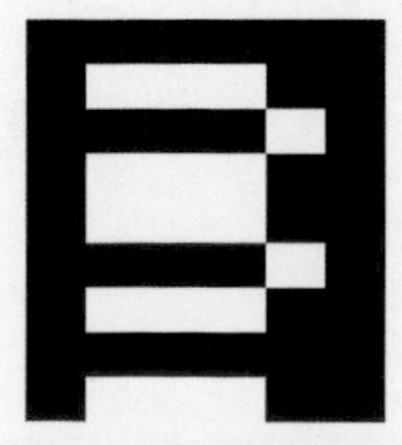
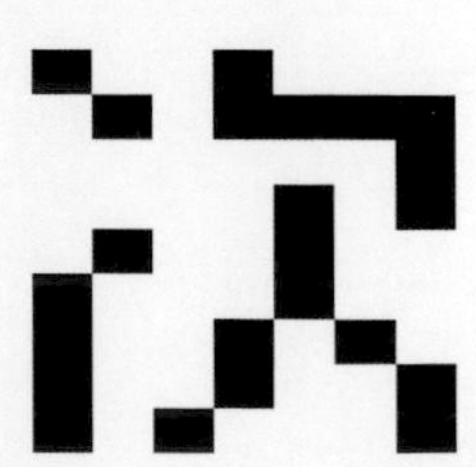

MAGAZINE 雑誌　**STUDIO VOICE スタジオ・ボイス**　**Vol.323 November 2002**

PB: インファス INFAS　E: 加藤陽之 Haruyuki Kato　AD: 藤本やすし Yasushi Fujimoto　D, DF: キャップ cap　P (COVER): 森本美絵 Mie Morimoto

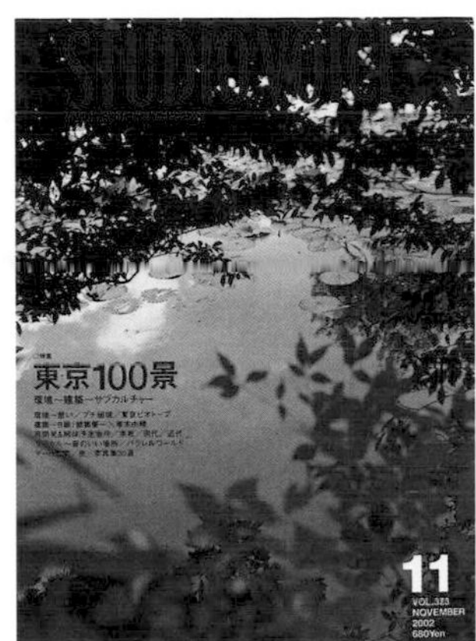

COVER

p024　p052　p038

11

STUDIO VOICE
CONTENTS
Vol.323
November 2002

特集●
東京100景
環境〜建築〜サブカルチャー

009 STUDIO VOICE

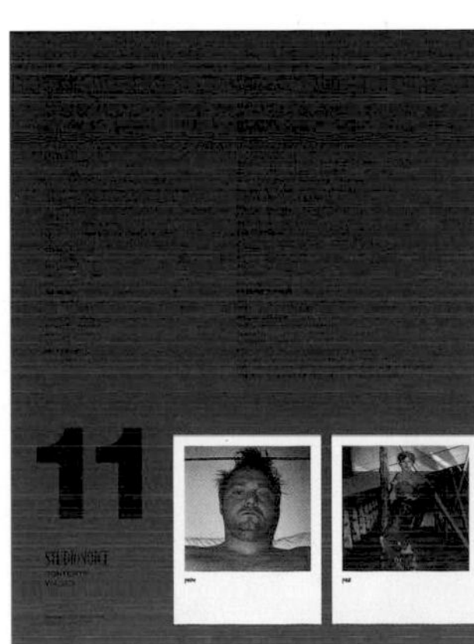

MAGAZINE 雑誌　　WWD FOR JAPAN　ALL ABOUT 2003 S/S　2003
PB: インファス INFAS　E: WWDジャパン編集部 WWD JAPAN　AD: 稲葉英樹 Hideki Inaba

019
WWD FOR JAPAN ALL ABOUT 2003 SS
CONTENTS　NEWS　NY NEWS　SPECIAL ISSUE　TREND　AD STORY　PARTY&SHOW

WWD FOR JAPAN

WWD マガ ジン 目 次

ALL ABOUT 2003 S/S

Guest Editor in Chief
由田晃一　KOICHI YOSHIDA

COVER LOOK Designed by HIDEKI INABA

CONTENTS　NEWS　NY NEWS　SPECIAL ISSUE　TREND　AD STORY　PARTY&SHOW

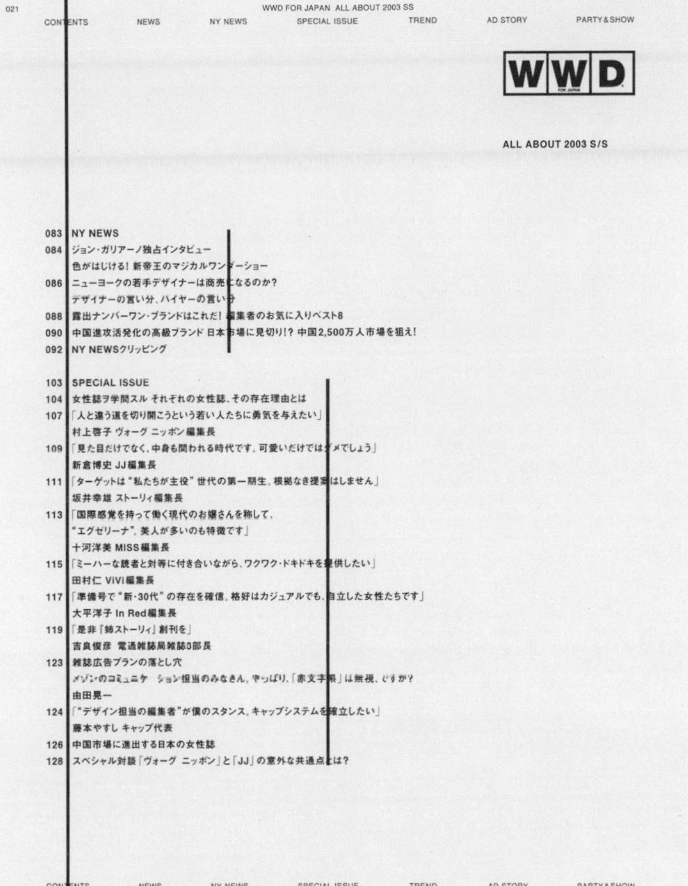

WWD FOR JAPAN

ALL ABOUT 2003 S/S

WWD FOR JAPAN

ALL ABOUT 2003 S/S

COVER

PAMPHLET パンフレット　　11th NAMIOKA FILM FESTIVAL 第11回中世の里なみおか映画祭公式プログラム　2002

CL: 中世の里なみおか映画祭実行委員会 NAMIOKA FILM FESTIVAL　CD: 三上雅通 Masamichi Mikami　AD: 鈴木一誌 Hitoshi Suzuki　D: 鈴木朋子 Tomoko Suzuki　DF: 鈴木一誌デザイン SUZUKI HITOSHI DESIGN

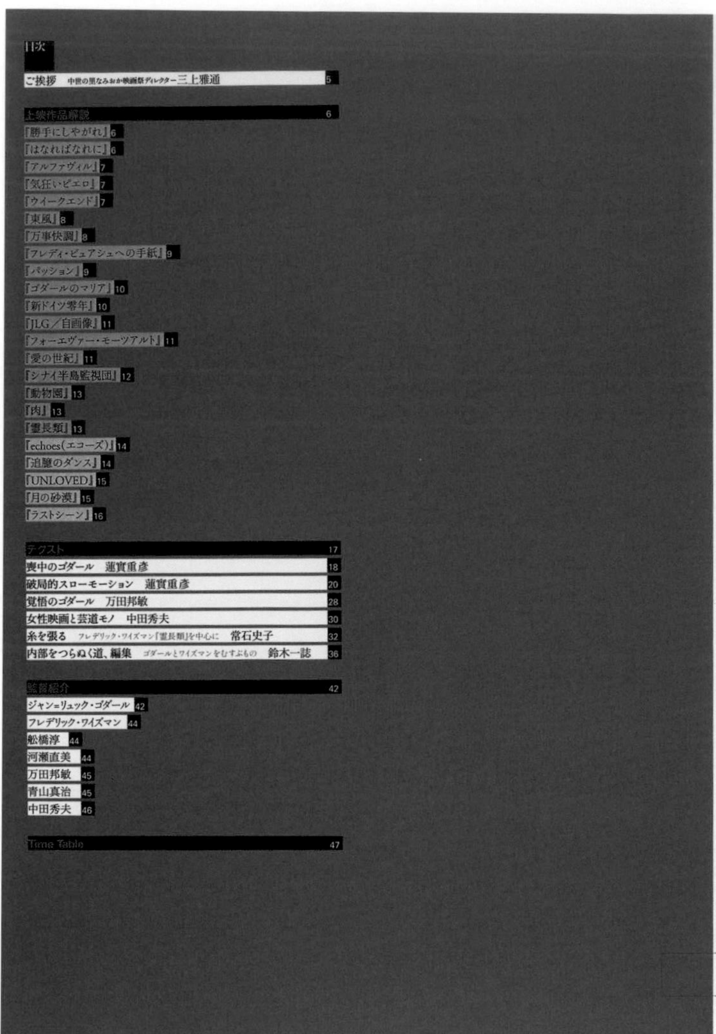

ご挨拶

1968年5月に開催された第21回カンヌ映画祭は、シネマテーク・フランセーズ事務局長アンリ・ラングロワが追放されたことに対して抗議するヌーヴェル・ヴァーグの映画作家たちによって粉砕、中断された。パリは革命に盛り上がっている、こんな非常時にカンヌでお祭り気分に浮かれているとは何事か、ブルジョア映画祭を粉砕せよ。トリュフォーがいてゴダールがいる。ルイ・マルもルルーシュも口々に叫び、会場の映写を妨害すべくスクリーンカーテンを開かせまいとし、スピーカーの配線を引きちぎる……。何回読んでも胸躍る本、山田宏一著『[増補]友よ映画よ、わがヌーヴェル・ヴァーグ誌』(平凡社ライブラリー)からの受け売りである。

この本の中にジャック・ステルンベールが書いたという、ルポルタージュ風フィクションが載っている。題して「ある文化革命の解剖―カンヌ映画祭1968」。そこでは、カンヌ映画祭期間中のてんやわんやの顛末が描かれているが、なかでも秀逸なのが、あんまりみんなの意見がてんでんばらばらなのに「怒りを爆発させたゴダールは、会場にいる観客にむかって、すぐさま映画祭を終わらせることに同意しなければ、三日三晩彼の全作品を見せてやる、と宣言。全員、恐怖のあまり出口へ殺到する。」という箇所だ(468ページ)。

これだ、これです。第11回なみおか映画祭は三日三晩ゴダールの作品を見ようではないか。すでに2年前に彼の『映画史』の洗礼を受けた私たちなみおか映画祭である。入口に殺到することはあっても出口に殺到することはないだろう。ヌーヴェル・ヴァーグ高揚時である60年代のゴダールから2002年の『愛の世紀』に至るまで、ゴダール作品を製作順にクロニクルに見継いでいこう。これが「ゴダール一直線」と題して企画した三日間にわたるラインナップである。

本冊子においても、ゴダールをめぐる「時間」という縦軸にこだわった。蓮實重彥氏にたってのお願いをし、氏が1985年に雑誌『GS たのしい知識』vol.2 1/2にお書きになった、とても美しいゴダール論「破局的スローモーション」を17年ぶりに転載することの承諾と、併せて氏の一番新しいゴダール論を寄稿していただいた。「変貌」とは、変わることと変わらないことの二つの意味を兼ね備えた言葉なのだと思う。ゴダールの映画と、蓮實氏の文章とから、私たちは変貌という言葉の行方を追いかけてみたい。

フレデリック・ワイズマンもまた、私たちにとってとても大事な映画作家である。昨年産声を上げ、レンフィルムを代表するアラノヴィッチのドキュメンタリー3本を購入した「なみおかシネマテーク」は、今回、アメリカのジポラフィルムからワイズマンの日本未公開作品3本を購入し、当映画祭で初上映する。

今回の『肉』や『霊長類』を見るにつけ、ワイズマンは「編集」の人だとつくづく思う。ワイズマン映画のエッセンスが凝縮されている今回の作品上映を機に、そこかしこでワイズマンの名前をわがことのように熱心に口にする仲間たちが増えるように。常石史子さんには、そんなワイズマンの魅力を『霊長類』を中心としてたっぷり論じていただいたし、鈴木一誌氏にはゴダールとワイズマンをクロスさせるという離れ業をお願いした。その結果、つい先だって上梓された氏の映画論集『画面の誕生』(みすず書房)と併せ読まれるべき、なんとも刺激的な論考を本冊子に収めることができた(それだけではない。鈴木さんは本冊子を含め、今回の映画祭ポスター、チラシ等のデザインを二つ返事で引き受けてくださった。本当にありがとう)。

そして最終日、私たちは、とりあえず「映画」という名で括られるものの、様々な方向性を模索する日本の映画作家たちの作品5本を上映する。もし、どのような基準でこの5作品を選んだのかと問われるならば、批評性を有している作品、それも、自問することをいとわない作品を選んだ、と答える(ぜひ、本冊子に寄稿くださった万田邦敏、中田秀夫両監督の論文を読んでいただきたい)。

そんな青臭いことをと言われても、なにしろ今回の主役はゴダールとワイズマンである。交差点でもって、「これからどこに行くの、ムッシュー・ゴダール？」「これはこれはミスター・ワイズマン」なんていう二人に、衝突とまではいかないまでも追突するくらいの意気込みの作品に登場してもらわなくては、なみおか映画祭の沽券にかかわるというものだ。

ところで、『追臆のダンス』も『月の砂漠』も劇場未公開作品であるが、当映画祭のため無理を言って上映の承諾をいただいた。そういえばちょうど2年前、青山真治監督の『ユリイカ』を当映画祭で上映した際、監督から、「今日からクランクインする作品があるので映画祭にはうかがえません。皆さんによろしく」というメッセージがあったが、その時クランクインした作品が今回の『月の砂漠』だったのだ。

また、『ラストシーン』は製作から劇場公開まで2年間を要したが、「なみおかシネマテーク」は今回の公開にこぎ着けるためのお手伝いをささやかながらさせていただいた。その結果、東京での劇場公開と同時期にクロージング作品として上映することができることはうれしい限りである。ただし、中田秀夫監督は今回映画祭を欠席する。ちょうど映画祭の頃、彼は仕事のためハリウッドに行っているはずだ。私たちは彼の稔りある帰還と来るべき新作を、来年以降の映画祭まで楽しみに待とう。

以上、第11回なみおか映画祭は5日間にわたり23本の映画を上映する。どんな映画祭になることやら。

中世の里なみおか映画祭ディレクター
三上雅通

5

COVER

MAGAZINE 雑誌　　d/SIGN 季刊デザイン　No.2 2002

PB: 筑波出版会 THE TSUKUBA PRESS Co., Ltd.　E, AD: 戸田ツトム Tztom Toda / 鈴木一誌 Hitoshi Suzuki　E: 入澤美時 Yoshitoki Irisawa　D: 藤田美咲 Misaki Fujita / 濱浦惠美子 Emiko Hamaura
DF: 戸田事務所 Toda Office / 鈴木一誌デザイン SUZUKI HITOSHI DESIGN

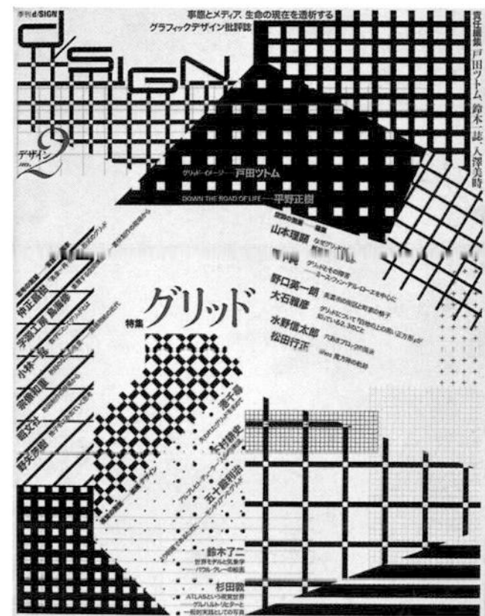

COVER

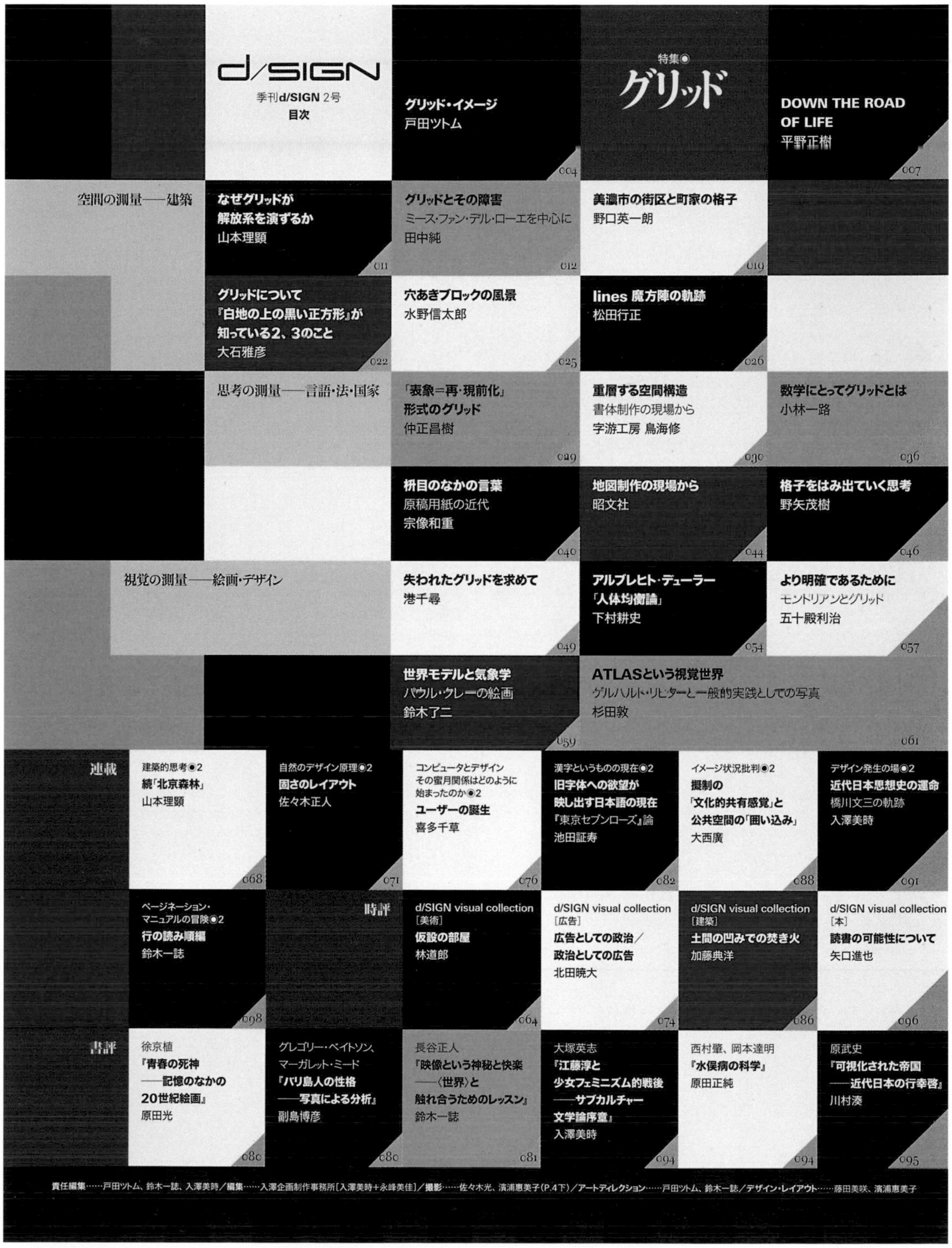

d/SIGN
季刊d/SIGN 2号
目次

特集◉ グリッド

責任編集……戸田ツトム、鈴木一誌、入澤美時／編集……入澤企画制作事務所［入澤美時＋永峰美佳］／撮影……佐々木光、濱浦惠美子（P.4下）／アートディレクション……戸田ツトム、鈴木一誌／デザイン・レイアウト……藤田美咲、濱浦惠美子

MAGAZINE 雑誌　　+ING プラスイング　Issue 5 2002

PB: (株) プラスイングプレス PLUSING PRESS Co., Ltd.　E, CD, D, P: 大 dai　AD: 茂木正行 Masayuki Mogi　D, I: ブリジット・ジラウディ Brigitte Giraudi　SUPERVISER: 五島 考 Kou Goto　DF: バルブ bulb

COVER

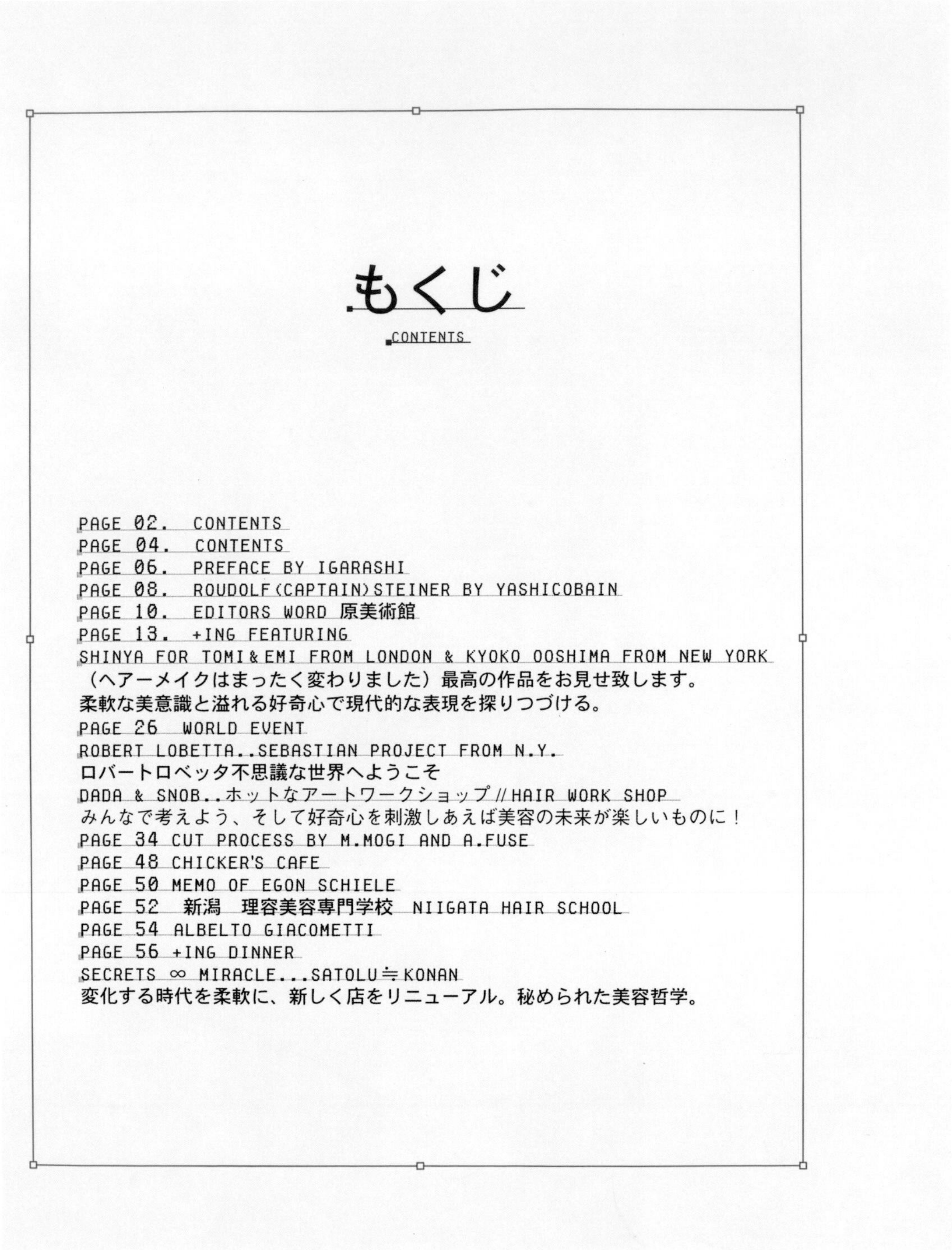

CONTENTS

MAGAZINE 雑誌 **commons & sense** **issue 20 2002**

PB: (有) シーユービーイー CUBE INC. CD, AD: 佐々木 香 Kaoru Sasaki D: 山本 剛 Tsuyoshi Yamamoto P (COVER): 藤田一浩 Kazuhiro Fujita P: 藤巻 斉 Hitoshi Fujimaki

commons & sense

2002 MAY SUMMER ISSUE 20

contents

cover photo_Kazuhiro Fujita style_Keiko Hitotsuyama hair & make_ Jiro @ crème model_Asami Imajuku @ ETRENNE

COVER

MAGAZINE 雑誌　**Pict-up ピクトアップ**　**No.20 February+March 2003**

PB: 演劇ぶっく社 ENGEKI BOOK　E: 八王子真也 Shinya Hachioji / 泊 貴洋 Takahiro Tomari / 浅川達也 Tatsuya Asakawa / 戸塚未来 Miki Totsuka / 岩本早良 Solar Iwamoto / ツル Tsuru　AD: 釣巻敏康 Toshiyasu Tsurimaki
D: 中川智樹 Tomoki Nakagawa / 佐々木 賢 Ken Sasaki　P (COVER): 竹内スグル Suguru Takeuchi　DF: 釣巻デザイン室 Tsurimaki Design Studio

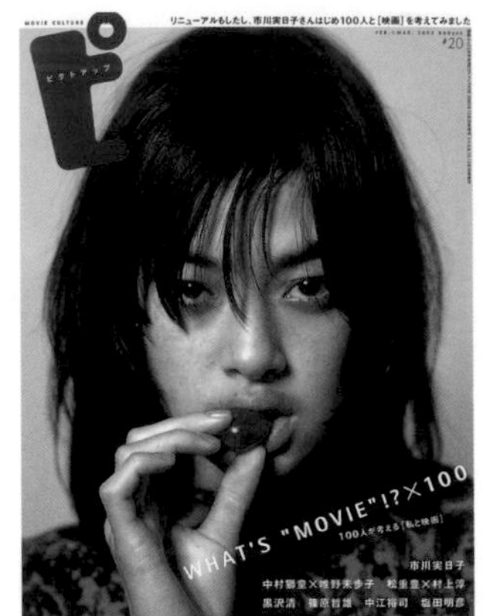

COVER

#20 cover
[photo] takeuchi suguru
[styling] iguchi saori
[hair&make] ichikawa tsukushi
[technicl photo suppport] narita toshikazu
[edit] asakawa tatsuya , hachi
[art direction] tsurimaki toshiyasu

竹内スグル shoots vol.15
featuring 市川実日子
「美人だなー、と。ピクトアップの撮影ではいい俳優さんにいっぱい出会えますね。撮影中は『市川実日子、やるなぁー』と。『カメラの前に立っただけで違うぞ』と感じました」
takeuchi suguru
ディレクターとして、MVやCMを中心に活躍。近作としてCM『X-BOX』など。73ページにも登場してます。

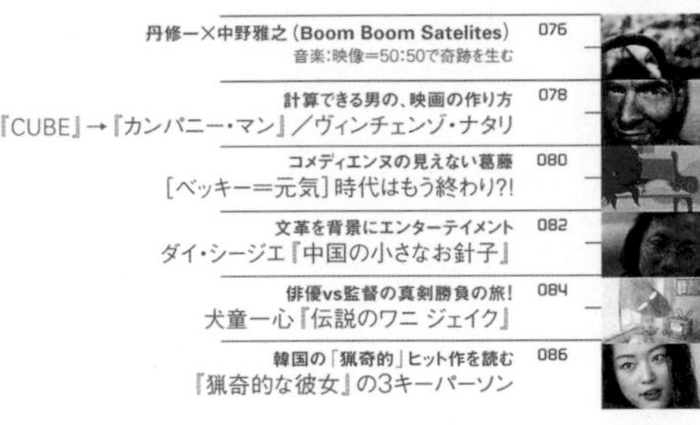

MOOK ムック **Toshin ni sumu 都心に住む** Vol.9 Winter 2003

PB: (株)リクルート RECRUIT Co., Ltd. E: 藤井大輔 Daisuke Fujii CD (COVER): 永倉智彦 Tomohiko Nagakura (SUN-AD) AD (COVER): 福地 掌 Sho Fukuchi (SUN-AD) AD: 尾原史和 Fumikazu Ohara (SOUP DESIGN) D (COVER): 安藤基広 Motohiro Ando (SUN-AD) P (COVER): ホンマタカシ Takashi Honma P: 遠藤貴也 Takaya Endo DF (COVER): (株) サンアド SUN-AD DF: スープデザイン SOUP DESIGN

住宅情報 特別編集 Vol.9
2003年新春号 リクルートムック
Cover Design／SUN-AD
CD／ナガクラトモヒコ AD／福地 掌 D／安藤基広
Cover Photo／ホンマタカシ

5

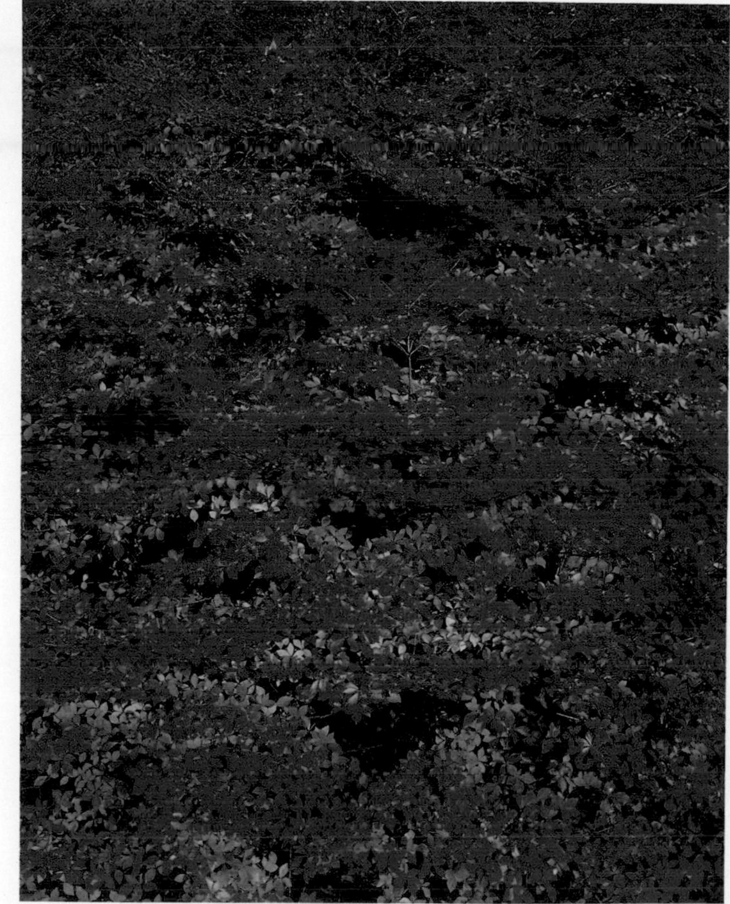

都心の風景 目黒区駒場4丁目 13:40
撮影／遠藤貴也

4

COVER

MAGAZINE 雑誌 **SIM シム** **No.1 2003**

PB: シム-コミュニティ SIM - CMN E, CD, AD, D, P, I: 古屋蔵人 Kurando Furuya E, D, I: 佐野あさみ Asami Sano D, I: ナン nan / アダプター adapter P: 大島貴明 Takaaki Oshima

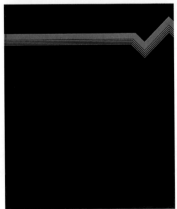

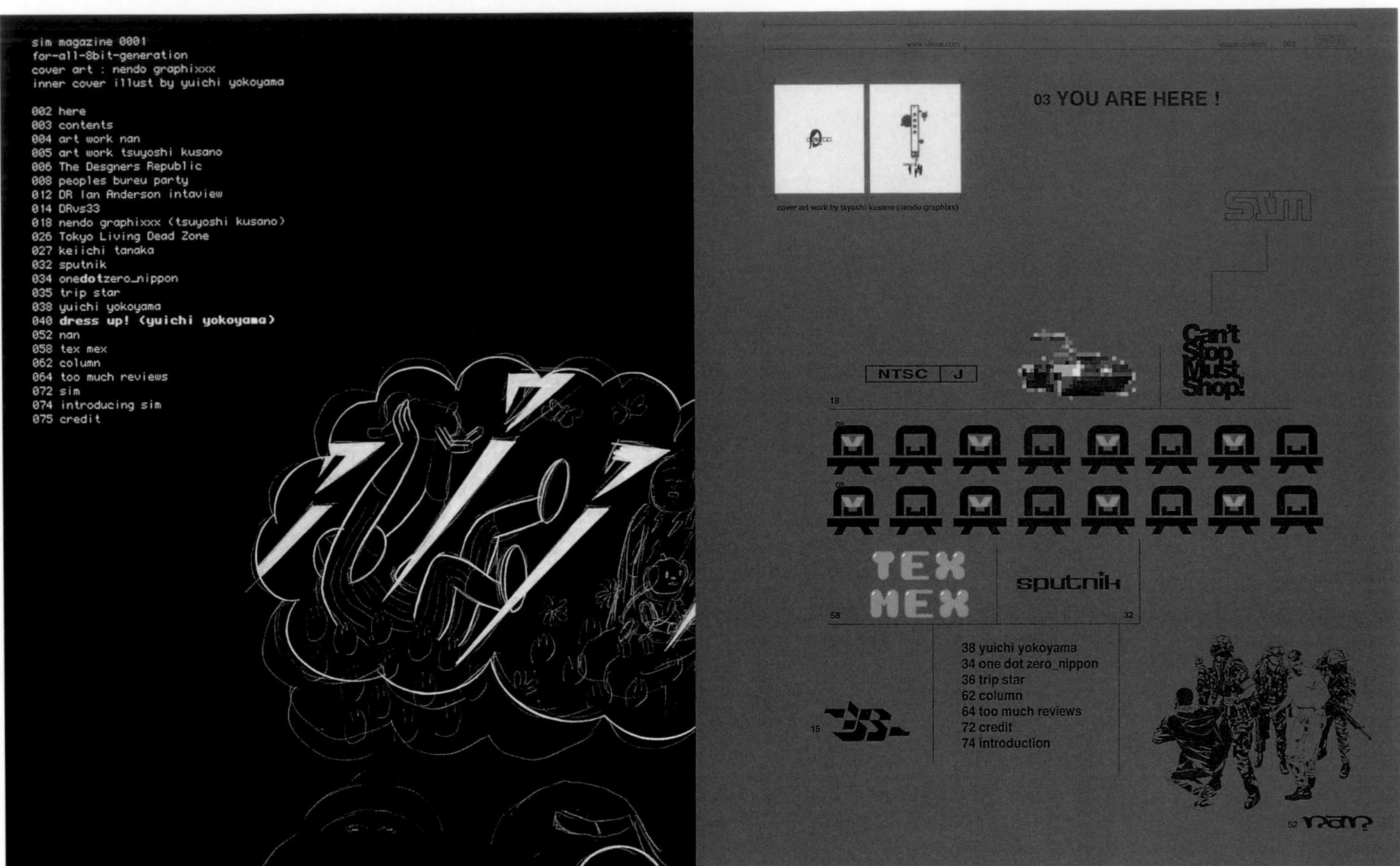

COVER

FREEPAPER フリーペーパー **POSIVISION ポジビジョン** **Vol.1, 2 2002, 2003**

PB, CD, AD: ポジビジョン POSIVISION E: 佐藤 康 Koh Sato D: 栗原理江 Rie Kurihara

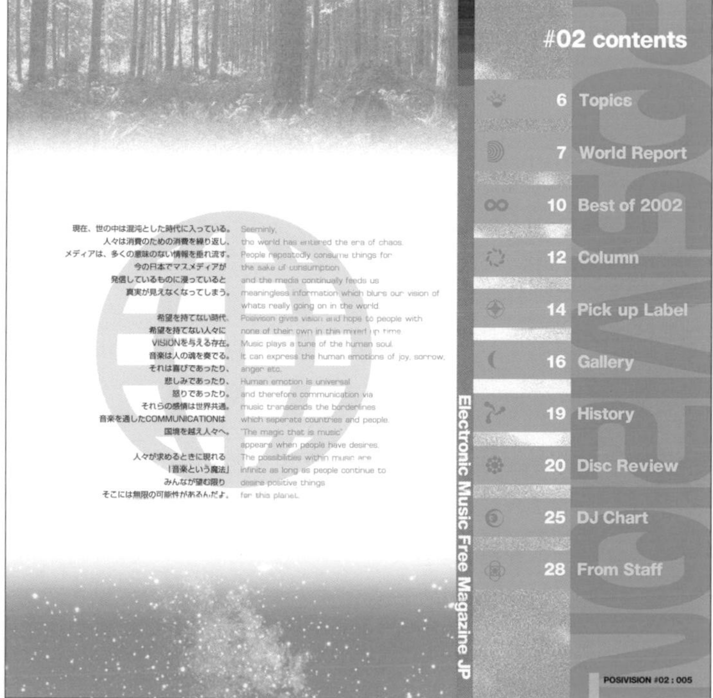

COVER

COVER

MAGAZINE 雑誌 **+81 プラスエイティーワン** **Vol.17 Autumn 2002**

PB: ディー・ディー・ウェーブ（株） D.D. WAVE Co., Ltd. E, CD: 山下 悟 Satoru Yamashita D (COVER): クリス・ゴス Chris Goss D: 神村健治 Kenji Kamimura (normalization)

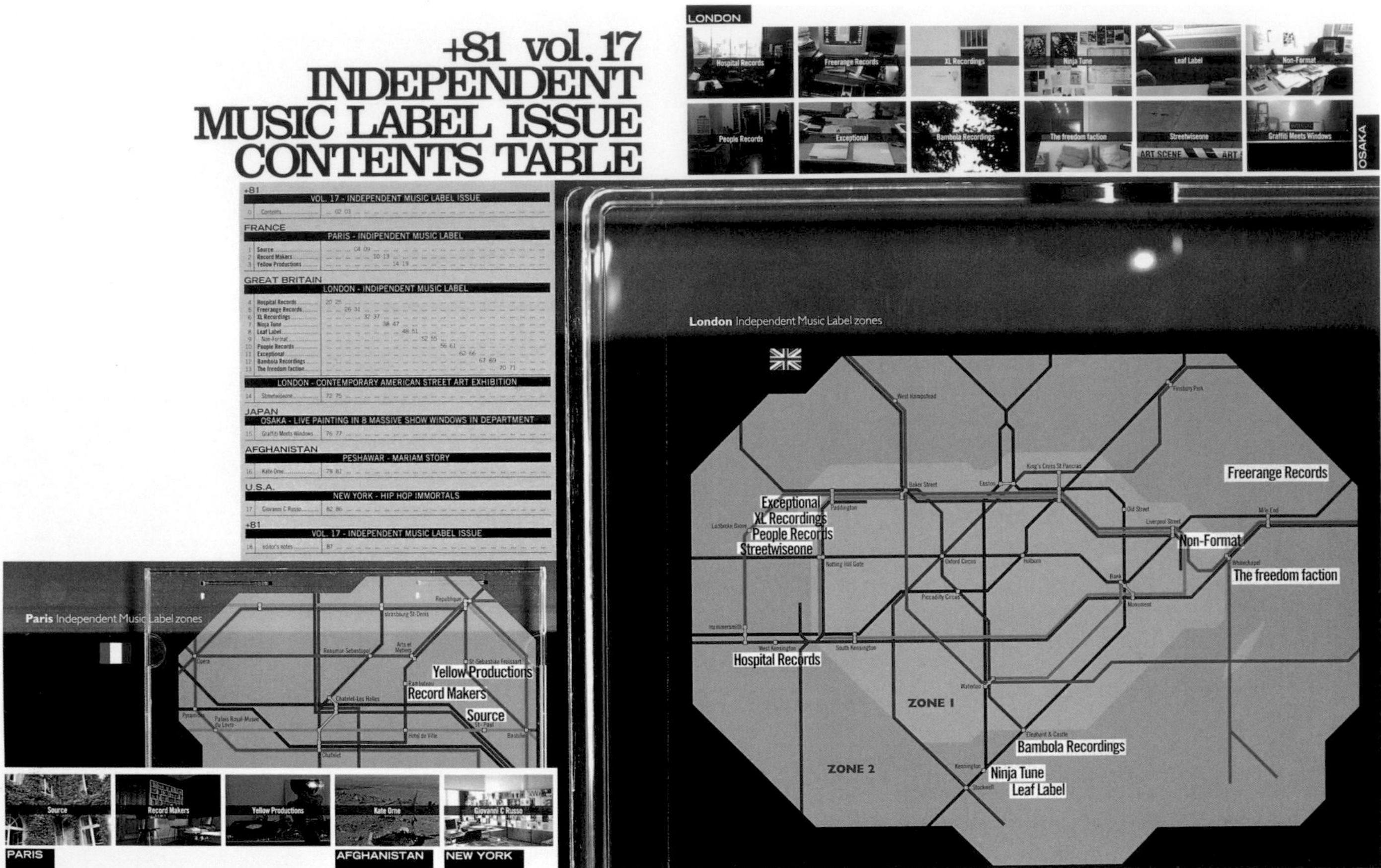

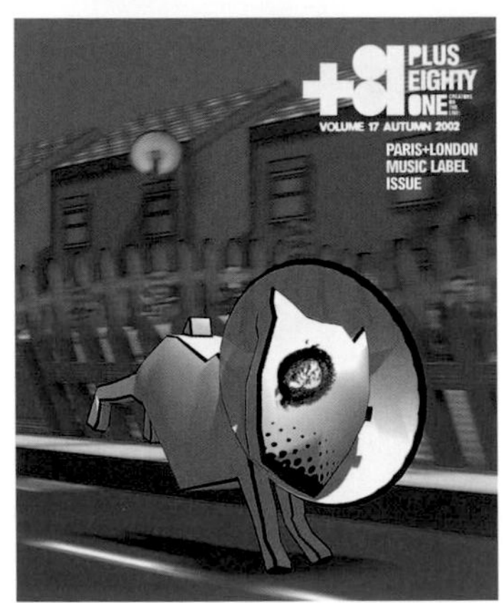

COVER

MAGAZINE 雑誌　**FUTURE SOCIAL DESIGN MAGAZINE KOHKOKU 広告fsd**　February+March 2002

PB: (株) 博報堂 HAKUHODO Inc.　E: 池田正昭 Masaaki Ikeda　D: ジョナサン・バーンブルック Jonathan Barnbrook

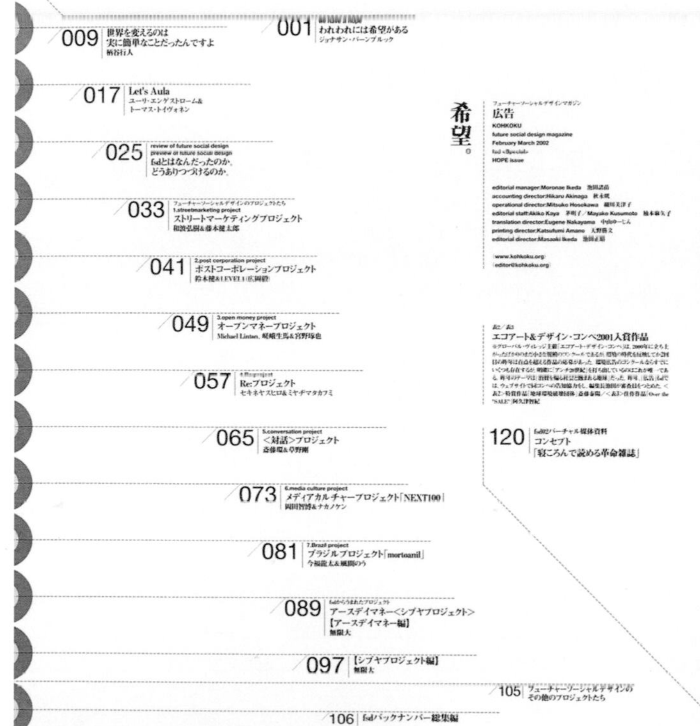

希望。

フューチャーソーシャルデザインマガジン
広告
KOHKOKU
future social design magazine
February March 2002
HOPE issue

editorial manager:Moronae Ikeda
accounting director:Hikaru Akinaga
operational director:Mitsuko Hosokawa
editorial staff:Akiko Kaya / Mayako Kusumoto
translation director:Eugene Nakayama
printing director:Katsufumi Amano
editorial director:Masaaki Ikeda

(www.kohkoku.org)
(editor@kohkoku.org)

エコアート&デザイン・コンペ2001入賞作品

COVER

BOOK 書籍　**cafe co. –complete works カフェ コー コンプリート ワークス**　**2003**

CL: (株)カフェ cafe co.　E, AD: ヤマモトヒロユキ Hiroyuki Yamamoto　D: 古川智基 Tomoki Furukawa　DF: (株)ピクト Picto Inc.

INDEX

cafe co. —complete works

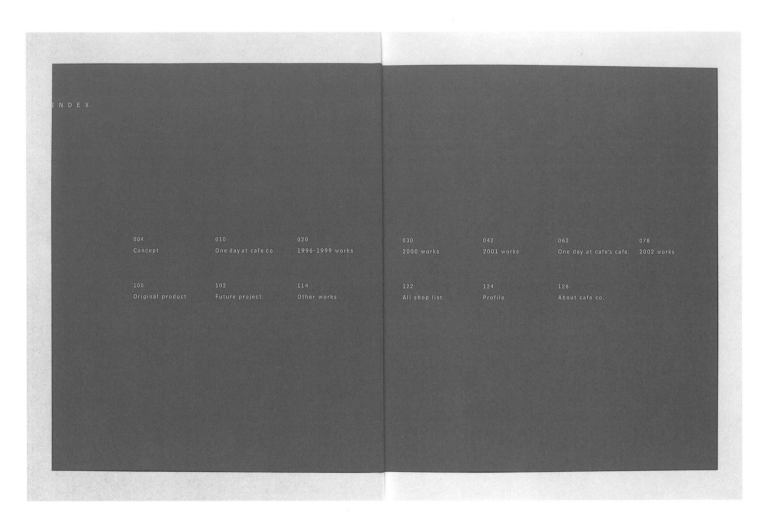

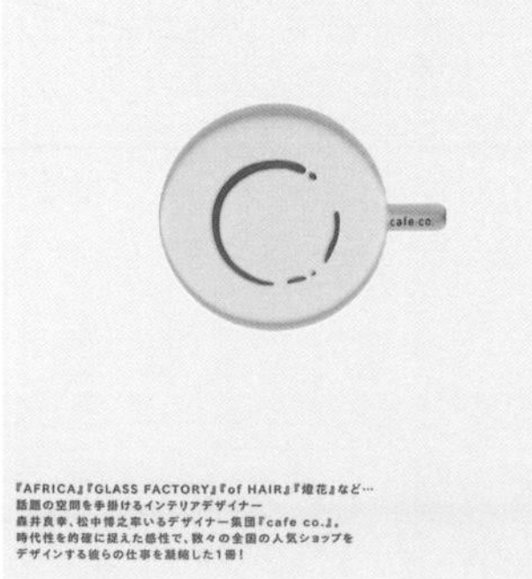
cafe co.
『AFRICA』『GLASS FACTORY』『of HAIR』『燈花』など…
話題の空間を手掛けるインテリアデザイナー
森井良幸、松中博之率いるデザイナー集団『cafe co.』。
時代性を的確に捉えた感性で、数々の全国の人気ショップを
デザインする彼らの仕事を凝縮した1冊！

COVER

BOOK 書籍 **TN Probe Vol.12 Species: foa's phylogenesis TN Probe Vol.12 Species: foa—種の系譜** 2003

PB, E: TN プローブ TN Probe E: 勝山里美 Satomi Katsuyama AD: 古平正義 Masayoshi Kodaira (FLAME)

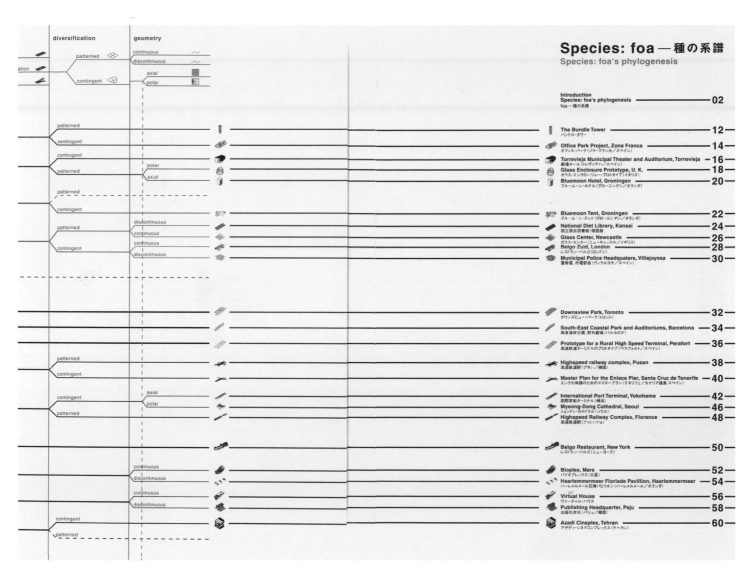

diversification | geometry

patterned — continuous / discontinuous

contingent — axial / polar

Species: foa — 種の系譜

Species: foa's phylogenesis

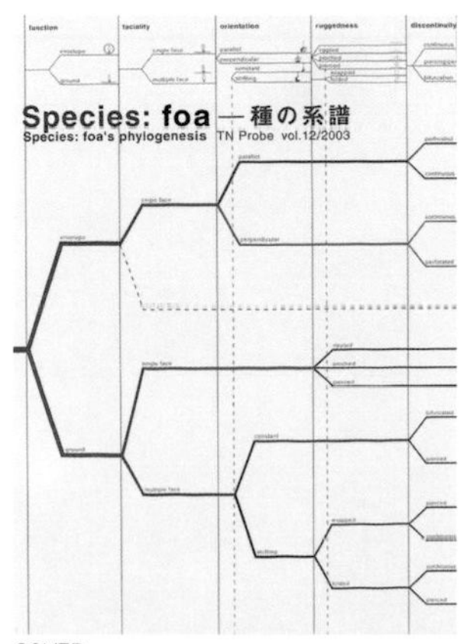

COVER

MAGAZINE 雑誌 **photon フォトン** **issue 1 2002**

CL: マックスレイ（株） MAXRAY PB: （株）大伸社 Daishinsha Co., Ltd. E, CD: 宮瀬浩一 Koichi Miyase E: 宍戸哲也 Tetsuya Shishido / 本下真次 Shinji Honge / 三宅智子 Tomoko Miyake AD: 前田義生 Yoshio Maeda
D: 永田伊知子 Ichiko Nagata / 嘉津綾子 Ayako Katsu / 寺村直子 Naoko Teramura P: 岡田久仁子 Kuniko Okada / 小野雅士 Masashi Ono CW: 瀬上昌子 Masako Segami / 三品 香 Kaori Mishina
DF: （有）クリエイティブオフィス・マエ creative office mae, inc.

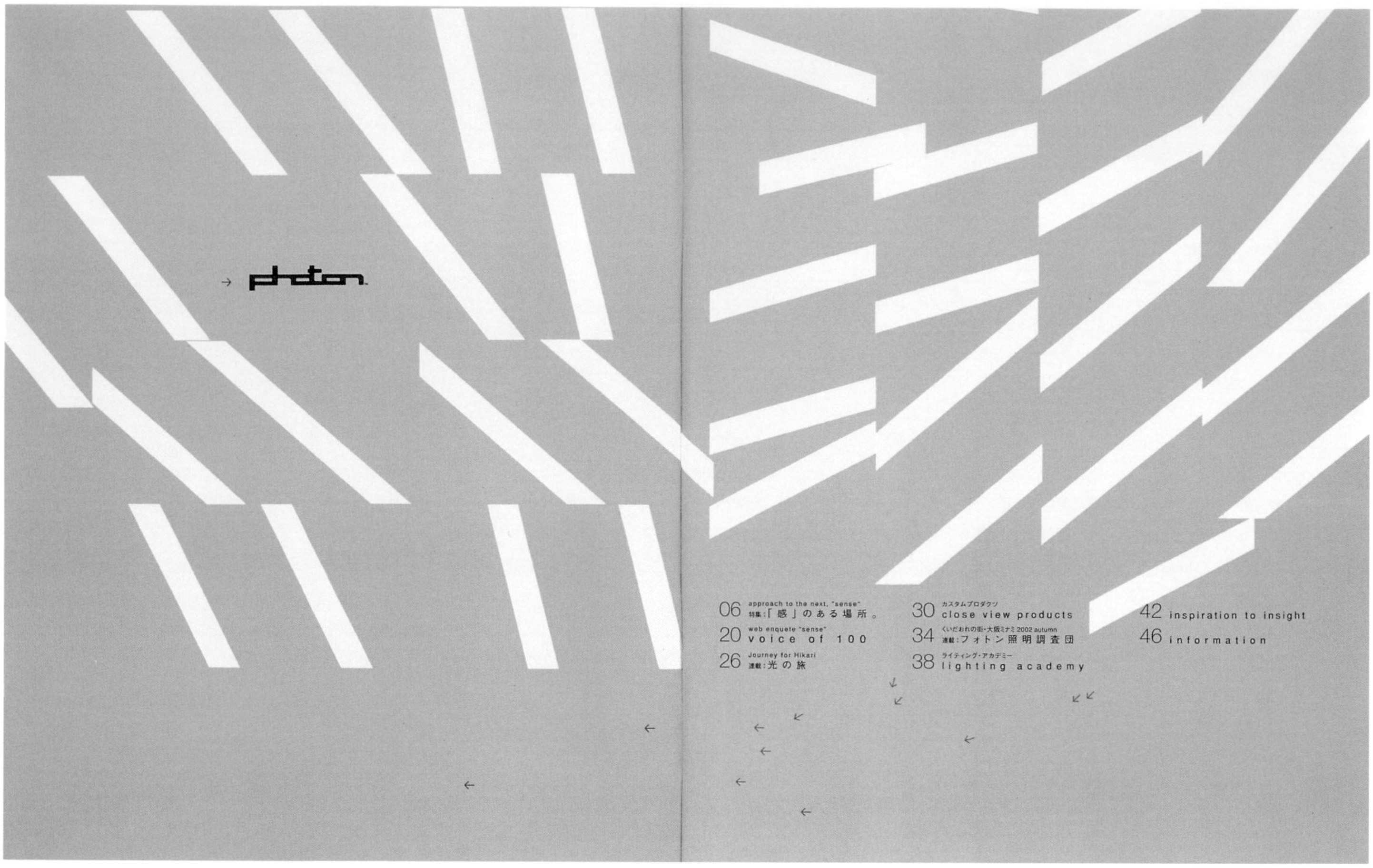

photon

COVER

PAMPHLET パンフレット **Marunouchi 1-Chome Yaesu Project 丸の内1丁目八重洲プロジェクト** 2002

CL: 森トラスト(株) Mori Trust Co., Ltd. AD: 西村 武 Takeshi Nishimura D, DF: (有)コンプレイト completo inc. CG: (株)キャドセンター Cad Center

CONTENTS

MARUNOUCHI
1-CHOME YAESU PROJECT

COVER

BOOK 書籍 **Chinese Tea Book 選び方・いれ方・楽しみ方入門 中国茶の本** 2002

PB: (株) 永岡書店 NAGAOKA SHOTEN PUBLISHING Co., Ltd. D: 伊丹友広 Tomohiro Itami / 大野美奈 Mina Ohno / 大野晴美 Harumi Ohno P: 日置武晴 Takeharu Hioki DF: イット イズ デザイン IT IS DESIGN

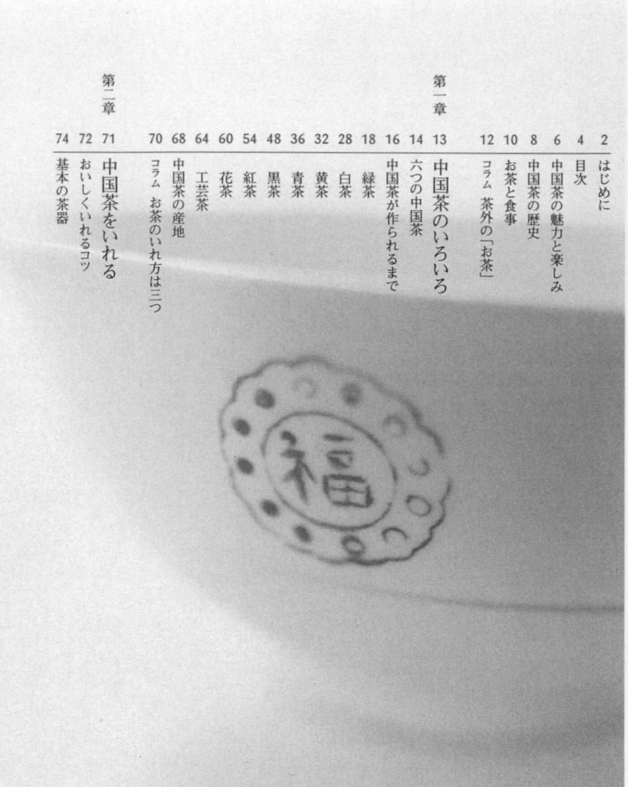

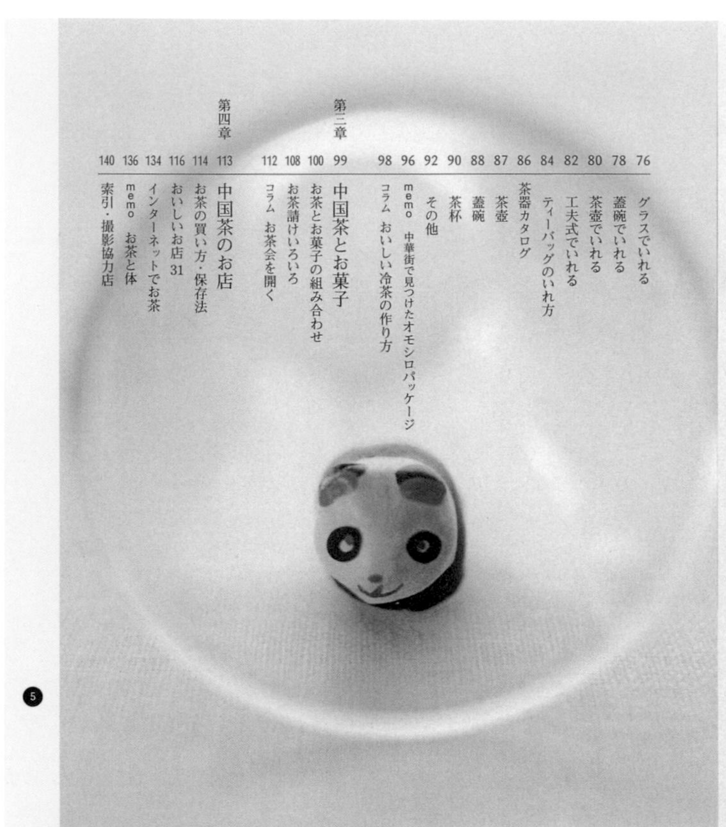

COVER

CATALOG　カタログ　　MIDO TU-SHIN　味道通信 総合カタログ　1999

CL, E: （株）佐藤園 Satoen Co., Ltd.

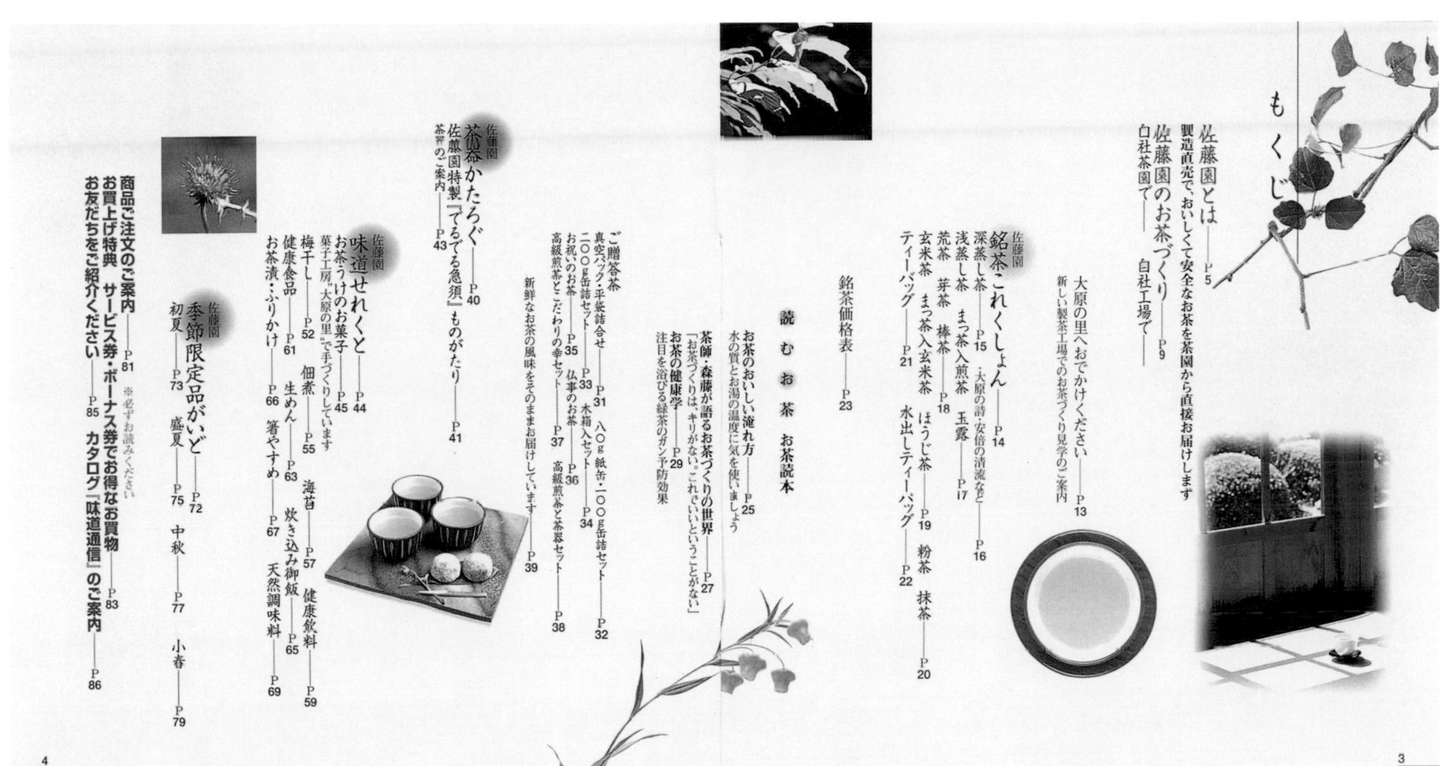

もくじ

4　3

COVER

MAGAZINE 雑誌　sumu 住む。 #4 Winter 2003

PB: (株)泰文館 taibunkan E: (有)編集座 Henshuza AD, D: 松平敬之 Toshiyuki Matsudaira D: 佐藤芳孝 Yoshitaka Sato P (COVER): 青木健二 Kenji Aoki DF: hubbard

COVER

住む。

{sumu} Quarterly Magazine Winter 2003 #4

Contents

「住む。」の句点が半円なのは、「住まいは完成しない。住み手が育てるもの」という意味をこめています。

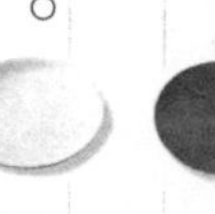

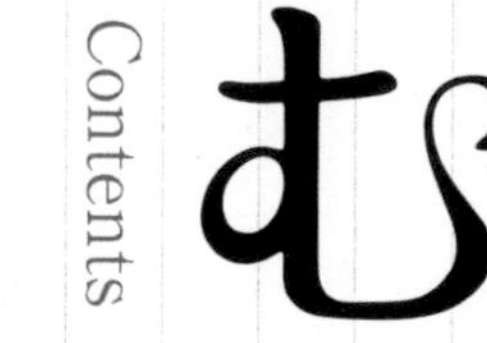

表紙写真・青木健二
醤油差し
掌におさまる、まあるいかたち。醤油を注いだときの切れもいい。用と美をそなえた、ふだん使いの器。

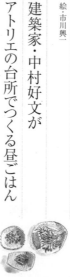

MAGAZINE 雑誌　WARAKU 和樂　Nobember 2002

PB: 小学館 SHOGAKUKAN PUBLISHING Co., Ltd.　E: 花塚久美子 Kumiko Hanatsuka　AD: 木村裕治 Yuji Kimura　D: 斎藤広介 Kosuke Saito　P (COVER): 森川 昇 Noboru Morikawa
DF: 木村デザイン事務所 KIMURA DESIGN OFFICE, Inc.

COVER

「和」の心を楽しむ「和樂」十一月、目次

今月の「書」

「紅」

永守蒼穹

書体には、篆書、隷書、草書、行書、楷書の五体があります。今回の紅は、草書です。読むのに困難でしょうが、スリルを孕む動きと造型、緊迫感を味わっていただければ幸いです。

筆―羊毛筆
紙―中国画箋
墨―奈良墨運堂「天鳳」

BOOK 書籍 **Nippon Gosedai Kazoku にっぽん五世代家族** 2001

PB: 中央公論新社 Chuokoron-Shinsha, Inc. AD, D: 梶谷芳郎 Yoshiro Kajitani D: 大杉晋也 Shinya Osugi P: 齋藤亮一 Ryoichi Saito AUTHOR: 大久保博則 Hironori Okubo
PLANNING OFFICE: ノバルティス ファーマ（株） Novartis DF: 梶谷デザイン KAJITANY

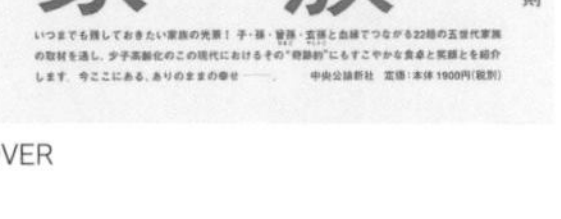

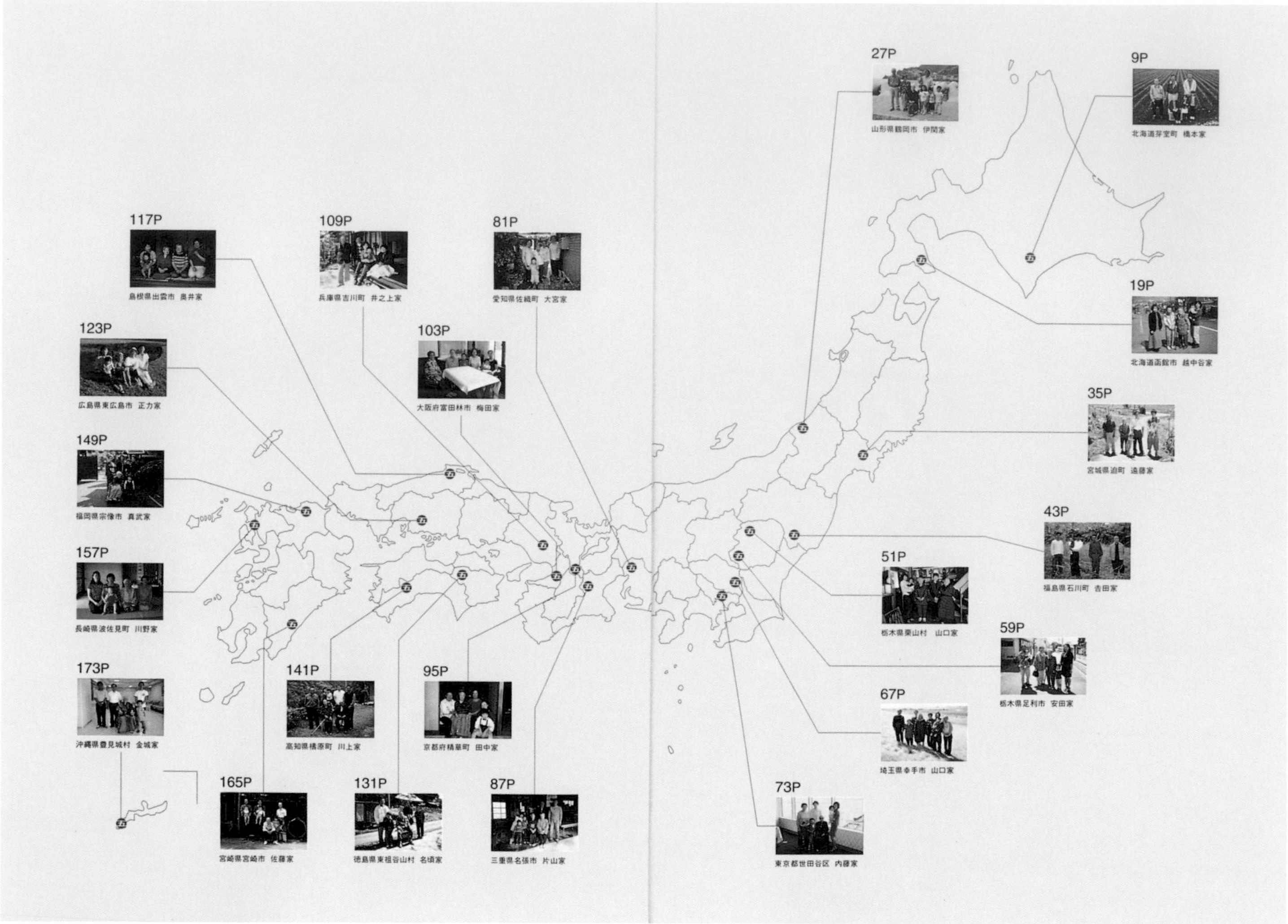

COVER

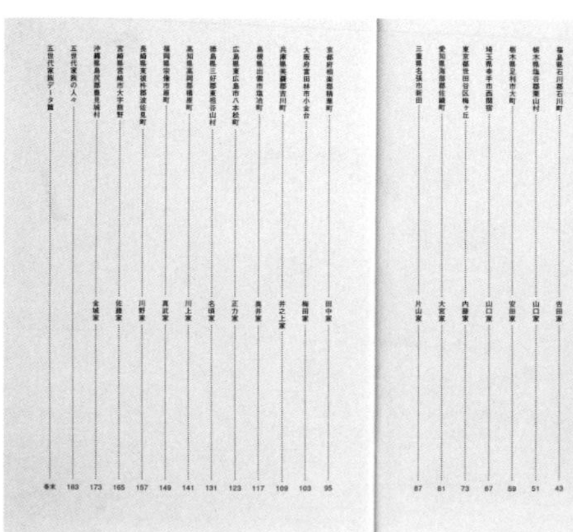

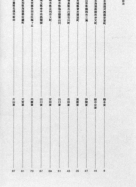

BOOK 書籍　　**Wagashi　和菓子 フルーツと野菜がふんだん**　2002

PB: (株)講談社 KODANSHA　AD: 昭原修三 Shuzo Akihara　DF: 昭原デザインオフィス Akihara Design Office

目次

フルーツいろいろ

COVER

BOOK 書籍　**un Livre de Recettes 「庵」のレシピ公開！ 新しい和風創作料理 2002**

PB: (株) 宣伝会議 SENDENKAIGI　E, CD: 花田紀凱 Kazuhiro Hanada　AD: 白 承坤 Haku Shoukon　P: 恩田義則 Yoshinori Onda　DF: (有) パイクデザインオフィス Paik Design office Inc.

COVER

Contents

Seafood
魚をきわめる

with lovely preparation, comes

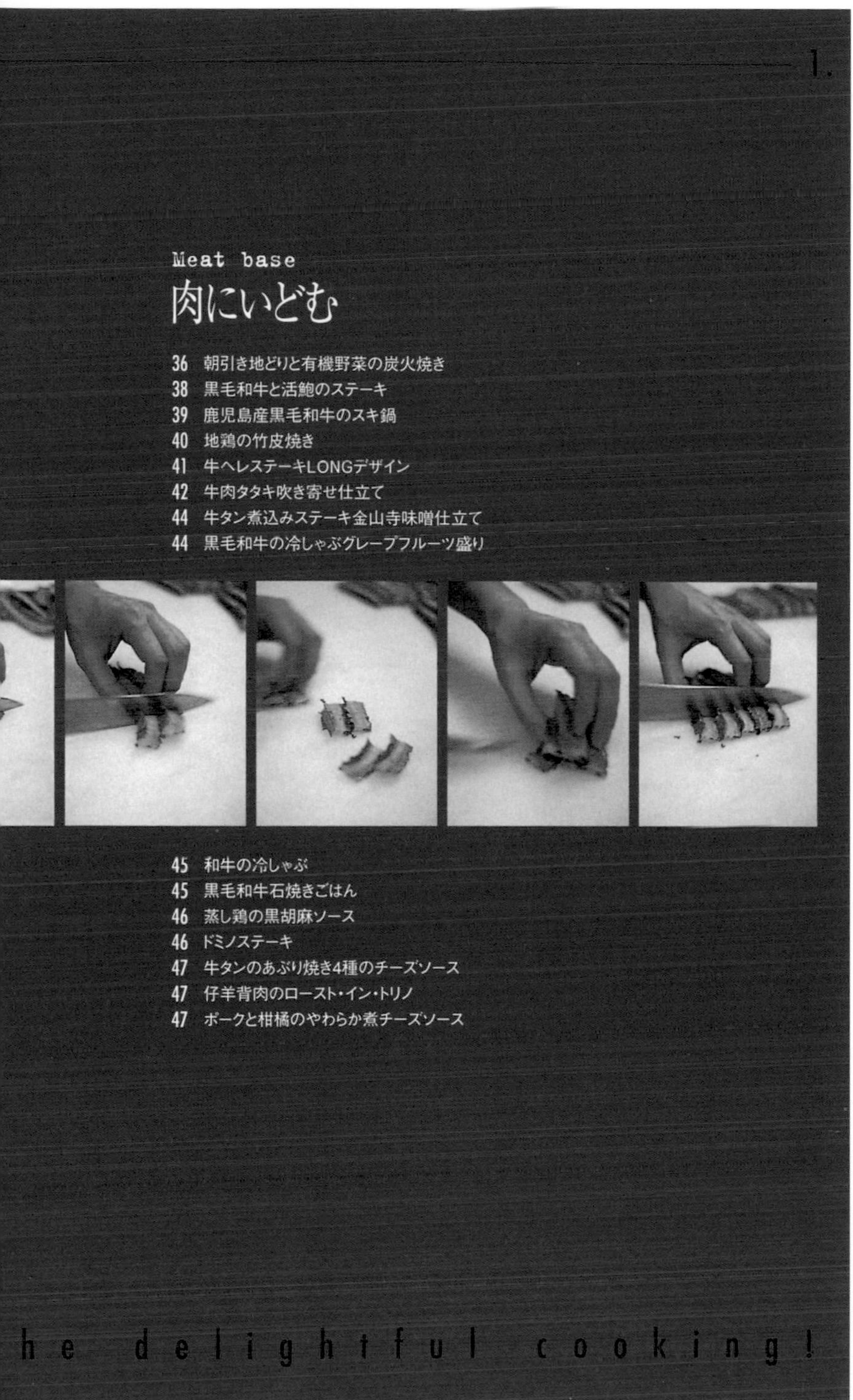

1.

Meat base

肉にいどむ

he delightful cooking!

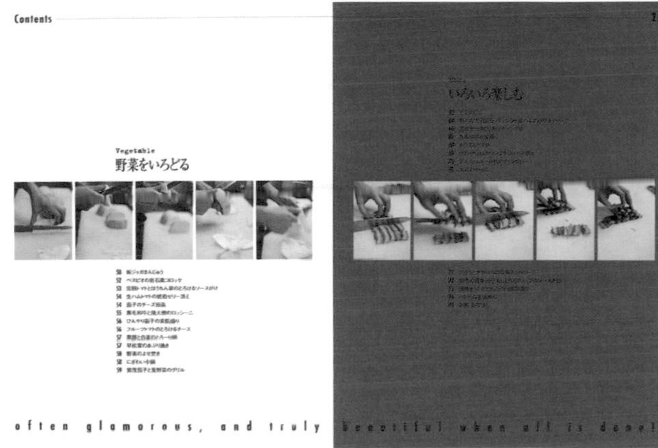

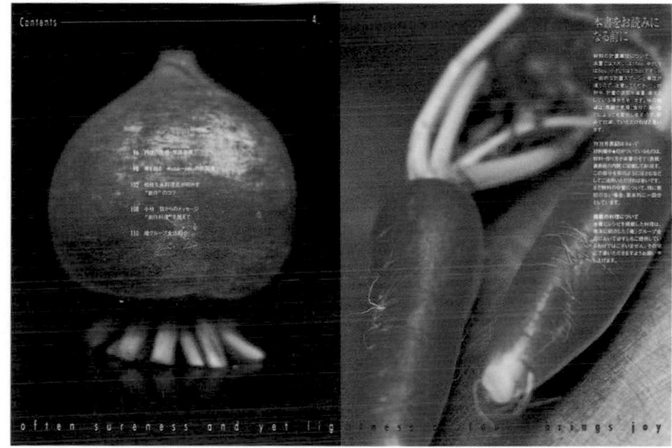

MOOK ムック **Beru@Maga mode mook 新和食 for Lovers** 2002

PB: ソフトバンク パブリッシング（株） Softbank Publishing Inc. E: 山田真司 Shinji Yamada AD: 長友啓典 Keisuke Nagatomo D: 十河岳男 Takeo Togawa I: 大野八生 Yayoi Ohno DF: ケイツー K2

新和食 for Lovers

CONTENTS

COVER

MAGAZINE 雑誌 **Martha Stewart Martha マーサ・スチュワート・マーサ** **February 2003**

PB: (株) マーサ・スチュワート・ジャパン Martha Stewart Japan Co., Ltd. E: マーサ・スチュワート Martha Stewart CD: ゲール・ターウィ Gael Towey DESIGN CONSULTANT: 上村清一 Seiichi Kamimura
D: 富田麻紀子 Makiko Tomita / 新美弘恵 Hiroe Shinmi / 三浦 舞 Mai Miura P (COVER): マリア・ロブレド Maria Robledo

COVER

FEBRUARY 2003

contents

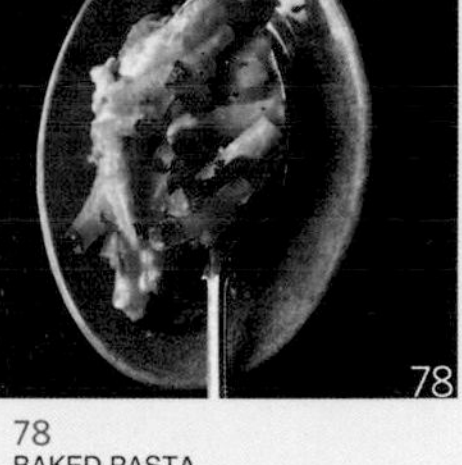

7

FREEPAPER フリーペーパー **metro min. メトロミニッツ** **No.3 February, No.4 March 2003**

PB: スターツ出版（株） STARTS PUBLISHING CORPORATION AD, D (COVER): アオコ Aoco D: エー・ディー・エス A.D.S P (COVER): 寝ころびギョラニストbigmouth bigmouth
I (SPREAD 1): 小宮山秀明 Hideaki Komiyama (TGB design) I (SPREAD 2): 竹内光司 Koji Takeuchi (ASTRO graphica) CW (COVER): P. NAOTAKE

COVER

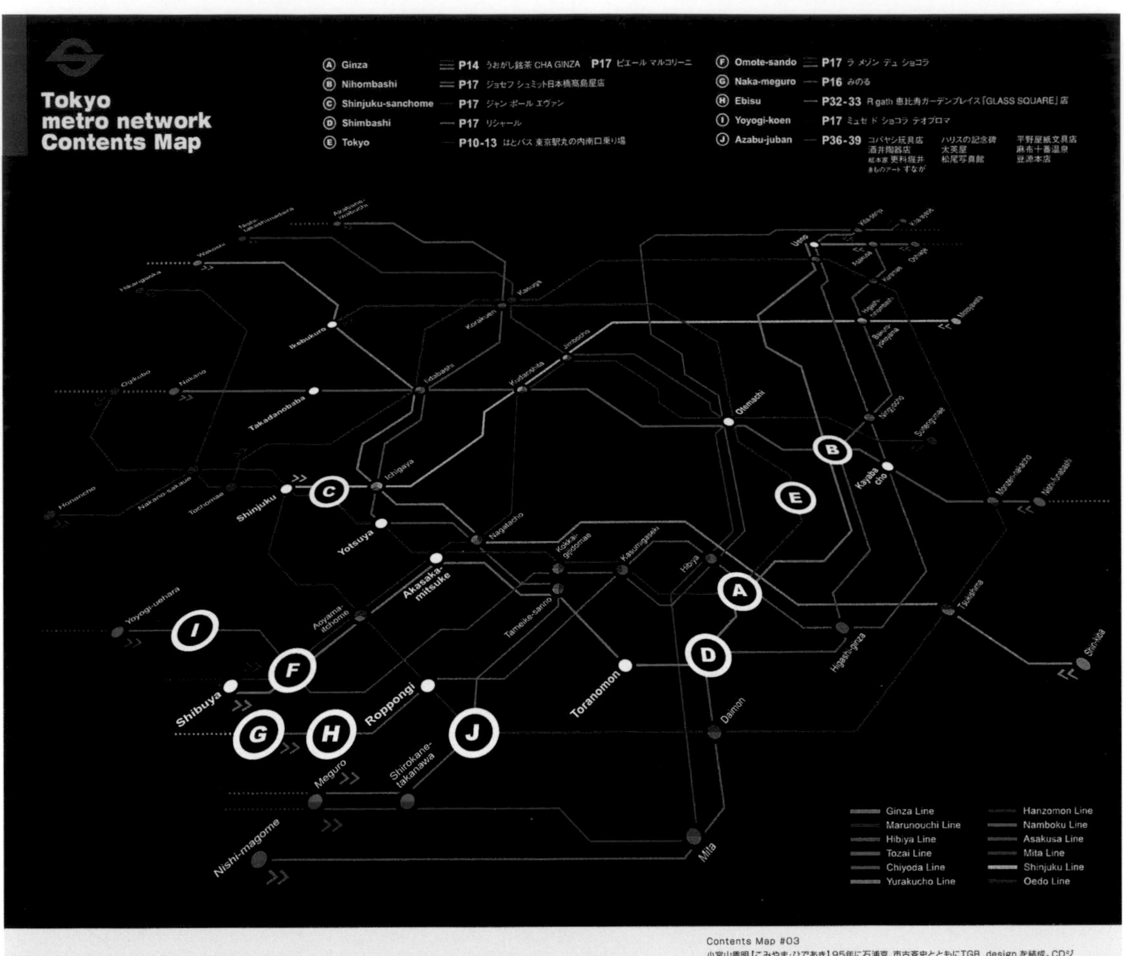

Contents Map #03
小宮山秀明【こみやま・ひであき】95年に石浦克、市古斉史とともにTGB design.を結成。CDジャケット、ファッション、プロダクト、エディトリアル、イラスト、映像、音楽などさまざまな分野のものをグラフィックデザインの延長としてとらえ活動。LEGOオーディオ「qmpo」のアートディレクション、2002年W杯日本代表メディアガイド、「宇野薫商店」「ZERO GATE SHIBUYA」などのロゴデザインなどを手がける。http://www.tgbdesign.com

INDEX

metro min.

FEB:2003

Cover copy: P.NAOTAKE
design: Aoco(PANGAEA)
photo: 寝ころびギョラニスト bigmouth

PRINTED WITH SOY INK 環境に配慮した植物性大豆油インキを使用しています。

本誌は右記、営団地下鉄駅のメトロマガジン専用ラックで無料配布しています。 上野駅＿日本橋駅＿銀座駅＿新橋駅＿虎ノ門駅＿赤坂見附駅＿表参道駅＿渋谷駅＿池袋駅＿大手町駅＿東京駅＿四ツ谷駅＿新宿三丁目駅＿新宿駅＿茅場町駅＿六本木駅＿高田馬場駅

009 | metro min. | contents

SPREAD 1

FREEPAPER　フリーペーパー　　J-WAVE TIMETABLE　J-WAVE タイムテーブル　Vol.174　2003

CL: (株) エフエムジャパン FM JAPAN　E: 佐藤友彦 Tomohiko Sato (J-WAVE)　AD: 島尻一成 Kazunari Shimajiri　D: 小島瑞奈 Mizuna Kojima　I (COVER): シギハラサトシ Satoshi Shigihara
CW: (有) インクス広告制作所 inks　DF: (株) ソニー・ミュージック・コミュニケーションズ Sony Music Communications Inc.

イラストレーターは毎月変わります！

表紙

いろんな東京がある。

注目のイラストレーターたちが「東京ならではの風景」を描きます。絵の中に隠されたJ-WAVEや81.3の文字を探そう！

来月はすごいニュースを発信するとの噂が……

P2　P3

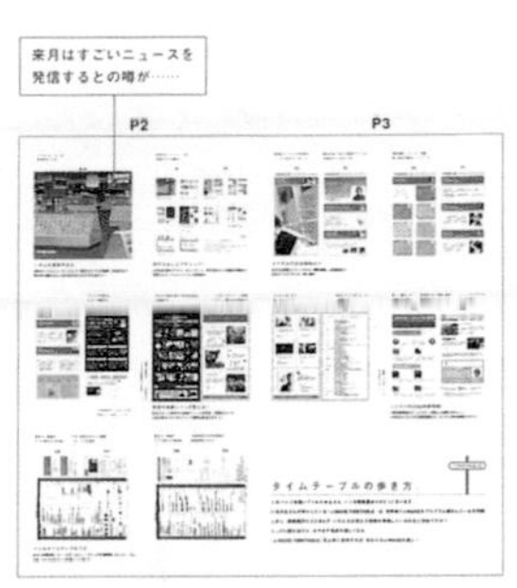

特ダネはここでチェック！

J-WAVE発のイベント、キャンペーン、今月号のような独自企画など、耳寄りなインフォメーションを発信中。

9時間スペシャルの内容をしっかりおさえておこう！

祝日が多い月は、9時間スペシャルが2本立てになることも！

P4　P5

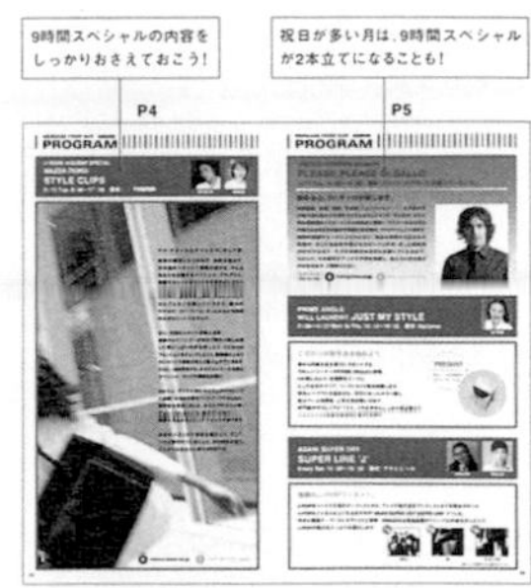

さて今月の注目番組は？

祝日の9時間スペシャルから、特別番組、人気番組まで、注目のプログラムを一挙に紹介。

特別番組、レギュラー番組、聴く前の予習はここでどうぞ。

P6　P7

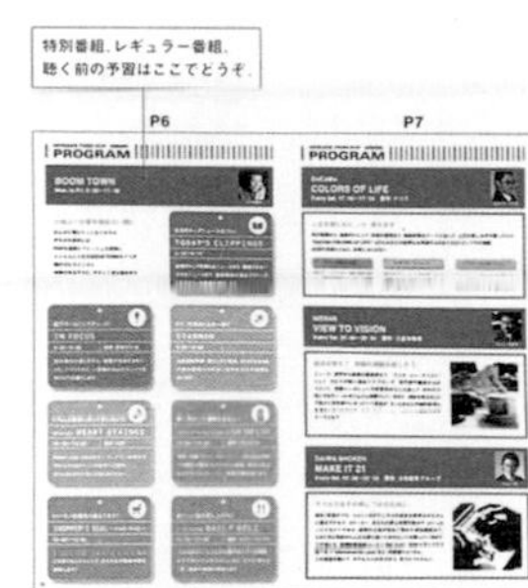

サテスタを訪れたゲストの紹介も！

P8　P9

J-WAVEホームページを中心としたITニュース

今月はTOKIO HOT 100 AWARDの告知です。

イチオシのイベント情報チケット購入はお早めに！

P10　P11

通常は東京チャートの動きをいろんな角度から分析！

東京の音楽シーンが見える！

目まぐるしく変化する東京チャートの予習 / 復習はここで。J-WAVEオススメのイベント情報も見逃せません！

まだまだあります楽しみなライブ！

便利なライブスケジュール一覧表付き！

P12　P13

買って損なしの名盤CDを紹介！

試写会へのご招待、劇場鑑賞券のプレゼントも！

ユニークなリサイクルグッズを紹介。

P14　P15

表紙イラストレーターからのメッセージ

こだわりのCD&映画情報！

人気音楽番組のディレクターが選んだ最新CDレビュー、J-WAVEオススメの映画情報ほか、エンタメ系の情報がズラリ！

聴きたい番組がすぐに探せる(平日版)！

平日、週末のオススメ番組、トピックスを紹介。

P16　P17

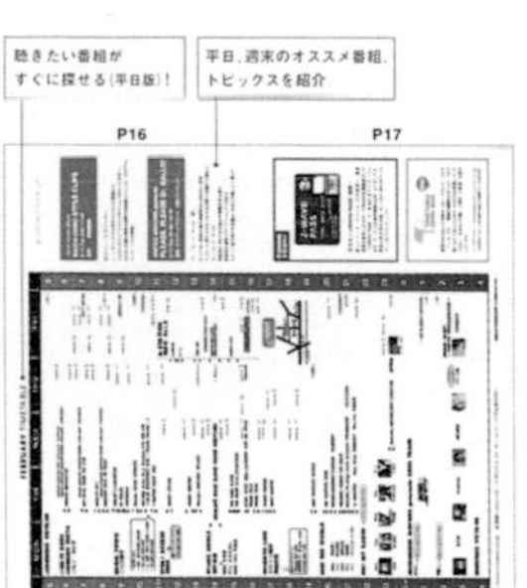

トリはタイムテーブルです。

まさに内容充実、ウィークデー&ウィークエンドの番組表(タイムテーブル)。なお、ここだけはページを横にして見てね。

聴きたい番組がすぐに探せる(週末版)！

交通情報やお天気情報の放送時間もわかる！

P18　P19

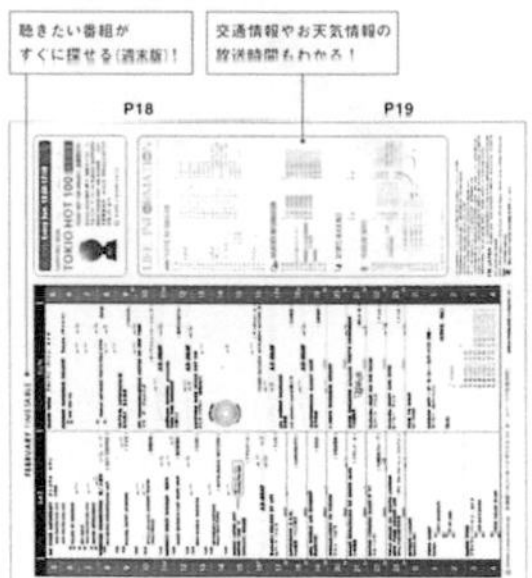

TIMETABLE

タイムテーブルの歩き方。

このページを開いてくれたみなさん、いつも御愛読ありがとうございます。

いまみなさんが手にしている「J-WAVE TIMETABLE」は、文字通りJ-WAVEのプログラム紹介している月刊誌。

しかし、番組紹介にとどまらず、いろんなお役立ち情報を発信しているのをご存知ですか？

じっくり読むほどに、ますます東京が楽しくなる。

「J-WAVE TIMETABLE」を上手に活用すれば、あなたもJ-WAVEの達人！

COVER

MOOK　ムック　　ZAKKA BOOK　ZAKKA BOOK 72の雑貨の話　2000

PB: (株) マガジンハウス MAGAZINE HOUSE LTD.

Contents

Papier recyclé

アートディレクション＆デザイン:黒田益朗
レイアウト・デザイン:岡田由美子(Lolita!)

表紙写真:新津保建秀

COVER

MAGAZINE 雑誌　KURASHI-NO-TECHO 暮らしの手帖　2号　2003

PB: 暮らしの手帖社 KURASHI-NO-TECHO SHA　AD: 有山達也 Tatsuya Ariyama　D: 池田千草 Chigusa Ikeda　I: 牧野伊三夫 Isao Makino　DF: アリヤマデザインストア Ariyama design store

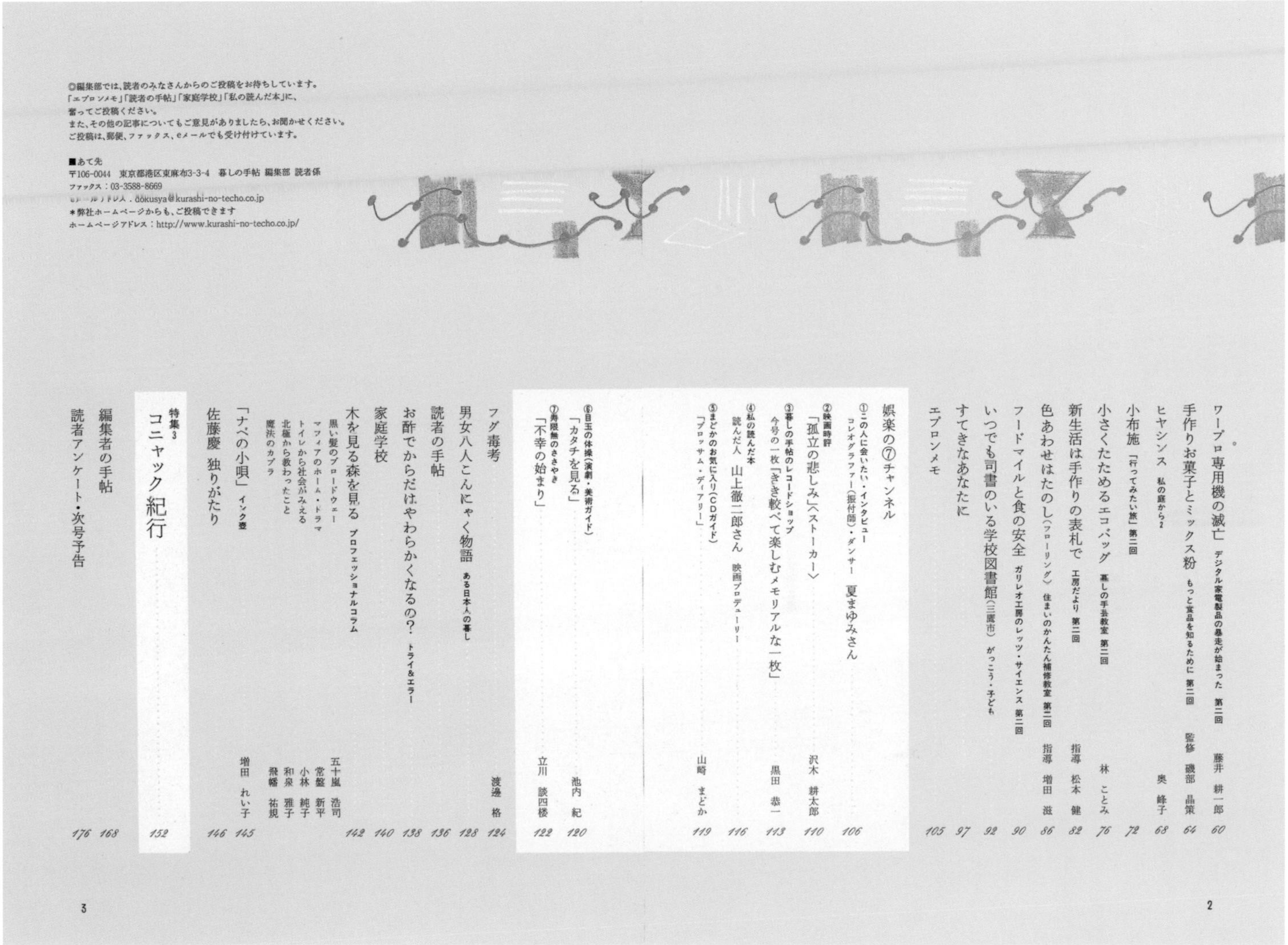

◎編集部では、読者のみなさんからのご投稿をお待ちしています。
「エプロンメモ」「読者の手帖」「家庭学校」「私の読んだ本」に、
奮ってご投稿ください。
また、その他の記事についてもご意見がありましたら、お聞かせください。
ご投稿は、郵便、ファックス、eメールでも受け付けています。

■あて先
〒106-0044　東京都港区東麻布3-3-4　暮しの手帖 編集部 読者係
ファックス：03-3588-8669
eメールアドレス：dokusya@kurashi-no-techo.co.jp
＊弊社ホームページからも、ご投稿できます
ホームページアドレス：http://www.kurashi-no-techo.co.jp/

3　2

COVER

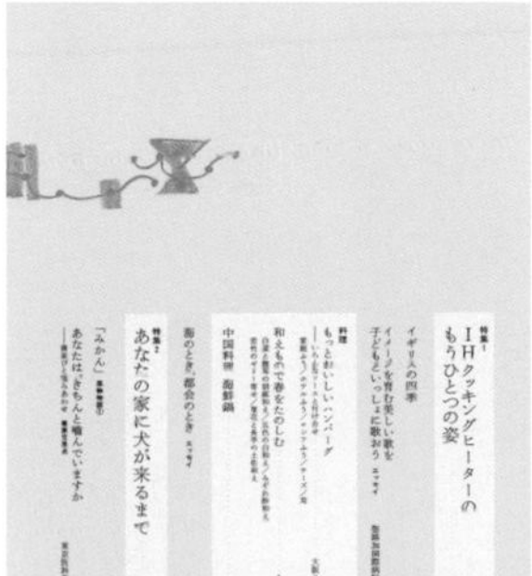

BOOK 書籍　Can you treat your child as grown-up?　子どもが高校生になったとき読む本　2003

CL: (株)ベネッセコーポレーション Benesse Corporation　E: 北方佐也加 Sayaka Kitakata　AD: 西村 武 Takeshi Nishimura　D, DF: (有)コンプレイト completo inc.　I: 100%オレンジ 100% ORANGE
COMPOSER: 本橋千恵子 Chieko Motohashi

Can you treat your child as grown-up?
子どもが高校生になったとき読む本

COVER

MAGAZINE 雑誌 **Arne アルネ** **No.1 2002**

PB: (株) イオグラフィック IO GRAPHIC, Inc. E, CD, P, I: 大橋 歩 Ayumi Ohashi AD: 細山田光宣 Mitsunobu Hosoyamada D: 奥山志乃 Shino Okuyama / 斉藤恵子 Keiko Saito I: 佐々木美穂 Miho Sasaki
DF: (株) 細山田デザイン事務所 HOSOYAMADA DESIGN OFFICE

AJ CUTLERY

アルネ・ヤコブセンのカトラリー

フォークとスプーンは七十年代に買ったものです。ヤコブセンのデザインということを知らないで、買いました。

形がきれいで、六客きちっと重なる。こういうのをきれいと私は思ったのでした。使いやすいより格好いいのが一番と考えていた時代でしたから。形選びの基本になったと思うカトラリーです。

仕事でデンマークにいった時ナイフを追加しました。せっかくだからデザート用のフォークとスプーンも買い足しました。今は仕事場で使っています。和菓子用に使っても違和感がありません。

そして今はヤコブセンのカトラリーと人に説明して出しています。

Arne
I

contents

COVER

MAIL ORDER CATALOG　通信販売カタログ　　NOV@TEL　ノヴァッテル　Vol.1　2000

PB: （株）NOVAドットコム　NOVA. COM Co., Ltd.　AD: 前田義生　Yoshio Maeda　D: 永田伊知子　Ichiko Nagata　I: 玉田紀子　Noriko Tamada　CW: 瀬上昌子　Masako Segami
PLANNING OFFICE: 凸版印刷（株）　TOPPAN PRINTING Co., Ltd.　DF: （有）クリエイティブオフィス・マエ　creative office mae, inc.

まずは興味のある Contents ページから

気になる言葉、なりたい気持ち、やりたいこと。　どこからでも、今すぐはじめよう！

Step.1	→Step.2	→→Step.3	→→→ Page	
彼ができた。 I've got a new boyfriend.	どきどきする。 My heart is beating faster.	もっとときめこう！ Embrace more and more excitement !	CINEMA	05
お風呂上がりにも、 Even after I finish taking a bath,	旅したい。 I want to indulge myself in a journey.	海の向こうを夢見よう。 Wrap myself in dreams of overseas destinations.	TRAVEL	13
友だちが来る。 My friends have arrived.	おなかもペコペコ。 And they're starving.	今日のランチは何料理？ What's for lunch ?	COOKING	21
窓を開けた。 I open the window...	ベランダが寂しいな。 but what a lonely place this veranda is !	そうだ、ハーブを育てよう！ I know, why not grow some herbs ?	GARDENING	25
何かを知るのって、 Learning...	こんなに楽しい。 is such fun.	もっとときめく発見しよう！ Discover the joy of learning !	SCHOOL	27
どうしてお星さまは、 Why do stars	夜になると出て来るの？ come out at night ?	ねえ、ママ教えて！ Please tell me, Mommy!	KIDS	31
おいっ子に絵本をねだられた。 I bought a picture book for my nephew.	私の方がもう夢中！ but I like it too much to give it to him.	もう一冊プレゼントしよう。 I'll have to get another one for him.	PICTURE BOOK	35
今日も一日が終わった。 Another day has come to an end.	心も一緒にくつろぎたいから、 I want to relax my mind as well as my body.	空想の世界へ旅立とう！ Immerse myself in a fantasy world !	FANTASY	39
大掃除の途中で、 I'm doing the cleaning.	ちょっと休けいのはずが、 I should be taking a break	もう目がはなせない！ but can no longer avert my eyes !	COMIC	43
待ち遠しかった日曜日。 It's Sunday - the day I've been eagerly awaiting.	今日も、 Today as well,	チャンネルをひとり占め！ the television is all mine !	TV DRAMA	47
彼のひとことに皆大爆笑。 Everyone laughs wildly at his words.	気の利いたジョークらしい。 They appear to be witty jokes.	すぐチェックしなきゃ。 I should check him out.	DICTIONARY	49
大好きなシーンも、 All my favorite scenes,	お気に入りのセリフも、 and my favorite lines,	まるごと心に刻もう。 carved indelibly in my mind.	C.C.DECODER	55
うれしい気分。 A delightful mood.	この気持ち、表現したい。 I want to express how I feel.	あの歌をうたおう。 Let me sing that song.	MUSIC	58
欲しいモノが見つかった。 I've found what I've been looking for.	毎日が楽しくなる予感。 With it, I have a hunch that everyday is going to become a whole lot more enjoyable.	これ買っちゃおっ！ Go ahead and buy ! →	→	

→→→→→ 海外新着レポート第1弾は大自然の息吹に触れる、カナダ特集！

直輸入観光案内シリーズは、P.13-20 ➔

観ってるモノは全部オーダーできる！ →→→→→ GO!

ホームページにも情報いろいろ。

http://www.nova.ne.jp/

毎日の暮らしが留学 NOV@TEL

P.57 うれしい！創刊記念特典

お申込みはとじ込みのハガキかFAX、またはフリーダイヤルで

0120-50-2839（ゴーツーハンサンキュー）

受付時間　10:00～21:00（日曜日は受け付けておりません）
カタログ掲載の商品はすべて税抜き価格で表示しております。

03 ご注文・商品についてのお問い合わせは 0120-50-2839

NOVAホームページアドレスは http://www.nova.ne.jp/ 04

COVER

CATALOG カタログ　　**au Catalog au総合カタログ**　**February 2003**

CL: KDDI (株) KDDI CORPORATION　CD: 大森秀政 Hidemasa Omori　AD: 小島晃雄 Teruo Kojima　D: 上野正之 Masayuki Ueno　P: 末武和人 Kazuto Suetake　ADVERTISING AGENCY: (株) 博報堂 HAKUHODO Inc.
DF: (株) アーツ arts, Inc.

COVER

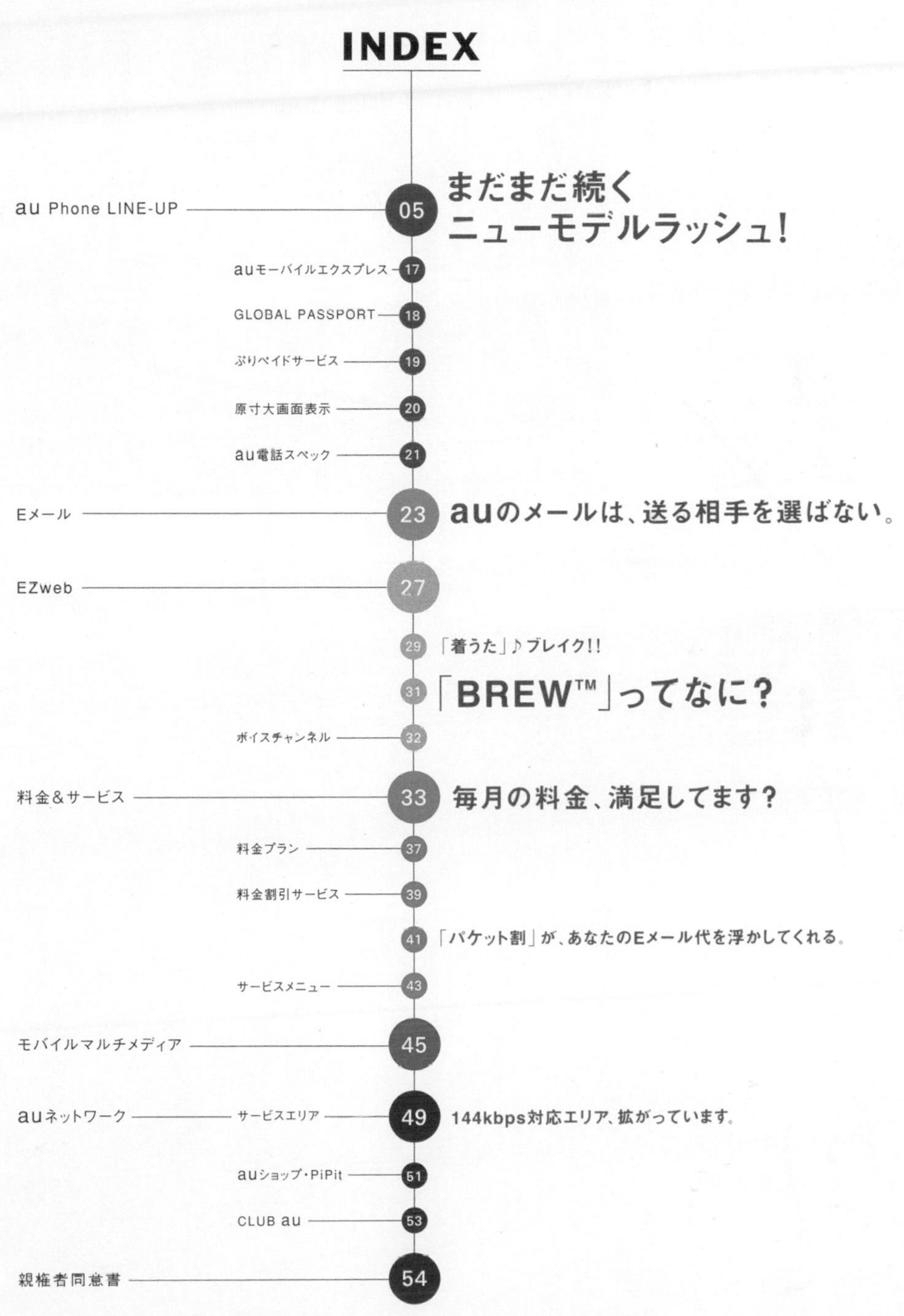

CATALOG カタログ　**une nana cool 2002 spring & summer, autumn & winter ウン ナナ クール 2002 SS, AW カタログ**　2002

CL: (株) ウン ナナ クール une nana cool corp. CD: 宮田 識 Satoru Miyata AD: 渡邉良重 Yoshie Watanabe / 植原亮輔 Ryosuke Uehara D: 関本明子 Akiko Sekimoto P: 北島 明 Akira Kitajima
CW: 笠原千昌 Chiaki Kasahara PRODUCER: 中岡美奈子 Minako Nakaoka DF: (株) ドラフト DRAFT Co., Ltd.

COVER

ブラには、いくつも種類があって選ぶときに迷ってしまう。
自分にぴったりのブラを見つけられるようにune nana coolの
下着は、大きく4つのタイプに分かれています。
3／4、1／2、0、&。カップの形で選べるから、機能性も
それぞれはっきりしてる。だから迷う心配もいらないってわけ。
からだにきちんと合ったブラは、バストを美しくみせる
ことができるし、美しいバストを保つことにもつながるの。
自分のからだに合ったブラを選んでくださいね。

カップの面積がフルカップに対して3/4のブラ。

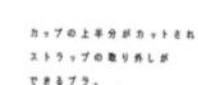

カップの上半分がカットされ、ストラップの取り外しができるブラ。

カップ表面に縫い目のないブラ。

3/4、1/2、0以外のブラコレクション。

COVER

ブラには、いくつも種類があって選ぶときに迷ってしまう。
自分にぴったりのブラを見つけられるようにune nana coolの
下着は、大きく4つのタイプに分かれています。
3／4、1／2、0、&。カップの形で選べるから、機能性も
それぞれはっきりしてる。だから迷う心配もいらないってわけ。
からだにきちんと合ったブラは、バストを美しくみせる
ことができるし、美しいバストを保つことにもつながるの。
自分のからだに合ったブラを選んでくださいね。

カップの面積がフルカップに対して3/4のブラ。

カップの上半分がカットされ、ストラップの取り外しができるブラ。

カップ表面に縫い目のないブラ。

3/4、1/2、0以外のブラコレクション。

MAGAZINE 雑誌　**htwi ヒッティ**　**No.17 2002**

PB: 特定非営利活動法人ヒール・ザ・ワールド・インスティテュート Heal the World Institute　E: 鈴木冬根 Fuyune Suzuki / 吉本幸史 Koji Yoshimoto　CD: 畠中健次 Kenji Hatanaka　AD: 松村耕介 Kousuke Matsumura
D: 喜多春美 Harumi Kita　P: 清水丈司 Takeshi Shimizu

COVER

htwi contents 17

STAFF
<Publisher>
渡邉 収哉　SHUYA WATANABE
<Editor in Chief>
畠中 健次　KENJI HATANAKA
<Core-Editor>
鈴木 冬根　FUYUNE SUZUKI
吉本 幸史　KOJI YOSHIMOTO
<Core-Designer>
松村 耕介　KOUSUKE MATSUMURA
喜多 春美　HARUMI KITA

<Producer>
渡邉 亮介　RYOSUKE WATANABE
<Contributing Staff>
古武 弥須夫 YASUO KOTAKE
石脇 寿恵　TOSHIE ISHIWAKI
花澤 ひとみ HITOMI HANAZAWA
服部 英夫　HIDEO HATTORI／photographer
奈村 哲志　SATOSHI NAMURA／photographer
細谷 聡　SATOSHI HOSOYA／photographer

2003年1月号(特集:[illegible])は、2月5日(水)発行予定。
★ご意見・ご感想、ご購読のお申込みはネットでwww.htwi.org
メールでinfo@htwi.orgまでどうぞ。

MMAGAZINE 雑誌 **JOICE JAPON ジョイス・ジャポン Vol.1 2003**

PB: 東京プレスセンター（株） Tokyo Press Center Co., Ltd. E: 佐々木尚子 Naoko Sasaki CD: 山内保定 Yasusada Yamauchi AD, D: 日下充典 Mitsunori Kusaka P: TOKYO DRESS CENTER

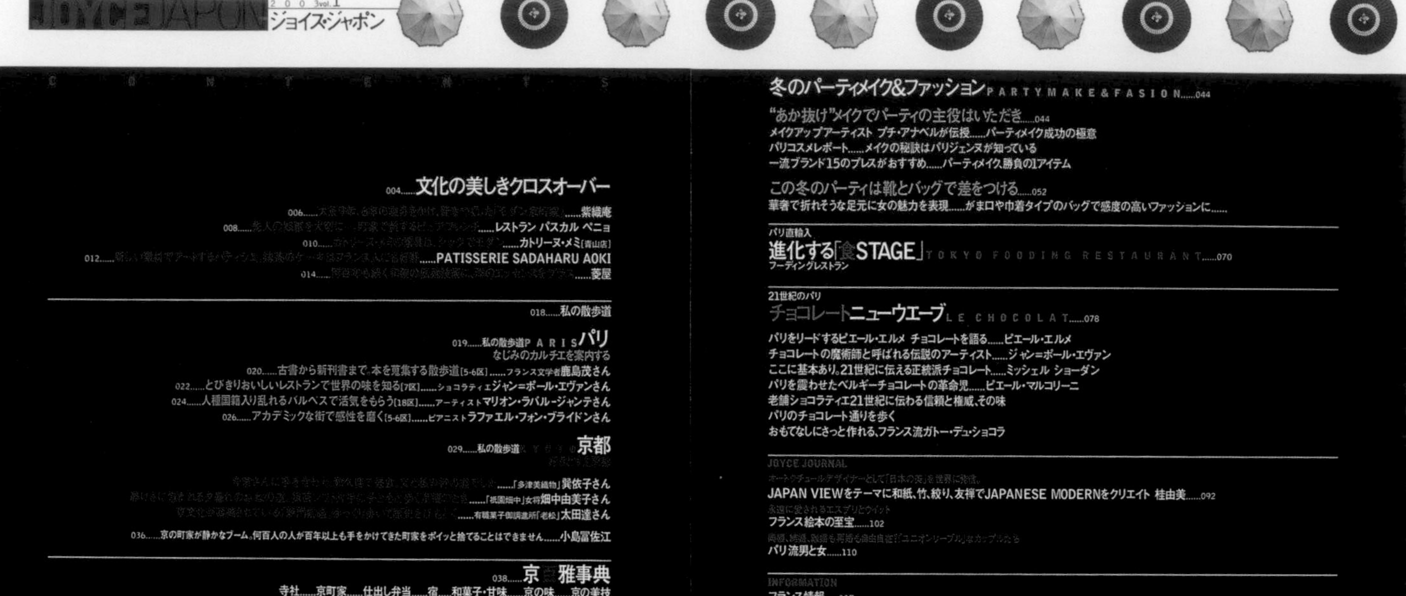

JOYCE JAPON 2003 vol.1 ジョイス・ジャポン

C O N T E N T S

COVER

MAGAZINE 雑誌　　FAR　Vol.6 September, Vol.7 May　2001, 2002

PB, E, CD, AD, D, DF: コアグラフィックス　coa graphics　P (COVER 2): ショーダモハ　Shodamoha

Far volume 06

Far Staff
Publisher 藤枝 憲
Editor in Chief 竹村真奈
Editors 藤枝 憲 高橋有紀子 河野 算
Assistant Editors 山本貴政
Advertising Chief 林 恭彦
sales 山本貴政
Design&Art Direction coa graphics

Thanks
新日本プロレス OVER THE STRIPES DOARAT
平子智恵 早川 泰 三上卓也 酒井新悟(CHUNK)
高林純子(CHUNK) 押津 文(CHUNK) 佐野あさみ(CHUNK)
MILK 川口恵子 宮永 卓 小林しの(Harmony hatch)

発行 coa graphics 発売 日本出版貿易
Printing KP-TEC

編集部(coa graphics)
東京都世田谷区北沢3-25-1-301
Telephone&Facsimille 03-3469-7703
e-mail coa.@ha.bekkoame.ne.jp

販売(日本出版貿易)
東京都千代田区猿楽町1-2-1
Tel 03-3292-3757 Fax 03-3219-1849

CONTENTS

far home page* http://www.far-coa.com

03

Far volume 07

Far Staff
Publisher 藤枝 憲
Editor in Chief 竹村真奈
Editors 藤枝 憲 高橋有紀子 河野 算
Additional Editors 中村孝司(スモールライト) 芳賀更沙(Girlie)
フジモトアキ(Girlie) A-TALK マサ山本 高林純子 芳賀歩知(Girlie)
Design&Art Direction coa graphics
Cover 高田純次
Cover Photograph Shodamoha

Special Thanks
allnight thing (CRYSTAL / レッキンクルー / 全裸ROCK / ××)
小夏浩一(GraphLabo) 5 HAIGHT! riv·er doarat guzzle hair
add cafe LIVE INN ROSA クニモンド瀧口&枝美 小出裕一 MILK
LOVE JAMAICAN 小西湖 北岡由加(CORE)
バンバンビガロ カニBASS kaikaikiki ZOOT CHAIHANE

発行・発売 coa graphics
Printing KP-TEC

編集部(coa graphics)
東京都世田谷区北沢3-25-1-301
Telephone&Facsimille 03-3469-7703
e-mail coa.@ha.bekkoame.ne.jp

CONTENTS

Coa Graphics home page* http://www.bekkoame.ne.jp/ha.coa./

03

COVER 1

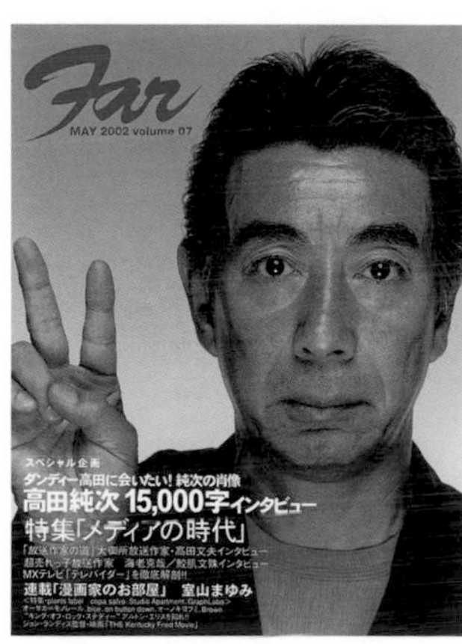

COVER 2

MAGAZINE　雑誌　　**happy voice**　Vol.0　1999

PB, AD, D, DF: コアグラフィックス　coa graphics　E, CD: 藤枝 憲　Ken Fujieda　E: 樋口寛子　Hiroko Higuchi　P: 永禮 賢　Satoshi Nagare

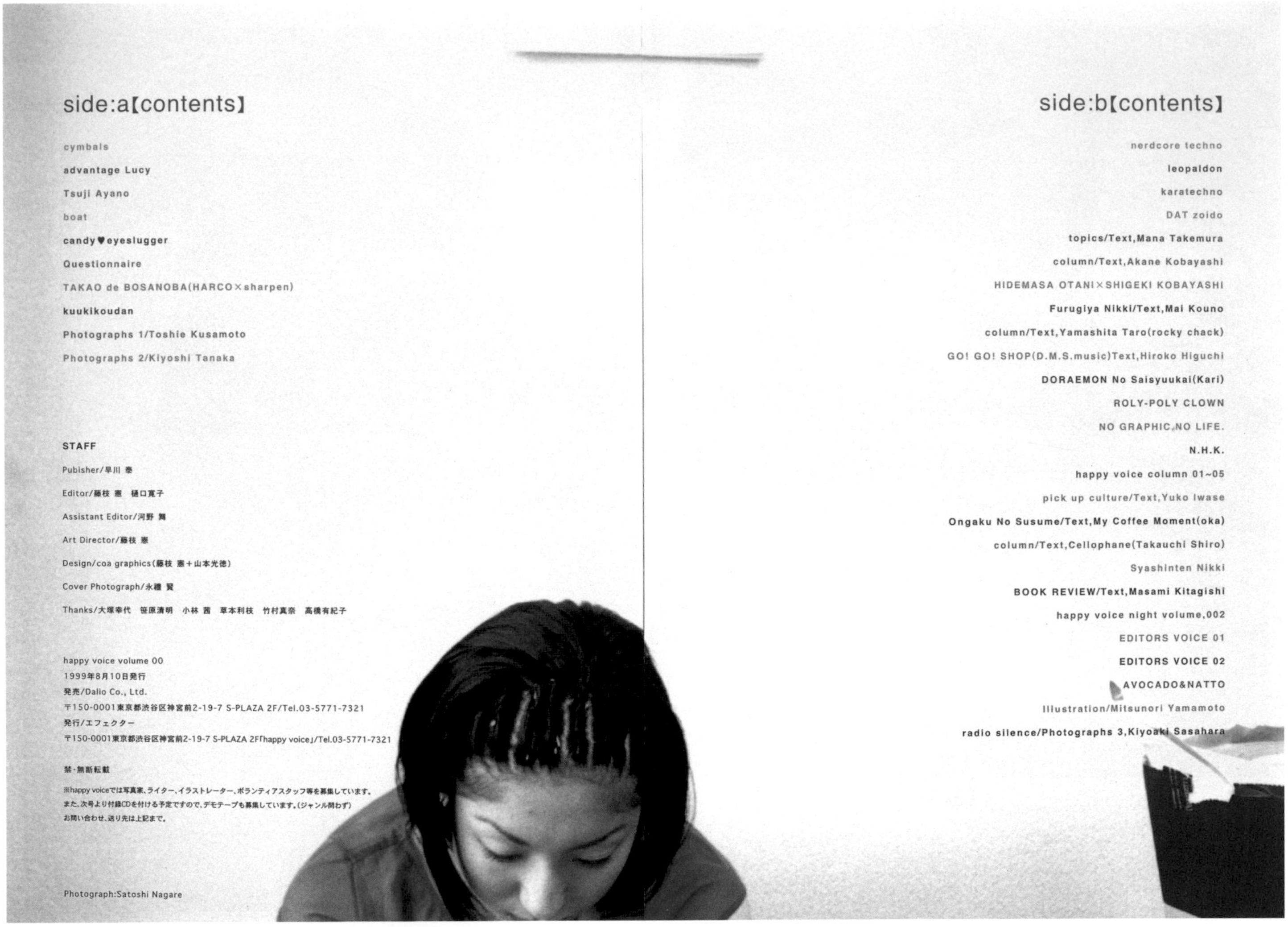

side:a【contents】

cymbals
advantage Lucy
Tsuji Ayano
boat
candy♥eyeslugger
Questionnaire
TAKAO de BOSANOBA(HARCO×sharpen)
kuukikoudan
Photographs 1/Toshie Kusamoto
Photographs 2/Kiyoshi Tanaka

STAFF
Pubisher/早川 泰
Editor/藤枝 憲　樋口寛子
Assistant Editor/河野 舞
Art Director/藤枝 憲
Design/coa graphics(藤枝 憲＋山本光徳)
Cover Photograph/永禮 賢
Thanks/大塚幸代　笹原清明　小林 茜　草本利枝　竹村真奈　高橋有紀子

happy voice volume 00
1999年8月10日発行
発売/Dalio Co., Ltd.
〒150-0001東京都渋谷区神宮前2-19-7 S-PLAZA 2F/Tel.03-5771-7321
発行/エフェクター
〒150-0001東京都渋谷区神宮前2-19-7 S-PLAZA 2F「happy voice」/Tel.03-5771-7321

禁・無断転載

※happy voiceでは写真家、ライター、イラストレーター、ボランティアスタッフ等を募集しています。
また、次号より付録CDを付ける予定ですので、デモテープも募集しています。(ジャンル問わず)
お問い合わせ、送り先は上記まで。

Photograph:Satoshi Nagare

side:b【contents】

nerdcore techno
leopaldon
karatechno
DAT zoido
topics/Text,Mana Takemura
column/Text,Akane Kobayashi
HIDEMASA OTANI×SHIGEKI KOBAYASHI
Furugiya Nikki/Text,Mai Kouno
column/Text,Yamashita Taro(rocky chack)
GO! GO! SHOP(D.M.S.music)Text,Hiroko Higuchi
DORAEMON No Saisyuukai(Kari)
ROLY-POLY CLOWN
NO GRAPHIC,NO LIFE.
N.H.K.
happy voice column 01~05
pick up culture/Text,Yuko Iwase
Ongaku No Susume/Text,My Coffee Moment(oka)
column/Text,Cellophane(Takauchi Shiro)
Syashinten Nikki
BOOK REVIEW/Text,Masami Kitagishi
happy voice night volume,002
EDITORS VOICE 01
EDITORS VOICE 02
AVOCADO&NATTO
Illustration/Mitsunori Yamamoto
radio silence/Photographs 3,Kiyoaki Sasahara

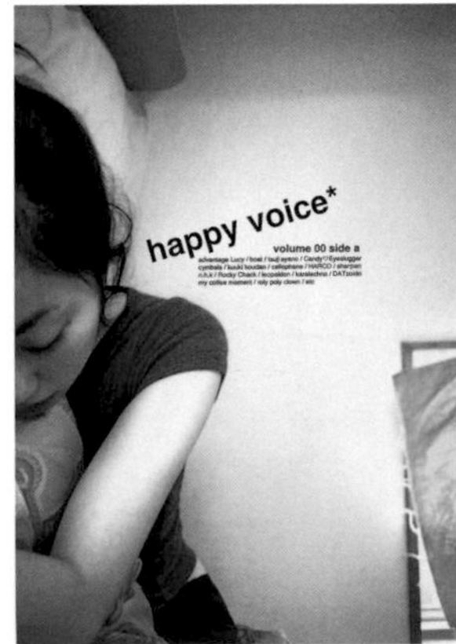

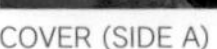

COVER (SIDE A)

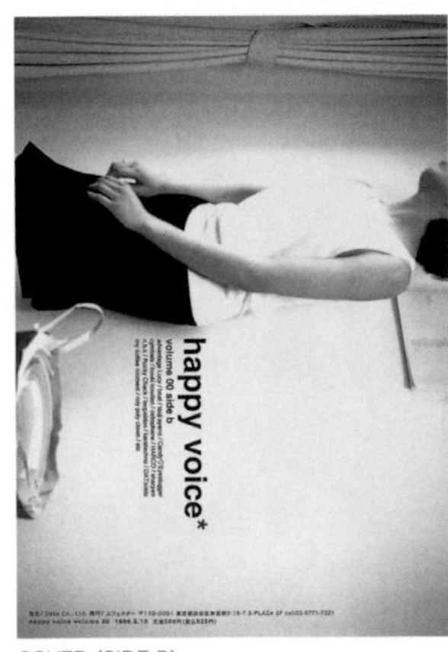

COVER (SIDE B)

MAGAZINE 雑誌 **Coa** Vol.8 1999

PB, E, AD, D, DF: コアグラフィックス coa graphics CD: 藤枝 憲 Ken Fujieda P (COVER): 田中 潔 Kiyoshi Tanaka P: 永禮 賢 Satoshi Nagare

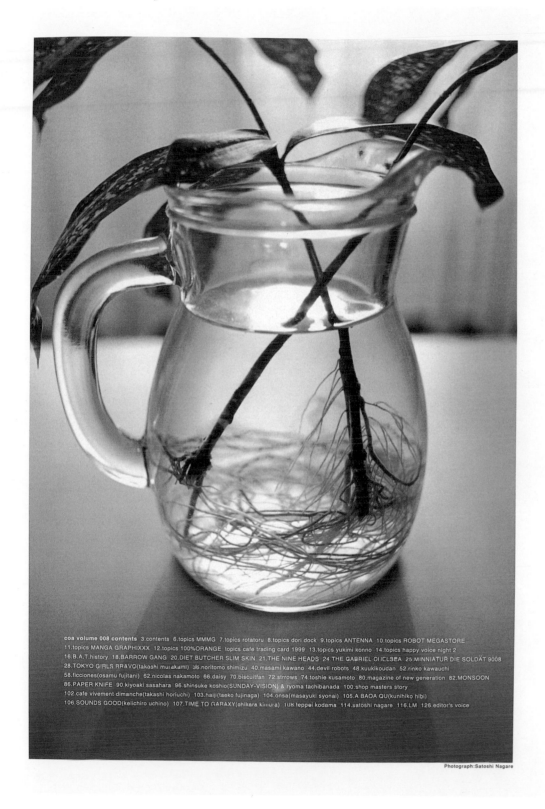

COVER

Photograph:Satoshi Nagare

MAGAZINE 雑誌　Nakasu Tsushin　LB中洲通信　No.200 March 2003

PB: リンドバーグ Lindbergh　AD: 出田 一 Hajime Ideta　D: 金井久幸 Hisayuki Kanai

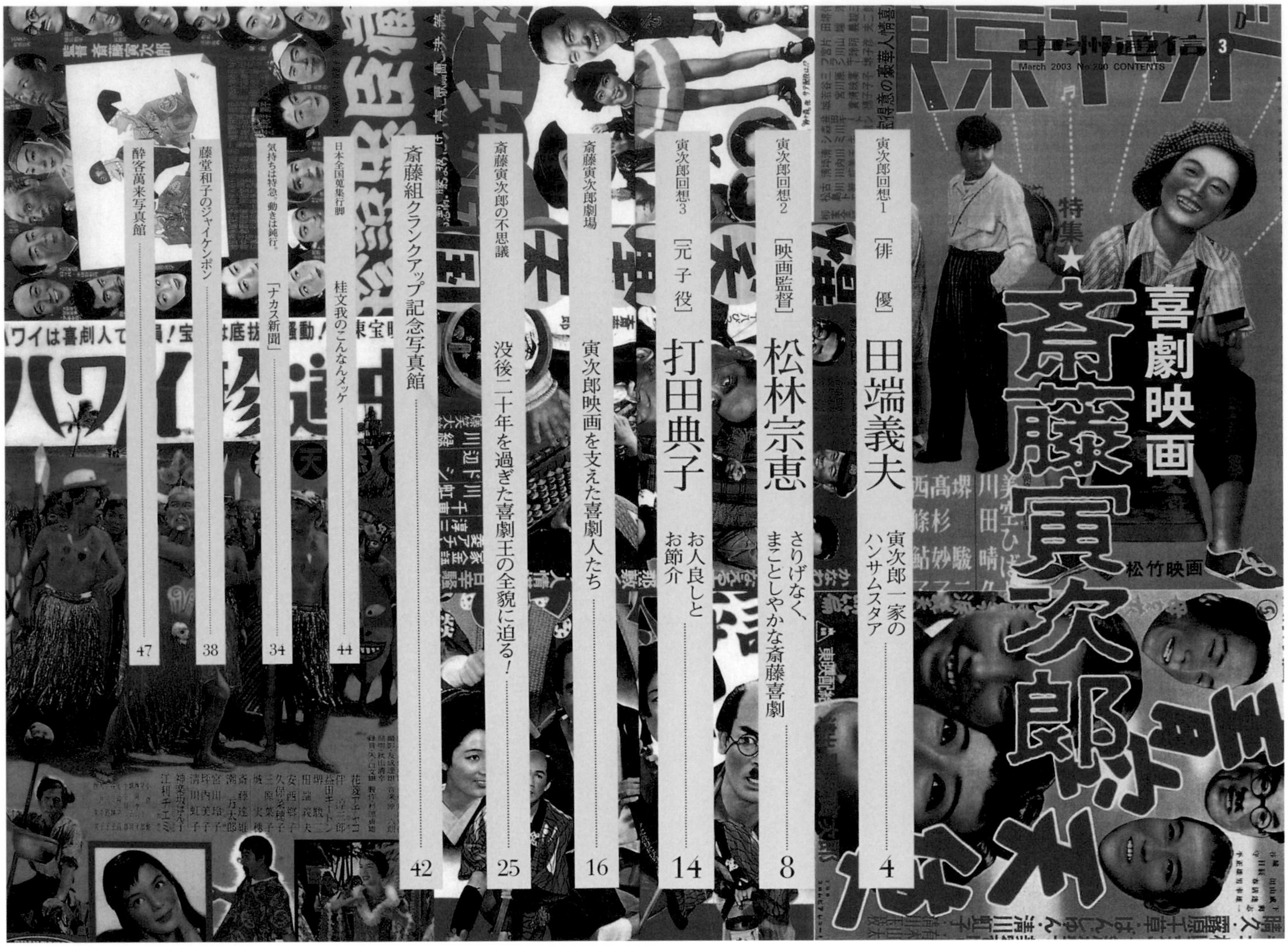

中洲通信 3
March 2003 No.200 CONTENTS

特集★喜劇映画 斎藤寅次郎

COVER

FREEPAPER　フリーペーパー　　**maomao**　Vol.3　January　2003

PB, DF: （有）アウトサイドディレクターズカンパニー OUTSIDE DIRECTORS COMPANY LIMITED　CD, AD: 佐藤 理 Osamu Sato　D: 南 新太郎 Shintaro Minami

COVER

FREE MAGAZINE **maomao**　発行年月日：2003年1月1日発行　http://www.mao2.net/　2003 January re-new volume 03

FREE MAGAZIN [maomao] SPECIAL EDITION 2003 **CARTA**

CONTENTS

マオマオ リニューアル3号
マオマオ編集部
(有)アウトサイドディレクターズカンパニー（OSD）〒104-0061 東京都中央区銀座3-13 2登栄東銀座ビル3階
URL=http://www.mao2.net/　E-mail=mail@mao2.net

広告に関するお問い合わせ先
株式会社ドリーム アンド モア
東京オフィス：〒150-0013 東京都渋谷区恵比寿4-5-14-206 TEL.03-5449-1955 FAX.03-5449-1966
本社：〒650-0011 神戸市中央区下山手通8 10-3 隆創ビル5F TEL.078-327-2155 FAX.078-327-2156
発行・編集・デザイン：(有)アウトサイドディレクターズカンパニー（OSD） URL=http://www.osd.co.jp/
印刷 (株)帆風 URL=http://www.vanfu.com/

目次 CONTENTS　扉 TITLE PAGES　ノンブル PAGE NUMBERS　キャプション CAPTIONS　柱 / 見出し HEADINGS / TITLES　チャート CHARTS

FREEPAPER　フリーペーパー　　**mao2**　Vol.4　2002

PB: マオマオネット maomao net　CD, AD: 佐藤 理 Osamu Sato　D, I (COVER): 南 新太郎 Shintaro Minami　DF: （有）アウトサイドディレクターズカンパニー OUTSIDE DIRECTORS COMPANY LIMITED

COVER

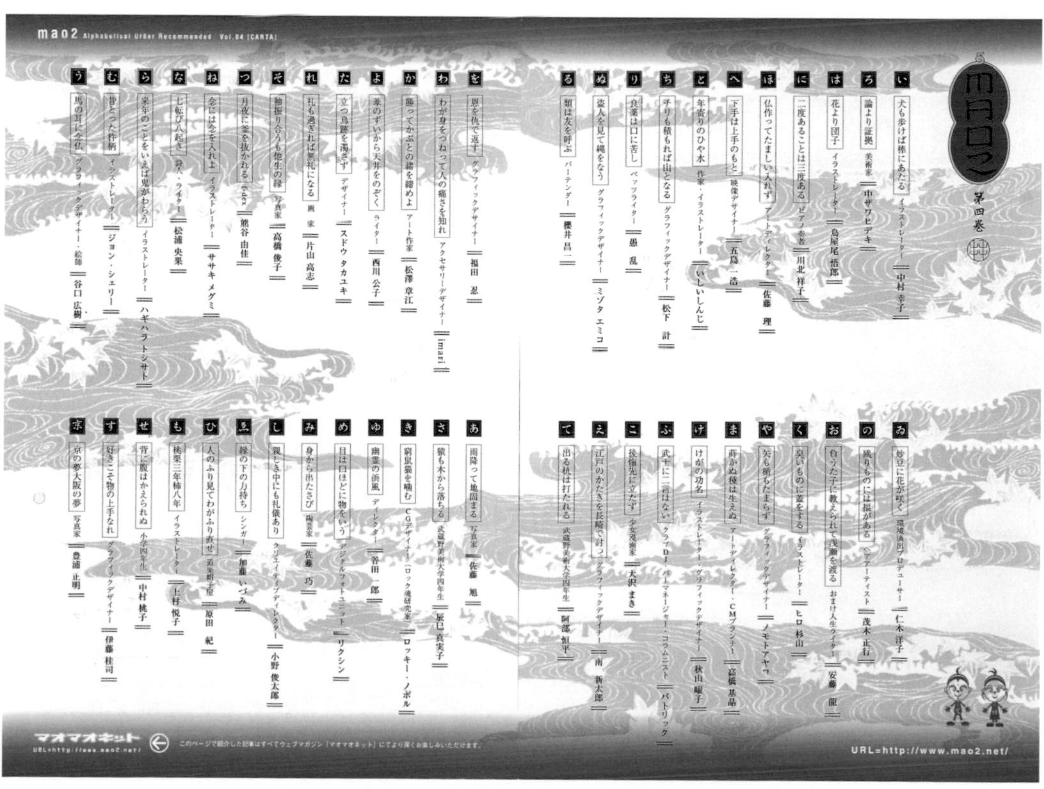

mao2 Alphabetical Order Recommended : Vol.04 [CARTA]

第四巻

マオマオネット

URL=http://www.mao2.net/

FREEPAPER フリーペーパー　　Scratch Magazine スクラッチマガジン　Vol.1, 2　2002

CL (1): (株) スクラッチマガジン Scratch Magazine Co., Ltd.　CL (2): インターネットナンバー (株) Internet Number Corporation　CD (1): 白根久也 Hisaya Shirane　CD (2): 佐藤和晃 Kazuaki Sato
D (1): 山口隆樹 Takaki Yamaguchi (Arumin Enterprise Co., Ltd.)　D (2): 青井達也 Tatsuya Aoi / 漢那徳隆 Yasutaka Kanna　I, D (2): 大野 崇 Takashi Ohno (Northern Graphics)　CW (2): 鈴木健太郎 Kentaro Suzuki
DF (1): (株) アルミーンエンタープライズ Arumin Enterprise Co., Ltd.　DF (2): ノーザングラフィックス Northern Graphics

COVER 1

COVER 2

SCRATCH MAGAZINE Vol.01
CONTENTS
Powered by INTERNET Number

インターネットナンバー株式会社
〒160-0023
E-mail: kezure@scm.ne.jp
http://www.888.ne.jp/

ケズって、アクセスしてね!

03 CONTENTS コンテンツ	04▶07 祝! 創刊!!	08 TWENTY PERSON'S VOICE!
09 HOW TO PLAY SCRATCH MAGAZINE スクラッチ マガジンの遊び方	10▶39 LET'S ENJOY THE SCRATCH TIME!	40,41 スクラッチマガジンのある風景
42,43 RATCH-T×60	44,45 PICK UP	46 HOW TO USE INTERNET NUMBER インターネットナンバーはこう使え!

MOOK ムック **Ballpark TIME! ボールパーク・タイム！** **No.1 2002**

PB: (株) ぶんか社 BUNKASHA Co., Ltd. E: 山岡則夫 Norio Yamaoka (innings, Co.) CD: 広瀬智一 Tomoichi Hirose AD: 玉井 博 Hiroshi Tamai DF: (株) ボールクラブ東京 BALL CLUB TOKYO, INC.

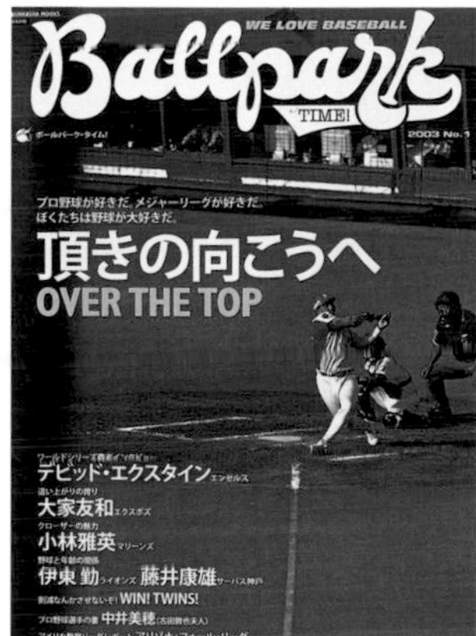

COVER

2003 No. 1 Lineup

Ballpark TIME!

www.ballparktime.com

DAVID ECKSTEIN　OHKA TOMOKAZU　ITO TSUTOMU　NAKAI MIHO

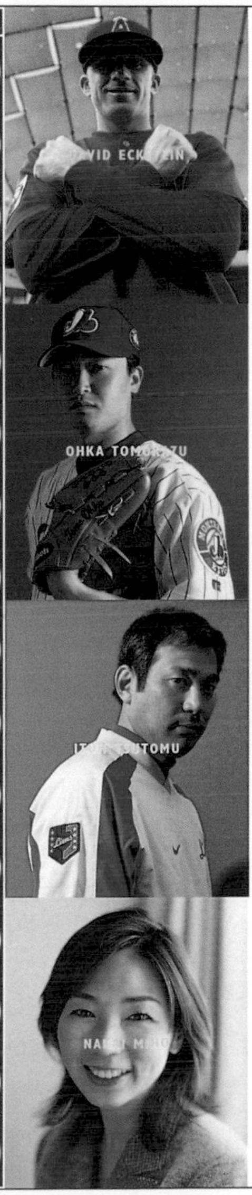

表紙撮影・河野大輔
Cover Photograph by Kohno Daisuke
表紙の写真は、アレックス・カブレラの今シーズン最終打席。豪快な空振りの三振に倒れ56号ホームランは出ず、惜しくも日本記録達成はならなかった。だが頂点を目指し挑戦し続けた姿は、我々の心に強く焼き付いた。

BOOK 書籍 The Perfect Manual トリセツ 2002

PB: ぴあ（株） PIA CORPORATION E: 大木淳夫 Atsuo Oki CD: 細山田光宣 Mitsunobu Hosoyamada / 岡 睦 Mutsumi Oka I: 牧野良幸 Yoshiyuki Makino DF: 細山田デザイン事務所 HOSOYAMADA DESIGN OFFICE

The Perfect Manual

002　003

トリセツ TORI SETSU 目次

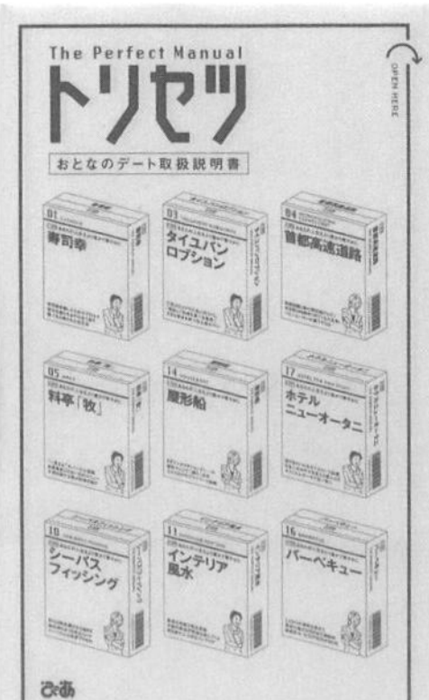

COVER

扉
TITLE PAGES

各章の内容を的確に伝え、区切りを示し、ヴィジュアルインパクトのあるレイアウトを紹介します。
Layouts that accurately convey the content of each chapter, signal a division and have visual impact.

ADMISSIONS INFORMATION　学校案内　　**2002 college book　中央実務専門学校 学校案内**　2000

CL: 中央実務専門学校 Chuo College for Architecture, Interior Design & Surveying　CD, AD: 村田一郎 Ichiro Murata　D: 坂元一葉 Kazuha Sakamoto　P: 樋川智昭 Tomoaki Hikawa　CW: 岡本朋子 Tomoko Okamoto
DF: ユウデザイン u:design

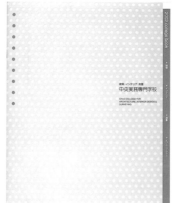

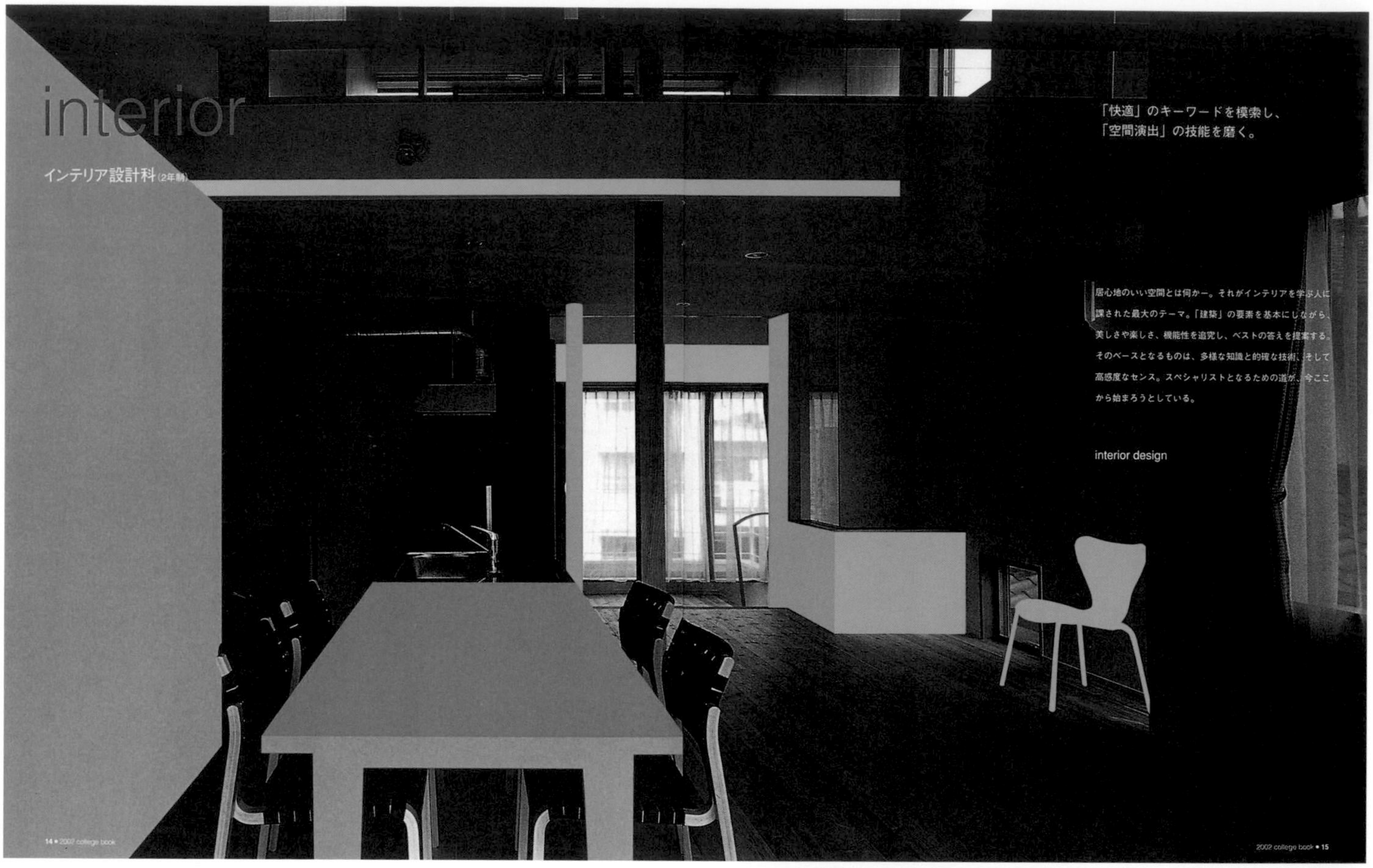

interior
インテリア設計科(2年制)
「快適」のキーワードを模索し、
「空間演出」の技能を磨く。
居心地のいい空間とは何かー。それがインテリアを学ぶ人に課された最大のテーマ。「建築」の要素を基本にしながら、美しさや楽しさ、機能性を追究し、ベストの答えを提案する。そのベースとなるものは、多様な知識と的確な技術、そして高感度なセンス。スペシャリストとなるための道が、今ここから始まろうとしている。
interior design
14 ● 2002 college book
2002 college book ● 15

2002 college book
建築・インテリア・測量
中央実務専門学校
CHUO COLLEGE FOR ARCHITECTURE, INTERIOR DESIGN & SURVEYING

COVER

surveying

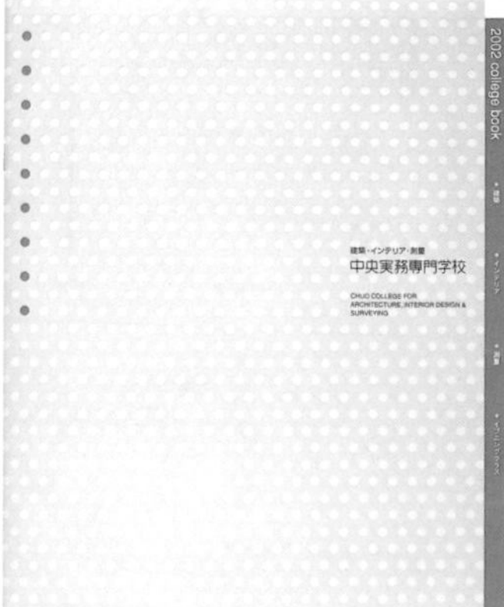

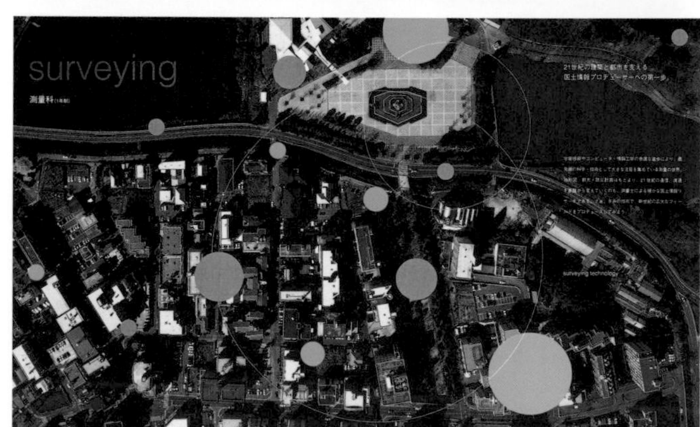

CORPORATE PROFILE 会社案内 **Hakuhodo Corporate Profile 2003 博報堂会社案内** 2002

CL: (株) 博報堂 HAKUHODO Inc. CD: 永井一史 Kazufumi Nagai AD: 佐野研二郎 Kenjiro Sano D: 杉山ユキ Yuki Sugiyama / 武田利一 Toshikazu Takeda P: 森本徹也 Tetsuya Morimoto / 丸山晋一 Shinichi Maruyama CW: 中村恭子 Kyoko Nakamura / 曽原 剛 Go Sohara

Creative Division

制作

058

制作とは

制作とは、あなたがテレビや新聞や街で見る広告を作っているセクションです。
つまり、世の中と触れ合うところにあるのが広告で、その触れ合いを意識しながら広告を作っているわけです。
あなたがその広告に興味を持ってくれるか、その商品に関心を持ってくれるか、買いたいと思ってくれるか。
世の中には、たくさんの情報が溢れています。その中でたくさんの人と握手ができる広告を作ることは簡単なことではありません。
広告を作るには、ふたつの力が必要です。ひとつは発見力というものです。商品の魅力を世の中により魅力的に見せるには、
商品のなにをいちばんの価値にするといいのか。それを発見する力です。そのためには、市場がどうなっているか、
人々の関心はどこにあるのか、時代はなにを求めているのか、そうしたことを一緒に考えながら、見つけ出していくわけです。
そして、もうひとつの力が、表現力というものです。見つけ出した商品の魅力をどのように伝えたらいちばん効果的か、
世の中の人々にその広告を見てもらうためには、どのように伝えたらいちばん興味関心を上げることができるか、
ということを考えることです。そのためには、今までにない新しい方法はないか、人々の共感を引き起こすためには
どのような方法が最善なのか、を考え見つけ出していくのです。
情報戦争に勝つということが企業にとって大切な基盤です。
この発見力と表現力とが一緒になって、初めて情報発信力の強い広告が生まれるのです。

制作はうんでいる

まだ雪の残る道端で小さく芽吹く草花を見つけた時にもうすぐ春、ということを予感します。
制作が生み出すものは、予感です。これからの時代の予感、これからの人々の趣向の予感、これからの流行の予感、
今と繋がった明日の予感です。そして、これからのあなたの生活の予感です。ブランドというものは、
本来商品や企業に言われてきたものです。ブランドとは、信頼や憧れのシンボルとして、非常に大切なものです。
しかし、最近になって広告そのものもまたブランドである、と言われるようになってきました。
それは、広告が、商品や企業の顔だからです。企業や商品にとって、広告はより重要になってきています。
だからこそ、どんな広告にするか、という最終決定を経営のトップがするようになってきています。
広告は、商品や企業の顔として、商品や企業の明日を担っているのです。つまり、制作は、企業や商品の顔としてのブランドを作り、
人々にそのブランドから得られる喜びの予感を生み出すことにあるのです。もうすぐ春になる、という予感だけで
人々が春を想像するように、広告は、明日の予感を与えるものなのです。そして、人々が春の素晴らしさを知っているからこそ、
春を待つのと同じように、広告が作り出すブランドとしての素晴らしさが、一層明日の予感を強めるものになるのです。

03

COVER

MOOK ムック **X-Knowledge HOME エクスナレッジホーム** **Vol.1 January, Vol.11 December 2002**

PB: (株) エクスナレッジ X-Knowledge Co., Ltd. E: 澤井聖一 Seiichi Sawai AD: 角田純一 Junichi Tsunoda
D: イトー・マユミ Mayumi Ito (cluster) / 大村太一 Taichi Ohmura (MANAS) / 小澤加代子 Kayoko Ozawa (MANAS) P (COVER 1): 高橋恭司 Kyoji Takahashi P (COVER 2): 上田義彦 Yoshihiko Ueda
P (SPREAD 1): 辻岡季之 Toshiyuki Tsujioka (Studio BAU HAUS) P (SPREAD 2): 大木宏之 Hiroyuki Oki

COVER 1

SPREAD 1

COVER 2

SPREAD 2

MAGAZINE 雑誌　　photon フォトン　issue 1　2002

CL: マックスレイ（株） MAXRAY　PB: （株）大伸社 Daishinsha Co., Ltd.　E, CD: 宮瀬浩一 Koichi Miyase　E: 宍戸哲也 Tetsuya Shishido / 本下真次 Shinji Honge / 三宅智子 Tomoko Miyake　AD: 前田義生 Yoshio Maeda
D: 永田伊知子 Ichiko Nagata / 嘉津綾子 Ayako Katsu / 寺村直子 Naoko Teramura　P: 岡田久仁子 Kuniko Okada / 小野雅士 Masashi Ono　CW: 瀬上昌子 Masako Segami / 三品 香 Kaori Mishina
DF: （有）クリエイティブオフィス・マエ creative office mae, inc.

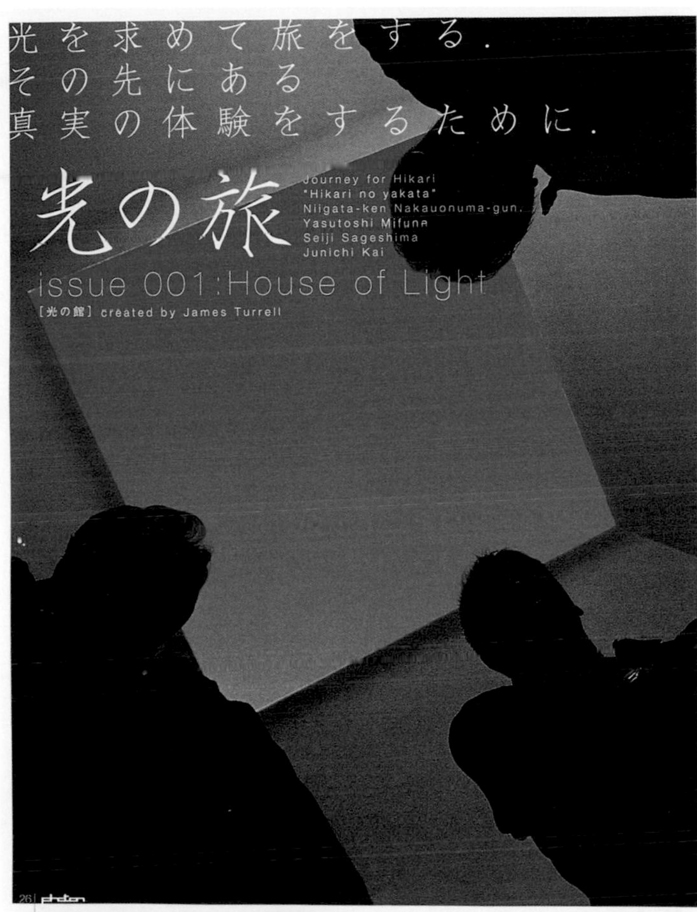
光を求めて旅をする。
その先にある
真実の体験をするために。

光の旅

Journey for Hikari
"Hikari no yakata"
Niigata-ken Nakauonuma-gun.
Yasutoshi Mifune
Seiji Sageshima
Junichi Kai

issue 001:House of Light
［光の館］created by James Turrell

26 | photon

ジェームズ・タレルの光、越後妻有の「光の館」

「灯に照らされた闇」の色を見たことがあるか —— 谷崎潤一郎の本「陰翳礼讃」でこんなフレーズと出会った。「灯に照らされた闇」?心の中に疑問符が浮かぶ。[illegible]「闇」とは[illegible]ことを言うのではないのか。灯に照らされてしまえば、それは「闇」とは言えないのではないのか。だとすれば「灯に照らされた闇」など、はじめから存在するはずもない。しかし谷崎には、それが見えたという。しかもそれには色があるという。
いったいどんな「闇」なのだろう。いや、ひょっとするとそれは「闇」ではなく、その対極にある光や、光から生まれる影のことを意図しているのかもしれない。
谷崎が見た「灯に照らされた闇」、そして「闇の色」をどうすれば見ることができるのだろうか。我々の興味は大きく膨らんでいった。谷崎が「陰翳礼讃」を執筆したのは昭和初期の日本。当時、「灯に照らされた闇」が本当に存在していたのなら、[illegible]今もどこかに存在しているはずだろう。
そう考えた我々は、「陰翳礼讃」をキーワードにインターネットで検索を続けた。

http://www.town.kawanishi.niigata.jp/midokoro/index.htm

「光の館」は、光のアーティスト、ジェームズ・タレル（アメリカ）の設計による体験宿泊施設です。タレルは、この施設の構想を谷崎潤一郎の「陰翳礼讃」にとり、伝統的な日本家屋のほのかな光と、自ら創り出した様々な光を融合させた、世界でも例を見ない瞑想の空間に仕上げました。
川西町ホームページより抜粋

「あ、これだ!」「タレルと谷崎か。おもしろそうだな。」

「陰翳礼讃」で出会った光のキーワードを求めて。

"Outside in", has a movable roof.
When the roof is opend, the sky appears.

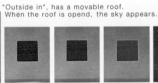

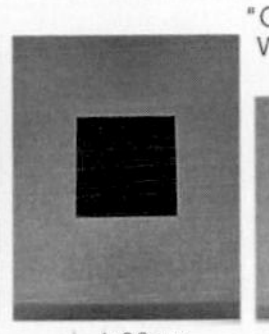

Sunrise Program Start → 4:15am　→ 4:28am　→ 5:07am　→ 5:10am　→ 5:15am　→ 5:25am

TRAVEL MEMO / House of Light

●ジェームズ・タレル
JAMES TURRELL。1943年、米国ロサンゼルス生まれ。航空工学をはじめ、知覚心理学、数学、美術史などを修める。アメリカ航空宇宙局内の研究所に勤務後、[illegible]日本では、水戸芸術館、埼玉県立近代美術館、世田谷美術館など多数の美術館で作品展が行われている。特に、香川県・直島での家プロジェクトとして建築家の安藤忠雄氏とコラボレートした作品は有名。

●「陰翳礼讃」いんえいらいさん
中央公論社刊。小説家、谷崎潤一郎（1886年生～1965年没）が、日本の衣食住における、あらゆる場面の「陰翳」と「闇の概念」に価値を見いだし、生活の中の薄暗い光を、洗練された美意識によって保持してきた日本人の伝統を綴ったエッセイ。日本人と西欧人との光学的趣味の違いがよくわかる名作。

●アクセス
「光の館」への交通は車か電車を利用。関越自動車道 六日町ICよりR253で約45分。北陸自動車道 上越ICよりR253で約1時間30分。上越新幹線 越後湯沢より、ほくほく線に乗り継いで十日町駅下車。車で約15分。または JR飯山線 十日町駅下車後、車で約15分。

●宿泊体験
「光の館」は、リゾートホテルや旅館では[illegible]宿泊施設の形態をとってはいるものの、あくまで光のアーティスト、ジェームズ・タレルの美術作品である。そのため、部屋など、照明を想像以上に暗く設定している場所もある。ここでは滞在生活の中で瞑想のための時間を持つことができるゲストハウスとして過ごすのがよいだろう。宿泊体験料などはお問合せを。

●「光の館」に関するお問合せ
ナカゴグリーンパーク・光の館受付係　0257-61-1090
新潟県中魚沼郡川西町大字上野甲2891
E-mail: hikari01@fine.ocn.ne.jp

ここなら谷崎の言う「灯に照らされた闇」に出会えるかもしれないと胸が高鳴った。
こうして我々は、かつて経験したことのない光を求めて旅に出ることにした。もちろん、行き先は越後妻有。ジェームズ・タレル氏の「光の館」を訪れるのだ。そして、谷崎の言う「灯に照らされた闇」の色を実体験する。
[illegible]があった。それは我々が「光の館」を理論的に語れるだけの知識がないということだった。彼のプロフィールには「光のアーティスト」とある。しかしそれをイメージだけで語ることは我々には許されない。ましてや「光の館」の本当の凄さを読者に伝えることなど出来ないだろう。ならば、タレル氏と同じようにアーティストやクリエイターと呼ばれる人たちに同行してもらい、我々が言葉に出来ない事実を表現してもらおう。そう、きっとそれがいい。
こうして建築家の美船安利氏、照明プランナーの甲斐淳一氏、インテリアコーディネーターの下嶋世司氏と行く「光の旅」が始まった。
旅の目的地、「光の館」は越後妻有地区、新潟県中魚沼郡川西町の町を見下ろす小高い丘の上にある。新潟県中魚沼郡といえば、日本一の豪雪地帯、そして魚沼産コシヒカリの産地として有名だ。
「光の館」の外観は、越後妻有の豊かな自然の中に建つ日本家屋。基本構想はタレル氏自身が行ったそうだ。タレル氏は短い期間ではあったものの日本での生活体験があるらしく、彼が日本各地で見た家屋や重要文化財にも指定されている川西町随一の豪農・豪商「星名家」の主屋、その他の妻有地方の伝統的な家屋などから大きな影響を受け、[illegible]めようと考えていくうちに、この家屋のカタチにたどり着いたという。そしてタレル氏のスケッチをもとに、地元の建築家、石井大五氏を中心とする施工スタッフが、彼の構想を現実のものとするために技術的な援助を行ってつくりあげた。タレル氏が基本構想を考える際、最も重要な役割を果たしたのが、谷崎の「陰翳礼讃」だ。実はこの本、川西町側がタレル氏と「光の館」の構想を話し合う中で、彼の思い出やイメージを聞き、参考になるのではないか、ということで手渡されたらしい。
「陰翳礼讃」にアーティストとしての感性をさらに刺激されたタレル氏の要求に応えるため、設計に6ヶ月、工事に10ヶ月もの期間が費やされ、材料の選定や部材の納め方に通常の建築とは異なる検討が必要とされた。豪雪地であることや予算に限りがあることなど、彼の要求通りにはいかない部分もあったらしいが、それでも地元業者の努力によってタレル氏にとっても満足いく「光の館 House of Light」が完成した。

photon | 27

COVER

BOOK 書籍　TN Probe Vol.12 Species: foa's phylogenesis　TN Probe Vol.12 Species: foa—種の系譜　2003

PB, E: TN プローブ TN Probe　E: 勝山里美 Satomi Katsuyama　AD: 古平正義 Masayoshi Kodaira (FLAME)

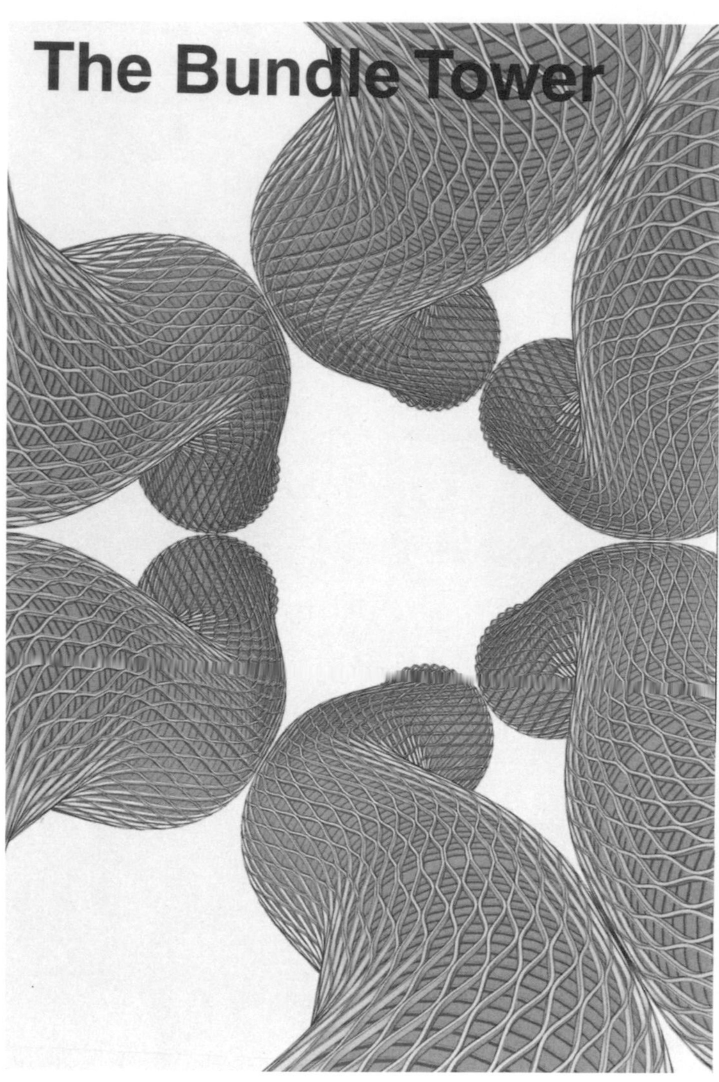

バンドル・タワー

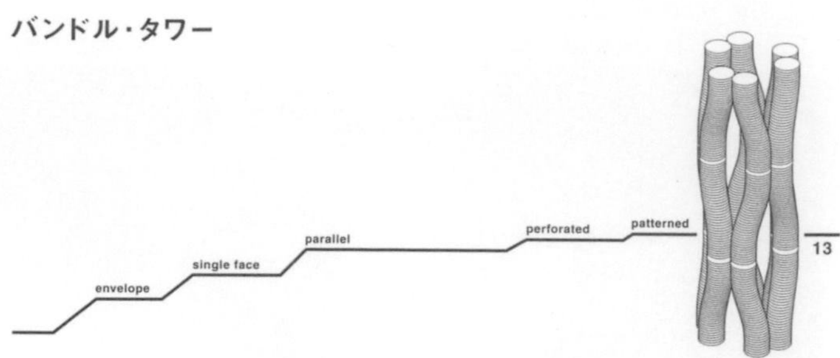

バンドル・タワーは、グランド・ゼロの再建への回答として生まれたもので、再び空中に浮遊するユートピアを、WTCの跡地あるいは他の場所に作るものとして計画された。北京、ロンドン、メキシコ、パリ、ソウル、シンガポール、上海、東京……。このどこもが、WTC攻撃の対象[illegible]ダイナミックなプロセスの中にあり、それらのプロセスを称賛するこのプロジェクトの敷地として相応しいのだ。

このタワーは、プロトタイプとして表現されており、何の場所の特定性も、地面の構造との取り合いも示されていない。ここに表現されたバンドル・タワーは、最もダイヤグラム的な形態による一つの種（Species）であり、ジェネリック・エコシステムの中で成長し、そのポテンシャルを現実のものとする特定の状況を待ち望んでいるのだ。暫定的に、かつてのWTCコンプレックス（130万平方メートル）の容量と同スケールになっているが、世界で最も高いビルとなることを目指している。

新しい高層ビルのプロトタイプ

高層ビルがどう発展してきたかを振り返ると、ビルの高さが増すにしたがって、構造に有用な素材をプランの周辺へ配置させる傾向が見受けられる。ビルが高くなれば、素材の強度は横方向の力へ安定性を与えるには充分でなくなり、唯一の解決策として平面を奥深くすることになる。それによって、非常に奥行きの深い[illegible]タイプが生まれ、その中では人工光と機械的に制御された空調に全面的に頼ることになる。

ここでは、新しいタイプの高層ビルを生成するために、単に構造体を分散するだけでなく、建物のボリュームを操作することを提案している。過剰に奥行きの深いオフィスを避けるための方法として、かつてのWTCやペトローナ・タワーのようにコンプレックスを2本の塔に分けてしまうのではなく、全体としての物理的な連続性は保ちながら、それを構造的な利点としても利用するという案だ。互いにからみ合ったタワーをバンドルしてコンプレックスをつくることによって、フロア・サイズはフレキシブルになり、互いを構造的に支えることができ、床の奥行きや総床面積を増やすことなく曲げモーメントを増すことができるのだ。

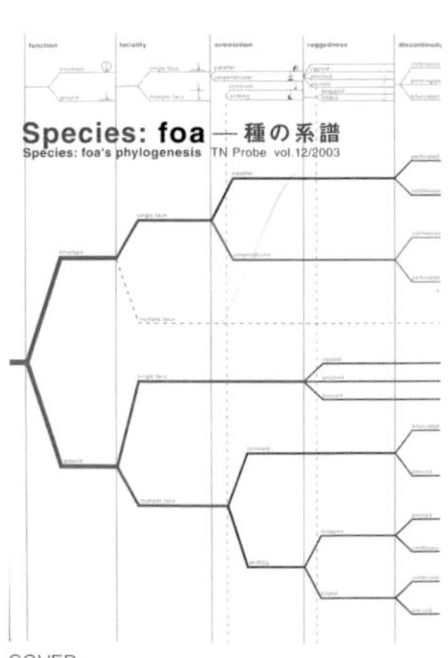

COVER

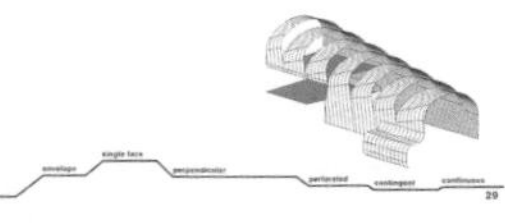

ADMISSIONS INFORMATION 学校案内　AICA Course Guide AICA入学案内 2002

CL: 学校法人秋田経理情報学園 秋田経理情報専門学校 Akita Institute of Computing & Accounting　CD, AD, D: 阿部健一 Kenichi Abe　P: 誉田慎一 Shinichi Honda　CW: 畠 譲 Yuzuru Hata　DF: (有) マゼンタ Magenta

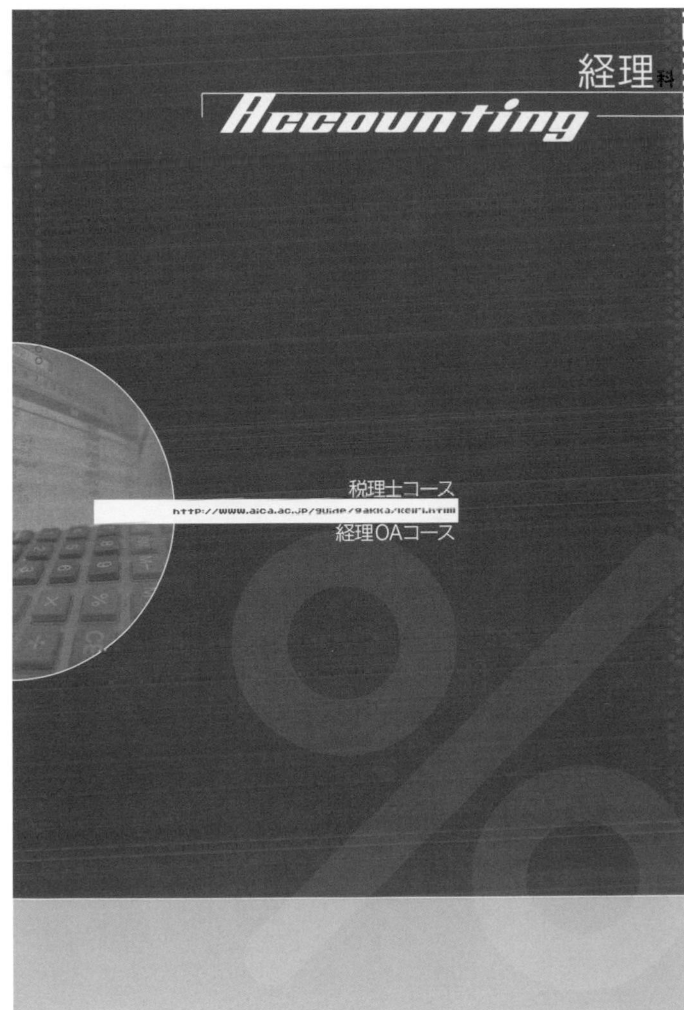

COVER

BOOK　書籍　　Nemoto Kico Street Food　根本きこのストリートフード　2002

PB: 日本放送出版協会　JAPAN BROADCAST PUBLISHING Co., Ltd.　E: 多久美 素　Motori Takumi / 伍堂由季子　Yukiko Goto　AD, I: 大島依提亜　Idea Oshima　D: 勝部浩代　Hiroyo Katsube / 富岡克朗　Yoshiaki Tomioka
P: 長嶺輝明　Teruaki Nagamine　I: 根本きこ　Kico Nemoto

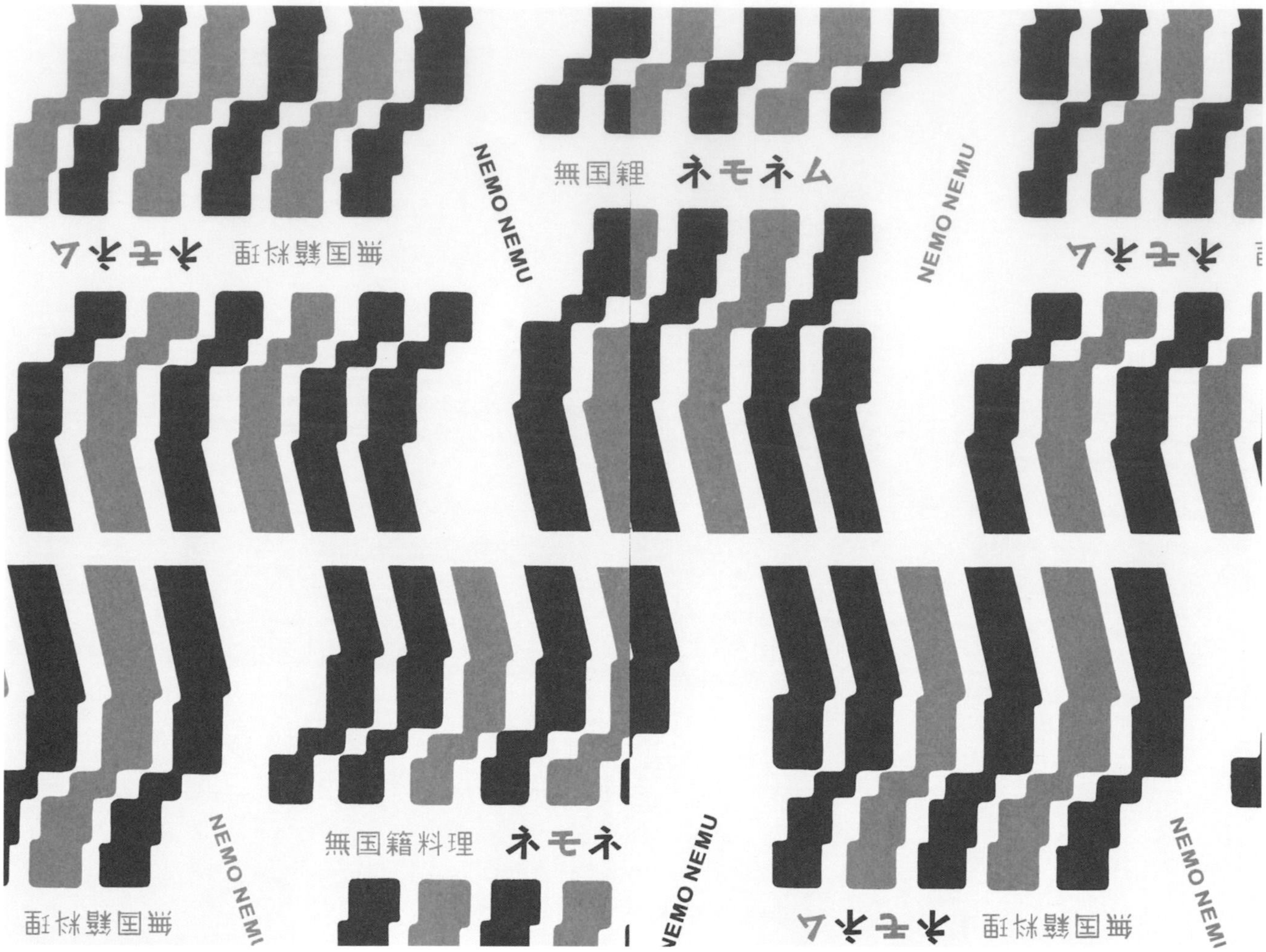

無国籍料理 ネモネム
NEMO NEMU

COVER

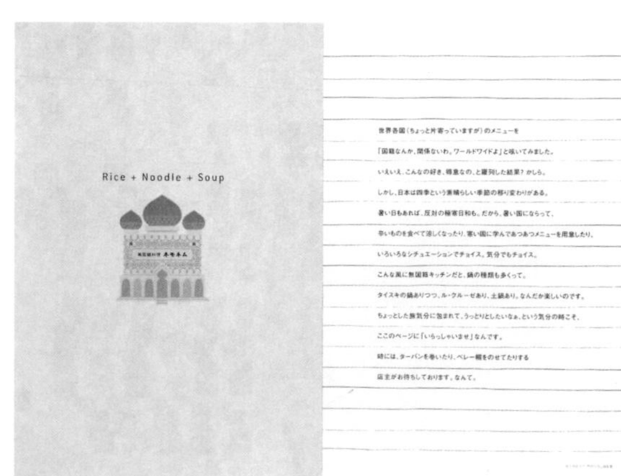

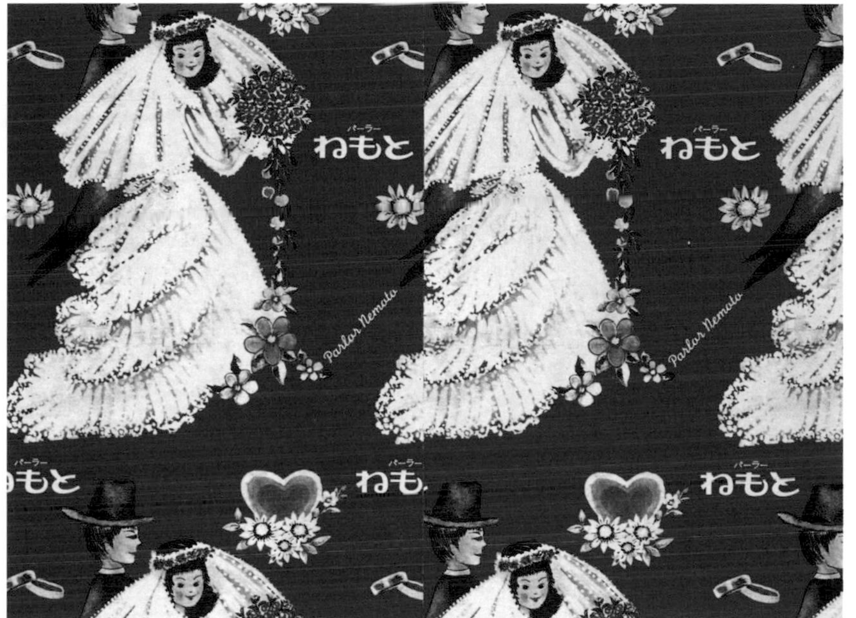
パーラー
ねもと
Parlor Nemoto

Dessert + Drinks
ねもと
銀座の千疋屋、今はなき中央通り沿いの、温室みたいに観葉植物が
伸びているパーラーがとても好きだった。
テーブルのタイルもフルーツ柄で、ウキウキした。メロン、さくらんぼ、オレンジ、
バナナ。たとえ嫌なことがあっても、ここにはそういう事が似合わないので、
そんな気持ちもしぼんで泡になって消えてしまう。
パステルの色合いがそうさせるのか、甘い果物の香りが
脳を朦朧とさせてしまうのかわからないけれど、パーラーという響きも手伝って、
ここはそんな場所なのでした。
では、パーラーねもとはと言うと、どうやらバナナを真っ黒まで焼いてみたり、
やけどしそうな温度に熱したあめでからめちゃったり、
なんだか想い出とはかけ離れているような仕事をしているような……。
けれど大丈夫。ちゃーんと甘いのです。

deli kico
deli kico
deli kico

Mini Dishes
deli kico
営業時間は11:00〜25:00。
バットに入れた多種多様なメニューが、トングや大きめのスプーンにすくわれて、
お皿にのせられる。ランチはこれを食べて（ごはんかクスクス、
バゲットが選べます）、夜はお酒のあてにする。
あて、っていうんですって。おつまみのことなのですが。
奈良のお友達が何気なく使っていて、「あら、素敵な言い方」と気に入っています。
さてさて、何はともあれ夜は楽しいのです。
小さなライブがあったりするのです。関西のアコーディオンのトリオが
来てくれたり、のこぎり（ミュージック・ソー）をひくデュオ、詩を読む人、
ルーツレゲエのバンド……。
聞いているし、こちらまでウずウずとしてしまって、フライパンを振りながら踊る、
という特技も取得。お客さんもリズムに合わせてジョッキを空ける。

BOOK 書籍 **Nippon Gosedai Kazoku にっぽん五世代家族 2001**

PB: 中央公論新社 Chuokoron-Shinsha, Inc. AD, D: 梶谷芳郎 Yoshiro Kajitani D: 大杉晋也 Shinya Osugi P: 齋藤亮一 Ryoichi Saito AUTHOR: 大久保博則 Hironori Okubo
PLANNING OFFICE: ノバルティス ファーマ（株） Novartis DF: 梶谷デザイン KAJITANY

COVER

徳島県三好郡東祖谷山村（ひがしいややま）
名頃家（なごろけ）のみなさん
にっぽん五世代家族 五

BOOK 書籍　**Kominkagurashi Watashiryu 古民家暮らし私流**　**2002**

PB: (株) 飛鳥新社 ASUKASHINSHA Co.　E: 大西香織 Kaori Onishi

COVER

第一章 わが家の陰翳礼讃

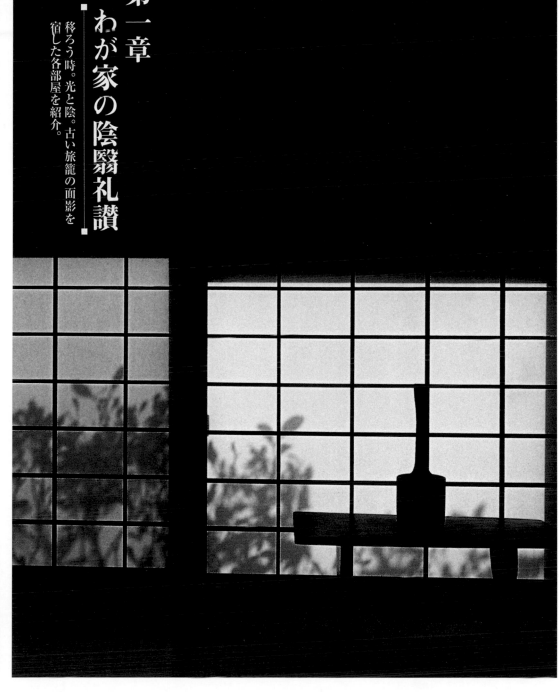

移ろう時。光と陰。古い旅籠の面影を宿した各部屋を紹介。

BOOK 書籍 **Japanese House: Space, Memory, Words 日本の家 空間・記憶・言葉** **2002**

PB: TOTO出版 TOTO Shuppan AD, D: 緒方裕子 Hiroko Ogata P (COVER): 杉全 泰 Yasushi Sugimata AUTHOR: 中川 武 Takeshi Nakagawa

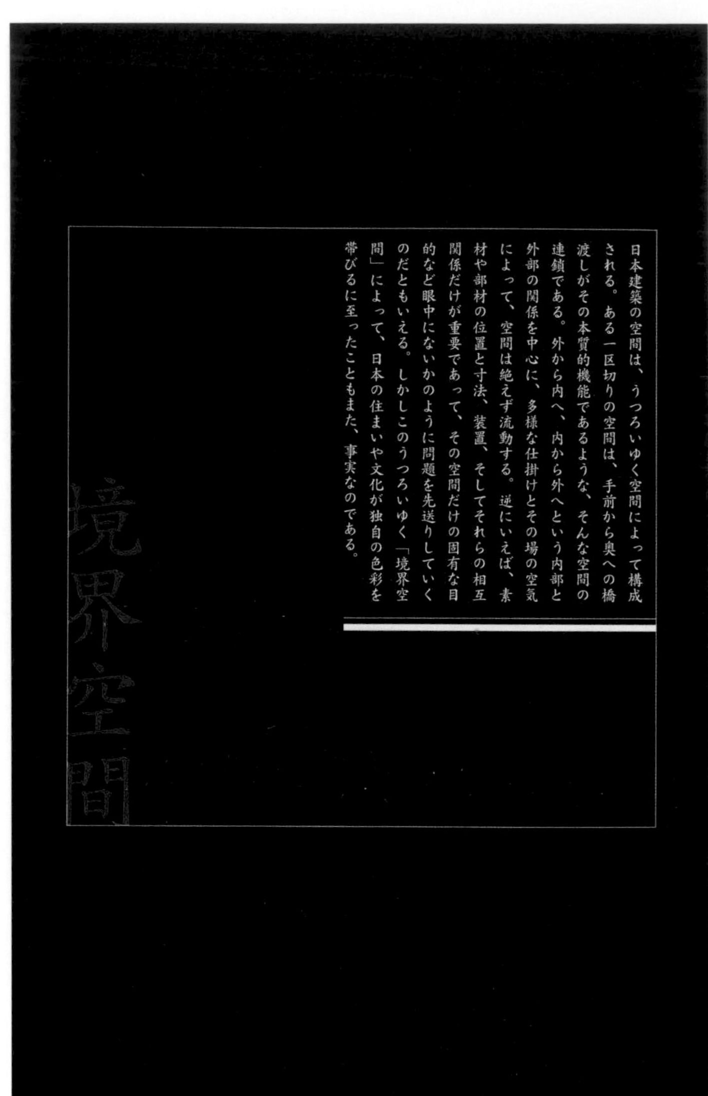

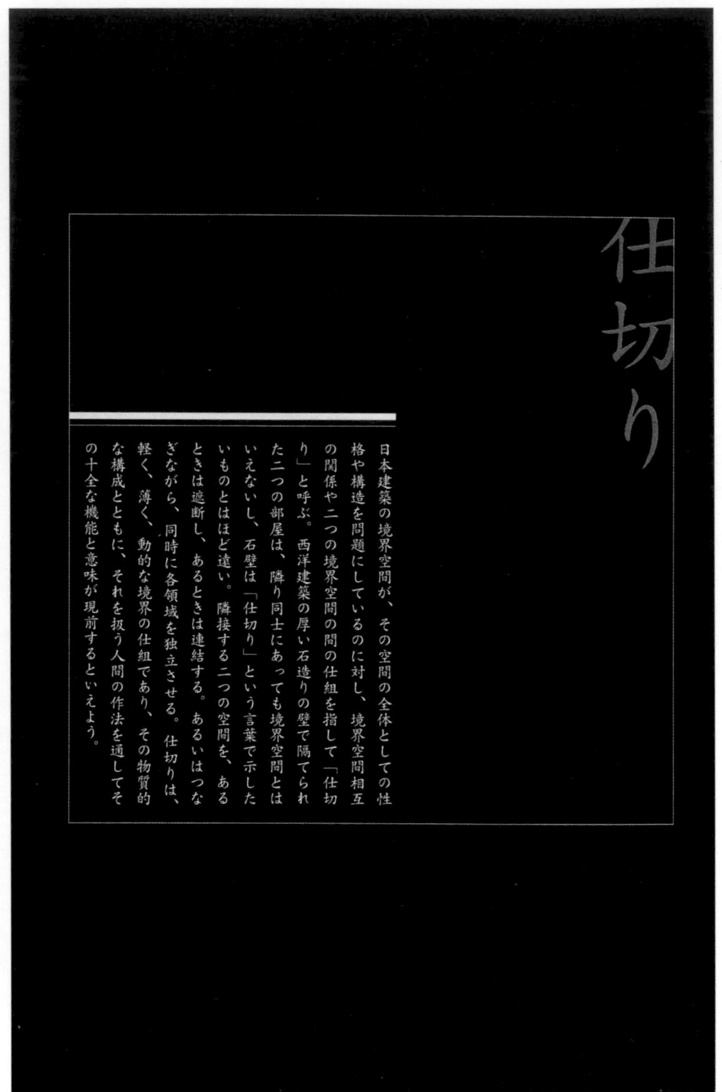

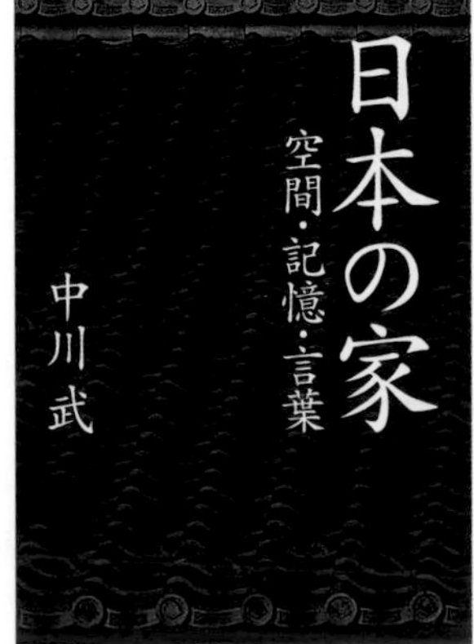

COVER

BOOK 書籍　Wagashi 和菓子 フルーツと野菜がふんだん 2002

PB: （株）講談社 KODANSHA　AD: 昭原修三 Shuzo Akihara　DF: 昭原デザインオフィス Akihara Design Office

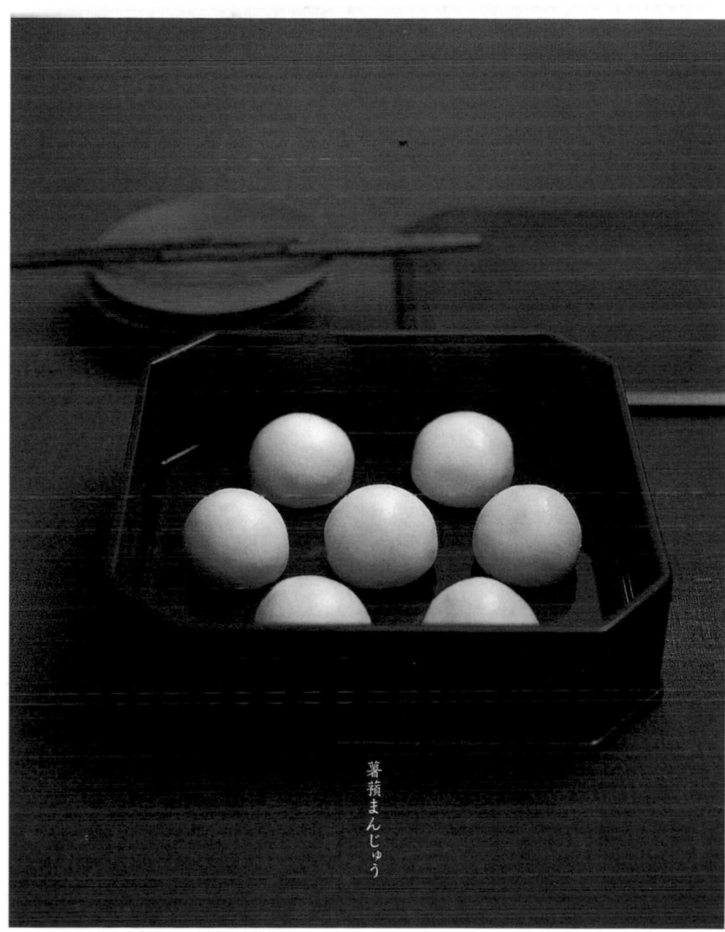

芋

【山芋、さつま芋、紫芋、里芋、じゃが芋】

芋は、豆とともに和菓子の重要な素材です。とくに山芋は、茶席菓子など上等のお菓子にも使われます。薯蕷まんじゅうの品のいい香り、やさしい味わい、ふんわりとして白くきめの細かい生地は、強い粘りのある山芋ならではのものです。

薯蕷まんじゅうは、白いままでもきれいですが、色粉で染めたり、焼き印を押すとまた雰囲気が変わり、季節感をあらわすことができます。薯蕷まんじゅうが上手にできるようになれば、和菓子作りも上級者です。ぜひ、マスターしてください。

そのほか、里芋はぬめっとした食感がとても楽しく、おだんごにはぴったりでした。さつま芋と紫芋は自己主張が強く、じゃが芋は素直。バターやしょうゆといい相性です。

66

和菓子
フルーツと野菜がふんだん
電子レンジとフードプロセッサーでできる
金塚晴子
講談社

COVER

MAGAZINE 雑誌　WARAKU 和樂　Nobember 2002

PB: 小学館 SHOGAKUKAN PUBLISHING Co., Ltd.　E: 花塚久美子 Kumiko Hanatsuka　AD: 木村裕治 Yuji Kimura　P (COVER): 森川 昇 Noboru Morikawa　P (SPREAD 1): 六田知弘 Tomohiro Muda
P (SPREAD 2): 青木 淳 Jun Aoki　DF: 木村デザイン事務所 KIMURA DESIGN OFFICE, Inc.

SPREAD 1

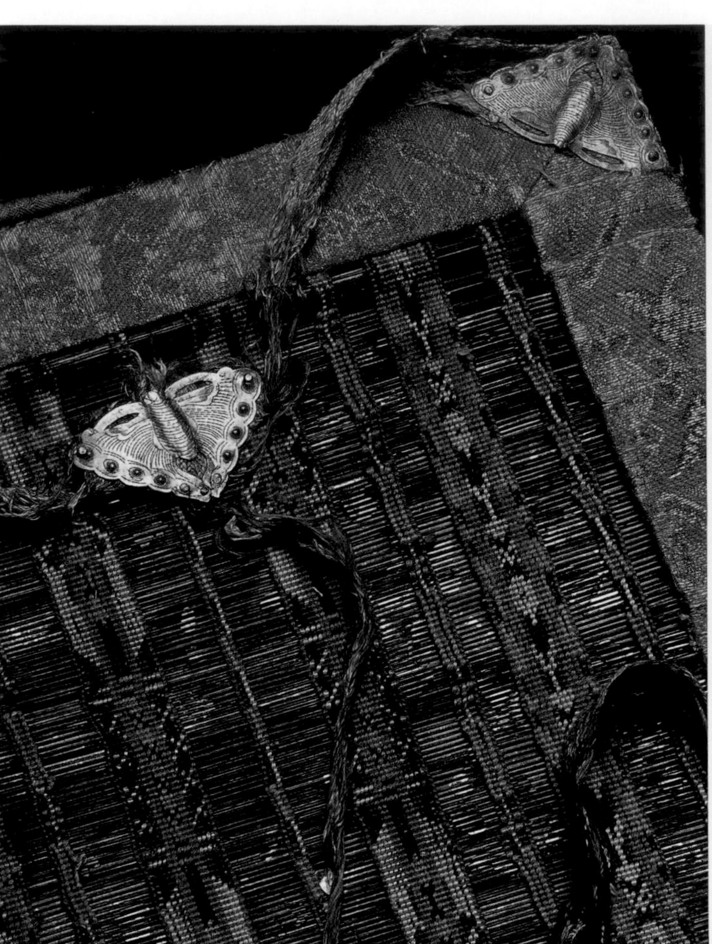

日本美、クローズアップ　第二回

神護寺経経帙

じんごじきょうきょうちつ

その数五千四百巻余り。
これは平安時代に後白河法皇が、先帝鳥羽法皇勅願の意志を継いで、神護寺に奉納したといわれている通称・神護寺経の総数です。
釈迦の教え、そのすべてを書写した一切経である神護寺経。
この経巻を保管するために、特別に誂えられた覆いが今回ご紹介する神護寺経経帙です。
平安貴族の美意識の高さと、浄土への執着心が込められた神護寺経経帙。その艶やかな姿を篤とご覧いただきます。

デザイン／木村デザイン事務所　コーディネーター／利谷有里
協力／後藤康雄、田島 宪　構成／渡辺倫明（本誌）

写真／六田知弘
ひだともひろ　1956年奈良生まれ。幼少のころより慣れ親しんだ大和周辺の寺や仏像をはじめ、世界中の文化財や古美術品の撮影を数多く手がけている。近々、中国石窟やスペインのシロス修道院の写真を展覧会にて発表する予定。写真集に『ひかりの素足―シェルパ』(IPC)、『ポリの肖像』(シングルカット)がある。

神護寺に伝わる神護寺経の経巻を保管するために制作されたものがこの経帙である。帙の二隅と紐にあしらわれた金銅製の蝶金具が、平安美術の華麗な美しさをより一層際立たせている。
神護寺経経帙（平安時代）個人蔵

COVER

SPREAD 2

MAGAZINE 雑誌 **WARAKU 和樂** **October 2002**

PB: 小学館 SHOGAKUKAN PUBLISHING Co., Ltd. E: 花塚久美子 Kumiko Hanatsuka AD: 木村裕治 Yuji Kimura P (COVER): 森川 昇 Noboru Morikawa P (SPREAD 1): 六田知弘 Tomohiro Muda
P (SPREAD 2): 青木 淳 Jun Aoki DF: 木村デザイン事務所 KIMURA DESIGN OFFICE, Inc.

SPREAD 1

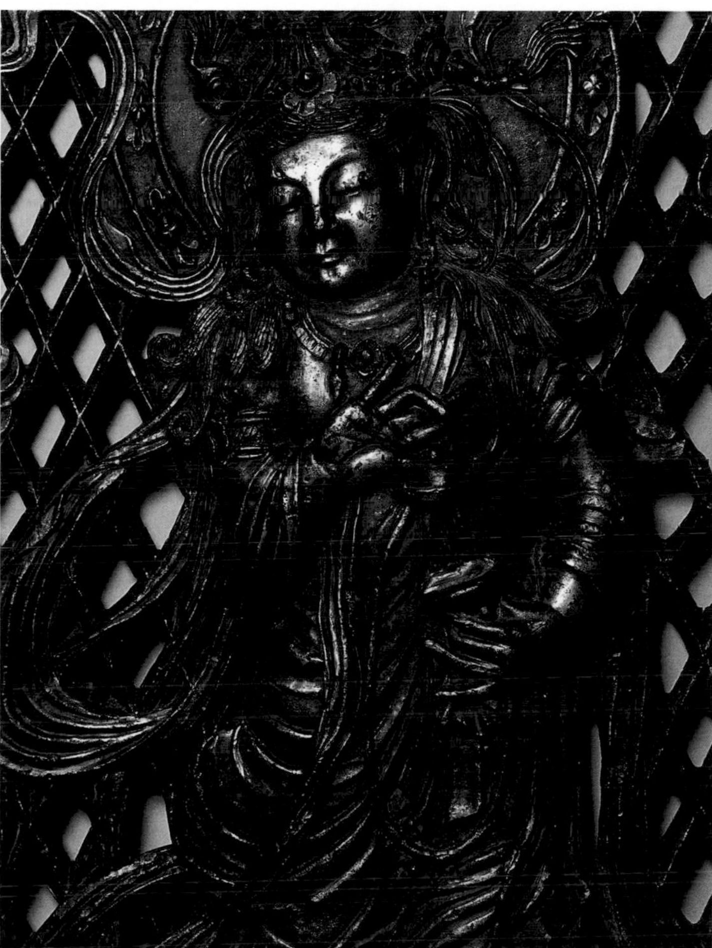

写真／六田知弘

むだともひろ 1956年奈良生まれ。幼いころより祖父に連れられて大和周辺の寺を巡り、10歳のころに出会った薬師寺の薬師三尊像に感銘を受け、以後各地の寺社、仏像巡りを積極的に重ねる。早稲田大学卒業後、建築写真家の助手となり'82年よりフリーランス・カメラマンとなる。子供のころから仏像に慣れ親しんだ経験を生かし、朝日新聞社刊の「日本の国宝」シリーズなど文化財や古美術品の撮影を数多く手がけている。

新連載
日本美、クローズアップ 第一回

東大寺音声菩薩

たとえば国の宝として認められ、いつの時代も多くの人々に敬愛されてきた仏さま。はたまた人知れず、その土地に暮らす人だけが厚い信仰心によってひっそりと守り続けてきた神の社……。日本の各地には、その形態やジャンルを問わずいにしえより守り伝えられてきた、数多くの「美しきもの」が残されています。今月より始まるこの連載は、私たちを惹きつけてやまない、優れた美術品の数々を毎月ひとつずつ取り上げ、その素顔をクローズアップ。優美な表情と、美術品を生み出した縁の風景をご堪能いただきます。

デザイン／木村デザイン事務所 コーディネーター／利谷有里
協力／東大寺 構成／渡辺倫明（本誌）

大仏殿前に建っている八角燈籠の、羽目板に浮き彫りされた音声菩薩。正式名称を「金銅八角燈籠火袋羽目板」（奈良時代 8世紀）という。これは、東大寺の図書館に保存されている一面。

22

COVER

SPREAD 2

MAGAZINE 雑誌　　**sumu 住む。**　**#1 Spring 2002**

PB: (株) 泰文館 taibunkan E: (有) 編集座 Henshuza AD, D: 松平敏之 Toshiyuki Matsudaira D: 佐藤芳孝 Yoshitaka Sato P (COVER): 青木健二 Kenji Aoki P: 小林浩志 Hiroshi Kobayashi DF: hubbard

木の声が聞こえる、

ジョージ ナカシマの 家具

アントニン・レーモンドのもとで仕事をした経験をもつ
アメリカのクラフトマン、ジョージ・ナカシマ。
木の魅力を正直に活かしたハンドクラフトの家具は
さながら彫刻のように美しい。

写真・小林浩志（66〜67ページ）

32 minute,
25 second-story
□時の階（きざはし）

32分25秒間、デジタルカメラで連続撮影した全78カットをコラージュして作製。
（データ処理／末吉陽一）

このミングレンⅠテーブルとコノイドチェアは、写真家・小林浩志氏がジョージ・ナカシマ最晩年にニューホープの工房を訪ねて、発注・購入したもの。

67　　66

季刊|春　{sumu} Quarterly Magazine Spring 2002 #1

住 む。

創刊号

特集

正直な家

アントニン・レーモンドに学ぶ、住まいの基本。
建築家・中村好文と軽井沢新スタジオを訪ねて。
実例・「普通」で美しい家に住む。

家をつくるなら、
近くの山の木で。

森林の仕事。樹から木へ。大工の技。
国産材の木の家は高いのだろうか。

わが家のゴミをどうするか。
Selection 菜園の道具
対談・松山巖×野沢正光
「21世紀に、
家をつくるということ」

連載
長田弘 Made in Poetry
大橋歩 暮らしの絵日記
長谷川堯の建築学校

COVER

MAGAZINE 雑誌 **sumu 住む。** **#4 Winter 2003**

PB: (株) 泰文館 taibunkan E: (有) 編集座 Henshuza AD, D: 松平敏之 Toshiyuki Matsudaira D: 佐藤芳孝 Yoshitaka Sato P (COVER): 青木健二 Kenji Aoki P: 奥秋貴子 Takako Okuaki DF: hubbard

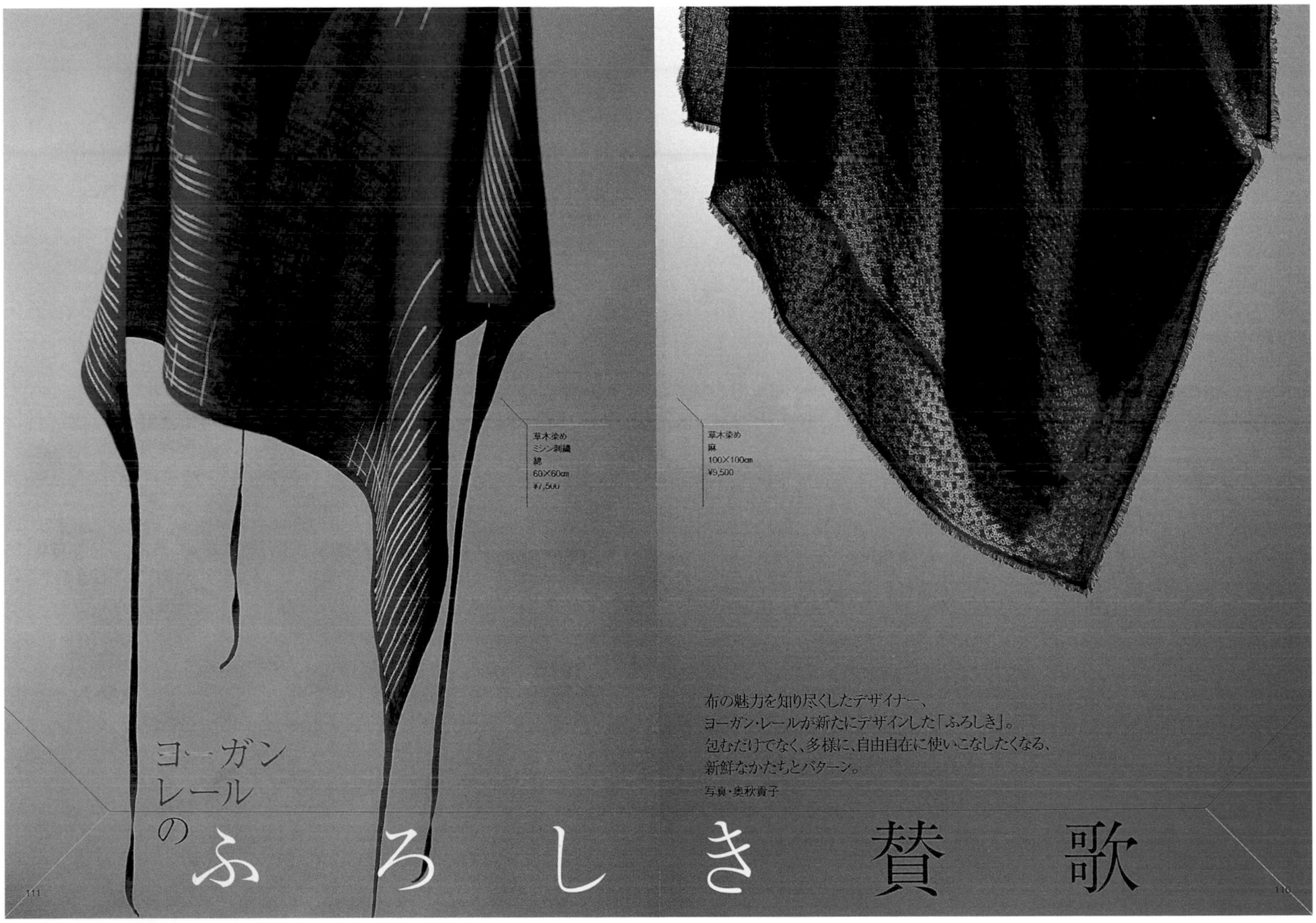

草木染め
ミシン刺繍
綿
60×60cm
¥7,500

草木染め
麻
100×100cm
¥9,500

布の魅力を知り尽くしたデザイナー、
ヨーガン・レールが新たにデザインした「ふろしき」。
包むだけでなく、多様に、自由自在に使いこなしたくなる、
新鮮なかたちとパターン。

写真・奥秋貴子

ヨーガン
レール
の
ふろしき賛歌

111 110

季刊 冬
sumu
住む。
特集
冬に備える。
特集
「食」は家にあり。

COVER

MAGAZINE 雑誌　　sumu 住む。　#2 Summer　2002

PB: (株) 泰文館 taibunkan　E: (有) 編集座 Henshuza　AD, D: 松平敏之 Toshiyuki Matsudaira　D: 佐藤芳孝 Yoshitaka Sato　P (COVER): 青木健二 Kenji Aoki　P (SPREAD 1): 小泉佳春 Yoshiharu Koizumi　P (SPREAD 2): 池内功和 Kouwa Ikeuchi　DF: hubbard

SPREAD 1

SPREAD 2

COVER

MAGAZINE 雑誌 sumu 住む。 #1 Spring, #4 Winter 2002, 2003

PB: (株)泰文館 taibunkan E: (有)編集座 Henshuza AD, D: 松平敏之 Toshiyuki Matsudaira D: 佐藤芳孝 Yoshitaka Sato P: 青木健二 Kenji Aoki DF: hubbard

菜園を育てる道具

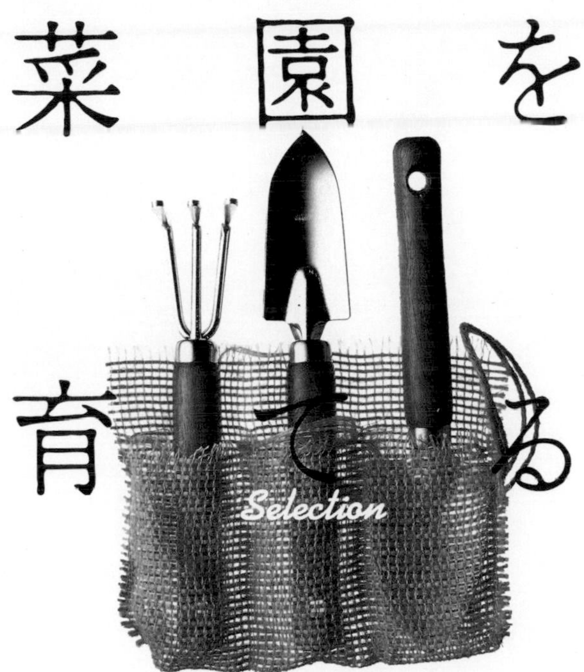

菜園での時間をともに過ごす道具には、
親しみがわき、信頼のおける相棒のような存在であって欲しい。
生活空間の一部として庭を愛し、
植物と暮らすよろこびを知る人びとのための
伝統と知識に培われた機能美あふれる菜園の道具。

写真・青木健二 選／文・田邉裕賀

73

「食」は家にあり。

特集 Quarterly Magazine sumu

ごはんをつくる、食べる。それは、欠かすことのできない日々のいとなみ。自分や家族のために美味しい料理をつくるのに、たいそうな設備はいらない。使い慣れたふつうの台所で充分だ。できるだけ、新鮮で嘘のない食材と、料理を愉しむ心意気さえあれば。

Photo Kenji Aoki

25

季刊·春 [sumu] Quarterly Magazine Spring 2002 #1

住む。
創刊号

特集
正直な家
アントニン・レーモンドに学ぶ、住まいの基本。
建築家・中村好文と軽井沢新スタジオを訪ねて。
実例・「普通」で美しい家に住む。

家をつくるなら、
近くの山の木で。
森林の仕事。樹から木へ。大工の技。
国産材の木の家は高いのだろうか。

わが家のゴミをどうするか。
Selection 菜園の道具
対談・松山巌×野沢正光
「21世紀に、
家をつくるということ」
連載
長田弘 Made in Poetry
大橋歩 暮らしの絵日記
長谷川堯の建築学校

COVER

季刊·冬 [sumu] Quarterly Magazine Winter 2003 #4

住む。

特集
冬に備える。

特集
「食」は家にあり。

cover

BOOK 書籍　cafe co. –complete works　カフェ コー コンプリート ワークス　2003

CL: (株) カフェ　cafe co.　E, AD: ヤマモトヒロユキ　Hiroyuki Yamamoto　D: 古川智基　Tomoki Furukawa　P: 高橋正男　Masao Takahashi　DF: (株) ピクト　Picto Inc.

Flight attendant and airplane

スチュワーデスの

お姉さんと飛行機

CLEAR kyoto

クリア キョウト (2001)

セクシーさをより強調する
女性と飛行機の組み合わせ。

「clear」というブティックは俗に言う「神戸エレガント」の流れの店だ。このブティックはいつも「女性と何か」を、セットでデザインすることにしている。オーナーのオーダーではなく自分の中で作ったコンセプトの核だ。ただかっこいいだけではなく、そういうセクシーなお姉さんは、どういうものと対称にしたときに、よりセクシーに見えるかと考える。1軒目のアメリカ村店は「お姉さんとプール」、後に造ることになった4軒目の神戸OPA店は「お姉さんと未来電車」。これはたまたま見た「24区」のTVCMで、中山美穂が地下鉄に乗ってたのにインスピレーションが湧いたもの。身近な体験の中からアイデアが出てくることは多い。

そして3軒目にあたる京都店に、僕が与えたコンセプトは「お姉さんと飛行機」。この物件を手掛けていた頃、飛行機で出張していることがやけに多かった。ある日、機内でのスチュワーデスの立ち居振る舞いを見ながら
「スチュワーデスってセクシーだな」
とぼんやりと考えていたら、ある瞬間、ひらめいた。
「飛行機というグラマラスな物体の中に、ウエイトレスみたいな女の部分を強調した人がいるというのがセクシー。そういえば、アメリカ軍だって飛行機に女性のイラストをプリントしたりしている。このアイデアがイケるな」。コンセプトはここではっきり打ち出せると確信した。しかし、この物件には大きな問題が残されていた。それは特殊な立地にあった。フロアの中央にある導線が定まらないショップ。一番店が綺麗に見える正面とは反対側から人の流れがある変形レイアウト。360度どこから見ても形になっていることが求められる

逃れる術を思案してみたものの、結局与えられた環境を無視するよりも、環境の持つ力を利用することで店全体の吸引力をあげられるかもしれない。そう考えた。天井にもともとあったアールのラインを利用し、そのラインを追って、レイアウトのラインをリフレインする。意味を与えたラインのみで構成することで確実に店全体のまとまりがよくなった。建築が方角や規定を考慮するのと同様、インテリアも与えられた環境の中でコントロールしていかなくてはならないのではないか？　そんな課題を自らクリアできた気がした。

また、スチュワーデスが機内のカーテンをシュシュッっと閉める仕草がセクシーだったから、フィッティングルームはカーテン[illegible]スクリーンをイメージして、店内にモニターを[illegible]。飛行機という乗り物自体ももともとグラマーな存在。そんなグラマラスな感じを素材感やラインに入れる。飛行機の樹脂と同じように見せるため樹脂風の塗装を特別にオーダーするなど、素材にもこだわったつもりだ。什器も羽根の形を取り入れ、空をイメージしたブルーラインを入れた。実際の飛行機の部品などは一切使わずイメージをサンプリングして、その置場にインスタレーションしていく。そういう具象的なコンセプトを抽象的に表現するというのが一連の「clear」シリーズのデザインだと思っている。

cafe co. —complete works

『AFRICA』『GLASS FACTORY』『of HAIR』『燈花』など…
話題の空間を手掛けるインテリアデザイナー
森井良幸、松中博之率いるデザイナー集団『cafe co.』。
時代性を的確に捉えた感性で、数々の全国の人気ショップを
デザインする彼らの仕事を凝縮した1冊！

COVER

PARIS × TEXAS MIX IMAGE

TSUBAKI SUSHI horie

ツバキスシ [illegible]

インテ[illegible]ア×ファッションが生んだ[illegible]
コラ[illegible]ートによる新デザインの[illegible]

こ[illegible]よくファッション雑誌を[illegible]いた。それは服や[illegible]ドが好きだからじゃなく、[illegible]メゾンが打ち出す[illegible]のテー[illegible]面白かった[illegible]。よく、インテリア[illegible]ーは[illegible]の手法を[illegible]ことが個性だと[illegible]されて[illegible]、決してそ[illegible]いと思う。現に[illegible]ファッシ[illegible]は[illegible]由だ。デザイナー[illegible]ション[illegible]自由な表現にトライ[illegible]ると[illegible]く[illegible]。そんな[illegible]方法[illegible]co[illegible]「これ[illegible]の[illegible]し[illegible]

北堀江にある古い木材置き場を見た時、そう思った。近くには我々が手掛けた和食の店「燈花 堀江店」もあり、同じようなテイストの店は近所に置きたくない。さらに、ここは同じテイストにしてしまうには惜しいほどやりやすい物件だった。木材の壁もいい感じで剥げ、古い建物特有の香りがする。何より魅力的なのは、高さ5メー[illegible]もある天井だった。この高さがあれば、どんな[illegible]ことができるだろう。例えば、ステップ方式。倉[illegible]なんかにある造りだが、同じフロアの中に小上[illegible]になった階段を設ける。こうやってフロアに高[illegible]つけ、コーナーを仕切ることで、これから出会う[illegible]の空間にわくわく感を演出することをできる。人[illegible]見えない場所があると、それを覗くために前に進[illegible]とするものだ。個室もたくさん作りたいし、窓を大き[illegible]って、天井からはゴージャスなシャンデリアを吊るしてもいける。この際、思い切り面白い、いろんなことにトライしてみようか――。その時、ふと思いついたのが雑誌に載っていたイブサンローラン・リヴ・ゴーシュが打ち出していた“メキシカンスタイル”。ヨーロッパのファッションブランドがアメリカっぽいものを作ることが新鮮に思えた。縦割りの世界にはまらないミックス感覚に、ふと今の時代性を感じた。

「コラボレートも面白いかもしれない」。

自分が思いついた時代性という言葉から連想された次のワードがコレだった。この広い空間を利用してシルクスクリーンに映し出した絵を飾ってみてはどうか？ イラストレーターは、当時、人気急上昇中だった村上[illegible]くん。彼の絵の手法にどこかエルメスっぽさを感じたからだ。彼にTsubakiからイメージするグラフィックを何点か依頼し、それを空間のインパクトになるようはめこんでみた。

寿司屋にもかかわらず、内装はあえてラウンジ感を演出。ステップ方式はもちろん、2階にはサイケな個室とバーカウンター、そしてデニムの張り生地を使ったソファも特注した。階段にはサボテンの坪庭。外観からは、ここが何の店だかわからない。そんな仕掛けもこの店をミステリアスにするための手法だった。

例えばパリ風の空間をといわれて、パリのものをそのまま引っ張ってくるのじゃなく、パリというアナログな要素を、どう今の技術で表現してゆくか。これがうちのオリジナルの解釈だ。インテリアデザインとは言わば[illegible]。いろんな物事を自分で考えて形にするのが我々の仕事だ。でき上がりをぐるりと見回して、感じるテイストはパリ×テキサス風。ファッションをヒントに昇華したデザインは、あらゆる手法をミックスしたモード感たっぷりのデザインだった。

MAGAZINE 雑誌 **Martha Stewart Martha マーサ・スチュワート・マーサ** **February 2003**

PB: (株) マーサ・スチュワート・ジャパン Martha Stewart Japan Co., Ltd. E: マーサ・スチュワート Martha Stewart CD: ゲール・ターウィ Gael Towey DESIGN CONSULTANT: 上村清一 Seiichi Kamimura
D: 富田麻紀子 Makiko Tomita / 新美弘恵 Hiroe Shinmi / 三浦 舞 Mai Miura P (COVER): マリア・ロブレド Maria Robledo

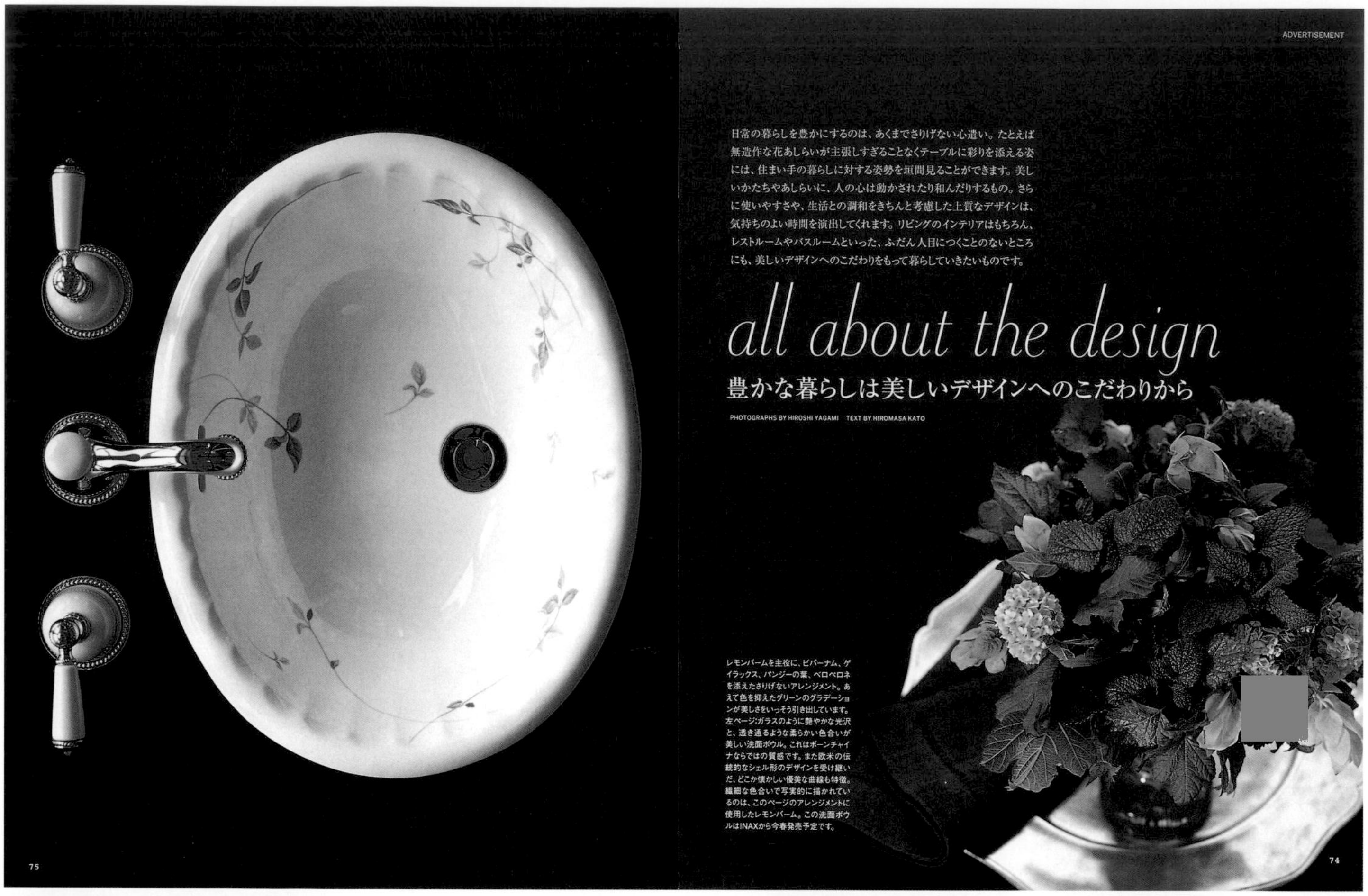

ADVERTISEMENT
日常の暮らしを豊かにするのは、あくまでさりげない心遣い。たとえば無造作な花あしらいが主張しすぎることなくテーブルに彩りを添える姿には、住まい手の暮らしに対する姿勢を垣間見ることができます。美しいかたちやあしらいに、人の心は動かされたり和んだりするもの。さらに使いやすさや、生活との調和をきちんと考慮した上質なデザインは、気持ちのよい時間を演出してくれます。リビングのインテリアはもちろん、レストルームやバスルームといった、ふだん人目につくことのないところにも、美しいデザインへのこだわりをもって暮らしていきたいものです。
all about the design
豊かな暮らしは美しいデザインへのこだわりから
PHOTOGRAPHS BY HIROSHI YAGAMI TEXT BY HIROMASA KATO
レモンバームを主役に、ビバーナム、ゲイラックス、パンジーの葉、ペロペロネを添えたさりげないアレンジメント。あえて色を抑えたグリーンのグラデーションが美しさをいっそう引き出しています。左ページ:ガラスのように艶やかな光沢と、透き通るような柔らかい色合いが美しい洗面ボウル。これはボーンチャイナならではの質感です。また欧米の伝統的なシェル形のデザインを受け継いだ、どこか懐かしい優美な曲線も特徴。繊細な色合いで写実的に描かれているのは、このページのアレンジメントに使用したレモンバーム。この洗面ボウルはINAXから今春発売予定です。
75
74

MARTHA STEWART
Martha
MARTHA STEWART Living日本版
マーサ・スチュワート・マーサ
FEBRUARY 2003
Vol.2 No.1
2
心までとかす、お菓子の女王
チョコレートデザート
happy valentine's day
今、注目したい魅力の色合わせ
ブラウンのインテリア
真冬のディナーパーティ
写し絵の美しい食器たち
蘭
気持ちを伝えるクイリング

COVER

Transferware

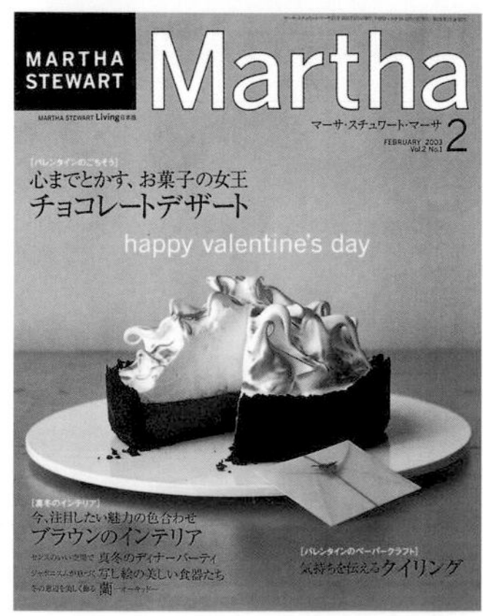

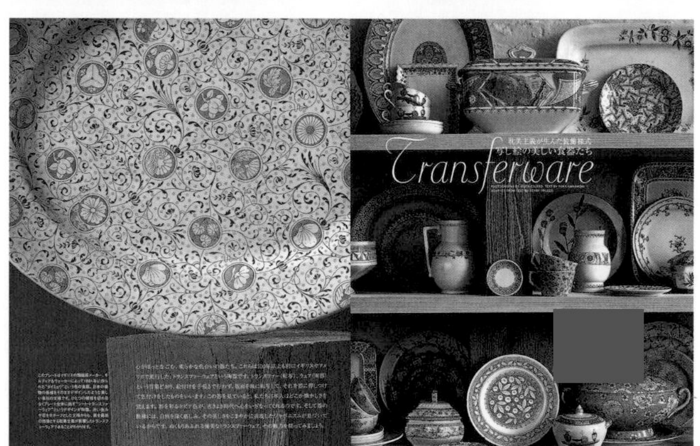

MOOK ムック　Chiisana Koke Bonsai　小さな苔BONSAI　2002

PB: (株) 学習研究社 GAKKEN CO., LTD.　PLANNING, E: 雅麗 Galée　D: なかねひかり Hikari Nakane

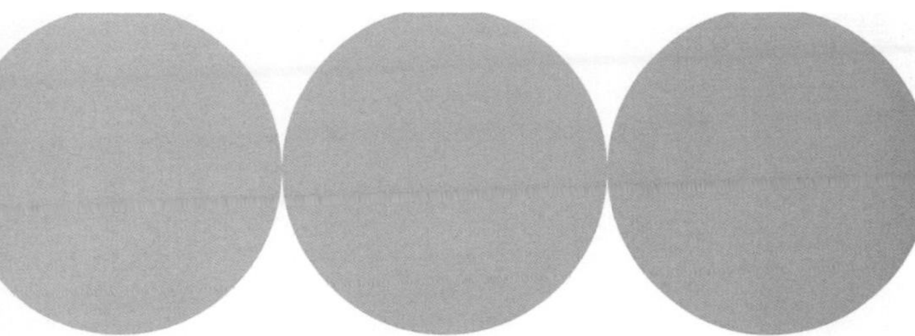

「苔ＢＯＮＳＡＩ」のインテリア

ふだんの暮らしに、「苔ＢＯＮＳＡＩ」を仲間入りさせてみませんか。
コケの深い緑色を眺めていると、ふしぎと心が落ち着いて。
ふっさりとした手ざわりが、優しい気持ちにさせてくれる。
そんな癒しの「苔ＢＯＮＳＡＩ」の魅力を、身近で楽しんでみましょう。

COVER

MAGAZINE 雑誌 **be Sure ビー・シュア** **No.58 February, No.59 April 2002, 2003**

PB: トーソー出版 TOSO COMPANY, LIMITED. AD: 愛田泰子 Yasuko Aida D: 住田 桜 Sakura Sumida P: 増尾峰明 Mineaki Masuo DF: モノタイプ monotype

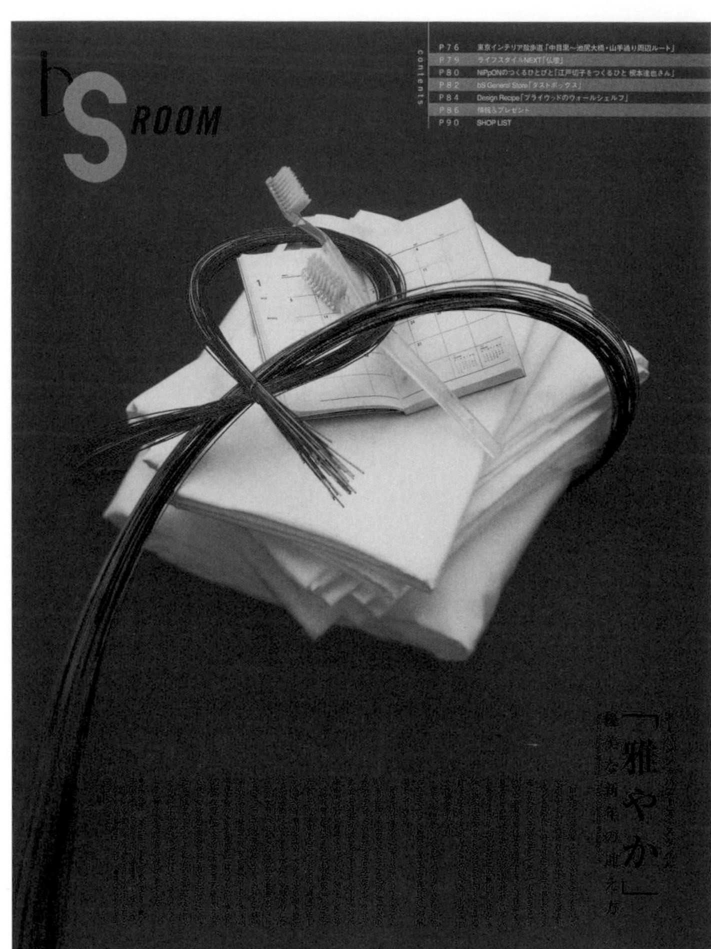

COVER

COVER

MOOK ムック **MENU MAGAZINE メニューマガジン** Vol.1, 2 2002, 2003

PB: (株) 桂出版社 FI Publishing Co., Ltd. E: 猪田昌明 Masaaki Inoda CD: 保坂英孝 Hidetaka Hosaka AD: 山田洋一 Yoichi Yamada P (COVER 1): 中川正子 Masako Nakagawa P (COVER 2): 久保田育央 Ikuo Kubota DF: ピークス (株) Peacs Inc.

Colors of the DISH*1 / Reminiscence

Antipasto
Primo
Second
Dolce

Colors of the DISH *1
Reminiscence
created by Hideki Uno

シェフの記憶

料理は、五感を振るわす。
眼で悦び、香り、味わい、脳がザワめく。
言葉を交わし、笑い、そうして記憶に刻まれる。

幸福な時間を人々がテーブルで過ごしている時、
キッチンの奥で、想いを刻むシェフがいる。

ここにご用意しましたコースメニューは、
器に盛りつけたシェフの記憶です。
ビジュアルと、少しの話を添えました。
眼で、心で、お愉しみいただけましたら幸いです……。

構成◎山岸英子 Eiko Yamagishi
写真◎後藤真樹 photographs by Masaki Goto

083

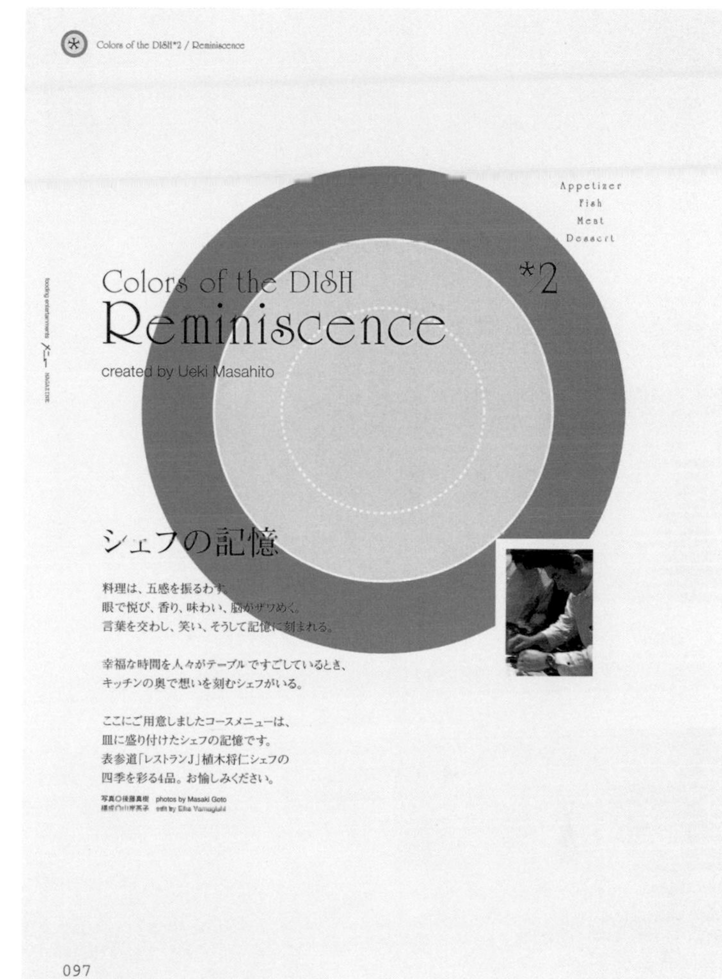

Colors of the DISH*2 / Reminiscence

Appetizer
Fish
Meat
Dessert

Colors of the DISH *2
Reminiscence
created by Ueki Masahito

シェフの記憶

料理は、五感を振るわす。
眼で悦び、香り、味わい、脳がザワめく。
言葉を交わし、笑い、そうして記憶に刻まれる。

幸福な時間を人々がテーブルですごしているとき、
キッチンの奥で想いを刻むシェフがいる。

ここにご用意しましたコースメニューは、
皿に盛り付けたシェフの記憶です。
表参道「レストランJ」植木将仁シェフの
四季を彩る4品。お愉しみください。

写真◎後藤真樹 photos by Masaki Goto
構成◎山岸英子 edit by Eiko Yamagishi

097

COVER 1

COVER 2

MOOK ムック **Beru@Maga mode mook 新和食 for Lovers** 2002

PB: ソフトバンク パブリッシング（株） Softbank Publishing Inc. E: 山田真司 Shinji Yamada AD: 長友啓典 Keisuke Nagatomo D: 十河岳男 Takeo Togawa I: 大野八生 Yayoi Ohno DF: ケイツー K2

BEST
SELECTION
of NEW
JAPANESE
CUISINE

大人の秘空間
private dining

COVER

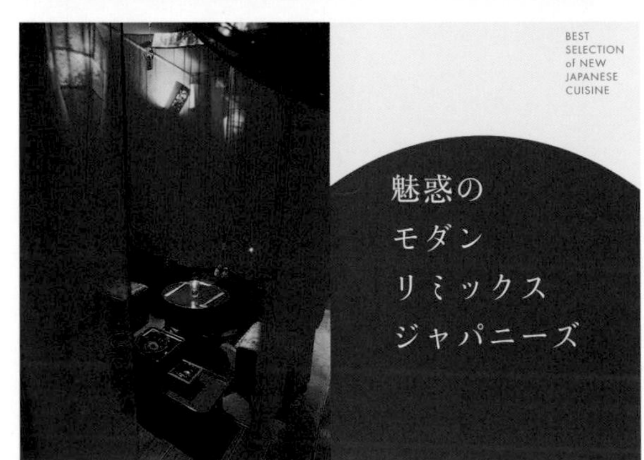

BOOK 書籍 **un Livre de Recettes 「庵」のレシピ公開！ 新しい和風創作料理** 2002

PB: (株)宣伝会議 SENDENKAIGI E, CD: 花田紀凱 Kazuhiro Hanada AD: 白 承坤 Haku Shoukon P: 恩田義則 Yoshinori Onda DF: (有) パイクデザインオフィス Paik Design office Inc.

And those who like
to wash the dish.

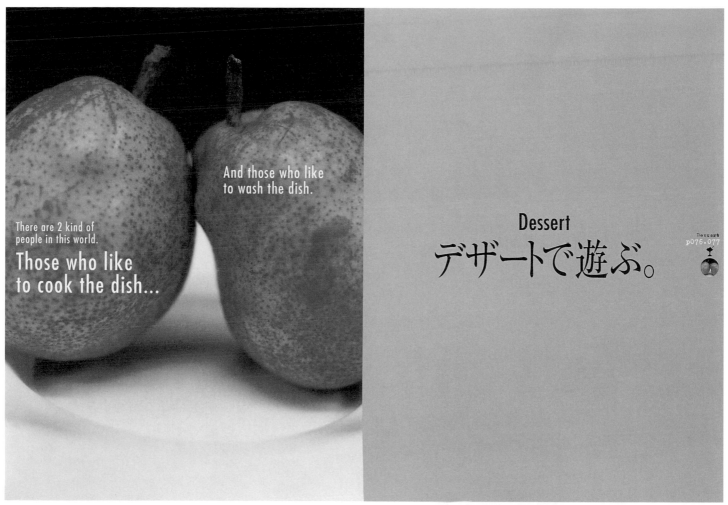

There are 2 kind of
people in this world.
Those who like
to cook the dish...

Dessert
デザートで遊ぶ。

Dessert
p076.077

COVER

food is center of our thought, mind and universe.

Entertaining at a dinner table is more about the pleasure
of those who consume the food, not how the food came
to the table or is made. But sometimes it is entertaining
to yourself to talk about it.
Course
コースをめぐる。

BOOK 書籍 **Chinese Tea Book 選び方・いれ方・楽しみ方入門 中国茶の本** 2002

PB: (株) 永岡書店 NAGAOKA SHOTEN PUBLISHING Co., Ltd. D: 伊丹友広 Tomohiro Itami / 大野美奈 Mina Ohno / 大野晴美 Harumi Ohno P: 日置武晴 Takeharu Hioki DF: イット イズ デザイン IT IS DESIGN

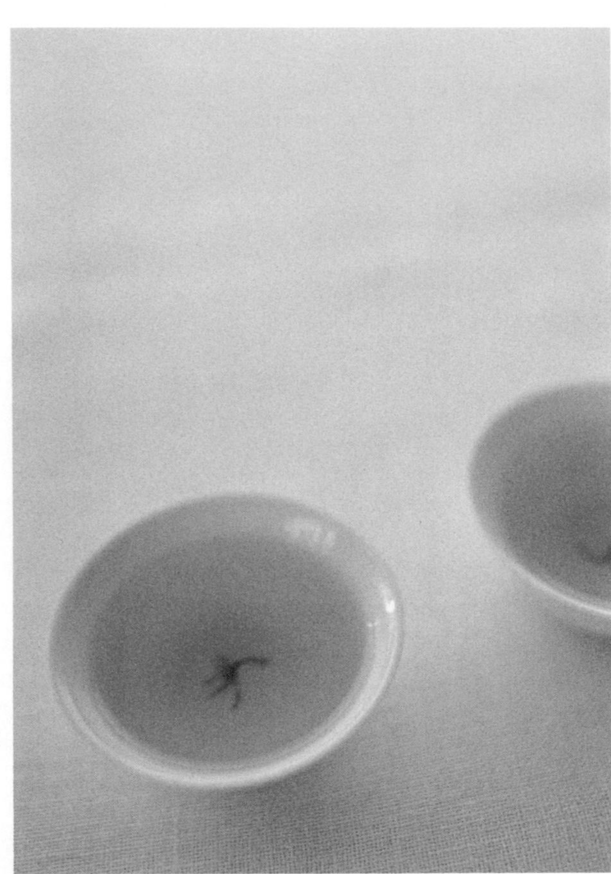
29

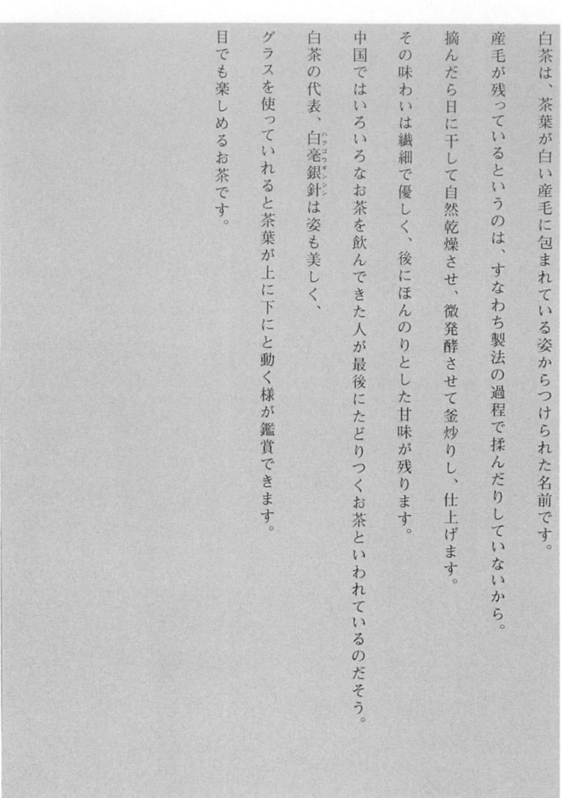
白茶
バイチャア
白茶は、茶葉が白い産毛に包まれている姿からつけられた名前です。
産毛が残っているというのは、すなわち製法の過程で揉んだりしていないから。
摘んだら日に干して自然乾燥させ、微発酵させて釜炒りし、仕上げます。
その味わいは繊細で優しく、後にほんのりとした甘味が残ります。
中国ではいろいろなお茶を飲んできた人が最後にたどりつくお茶といわれているのだそう。
白茶の代表、白毫銀針は姿も美しく、
グラスを使っていれると茶葉が上に下にと動く様が鑑賞できます。
目でも楽しめるお茶です。
28

選び方・いれ方・楽しみ方入門
中国茶の本
監修 平田公一
COVER

緑茶
リュウチャア

第三章　中国茶とお菓子

中国茶と一緒に味わいたいお菓子はいろいろ。
その組み合わせが、互いの新たなおいしさを気づかせてくれることも多いものです。
堅苦しい決まりなどないので、自分の好みでコーディネートしてみましょう。
強いていえば、味の濃いお菓子はしっかりしたお茶（焙煎の強い青茶や緑茶、黒茶など）と、軽い味わいのお菓子は優しいお茶（白茶、黄茶、焙煎の軽い青茶や緑茶など）と合わせると、味を消し合うこともなく、互いを存分に楽しめます。

第一章　中国茶のいろいろ

どんな中国茶も、もとをたどるとツバキ科の木の葉ですが、
製法、産地の風土などによって、さまざまな個性を持ったお茶に仕上げられていきます。
その数は数百とも、数千とも、それ以上とも……。
というものの、大きく六つに分けることはできます。
まず、そこからスタートしましょう。

六つの中国茶

中国茶はツバキ科の一種であるカメリア・シネンシスという植物から作られており、素材はどれも同じ。加工法の違いによって大きく緑茶、白茶、黄茶、青茶、黒茶、紅茶の六つに分けられます。摘んだ葉を空気にさらして発酵させたりさせなかったり、揉んだり揉まなかったり……。そんなプロセスと茶葉の産地の違いによって、それぞれが独自の香り、味わいを持つのです。

緑茶　白茶　黄茶

ここではこの六つに、花の香りをつけたり花自体を入れた「花茶」、近年登場してきた「工芸茶」を加え、八つのカテゴリーに分けて紹介します。ひとつひとつの茶葉の色や形はどれも違います。その差をじっくりと確かめてください。

ちなみにここに登場している水色（茶の湯色）ですが、その種類のどの茶葉もがこれと同じ色というわけではありません。たとえ同じ種類に属していても、みな、それぞれの色を持っています。これらはそのなかのひとつの水色であるということを知っておいてください。

青茶　黒茶　紅茶

(注) 茶名の読みについては、日本語での一般的な読み方を採用しています。
中国語表記の日本語は音読みされる場合が多いのですが、
なかには中国語をそのまま日本語読みしたものが一般的になっているものもあります。
なお、中国語読みは英字表記を併記してあります。また茶葉説明の［　］内は産地名です。

蓋碗　各2800円/茶語　新宿高島屋店

MAGAZINE 雑誌　　**Pict-up ピクトアップ**　**No.20 February+March 2003**

PB: 演劇ぶっく社 ENGEKI BOOK　E: 八王子真也 Shinya Hachioji / 泊 貴洋 Takahiro Tomari / 浅川達也 Tatsuya Asakawa / 戸塚未来 Miki Totsuka / 岩本早良 Solar Iwamoto / ツル Tsuru　AD: 釣巻敏康 Toshiyasu Tsurimaki
D: 中川智樹 Tomoki Nakagawa / 佐々木 賢 Ken Sasaki　P (COVER): 竹内スグル Suguru Takeuchi　P (SPREAD 1): 北川浩司 Kouji Kitagawa　P (SPREAD 2): 中川正子 Masako Nakagawa
DF: 釣巻デザイン室 Tsurimaki Design Studio

SPREAD 1

nakamura shidou 中村獅童 唯野未歩子 tadano miako

COVER

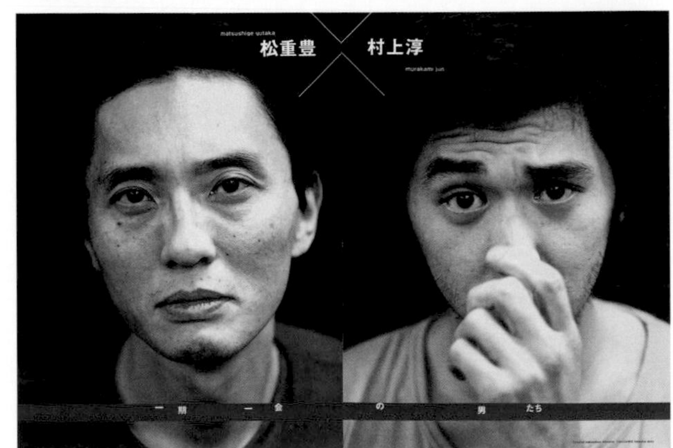

SPREAD 2

MAGAZINE 雑誌 **commons & sense** **issue 20 2002**

PB: (有) シーユーピーイー CUBE INC. CD, AD: 佐々木 香 Kaoru Sasaki D: 山本 剛 Tsuyoshi Yamamoto P (COVER): 藤田一浩 Kazuhiro Fujita P (SPREAD 1): 藤巻 斉 Hitoshi Fujimaki P (SPREAD 2): オリヴィエ・デザルト Olivier Desarte

SPREAD 1

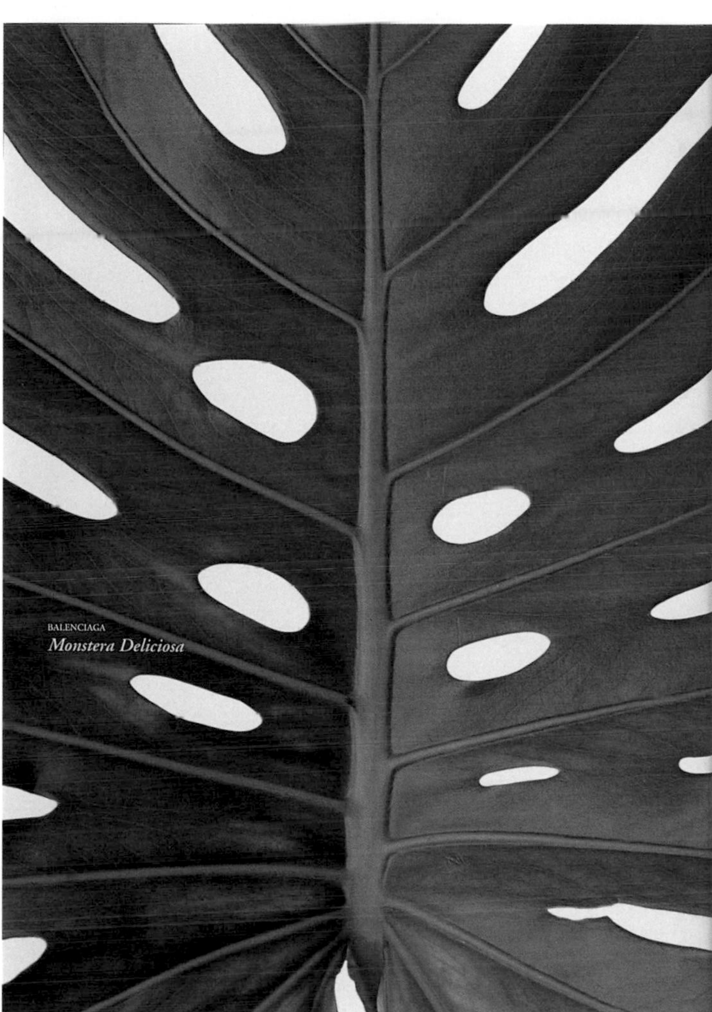

BALENCIAGA
Monstera Deliciosa
Great Green
photo_Hitoshi Fujimaki @FLAME style_Takao green coordinate_Chajin

COVER

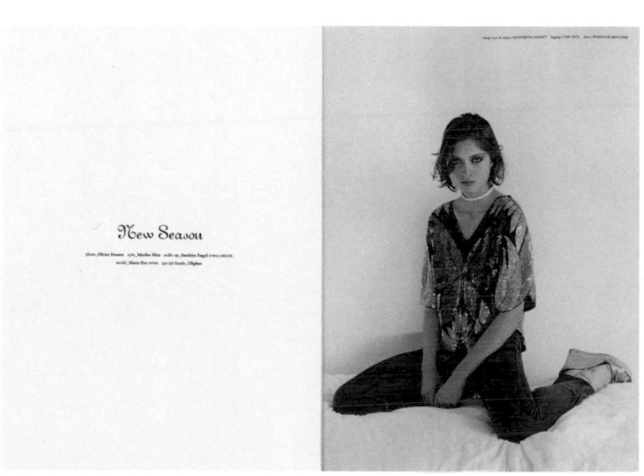

SPREAD 2

MAGAZINE 雑誌　　FAR　Vol.5 May, Vol.6 September　2001

PB, E, CD, AD, D, DF: コアグラフィックス　coa graphics　P (COVER 1): ショーダモハ　Shodamoha　P: 草本利枝　Toshie Kusamoto

COVER

漫画家のお部屋

連載第五回　水木しげる先生

Far　TEXT　MANA TAKEMURA　PHOTOGRAPHS　TOSHIE KUSAMOTO　FAR 05

水木しげるインタヴュー　取材、文　竹村真奈　写真　草本利枝

連載5回目の漫画家の部屋、どんどんヒートアップしてます!!
♪ゲッゲッゲ～ゲゲのゲ～でお馴染み、妖怪ファン必見みんなに愛され続ける「ゲゲゲの鬼太郎」、「河童の三平」、「悪魔くん」の生みの親であり鬼太郎の分身とも言われる水木しげる先生が登場です!! みんなでうったおう～、ゲッゲッゲのゲ♪

COVER

漫画家のお部屋

連載第六回　和田ラヂヲ先生

Far　TEXT　MANA TAKEMURA　SHINYA SAKAMOTO　PHOTOGRAPHS　TOSHIE KUSAMOTO　FAR 06

和田ラヂヲインタヴュー　取材、文　竹村真奈　坂本真也　写真　草本利枝

初のFAX漫画家、「和田ラヂヲのここにいます」、「ロッキン・ラヂヲ」などを生み出した和田ラヂヲ先生。今回、謎の多い(!?)和田先生の仕事場・兼・ご自宅を訪問するため、バースト寸前の車をかっ飛ばして、FAX発信地である四国は松山に行ってきました!! それにしても四国の夏はカラッとしていて、気持ちいい!!

BOOK 書籍　The Perfect Manual トリセツ　2002

PB: ぴあ（株） PIA CORPORATION　E: 大木淳夫 Atsuo Oki　CD: 細山田光宣 Mitsunobu Hosoyamada / 岡 睦 Mutsumi Oka　I: 牧野良幸 Yoshiyuki Makino　DF: 細山田デザイン事務所 HOSOYAMADA DESIGN OFFICE

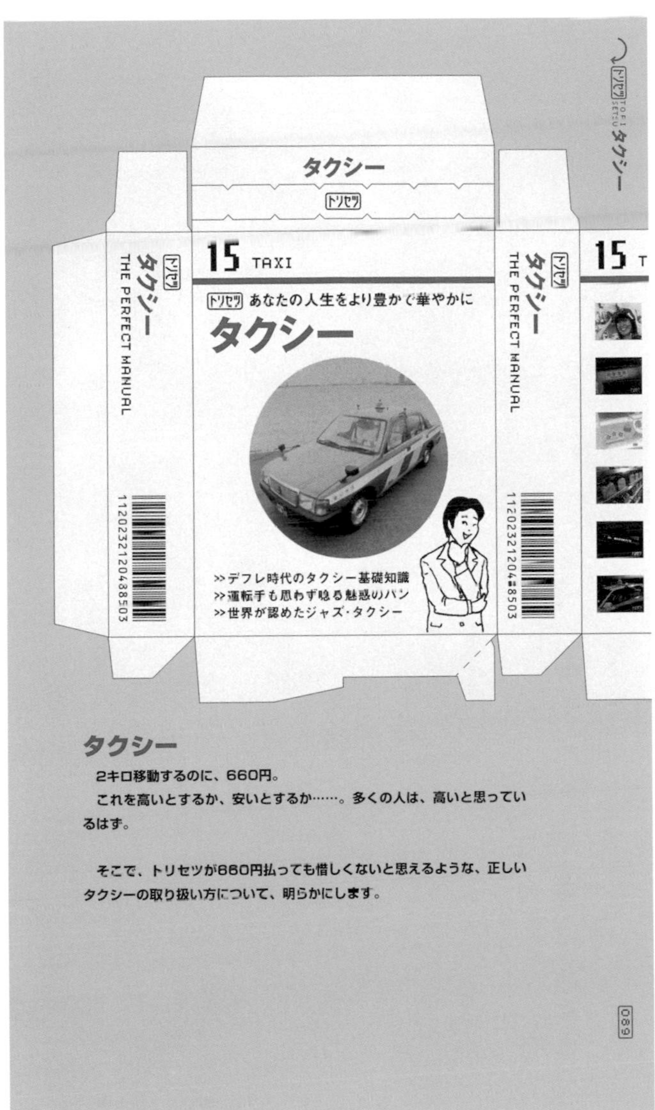

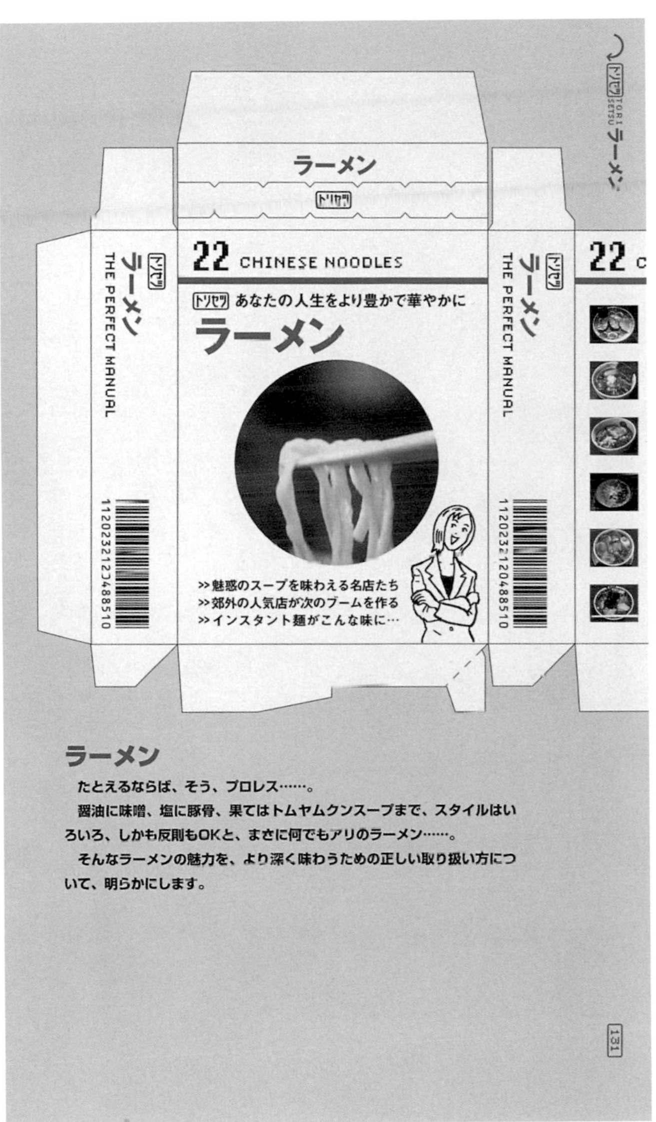

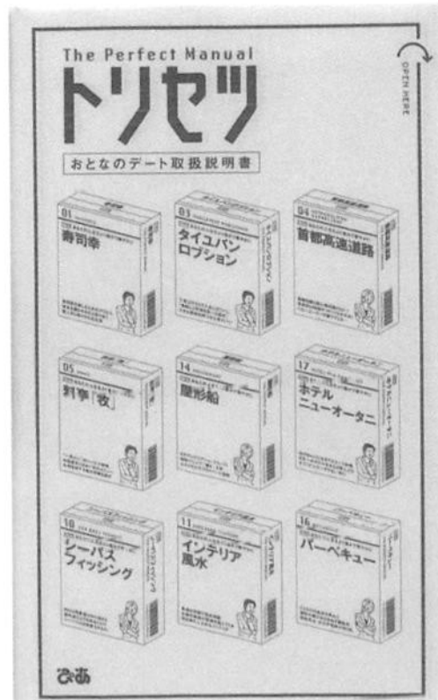

COVER

CATALOG　カタログ　　**une nana cool 2002 spring & summer, autumn & winter　ウン ナナ クール 2002 SS, AW カタログ**　2002

CL: (株) ウン ナナ クール une nana cool corp.　CD: 宮田 識 Satoru Miyata　AD: 渡邊良重 Yoshie Watanabe / 植原亮輔 Ryosuke Uehara　D: 関本明子 Akiko Sekimoto　P: 北島 明 Akira Kitajima
CW: 笠原千昌 Chiaki Kasahara　PRODUCER: 中岡美奈子 Minako Nakaoka　DF: (株) ドラフト DRAFT Co., Ltd.

COVER

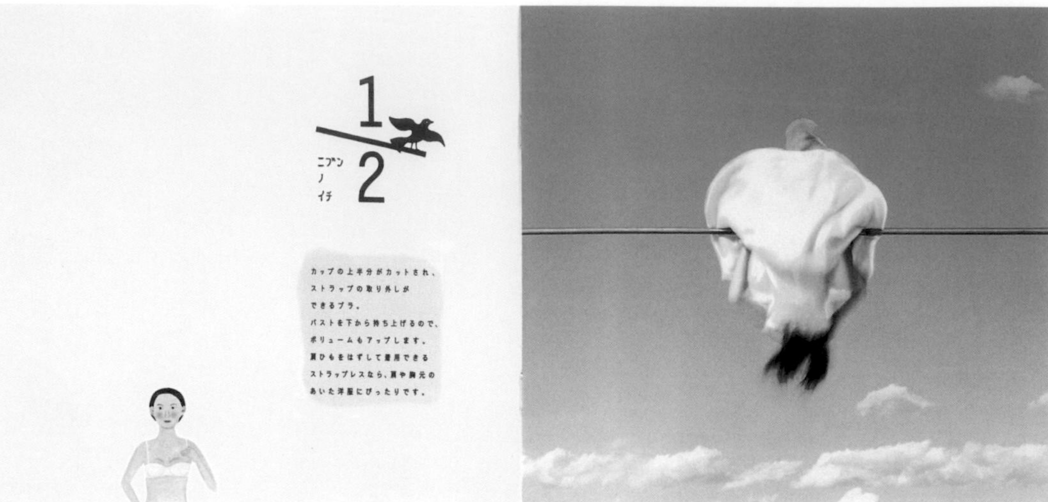

COVER

ノンブル
PAGE NUMBERS

ページ全体の中でのバランス・機能性を保ちつつ、書体・ポイント数・位置などがユニークな形の作品を紹介します。
pagination that is unique in typeface, point size, and placement, yet preserves the balance and function of the overall page.

BOOK 書籍 **Information Design by NDC Graphics** 2003

PB, DF: (株) NDCグラフィックス NDC Graphics Inc. AD: 中川憲造 Kenzo Nakagawa D: 延山博保 Hiroyasu Nobuyama / 森上 暁 Satoshi Morikami / 中山典科 Norika Nakayama

23 飾りつけに夫が全く参加しない家庭
Source : 都市生活研究所+リビングデザインセンターOZONE
Direct Mail | Living Design Center | 1994

24 絵画を飾っている家庭
Source : 都市生活研究所+リビングデザインセンターOZONE
Direct Mail | Living Design Center | 1995

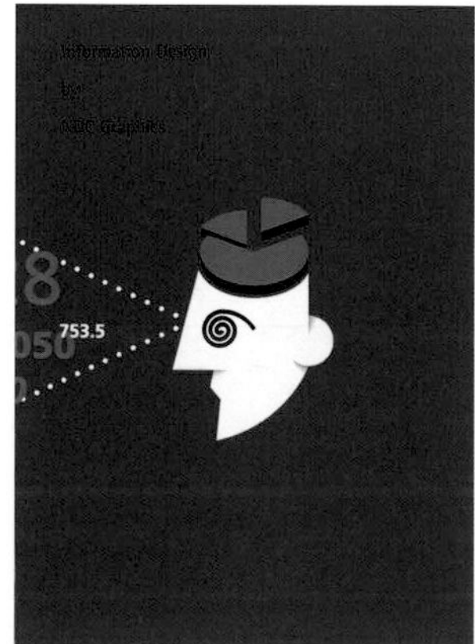

COVER

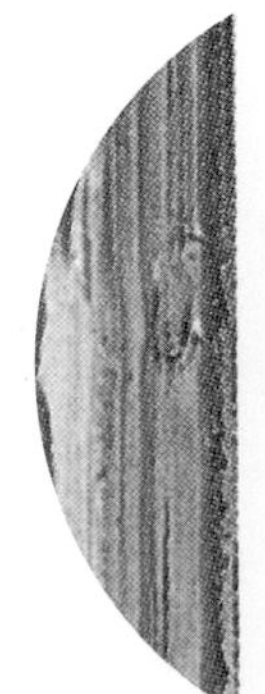

PAMPHLET　パンフレット　**Vision of Community Design　銀座まちづくりヴィジョン**　1999

CL: 銀座通連合会 Ginza Street Association　AD: 中川憲造 Kenzo Nakagawa　D: 森上 暁 Satoshi Morikami / 印田裕之 Hiroyuki Inda　DF: （株）NDCグラフィックス NDC Graphics Inc.

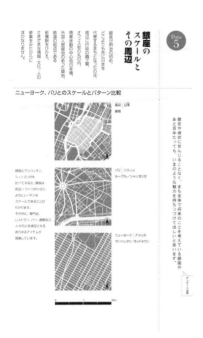

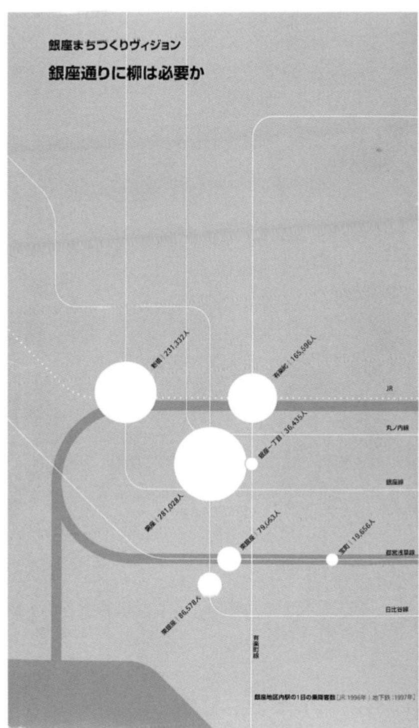

COVER

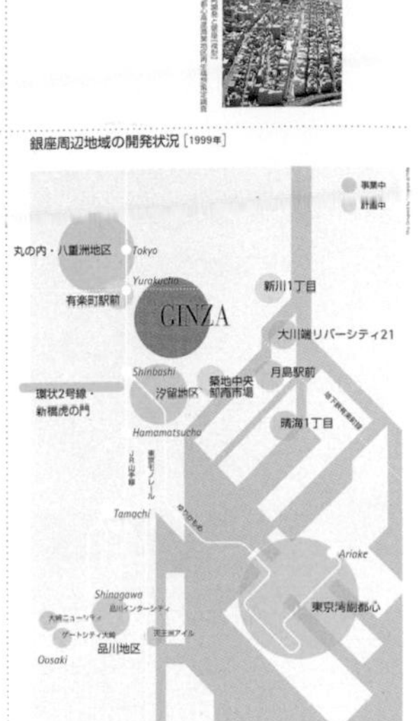

Data 5

銀座のスケールとその周辺

ニューヨーク、パリとのスケールとパターン比較

新銀ブラ計画

CaseStudy[A]

CaseStudy[C]

CaseStudy[B]

CaseStudy[D]

CORPORATE PROFILE 会社案内　　**Hakuhodo Corporate Profile 2003 博報堂会社案内**　2002

CL: (株) 博報堂 HAKUHODO Inc.　CD: 永井一史 Kazufumi Nagai　AD: 佐野研二郎 Kenjiro Sano　D: 杉山ユキ Yuki Sugiyama / 武田利一 Toshikazu Takeda　P: 森本徹也 Tetsuya Morimoto / 丸山晋一 Shinichi Maruyama
CW: 中村恭子 Kyoko Nakamura / 曽原 剛 Go Sohara

03

COVER

桑野 剛　Tsuyoshi Kuwano
デジタルソリューションセンター
ITプロデューサー / 93年入社

Q. 「私のこだわり」と言えるものは何ですか？
A. 酒宴の場で社交辞令は言わないこと。
社交辞令で終わらせないこと。
Q. 学生時代に最も力を入れていたことは何ですか？
A. サッカー馬鹿！
マラドーナを師と仰ぎ、あのボールタッチに憧れたものです。
愛車のナンバープレートも10番!!
Q. 博報堂を選んだ理由は？
A. 人とのつながり、ネットワークが多種多様そうに感じたから。
Q. 学生へのメッセージをお願いいたします。
A. 自分づくりにじっくり取り組んでください！

037

TOKENRING

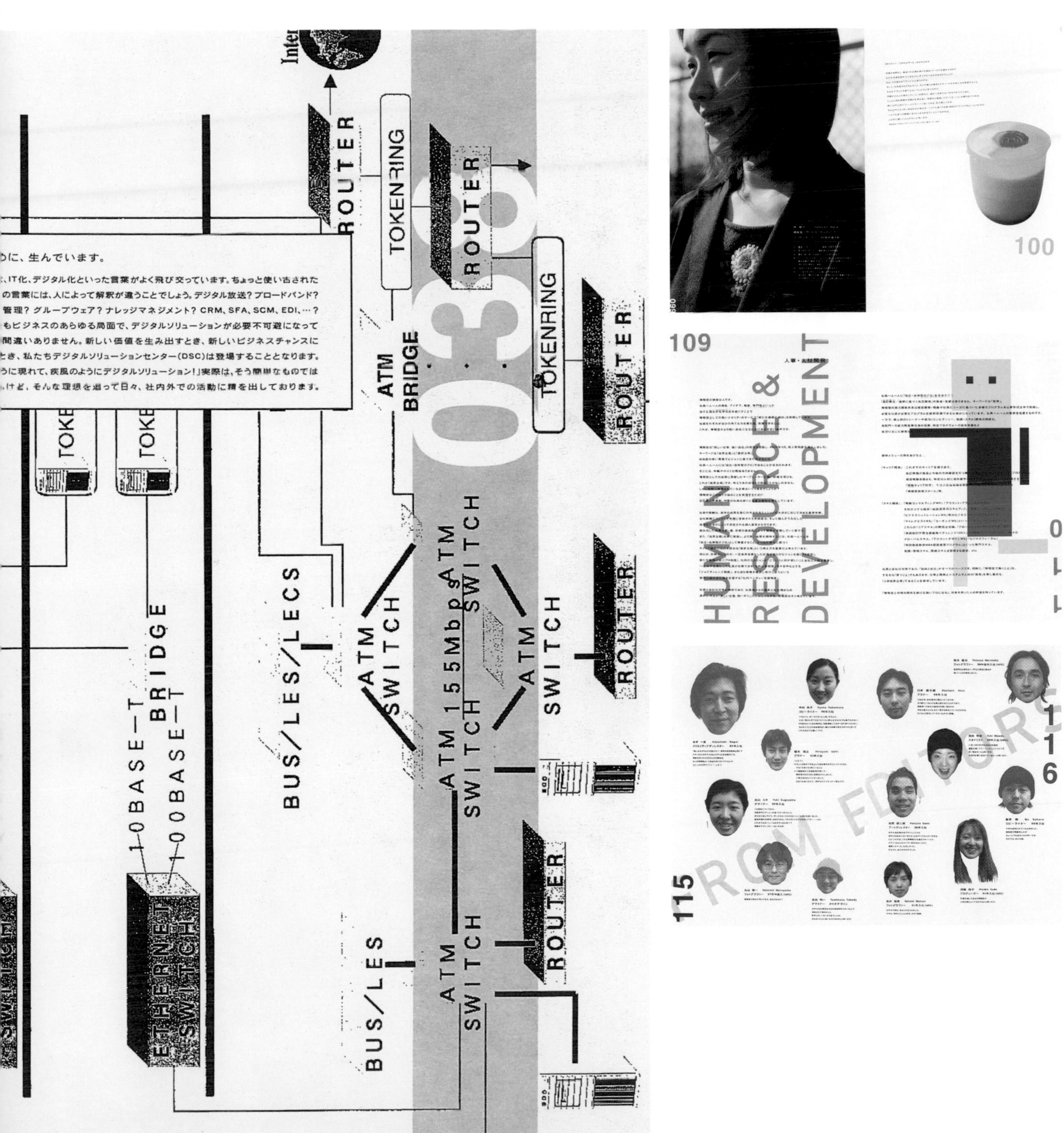
りに、生んでいます。
、IT化、デジタル化といった言葉がよく飛び交っています。ちょっと使い古された
の言葉には、人によって解釈が違うことでしょう。デジタル放送？ブロードバンド？
管理？グループウェア？ナレッジマネジメント？CRM、SFA、SCM、EDI、…？
もビジネスのあらゆる局面で、デジタルソリューションが必要不可避になって
間違いありません。新しい価値を生み出すとき、新しいビジネスチャンスに
とき、私たちデジタルソリューションセンター(DSC)は登場することとなります。
うに現れて、疾風のようにデジタルソリューション！」実際は、そう簡単なものでは
けど、そんな理想を追って日々、社内外での活動に精を出しております。
ETHERNET SWITCH
10BASE−T
100BASE−T
BRIDGE
BUS/LES/LECS
BUS/LES
ATM SWITCH
ATM 155Mbps
ATM BRIDGE
TOKENRING
ROUTER
038
100
109
HUMAN RESOURCE & DEVELOPMENT
115
116
FROM EDITORS

MAGAZINE 雑誌 **SURE SHOT! TAKEO KIKUCHI 2003 SPRING & SUMMER STYLE MAGAZINE タケオキクチ2003 春夏スタイルマガジン** 2003

PB: (株) ワールド / タケオキクチ WORLD Co., Ltd. / TAKEO KIKUCHI E: EATer CD: 小林節正 Setsumasa Kobayashi AD, DF: グルーヴィジョンズ GROOVISIONS P: 安倍英知 Hidetomo Abe I: 石塚康嗣 Yann Ishizuka (e-Prospa)

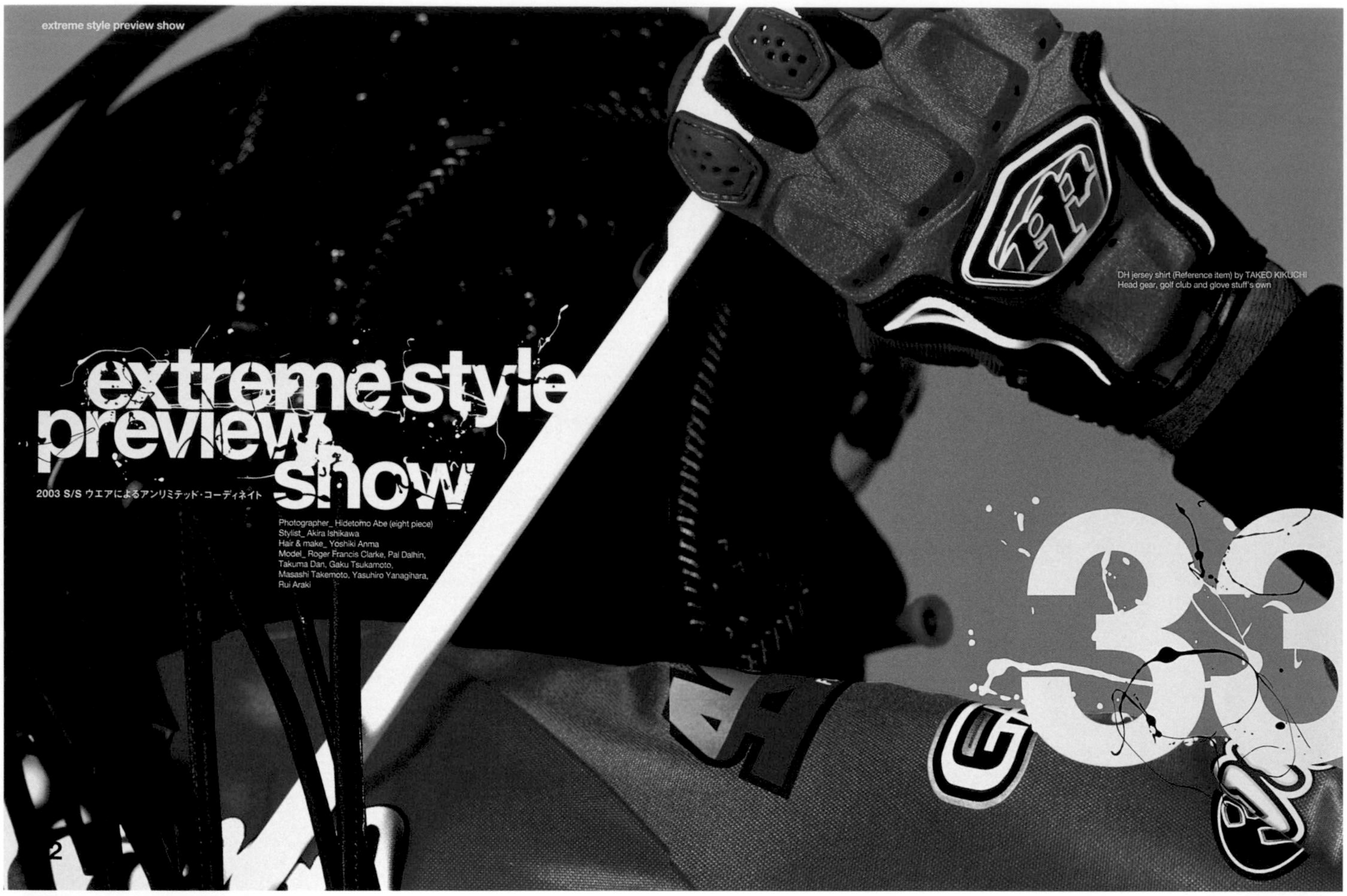

extreme style preview show
extreme style preview show
2003 S/S ウエアによるアンリミテッド・コーディネイト
Photographer_ Hidetomo Abe (eight piece)
Stylist_ Akira Ishikawa
Hair & make_ Yoshiki Anma
Model_ Roger Francis Clarke, Pal Dalhin, Takuma Dan, Gaku Tsukamoto, Masashi Takemoto, Yasuhiro Yanagihara, Rui Araki
DH jersey shirt (Reference item) by TAKEO KIKUCHI
Head gear, golf club and glove stuff's own
33

SURE SHOT!
TAKEO KIKUCHI
2003 SPRING&SUMMER
STYLE MAGAZINE
Ultimate cup report
&Crazy Gear Catalog
Putt Time Lovers
003
COVER

extreme style preview show
44
45

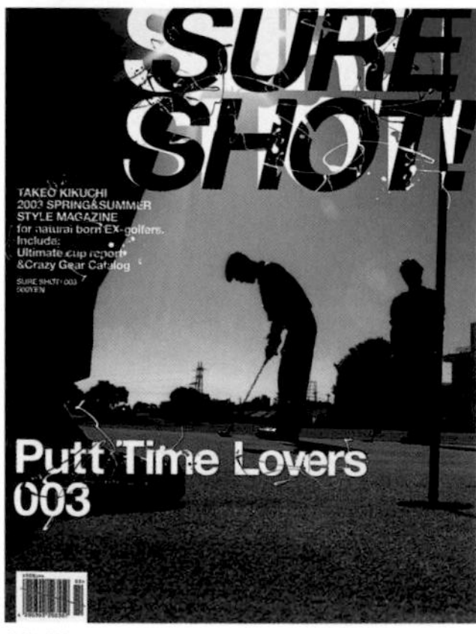

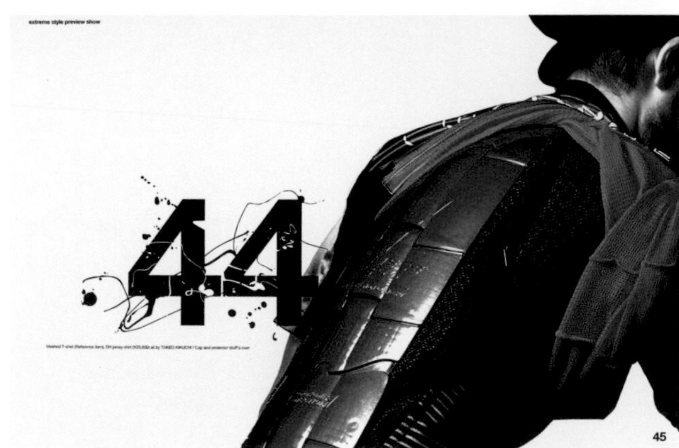

MOOK ムック **DANCE STYLE ダンス・スタイル** **Vol.3 2001**

PB: (株) リットーミュージック Rittor Music Inc. E: 坂上晃一 Koichi Sakaue D (COVER): セキネシンイチ Shinichi Sekine D: イナガキキヨシ Kiyoshi Inagaki P (COVER): 楠本辰雄 Tatsuo Kusumoto
P: 川北真希 Maki Kawakita

海外 クラブ・ファッション

N.Y. at:CHEETAH

Photo : Maki Kawakita

► DANCE STYLE Vol.2 39

DANCE STYLE Vol.2 38

COVER

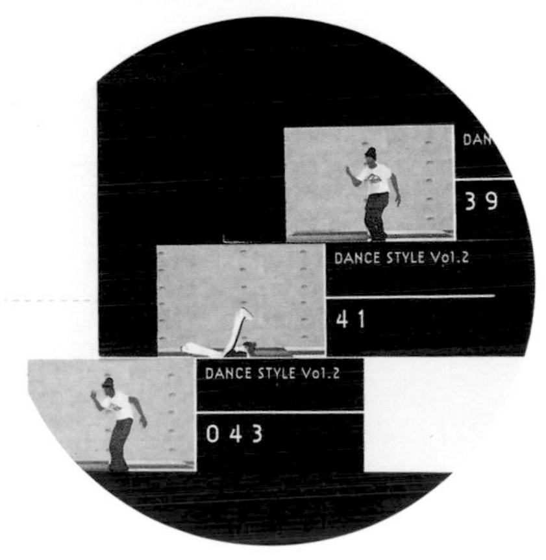

※ページをパラパラめくると、図柄に動きが生まれるノンブル。
Random perusing of the pages reveals "animated" page numbers within the visuals.

MAGAZINE 雑誌 +81 プラスエイティーワン Vol.17 Autumn 2002

PB: ディー・ディー・ウェーブ（株） D.D. WAVE Co., Ltd. E, CD: 山下 悟 Satoru Yamashita D (COVER): クリス・ゴス Chris Goss D (SPREAD 1, 2): 川上 俊 Shun Kawakami (artless)
D (SPREAD 3): 村瀬隆明 Takaaki Murase D (SPREAD 4): 石川耕一 Kouichi Ishikawa

SPREAD 1

COVER

SPREAD 2

SPREAD 3

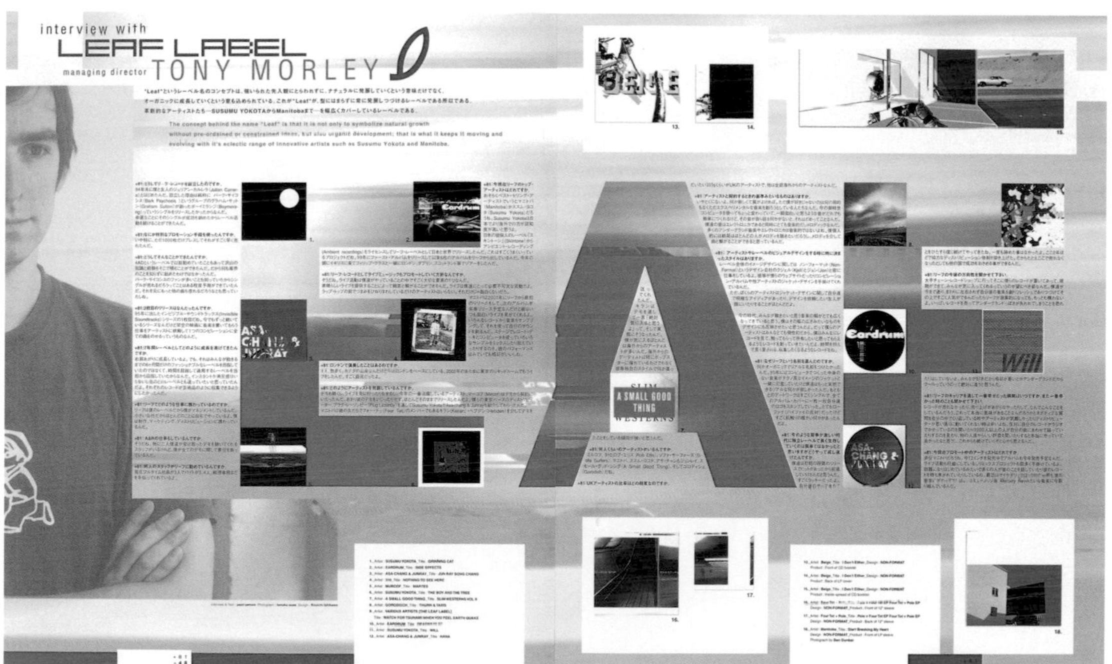

SPREAD 4

+81
p48

MAGAZINE 雑誌 **+ING プラスイング** **Issue 5 2002**

PB: (株) プラスイングプレス PLUSING PRESS Co., Ltd. E, CD, D, P: 大 dai AD: 茂木正行 Masayuki Mogi D, I: ブリジット・ジラウディ Brigitte Giraudi SUPERVISER: 五島 考 Kou Goto DF: バルブ bulb

21

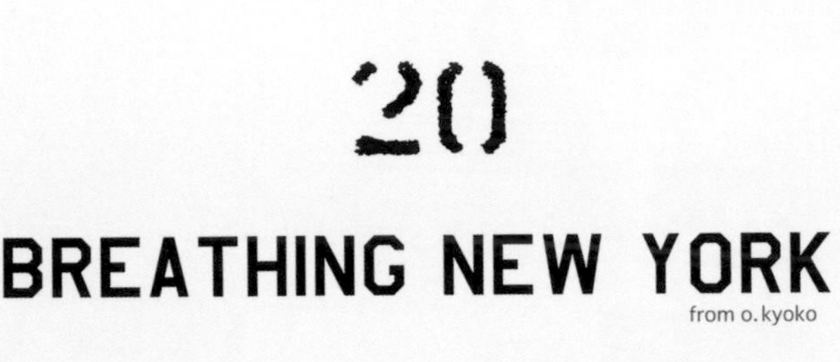

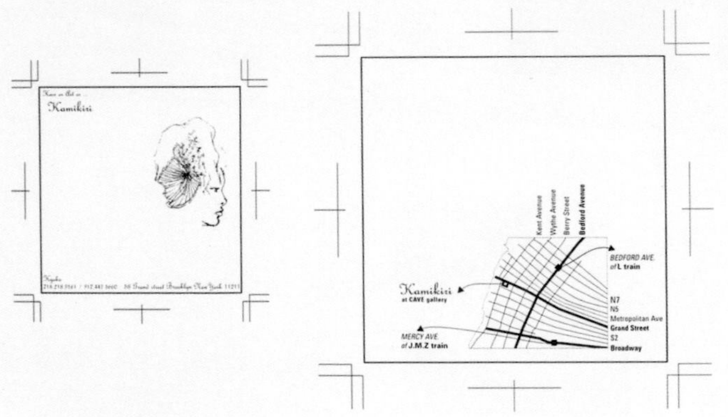

COVER

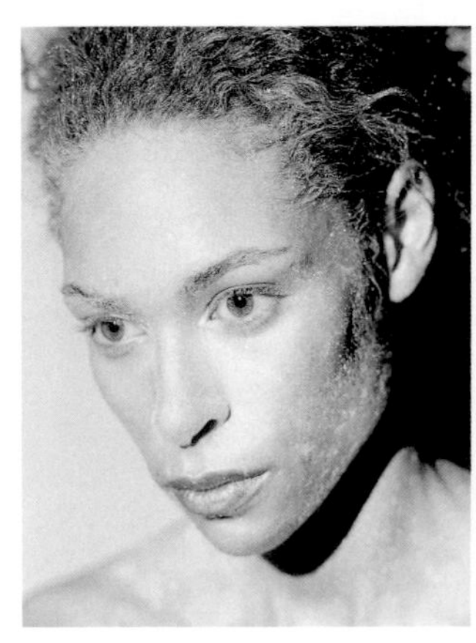

MMAGAZINE 雑誌　**JOICE JAPON ジョイス・ジャポン** **Vol.1 2003**

PB: 東京プレスセンター（株） Tokyo Press Center Co., Ltd.　E: 佐々木尚子 Naoko Sasaki　CD: 山内保定 Yasusada Yamauchi　AD, D: 日下充典 Mitsunori Kusaka　P: TOKYO DRESS CENTER

COVER

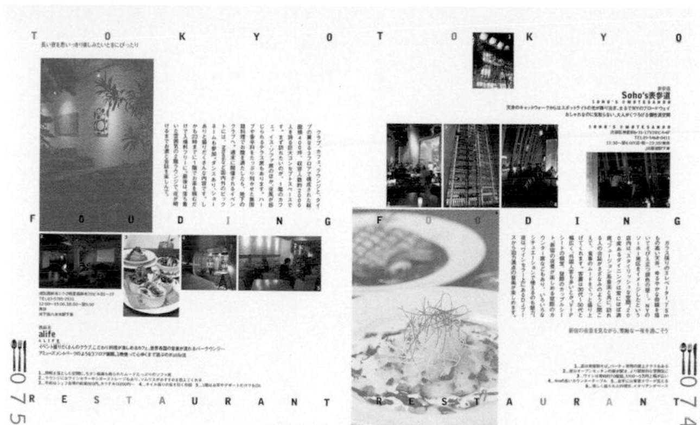

MAGAZINE 雑誌 **Koukoku-Hihyou 広告批評** **No.241 2000**
PB: マドラ出版(株) MADRA Publishing Co., Ltd. E: 島森路子 Michiko Shimamori AD: 服部一成 Kazunari Hattori

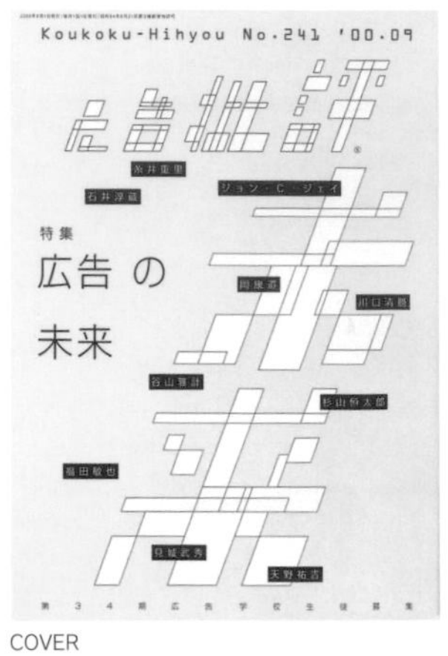

COVER

デジタルは人間の鏡だ

杉山恒太郎

二〇〇三年にはガラリと変わる

広告の仕事というのは、突き詰めて言えばコミュニケーションの仕事だと思うけれど、いま新聞紙上などで毎日のように騒がれているIT革命とかデジタル革命とか言われているものの意味は、このコミュニケーションの大革命が起きているのだと、まずは認識することから始めたいと思っています。コミュニケーションの根本を大きく変えるくらいの第三次産業革命と言っていいようなもの。そこから僕らは逃げることはできないし、逃げる必要もないんじゃないかと。

人間を規定する言葉にホモサピエンスとかホモルーデンスとか、いろんな言い方がありますが、その中の一つに「人間はコミュニケーションする動物だ」というのがありますね。コミュニケーションしていないと、人間は生きていけない。あるいは、自分を確認するには、ほかの存在がないとできない。これはもう、宿命的と言っていいもので、これは、人間が本来持っている欲望というか欲求というか、言ってみれば関係の絶対性のようなものだと思うんです。その他者と関係していないと生きていけないコミュニケーションの根本が、いま、すごいスピードで露呈してきている。

そういう視点で見てみると、この時代のあらゆるクリエイティブが、インタラクティブなものにつまっているんです。二〇〇三年から二〇〇五年くらいには、僕たちがいま見ているテレビのコマーシャルが、このままの形で本当にあるかどうか。果たしていまのテレビCMが、いまと同じように、広告全体の真ん中にいるかどうかということに関しては、もう疑ってかかったほうが面白いんじゃないかと思います。

ノスタルジアとしては、テレビコマーシャルは残っていく、才能のある特殊な人が、特殊なところで作っていくという形では残っていくでしょうが、しかし果たして、どういう

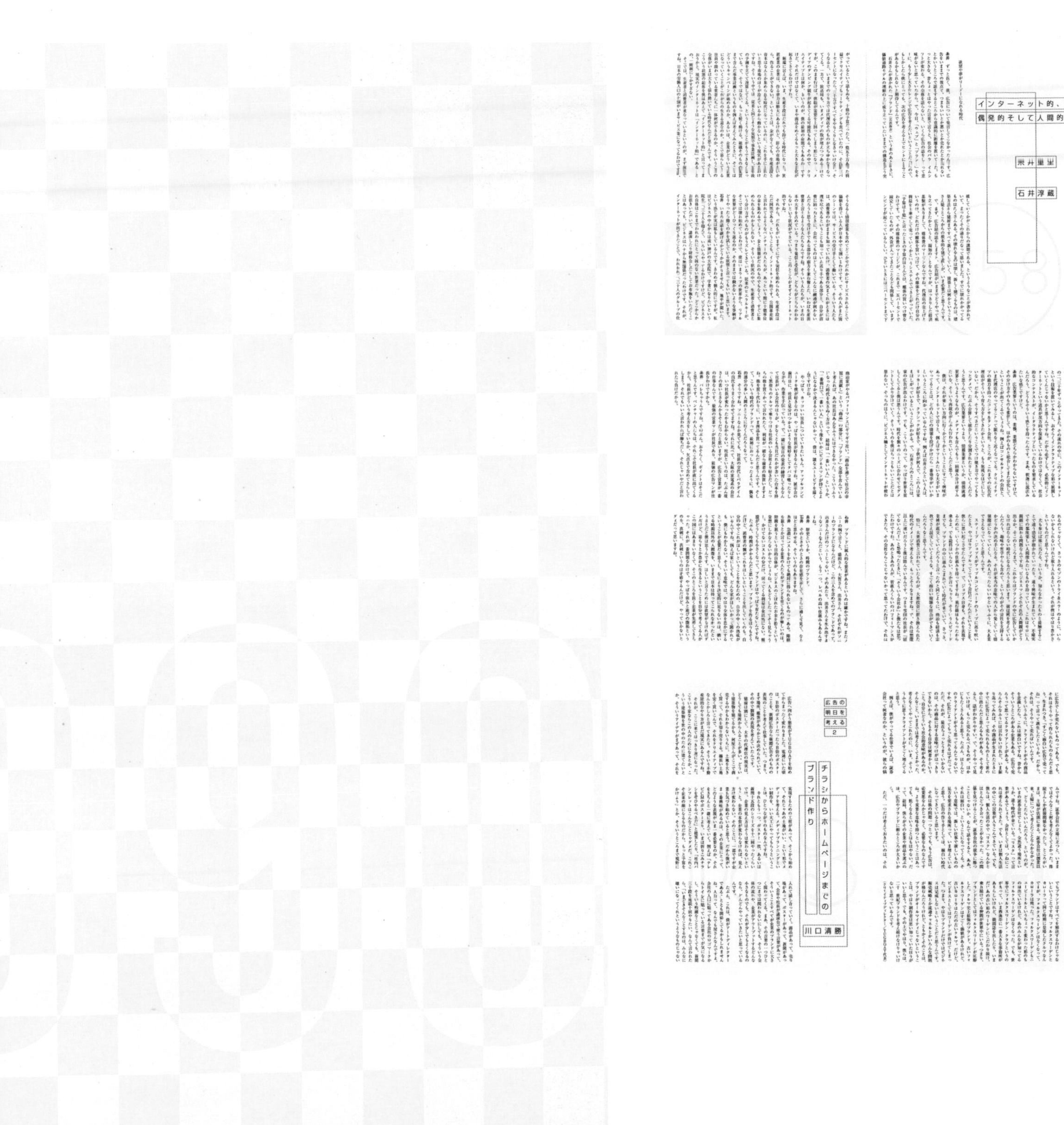

インターネット的、
偶発的そして人間的
糸井重里
石井淳蔵
広告の明日を考える 2
チラシからホームページまでのブランド作り
川口清勝

MAGAZINE 雑誌 **d/SIGN 季刊デザイン** **No.2 2002**

PB: 筑波出版会 THE TSUKUBA PRESS Co., Ltd. E, AD: 戸田ツトム Tztom Toda / 鈴木一誌 Hitoshi Suzuki E: 入澤美時 Yoshitoki Irisawa D: 藤田美咲 Misaki Fujita / 濱浦惠美子 Emiko Hamaura
DF: 戸田事務所 Toda Office / 鈴木一誌デザイン SUZUKI HITOSHI DESIGN

d/SIGN visual collection
【美術】
仮設の部屋
林 道郎

■部屋、そして家。この夏から秋にかけ、いくつかの展覧会で私は繰り返しそのモチーフに出会った。初台の東京オペラシティアートギャラリーでは、「MY HOME IS YOURS／YOUR HOME IS MINE——わたしの家はあなたの家、あなたの家はわたしの家」という企画展が催され話題になっていたし、ヴェネチアのビエンナーレでは、今年の金獅子賞を受賞したドイツのグレゴール・シュナイダーやブラジルのエルネスト・ネノをはじめ、やはり部屋や家を作品制作のコンセプトにおいた作家が多かった。当然のことながら、彼らのアプローチは様々で、一口に部屋と言い家と言っても、公約的なイメージを見出すのは難しい。しかし、にもかかわらず、多くの作家が居住空間というモチーフ／コンセプトに関心を抱く理由は、そこが、現代という時代の圧力を集約的に受けとめつつ変容している場であるからに他ならないだろう。
■思えば、部屋というモチーフが、人間の生活の背景としてではなく、それ自身が主役として、主人不在のまま（つまりは空っぽのまま）描写されるようになるのは、それほど昔のことではない。たしかアンドレ・シャステルが指摘していることだが、アトリエという空間が画家の隠喩的な自画像として描かれるようになるのは19世紀に入ってからであり（ドラクロワあたりが嚆矢）、その背景には、アトリエという空間そのものが、19世紀を通じて、不特定多数の人間が出入りする「画塾」から個人の制作空間を指すものとして変容していくという事実がある。「画家のアトリエ」という主題——マティスがその代表例——が自画像的なものとして一般化してゆくのはその後のことである。
■一方、寝室や書斎などが、不在の主を代理表象するものとして主題化されるようになるのも19世紀以降だろう。前者では、よく知られたゴッホの例があるし、後者については、象徴主義からシュルレアリスムにいたる系譜の中でしばしば主題化された精神の小宇宙としての書斎のイメージが想起される。絵画や文学に描かれるというだけではなく、アンドレ・ブルトンや滝口修造の書斎の写真イメージなどは、そのような書斎＝小宇宙を代表するものとして存在している。かつてベンヤミンは、19世紀のブルジョワにとって個室というものが、印刷物や物を通じて、いながらにして未知の世界を想像し所有することができる新しいミリューとなったことを指摘したが、ブルトンや滝口はその極限的な形と言えるだろう。彼らにとって書斎は、そこに集積してきた物／オブジェを媒介にして世界を夢見るための通路となっている。
■そのような個室（ミクロ）と世界（マクロ）を直示的に媒介する物の在り方はしかし、戦後の大衆消費社会になると、大量生産とカタログ化の波にのまれて変貌し、インテリア「商品」としての物が室内環境を構成してゆくようになる。そのことを即物的に前面化したのが、ポップ・アート周辺の部屋をめぐる作品群だろう。リチャード・ハミルトン、クレス・オルデンバーグ、ゲルハルト・リヒターたちの部屋は、部屋の夢が、差異の追究に根ざしたシアーズ・カタログ的な夢＝「よりよき生活」のシミュラークルによって成り立っていることを露にしている。
■そのような部屋をめぐるイメージの系譜に対して、現代の作家たちの仕事はどのような問いを投げかけているのだろうか。私が強い印象を受けたのは、東京オペラシティの展覧会で出会ったスゥ・ドーホー、そしてヴェネツィアで出会ったグレゴール・シュナイダーの仕事である。一見、対極的な態度で部屋および家に取り組んでいるようだが、この二人に共通しているのは、身体的なあるいは触覚的な空間感受を重要視していることである。と言っても、身体の拡張、つまり自我の第二の皮膚として部屋をとらえているのではなく、むしろ、身体と違和するものとして部屋をとらえているように見える。主の意識が物象化した部屋ではなく、あたかも、部屋そのものが保持している無人称の記憶や歴史によって我々の身体が照り返されるような……。部屋そのものが密かにこちらに眼差しを向け触手を伸ばしているような逆転。それは、これまで主の生活意識にしたがって選ばれた家具類によって覆われ人間化していた部屋が、その覆いを剥ぎとられ、即物的な空間としての様態を露にするという事態であり、私の若い知人の言葉を借りれば、「界面」としての部屋の露呈と言えるだろう。彼らの仮設的な部屋においては、だから、物が重要な役割を果たさない。物以前の容器としての部屋が、忘却の淵から姿を顕すといった体なのだ。
■ドーホーにおいてその傾向はより顕著で、彼は、ニューヨークの自宅アパートの空間——物抜きの容器としての——を繊細な半透明のネットによって「移築」することによ

❶❷❸
スゥ・ドーホー／
「ニューヨーク市西22丁目348番地、アパートA」／
2000〜2001／ナイロン製布／
245.0×168.0×1240.0cm（廊下部分）、
245.0×422.0×676.0cm（アパート部分）／
ロダン・ギャラリー（ソウル）、
東京オペラシティアートギャラリー（東京）。
［撮影＝中野正貴、
写真提供＝東京オペラシティアートギャラリー］

❹❺❻❼
グレゴール・シュナイダー／「死の家ウル」
2001／インスタレーション／
第49回ヴェネツィア・ビエンナーレ。
©La Biennale di Venezia

8 ウジェーヌ・ドラクロワ／「アトリエの片隅、ストーヴ」
1830頃／キャンバス、油彩／51.0×44.0cm／ルーブル美術館蔵。
9 フィンセント・ファン・ゴッホ／「アルルの寝室」
1888／キャンバス、油彩／72.0×90.0cm／国立ファン・ゴッホ美術館蔵。
10 パウル・クレー／「ゲルストホーフェンの想い出」
1918／紙、水彩、ペン／28.5×21.0cm／フェリックス・クレー蔵。

d/SIGN no.2　　d/SIGN no.2　　065

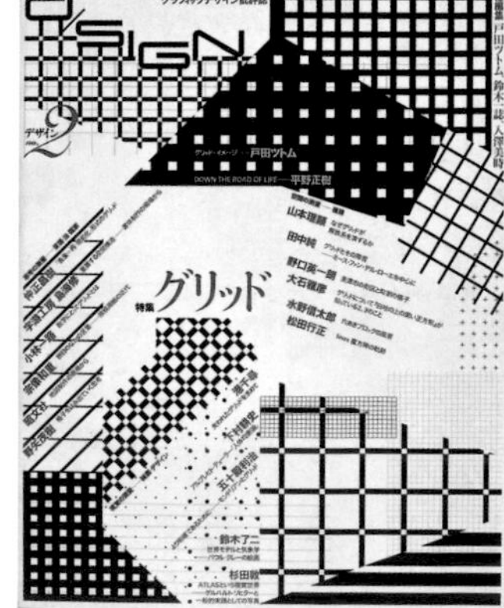

COVER

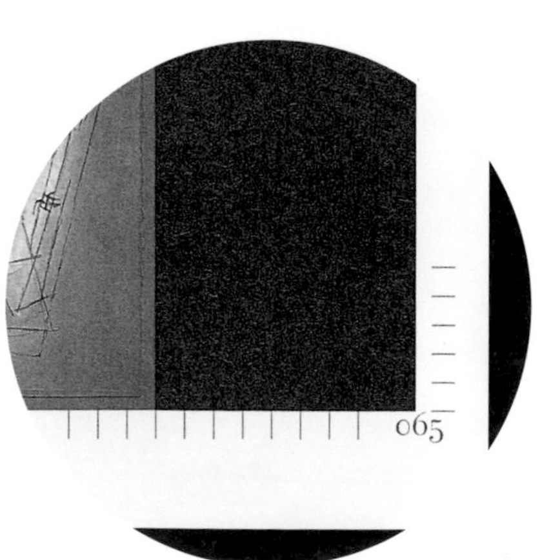

ある時から……マイケル・ジャクソンは、ステージと映像の中で両手を水平に大きく広げながら直立し全身で十字を切るようになっていた……。彼が打ち込もうとする座標はあまりにも明確なグリッドだった。グリューネヴァルトのキリスト像を思わせるこの動作は、言うまでもなく動作の接続と形式がもたらしたアクションではなく、意識が表面化したものである。スパイク・リー監督の「THEY DON'T CARE ABOUT US」における冒頭シーンでのコルコバードのキリスト像、そして「TEASER」での東京を含む世界各都市に設置されたという巨大マイケル像の建造シーンと軍国主義イメージのシナリオ……それらへ向かうマイケル・ジャクソンのフィクションは、明らかに自身の内部から発射される何らかの遠近法に基づく座標とその上方の標的に向かっている、強烈なグリッドの起動への欲望に拠っていることが感じられる……垂直に向けられる視線と照準。「BILLIE JEAN」で観客の眼を疑わせる驚異のステップが、月を歩く……と形容されたマイケル・ジャクソンは、その人ステップで地球を逆に回すというシーンを演じる。

□右=「YOU ARE NOT ALONE」より。
□下=「THEY DON'T CARE ABOUT US」より。
「MICHAEL JACKSON HISTORY ON FILM VOLUME II」EPIC MUSIC VIDEO 1997。
ジャケットにあるマイケル・ジャクソンの巨像は世界数都市に一時設置された、とこの時のワールドツアーでアナウンスされる。
「TEASER」に現われる建立の場面は何故か帝国主義的な軍事イメージで演出され、写真で見るように「聳え立つ金色のマイケル」に込められた象徴が、ニューヨークの世界貿易センタービルと重なる。
非常に多くのマイケル=キリスト的場面が出現する。

いつの頃からか、感じる手立てさえ見つけることができない無分節的な状況や風景に出会うと、それを対象として解釈、理解することに努めようとしてきた……近代……と言われる態度のひとつである。
解釈という意思は朦朧を腑分け、理解しやすい状況に分類しようとする、そのために凝視し事件の輪郭を視覚によって摘出しようとする……悪いことではない。その時視覚は、風景の中に何らかのコントラストを見つけ出し増幅する。

凝視する……つまりグリッドを引こうとすることだ。同時に視線の投与は、ことばを宛てがう動作へと連続する。風景はグリッドを透過しながら我々の前に視覚対象として現われる、それはことばの到来と同じプロセスを経て来る。
人にとってはことば……言語を持たぬ生物にとっては、多く自然界に脈打つ何らかのリズムということになるだろう。無分節の状況が分節的な……図鑑的でかつ言語的な……状況へ移行する。グリッドの動力が発現される場面、デザインという動作が召喚されるべき場面である。人に限らず生物はそれぞれの自然観、つまり図鑑をもっている。

グラフィックデザインが場とする白紙にはあらかじめ何らかのグリッドが仕組まれている、キャンバスとはここが違う。
さまざまな意味で既に規定されたグリッドを巡って、現場との動的な関連を探索すること……デザインの実作業。本誌『d/SIGN』の全ページは、シンプルなグリッドによって環境のリズムが設計されている。かつて「スイス・カメラ」と通称されていたアラン・ポーター主宰のカメラ雑誌『camera』に、デザイン全体のきっかけを探そうとした。60ページ前後で2色刷りを主体とし、本文に画学紙（がが くし）などを使ったりする月刊誌だった。毎号まったく異なる性格の写真が掲載されるような特集の組み方で、写真への接し方の多くをこの雑誌から学んだ。この時点で鈴木一誌と戸田の間で、白紙に微かに最初のグリッドが刻まれたと言ってよいだろう。
『camera』のイメージをベースにしてまず8ポイント（0.3528mm×8）を一字としてのユニットを決め、天地99左右77という関連を探し出す。これが仕上がり217.3248×279.4176mmの版型である。次にやや定石通りの版面の削り出しでは本誌を横組に決め、左右方向にグリッドの合理性と自由度を展開する。77から小口側に3、ノド側に5ユニットのマージンを設定する。残った69というセルの数がささやかなマジックナンバーとなり、3字分の段間を挟みながら2段組から3段4段までをカバーする。得られた版面は左右69字×天地92字の3:4の比例をもつ矩形となり、90°倒せばテレビやコンピュータの13インチ画面と同じ比例になる。
グラフィックデザインは白い紙を対象とするのではなく、そこに描かれているはずのグリッドを環境と捉えようとする。さらにエディトリアルデザインは、そのようなグリッドの持つ力学を徹底的に意識化しながら表現へのきっかけを拡げようとする。
逆のようだが……グリッドから無媒介に離脱しようとする発想は、表現と手法の多様性を封鎖することになる。
我々の「自然な視覚像」は、すでにその解釈の仕方に至るまでグリッドの文法に則り、隅々まで共有されるべき言語で埋め尽くされている。デザインは初期段階においてこのグリッドを相対化しなくてはならない、そのためには相対化の座標……もうひとつのグリッドを敷設し、相互の間に批評が生じる構造を作らなくてはならないからだ。

□メディアにおいては、Window、
窓を宛てがうという考え方、見方が極めて重要になる。
1969年アメリカ南部を襲った
カミールという名の台風。
グリッドを切った窓の中にロードされることによって、
カミールは初めて観測の対象となる。

□『d-SIGN』の基本グリッドとノンブルのデザイン。

時間的次元においては、グリッドは、ただグリッドであるということによってモダニティの一つの標識である。何故ならこの形態は、私たちの世紀の美術にあっては至るところに姿を現わしているが、いったん前世紀に目を向けるならそれはどこにも、全くどこにも存在していないからである。モダニズムは、十九世紀のもろもろの努力の中から生まれ出たのであるが、その大いなる連鎖反応の中で、一つの最後の変化がその鎖を立ち切るに至った。すなわちグリッドを「発見」することによって、キュビスム、デ・スティル、モンドリアン、マレーヴィチ等は、それ以前のあらゆるものが到達することのできなかった場所に降り立った。つまり、彼らは現在に降り立ったのであり、他のすべては過去のものだと宣告されたのである。（ロザリンド・クラウス／『オリジナリティと反復』／訳◉小西信之／リブロポート／1994）

平野正樹の写真は、写真で視覚を得るということを明確に意識したドキュメンタリーである。解釈、解説するまでもなく画面―事態―状況―時間があたかも過去という上空から垂直に降ろされ、目の前に現われる時間の断層写真であるように思える。
写真家の肩書は故・西井一夫の遺言に語るがごとく、平野正樹は完全に裁ち切られるわけではない時間の断層が明確に現われる現場を重要視する。単に戦争やその痕跡に人間性の某かを探して写真活動を継続しているわけではない。
諫早湾（いさはやわん）に漂着した女性の下着・ホームレスのビニールの家・そしてサラ

PAMPHLET パンフレット　11th NAMIOKA FILM FESTIVAL 第11回中世の里なみおか映画祭公式プログラム　2002

CL: 中世の里なみおか映画祭実行委員会 NAMIOKA FILM FESTIVAL　CD: 三上雅通 Masamichi Mikami　AD: 鈴木一誌 Hitoshi Suzuki　D: 鈴木朋子 Tomoko Suzuki　DF: 鈴木一誌デザイン SUZUKI HITOSHI DESIGN

フレデリック・ワイズマン『霊長類』を中心に

糸を張る

常石史子

フレデリック・ワイズマンは数週間、現場に通って画と音を撮りためる。これを1年かけて切っては貼り、1本の映画を綴る。「ナレーションは嫌いです。観客に何を考えるのかを押し付けるから」[★1]と彼は言い、現場で録られた音だけを使い、ナレーションや音楽を加えはしない。他の映像を加えもしない。とすれば1年間の彼の仕事は、実際に現場にあったものを「選択」し「配列」することだけだ。

それなのに、どういうわけか彼の仕事はときに関係者を激昂させる。監督第1作、精神異常犯罪者を収容するマサチューセッツ州立ブリッジウォーター矯正院に取材した『チチカット・フォーリーズ』(1966年4-6月撮影、1967年9月28日初上映)が、1968年、最高裁判所によって一般上映を禁じられたことはよく知られている。「収容者のプライヴァシー保護」がその理由だが、1991年に上映禁止が解かれた際には、「矯正院では以後改善が行なわれた」旨の字幕を入れることが条件とされた。これは禁止の真相を滑稽なほど雄弁に語っている。映画フィルムというどうしようもなく証明能力の高い記録媒体によって突きつけられてしまった事実をそれでもなんとかして葬り去りたいマサチューセッツ州の行政が、収容者やその家族からの訴えなど一件もないにもかかわらず、「収容者のプライヴァシー」なるものを都合よく引っ張り出したわけだ。

裁判沙汰にこそならなかったものの、ジョージア州アトランタのヤーキーズ霊長類研究所に取材した『霊長類』(1973年1-2月撮影、1974年12月5日初放映)でもよく似た問題が起こっている。テレビ放映による公開前に完成作品を見た同研究所のジェフリー・ボーン博士は、世論の非難を免れないと考えたのか、これを未然に防ごうとさまざまな手を打った。2匹のオスと1匹のメスを同室に入れて1匹のオスにのみ電気刺激を与え、機械的に繰り返される性行動を観察する場面など、動物実験反対論者ならずとも正視に堪えない映像が目白押しだから、博士の奔走も無理のないところだ。ただしこの場合、収容者がヒトではなくてサルなので「プライヴァシー保護」の理由は使えない。そこで槍玉にあげられたのが「編集」である。博士は映像の多くが文脈を無視して用いられており、はなはだしい誤解に満ちていると激しく抗議した。「ニューヨーク・タイムズ」誌に寄稿した怒りに満ちた文章では、「この映画に見られる動物実験、虐待、動物が受ける苦痛、職員の無感覚さといったものはすべて、ワイズマン氏のキャメラのトリックによって人為的に作り出されたものだ」と主張し、「わざとらしいサディズム、混乱、無理解、虚偽、性的な強迫観念のごたまぜ」と断じている[★2]。さらには自らの反論を収録した3分間のヴィデオを映画の冒頭に付けて放映することを各テレビ局に対して要求したため、トラブルを避けて放映しなかった局も多数あったという。たとえばWNETは博士の要求を斥け、代案としてワイズマンとのディスカッションを提案したが、博士は「映画の宣伝になるだけだ」と言って拒絶している。

たしかに『霊長類』では、研究上の必然性や意義が充分に説明されないまま、動物実験が次々に描かれる。されるがままのサルたちと同様、私たちにも実験の意味はわからない。わからないからその非道さのみが生々しく迫る。ワイズマン作品にナレーションがないとはいえ、普通は登場人物の発言がその役割を担っているものだ。『パブリック・ハウジング』(1995年春撮影、1997年12月1日初放映)では、建物の外にぼんやりと佇んでいる女性に見廻りの警官が目を留め、あれこれと厳しい尋問を始める。悪いことをしている様子もないのになんと横暴なと憤りを覚えるうち、彼女に薬物売買の前科があり、その場所が売人の取引場所になっているという事情が会話によって次第に明らかになり、警官の態度もそれなりに納得できるようになる。『霊長類』ではそうした配慮があえてなされなかったふしがあり、ワイズマン自身さえ「奇怪なコメディ、馬鹿騒ぎ」[★3]と言っているのである。

ボーン博士が特に問題にするのはこんな場面だ。瀕死のサルが運び込まれ、ベッドに横たえられる。高熱を発しており、冷却のためホースで水をかけられる。熱でサルの脳が損傷したのではないかと職員が心配する。——発熱は決して実験のせいではなく(映画の書き起こし(トランスクリプト)は熱射病としている)、実際は職員のひたむきな努力の結果、サルの命は無事取り留められたのに、ワイズマンがそうした情報を故意に省略したために、観客は事実を知りようがないではないか、というのが博士の主張である。むろんワイズマンはサルの発熱原因についてなんとも言明してはいないのだが、博士が危惧する通り、職員の振る舞いはどうにも「ひたむきな努力」とは見えない。

おそらく二つの理由がある。第一に、同種のサル(同一のサルかどうかは私には見分けがつかない)が実験台にされている場面が前にあること。ここにはワイズマン映画を成り立たせる一方の糸、「因果」の縦糸が作用している。ナレーションという線的(リニア)な言葉を持たないだけでなく、実験の目的や成果を縦糸にして実験の生々しさを咀嚼することさえ許さない『霊長類』を見る者は、それぞれのフィルム断片の間になんとか繋がりを見出して納得したいと切望する。その際、圧倒的に強力な武器となるのは因果関係だ。だから「実験と発熱は無関係」とでも逆に言明しない限り、両者の前後関係はごく自然に因果関係に読み替えられるだろう。第二に、サルの脳を取り出して切り刻み、培養するショッキングな場面が直前に置かれていること。ここに作用するのが「類似」の横糸だ。切り刻まれるのは件のサルとは異なる小さなリスザルなので、直接的な因果関係が存在しないのは明らかだが、「脳」の言葉で連想装置が作動して二つのエピソードは強力に連結される。結果、高熱のサルに水をかけて看病する職員が、熱で脳が損傷したのではないかと心配することさえ、サルを脳のサンプルとしてしか見ていないのだろうと疑わしく思えてくる。

限りある予算と手続き上の制約を抱えながら、限りなく押し寄せる人々に日々責め立てられる役人と、いま手続きをしてもらえなければ今夜の宿にも困る逼迫した人々と、両者それぞれの現実を同時に喝破する『福祉』(1974年初頭撮影、1975年9月24日初放映)のように、ワイズマンの「選択」は常に複眼的で多声的だ。「変な帽子をかぶっているとか、歩き方がちょっと面白いとかいうことで撮ることもある」[★4]という彼の目が捉える映像は、当然ながらときに唐突な繋がりを生む。「調子はいかがですか。ジョン・ヴァンダーホフです」と繰り返しながら、昼食休憩中の労働者たちと機械的に握手をして廻る『肉』(1974年11月撮影、1976年11月13日初放映)の政治家などがそうだ。試みに調べてみると、ヴァンダーホフは73年7月からコロラド州知事の職にあった共和党の政治家で、『肉』撮影当時は民主党のリチャード・ラムと一騎打ちの再選選挙活動中であった。ヴァンダーホフは、産業振興より環境保護を重視するラムを「過激環境保護主義者」と呼び、その政策は失業率悪化を招くと批判した。つまり選挙の争点は失業問題で、ヴァンダーホフがマンフォート精肉会社を訪れて労働者たちに支持を請うのはそれなりに理に適っている(ちなみにヴァンダーホフはこの選挙で敗れている)。けれども映画ではそんな事情は問題にされず、彼の登場はどこまでも唐突だ。「因果」の縦糸による納得の仕方は用意されていない。ならば政治家が労働者の手を握る仕草を精肉工場の巨大な鉄

★1…「フレデリック・ワイズマン・インタビュー　アメリカをドラマティックに——」『イメージフォーラム』168号、1994年1月、67頁。
★2…Dr. Geoffrey H. Bourne, "Yerkes Director Calls Foul," *New York Times*, December 15, 1974, p.33.
★3…Chuck Kraemer, "Fred Wiseman's *Primate* Makes monkeys of Scientists," *New York Times*, December 1, 1974, sec. 2, p.31.
★4…「フレデリック・ワイズマン監督講演　アメリカの組織を記録する」『フィルム・ネットワーク』14号、1999年3月、9頁。

『動物園』
Photo by Evan Eames. Copyright 1993, Zoo Films, Inc.

『霊長類』
Copyright 1974, Zipporah Films, Inc. All rights reserved.

3 2

3 3

11th NAMIOKA FILM FESTIVAL
NAMIOKA AOMORI JAPAN 2002
第11回　中世の里　なみおか映画祭
ゴダールのいる交差点

11th

3 3

COVER

MAGAZINE 雑誌 **FUTURE SOCIAL DESIGN MAGAZINE KOHKOKU 広告fsd** **February+March 2002**

PB: (株) 博報堂 HAKUHODO Inc. E: 池田正昭 Masaaki Ikeda D (COVER): ジョナサン・バーンブルック Jonathan Barnbrook D(SPREAD 1): 広岡 毅 Tsuyoshi Hirooka D(SPREAD 2): 草野 剛 Tsuyoshi Kusano

SPREAD 1

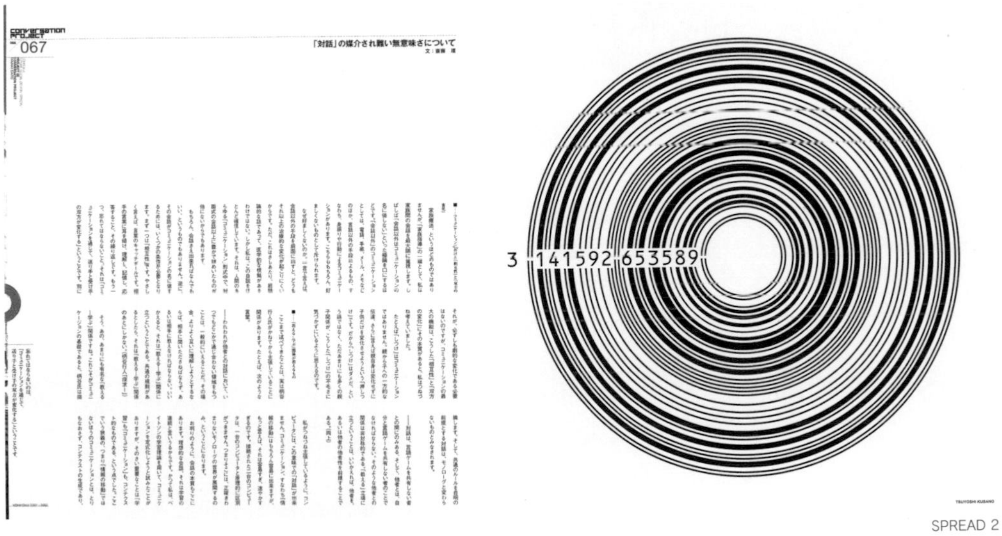

043

FOR YOUR OWN FUTURE
First Things First AMGSK

POST CORPORATION PROJECT
continues.

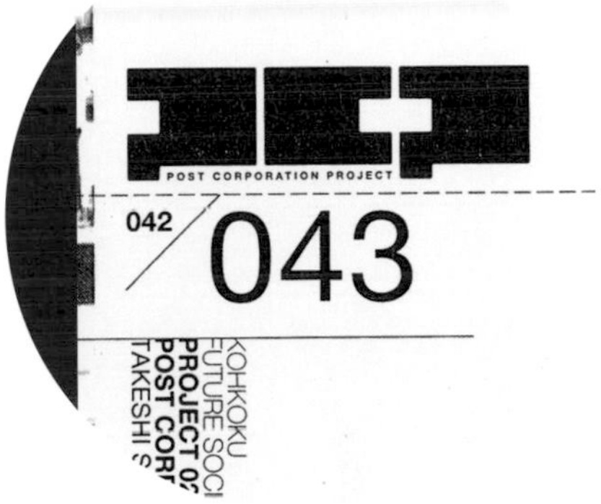

POST CORPORATION PROJECT
042 043
KOHKOKU
FUTURE SOCI
PROJECT 0
POST CORP
TAKESHI S

CONVERSATION PROJECT
067

「対話」の媒介され難い無意味さについて

3 141592 653589

CONVERSATI
PROJECT
066 067
KOHKOKU
FUTURE SOCIAL
PROJECT 05
CONVERSAT
TAMAKI SAIT

SPREAD 2

COVER

MOOK ムック　　X-Knowledge HOME エクスナレッジホーム　Vol.1 January 2002

PB: (株) エクスナレッジ X-Knowledge Co., Ltd.　E: 澤井聖一 Seiichi Sawai　AD: 角田純一 Junichi Tsunoda
D: イトー・マユミ Mayumi Ito (cluster) / 大村太一 Taichi Ohmura (MANAS) / 小澤加代子 Kayoko Ozawa (MANAS)　P (COVER): 高橋恭司 Kyoji Takahashi

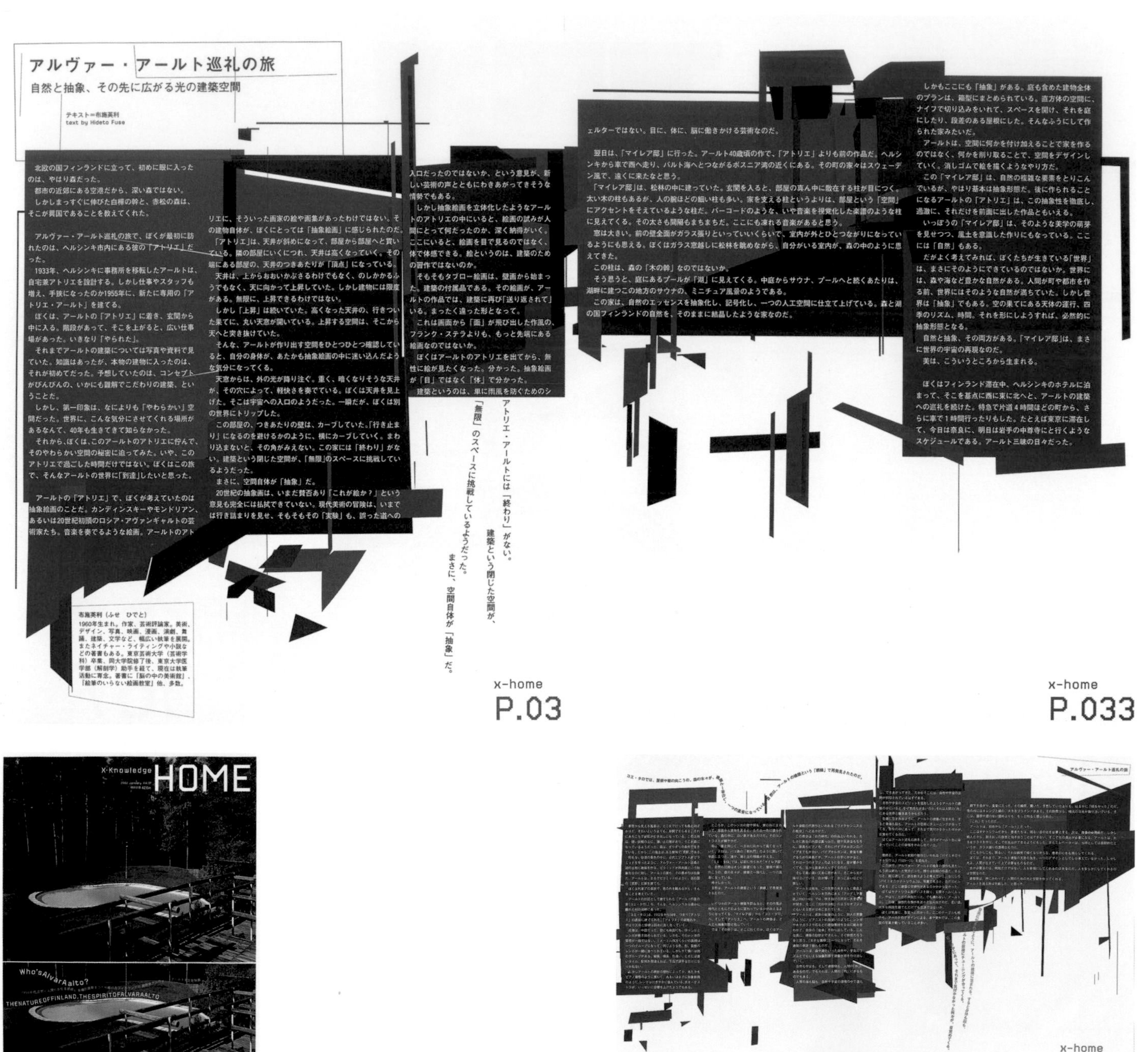

アルヴァー・アールト巡礼の旅

自然と抽象、その先に広がる光の建築空間

テキスト＝布施英利
text by Hideto Fuse

北欧の国フィンランドに立って、初めに眼に入ったのは、やはり森だった。
都市の近郊にある空港だから、深い森ではない。
しかしまっすぐに伸びた白樺の幹と、赤松の森は、そこが異国であることを教えてくれた。

アルヴァー・アールト巡礼の旅で、ぼくが最初に訪れたのは、ヘルシンキ市内にある彼の「アトリエ」だった。
1933年、ヘルシンキに事務所を移転したアールトは、自宅兼アトリエを設計する。しかし仕事やスタッフも増え、手狭になったのか1955年に、新たに専用の「アトリエ・アールト」を建てる。
ぼくは、アールトの「アトリエ」に着き、玄関から中に入る。階段があって、そこを上がると、広い仕事場があった。いきなり「やられた」。
それまでアールトの建築については写真や資料で見ていた。知識はあったが、本物の建物に入ったのは、それが初めてだった。予想していたのは、コンセプトがびんびんの、いかにも難解でこだわりの建築、ということだ。
しかし、第一印象は、なによりも「やわらかい」空間だった。世界に、こんな気分にさせてくれる場所があるなんて、40年も生きてきて知らなかった。
それから、ぼくは、このアールトのアトリエに佇んで、そのやわらかい空間の秘密に迫ってみた。いや、このアトリエで過ごした時間だけではない。ぼくはこの旅で、そんなアールトの世界に「到達」したいと思った。

アールトの「アトリエ」で、ぼくが考えていたのは抽象絵画のことだ。カンディンスキーやモンドリアン、あるいは20世紀初頭のロシア・アヴァンギャルトの芸術家たち。音楽を奏でるような絵画。アールトのアトリエに、そういった画家の絵や画集があったわけではない。その建物自体が、ぼくにとっては「抽象絵画」に感じられたのだ。
「アトリエ」は、天井が斜めになって、部屋から部屋へと貫いている。隣の部屋にいくにつれ、天井は高くなっていく。その端にある部屋の、天井のつきあたりが「頂点」になっている。
天井は、上からおおいかぶさるわけでもなく、のしかかるふうでもなく、天に向かって上昇していた。しかし建物には限度がある。無限に、上昇できるわけではない。
しかし「上昇」は続いていた。高くなった天井の、行きついた果てに、丸い天窓が開いている。上昇する空間は、そこから天へと突き抜けていた。
そんな、アールトが作り出す空間をひとつひとつ確認していると、自分の身体が、あたかも抽象絵画の中に迷い込んだような気分になってくる。
天窓からは、外の光が降り注ぐ。重く、暗くなりそうな天井が、その穴によって、軽快さを奏でている。ぼくは天井を見上げた。そこは宇宙への入口のようだった。一瞬だが、ぼくは別の世界にトリップした。
この部屋の、つきあたりの壁は、カーブしていた。「行き止まり」になるのを避けるかのように、横にカーブしていく。まわり込まないと、その角がみえない。この家には「終わり」がない。建築という閉じた空間が、「無限」のスペースに挑戦しているようだった。
まさに、空間自体が「抽象」だ。
20世紀の抽象画は、いまだ賛否あり「これが絵か？」という意見も完全には払拭できていない。現代美術の冒険は、いまでは行き詰まりを見せ、そもそもその「実験」も、誤った道への入口だったのではないか、という意見が、新しい芸術の声とともにわきあがってきそうな情勢でもある。
しかし抽象絵画を立体化したようなアールトのアトリエの中にいると、絵画の試みが人間にとって何だったのか、深く納得がいく。ここにいると、絵画を目で見るのではなく、体で体感できる。絵というのは、建築のための習作ではないのか。
そもそもタブロー絵画は、壁画から始まった。建築の付属品である。その絵画が、アールトの作品では、建築に再び「送り返されて」いる。まったく違った形となって。
これは画面から「面」が飛び出した作風の、フランク・ステラよりも、もっと先端にある絵画なのではないか。
ぼくはアールトのアトリエを出てから、無性に絵が見たくなった。分かった。抽象絵画が「目」ではなく「体」で分かった。
建築というのは、単に雨風を防ぐためのシェルターではない。目に、体に、脳に働きかける芸術なのだ。

翌日は、「マイレア邸」に行った。アールト40歳頃の作で、「アトリエ」よりも前の作品だ。ヘルシンキから車で西へ走り、バルト海へとつながるボスニア湾の近くにある。その町の家々はスウェーデン風で、遠くに来たなと思う。
「マイレア邸」は、松林の中に建っていた。玄関を入ると、部屋の真ん中に散在する柱が目につく。太い木の柱もあるが、人の腕ほどの細い柱も多い。家を支える柱というよりは、部屋という「空間」にアクセントをそえているような柱だ。バーコードのような、いや音楽を視覚化した楽譜のような柱に見えてくる。その太さも間隔もまちまちだ。ここにも凍れる音楽があると思う。
窓は大きい。前の壁全面がガラス張りといっていいくらいで、室内が外とひとつながりになっているようにも思える。ぼくはガラス窓越しに松林を眺めながら、自分がいる室内が、森の中のように思えてきた。
この柱は、森の「木の幹」なのではないか。
そう思うと、庭にあるプールが「湖」に見えてくる。中庭からサウナ、プールへと続くあたりは、湖畔に建つこの地方のサウナの、ミニチュア風景のようである。
この家は、自然のエッセンスを抽象化し、記号化し、一つの人工空間に仕立て上げている。森と湖の国フィンランドの自然を、そのままに結晶したような家なのだ。

しかもここにも「抽象」がある。庭も含めた建物全体のプランは、箱型にまとめられている。直方体の空間に、ナイフで切り込みをいれて、スペースを開け、それを庭にしたり、段差のある屋根にした。そんなふうにして作られた家みたいだ。
アールトは、空間に何かを付け加えることで家を作るのではなく、何かを削り取ることで、空間をデザインしていく。消しゴムで絵を描くようなやり方だ。
この「マイレア邸」は、自然の複雑な要素をとりこんでいるが、やはり基本は抽象形態だ。後に作られることになるアールトの「アトリエ」は、この抽象性を徹底し、過激に、それだけを前面に出した作品ともいえる。
いっぽうの「マイレア邸」は、そのような美学の萌芽を見せつつ、風土を意識した作りにもなっている。ここには「自然」もある。
だがよく考えてみれば、ぼくたちが生きている「世界」は、まさにそのようにできているのではないか。世界には、森や海など豊かな自然がある。人間が町や都市を作る前、世界にはそのような自然が満ちていた。しかし世界は「抽象」でもある。空の果てにある天体の運行、四季のリズム、時間。それを形にしようすれば、必然的に抽象形態となる。
自然と抽象、その両方がある。「マイレア邸」は、まさに世界の宇宙の再現なのだ。
美は、こういうところから生まれる。

ぼくはフィンランド滞在中、ヘルシンキのホテルに泊まって、そこを基点に西に東に北へと、アールトの建築への巡礼を続けた。特急で片道4時間ほどの町から、さらに車で1時間行ったりもした。たとえば東京に滞在して、今日は奈良に、明日は岩手の中尊寺にと行くようなスケジュールである。アールト三昧の日々だった。

アトリエ・アールトには「終わり」がない。
建築という閉じた空間が、
「無限」のスペースに挑戦しているようだった。
まさに、空間自体が「抽象」だ。

布施英利（ふせ　ひでと）
1960年生まれ。作家、芸術評論家。美術、デザイン、写真、映画、漫画、演劇、舞踊、建築、文学など、幅広い執筆を展開。またネイチャー・ライティングや小説などの著書もある。東京芸術大学（芸術学科）卒業、同大学院修了後、東京大学医学部（解剖学）助手を経て、現在は執筆活動に専念。著書に『脳の中の美術館』、『絵筆のいらない絵画教室』他、多数。

x-home P.03　　x-home P.033

COVER

x-home P.034　　x-home P.035

MOOK ムック　X-Knowledge HOME エクスナレッジホーム　Vol.4 April 2002

PB: (株) エクスナレッジ X-Knowledge Co., Ltd.　E: 澤井聖一 Seiichi Sawai　AD: 角田純一 Junichi Tsunoda
D: イトー・マユミ Mayumi Ito (cluster) / 大村太一 Taichi Ohmura (MANAS) / 小澤加代子 Kayoko Ozawa (MANAS)　P (COVER): 鈴木 親 Chikashi Suzuki

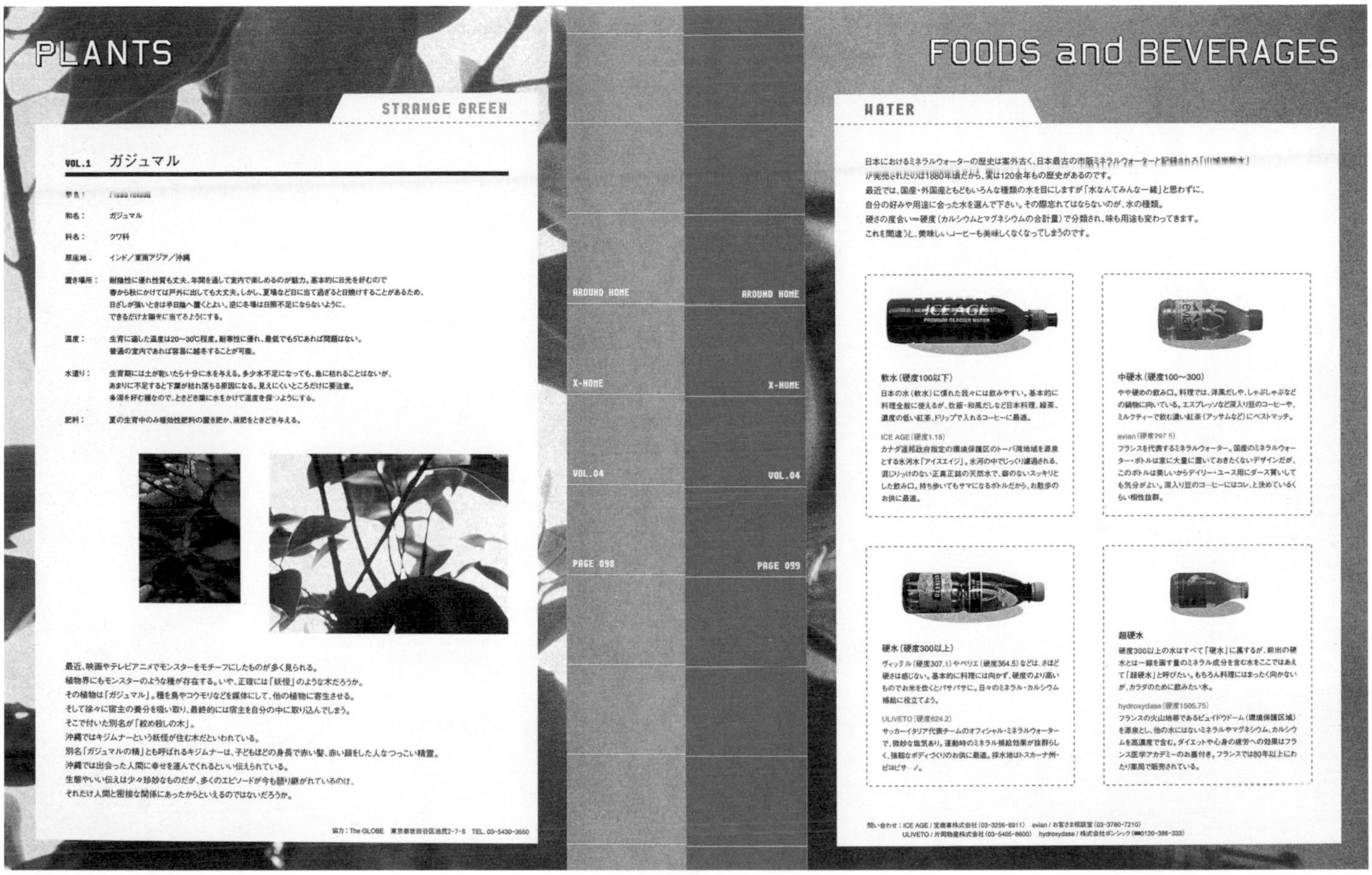

PLANTS

STRANGE GREEN

VOL.1 ガジュマル

学名： [illegible]

和名： ガジュマル

科名： クワ科

原産地： インド／東南アジア／沖縄

置き場所： 耐陰性に優れ性質も丈夫、年間を通して室内で楽しめるのが魅力。基本的に日光を好むので春から秋にかけては戸外に出しても大丈夫。しかし、夏場など日に当て過ぎると日焼けすることがあるため、日ざしが強いときは半日陰へ置くとよい。逆に冬場は日照不足にならないように、できるだけ太陽光に当てるようにする。

温度： 生育に適した温度は20〜30℃程度。耐寒性に優れ、最低でも5℃あれば問題はない。普通の室内であれば容易に越冬することが可能。

水遣り： 生育期には土が乾いたら十分に水を与える。多少水不足になっても、急に枯れることはないが、あまりに不足すると下葉が枯れ落ちる原因になる。見えにくいところだけに要注意。多湿を好む種なので、ときどき葉に水をかけて湿度を保つようにする。

肥料： 夏の生育中のみ緩効性肥料の置き肥か、液肥をときどき与える。

最近、映画やテレビアニメでモンスターをモチーフにしたものが多く見られる。
植物界にもモンスターのような種が存在する。いや、正確には「妖怪」のような木だろうか。
その植物は「ガジュマル」。種を鳥やコウモリなどを媒体にして、他の植物に寄生させる。
そして徐々に宿主の養分を吸い取り、最終的には宿主を自分の中に取り込んでしまう。
そこで付いた別名が「絞め殺しの木」。
沖縄ではキジムナーという妖怪が住む木だといわれている。
別名「ガジュマルの精」とも呼ばれるキジムナーは、子どもほどの身長で赤い髪、赤い顔をした人なつっこい精霊。
沖縄では出会った人間に幸せを運んでくれるといい伝えられている。
生態やいい伝えは少々珍妙なものだが、多くのエピソードが今も語り継がれているのは、
それだけ人間と密接な関係にあったからといえるのではないだろうか。

協力：The GLOBE　東京都世田谷区池尻2-7-8　TEL. 03-5430-3550

AROUND HOME　X-HOME　VOL.04　PAGE 098

AROUND HOME　X-HOME　VOL.04　PAGE 099

FOODS and BEVERAGES

WATER

日本におけるミネラルウォーターの歴史は案外古く、日本最古の市販ミネラルウォーターと記録される「[illegible]」
が発売されたのは1880年頃だから、実は120余年もの歴史があるのです。
最近では、国産・外国産ともどもいろんな種類の水を目にしますが「水なんてみんな一緒」と思わずに、
自分の好みや用途に合った水を選んで下さい。その際忘れてはならないのが、水の種類。
硬さの度合い＝硬度（カルシウムとマグネシウムの合計量）で分類され、味も用途も変わってきます。
これを間違うと、美味しいコーヒーも美味しくなくなってしまうのです。

軟水（硬度100以下）
日本の水（軟水）に慣れた我々には飲みやすい。基本的に料理全般に使えるが、炊飯・和風だしなど日本料理、緑茶、濃度の低い紅茶、ドリップで入れるコーヒーに最適。

ICE AGE（硬度1.18）
カナダ連邦政府指定の環境保護区のトーバ湾地域を源泉とする氷河水「アイスエイジ」。氷河の中でじっくり濾過される、混じりっけのない正真正銘の天然水で、癖のないスッキリとした飲み口。持ち歩いてもサマになるボトルだから、お散歩のお供に最適。

中硬水（硬度100〜300）
やや硬めの飲み口。料理では、洋風だしや、しゃぶしゃぶなどの鍋物に向いている。エスプレッソなど深入り豆のコーヒーや、ミルクティーで飲む濃い紅茶（アッサムなど）にベストマッチ。

evian（硬度297.5）
フランスを代表するミネラルウォーター。国産のミネラルウォーター・ボトルは家に大量に置いておきたくないデザインだが、このボトルは美しいからデイリー・ユース用にダース買いしても気分がよい。深入り豆のコーヒーにはコレ、と決めているくらい相性抜群。

硬水（硬度300以上）
ヴィッテル（硬度307.1）やペリエ（硬度364.5）などは、さほど硬さは感じない。基本的に料理には向かず、硬度のより高いものでお米を炊くとパサパサに。日々のミネラル・カルシウム補給に役立てよう。

ULIVETO（硬度624.2）
サッカーイタリア代表チームのオフィシャル・ミネラルウォーターで、微妙な塩気あり。運動時のミネラル補給効果が抜群らしく、強靭なボディづくりのお供に最適。採水地はトスカーナ州・ピコピサーノ。

超硬水
硬度300以上の水はすべて「硬水」に属するが、前出の硬水とは一線を画す量のミネラル成分を含む水をここではあえて「超硬水」と呼びたい。もちろん料理にはまったく向かないが、カラダのために飲みたい水。

hydroxydase（硬度1505.75）
フランスの火山地帯であるピュイドウドーム（環境保護区域）を源泉とし、他の水にはないミネラルやマグネシウム、カルシウムを高濃度で含む。ダイエットや心身の疲労への効果はフランス医学アカデミーのお墨付き。フランスでは80年以上にわたり薬局で販売されている。

問い合わせ：ICE AGE / 宝商事株式会社（03-3256-6911）　evian / お客さま相談室（03-3780-7210）
ULIVETO / 片岡物産株式会社（03-5405-8600）　hydroxydase / 株式会社ボンシック（0120-386-333）

COVER

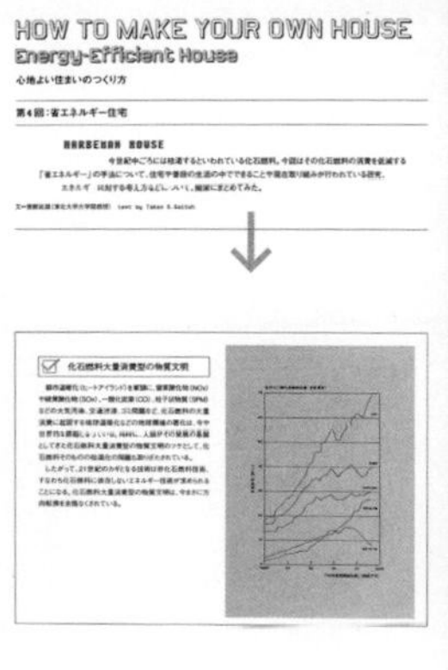

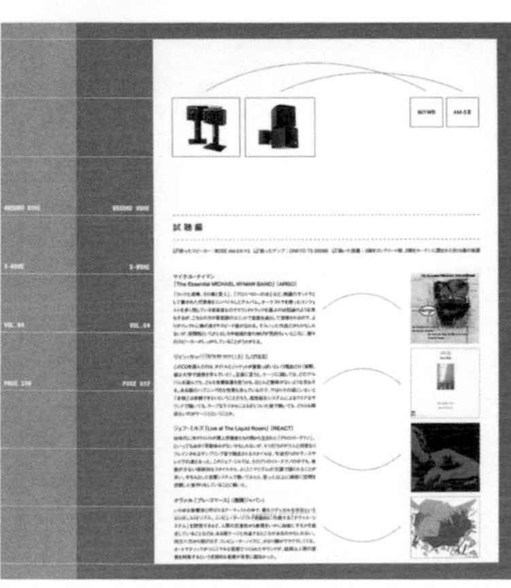

BOOK 書籍　**cafe co. –complete works カフェ コー コンプリート ワークス**　2003

CL: (株) カフェ cafe co.　E, AD: ヤマモトヒロユキ Hiroyuki Yamamoto　D: 古川智基 Tomoki Furukawa　DF: (株) ピクト Picto Inc.

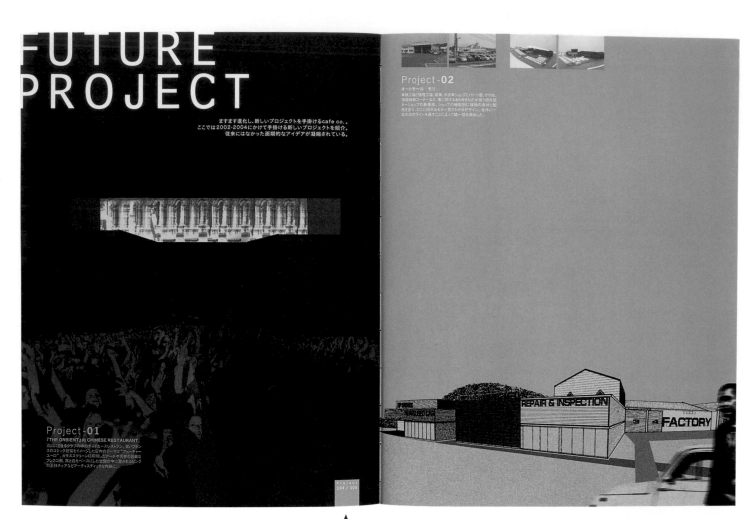

FUTURE PROJECT

ますます進化し、新しいプロジェクトを手掛けるcafe co.。
ここでは2002-2004にかけて手掛ける新しいプロジェクトを紹介。
従来にはなかった画期的なアイデアが凝縮されている。

Project-01

『THE ORBIENT』内 CHINESE RESTAURANT

青山にできるクラブの中のチャイニーズレストラン。古いフランスのゴシック建築をイメージした店内のテーマは"フューチャーユーロ"。ガラススクリーンに印刷したアーチや天井の荘厳なフレスコ画、黒と白をベースにした空間の中に置かれたピンクの王様チェアなどアーティスティックな内装に。

Project 104 / 105

Project-02

オートモール　モリ

車検工場と修理工場、新車、中古車ショップとパーツ屋、その他、情報検索コーナーなど、車に関するあらゆるものが揃う郊外型カーショップの新業態。ショップの機能別に建物の素材と配色を変え、どこに何があるか一目でわかるデザイン。全体に一本の光のラインを通すことによって統一感を演出した。

REPAIR & INSPECTION

FACTORY

▲

cafe co. —complete works

『AFRICA』『GLASS FACTORY』『of HAIR』『燈花』など…
話題の空間を手掛けるインテリアデザイナー
森井良幸、松中博之率いるデザイナー集団『cafe co.』。
時代性を的確に捉えた感性で、数々の全国の人気ショップを
デザインする彼らの仕事を凝縮した1冊！

COVER

BOOK 書籍 un Livre de Recettes 「庵」のレシピ公開！ 新しい和風創作料理 2002

PB: (株) 宣伝会議 SENDENKAIGI E, CD: 花岡紀凱 Kazuhiro Hanada AD: 白 承坤 Haku Shoukon P (COVER): 恩田義則 Yoshinori Onda P: 及川雅夫 Masao Oikawa
DF: (有) パイクデザインオフィス Paik Design office Inc.

COVER

Meat base
p038.039

鹿児島産黒毛和牛のスキ鍋

INGREDIENTS
黒毛和牛（サーロイン）… 70 g
大阪しろ菜 … 1/3束
セリ … 1/15束
椎茸 … 1個
よもぎふ … 40 g
下仁田葱 … 1/4本
うど … 20 g
★すき出し … 120 cc
人参 … 10 g
茗荷 … 1/6個
ハス芋 … 1/10P/C

PROCESS
01. 大阪しろ菜・下仁田葱・ハス芋はボイルしておく。
※大阪しろ菜は、氷水に落とし色止めする。
02. すきやきの出しは鍋で火にかけ、一度沸かしておく。
03. 肉・野菜はそれぞれ食べやすい大きさにカットし、器に盛り込む。
04. 提供時、小鍋にすきやきの出しをはる。
05. 04を一度温めてから炭を入れた伊勢コンロの上にのせ、03とともに提供する。

生ハムトマトの琥珀ゼリー添え

INGREDIENTS
トマト … 1個
生ハム … 8 g
ホワイトセロリ … 4本
エンダイブ … 15 g
トレビス … 3 g
★うま酢ゼリー … 60 g
★シーザーサラダドレッシング … 25 cc

PROCESS
01. トマトはヘタを取らずに湯むきし、頭から2分目の所で切り落とす。
02. エンダイブ・トレビスはちぎり、水にさらしておく。
03. ホワイトセロリは軸から切り落とし、水に漬けておく。
04. よく冷やした器にトマトの下の部分を逆さに置き、その上に食べやすくカットした生ハムをのせる。
05. 04のトマトのまわりにちぎったエンダイブを敷き、砕いたうま酢ゼリーを散らす。
06. 05にホワイトセロリ・ちぎったトレビスを飾り、生ハムの上からシーザーサラダドレッシングをかける。
07. 08のトマトの蓋の部分を添えて提供する。

茄子のチーズ田楽

INGREDIENTS
長茄子 … 1本
★チーズソース（茄子）… 50 g
パルマ産プロシュートスライス … 10 g
チャービル … 1/30 P

PROCESS
01. 長茄子は5カットにし、油で半生くらいまで揚げる。
02. 器に01をのせ、その上にチーズソースをかける。
03. 02のチーズソースの上に生ハム・チャービルを飾る。

Vegetable
p054.055

黒毛和牛と焼大根のロッシーニ

INGREDIENTS
★ふろふき大根 … 90 g
黒毛和牛並ロースサーロイン正肉 … 40 g
フランス産冷凍フォアカナール … 15 g
冷凍トリュフ … 2 g
ブロッコリー … 1/20束
赤ピーマン … 1/8個
ローズマリー … 1/10束
小麦粉 … 適量
食塩 … 少々
ペッパー … 少々
荒挽きブラックペッパー … 少々
春巻の皮 … 1/8 枚
★ロッシーニソース … 30 cc

PROCESS
01. ふろふき大根は90gにカットし、グリルパンで網目を付ける。
02. 01を炊き地の中で温めておく。
03. 和牛は40gにカットし、塩・ブラックペッパーをふる。
04. 03をグリルパンで焼き、3カットする。
05. フォアカナールは塩・胡椒をし、強力粉をまぶしてフライパンで焼く。
06. トリュフは薄くスライスし、ブロッコリーは塩湯がきにして大根の炊き地で温める。
07. 赤ピーマンは素揚げにする。
08. 春巻きの皮は油で揚げる。
09. 温めた器にふろふき大根を盛り、その上に和牛・フォアカナールをのせる。
10. 09に各処理をしたトリュフ・ブロッコリー・赤ピーマン・春巻の皮を添える。
11. 10の上からソースをかけ、ローズマリーを飾る。

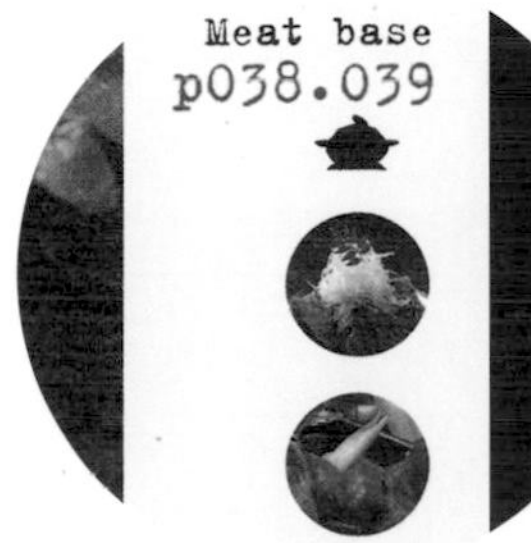

MAGAZINE　雑誌　　SORTIE　ソルティ　No.6　2002

PB: (有) 糖衣社 Toy Co., Ltd.　E: 石坂 寧 Yasushi Ishizaka　D: 吉田 恵 Megumi Yoshida　P: 山本 光 Hikari Yamamoto / 栗田敬子 Keiko Kurita　I (COVER): 前田ひさえ Hisae Maeda　I: 有賀千夏 Chinatsu Ariga

COVER

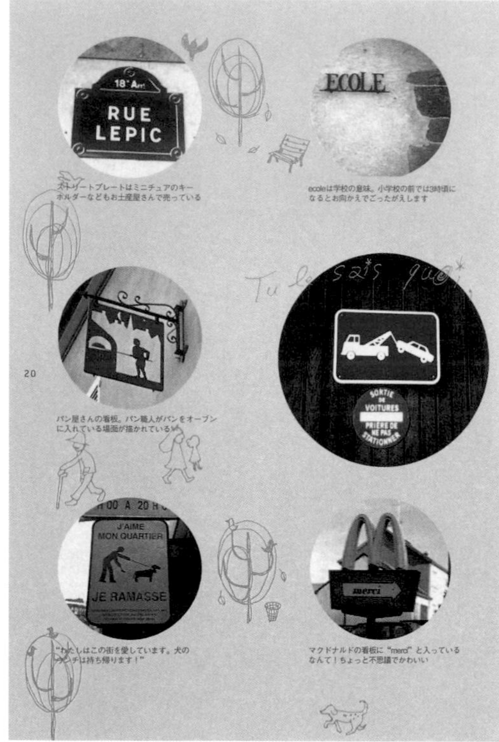

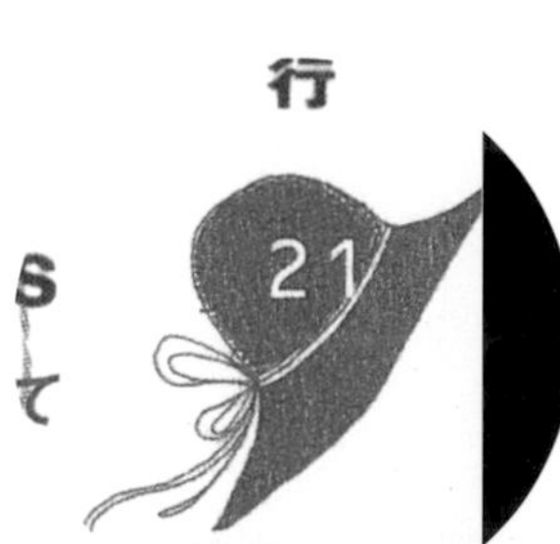

IMAGE BOOK　イメージ・ブック　　dene　2002

CL: (株) INAX　INAX Corporation　E, CW: 山村光春　Mitsuharu Yamamura　AD, D: 有山達也　Tatsuya Ariyama　P: 長嶺輝明　Teruaki Nagamine　I: 長崎訓子　Kuniko Nagasaki　STYLIST: 西村千寿　Chizu Nishimura
DF: アリヤマデザインストア　Ariyama design store

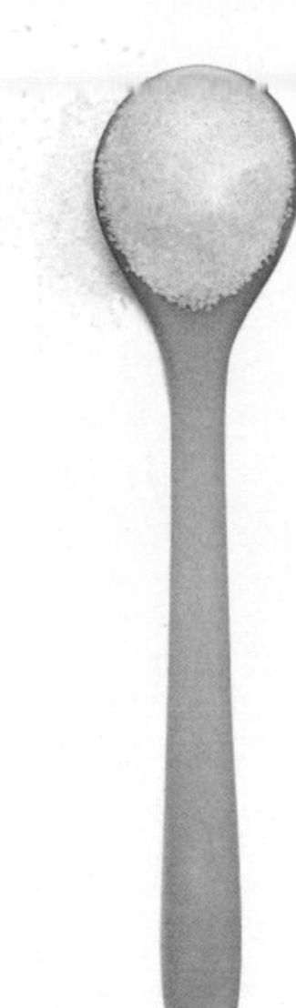

この本には、家族がもっとなかよくなれる
ひみつのヒントがわんさと詰まってる。
ママがいるキッチンを中心に、
こどもたちも、パパだって！
いっしょになってみんなが力を合わせてできることとか、
たとえどこにいても、なにをしていても、
おたがいの気配が感じられる場所とか、
みんなが感じたことを、好きなだけ話しあえる
心地よく、風通しのいい空気とか。
そんなひとつひとつの中で、
なにか共感できるものがみつかったら、即、決行しよう。
これで家族をつなぐ結びめが、
きっとぎゅっと固くなるはずだから。

……でね、『dene』のはじまり。

COVER

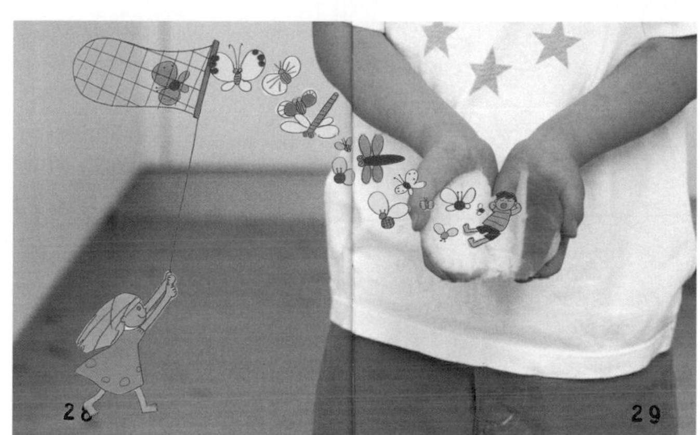

BOOK 書籍 **Healing by Cactus Cactus & Succulent サボテン大好き サボテン＆多肉植物** 2002

PB: (株) 講談社 KODANSHA E: (株) 第一出版センター Daiichi Shuppan Center AD, D: 日高慶太 Keita Hidaka P: 林 桂多 Keita Hayashi DF: SUN HIGH! graphics

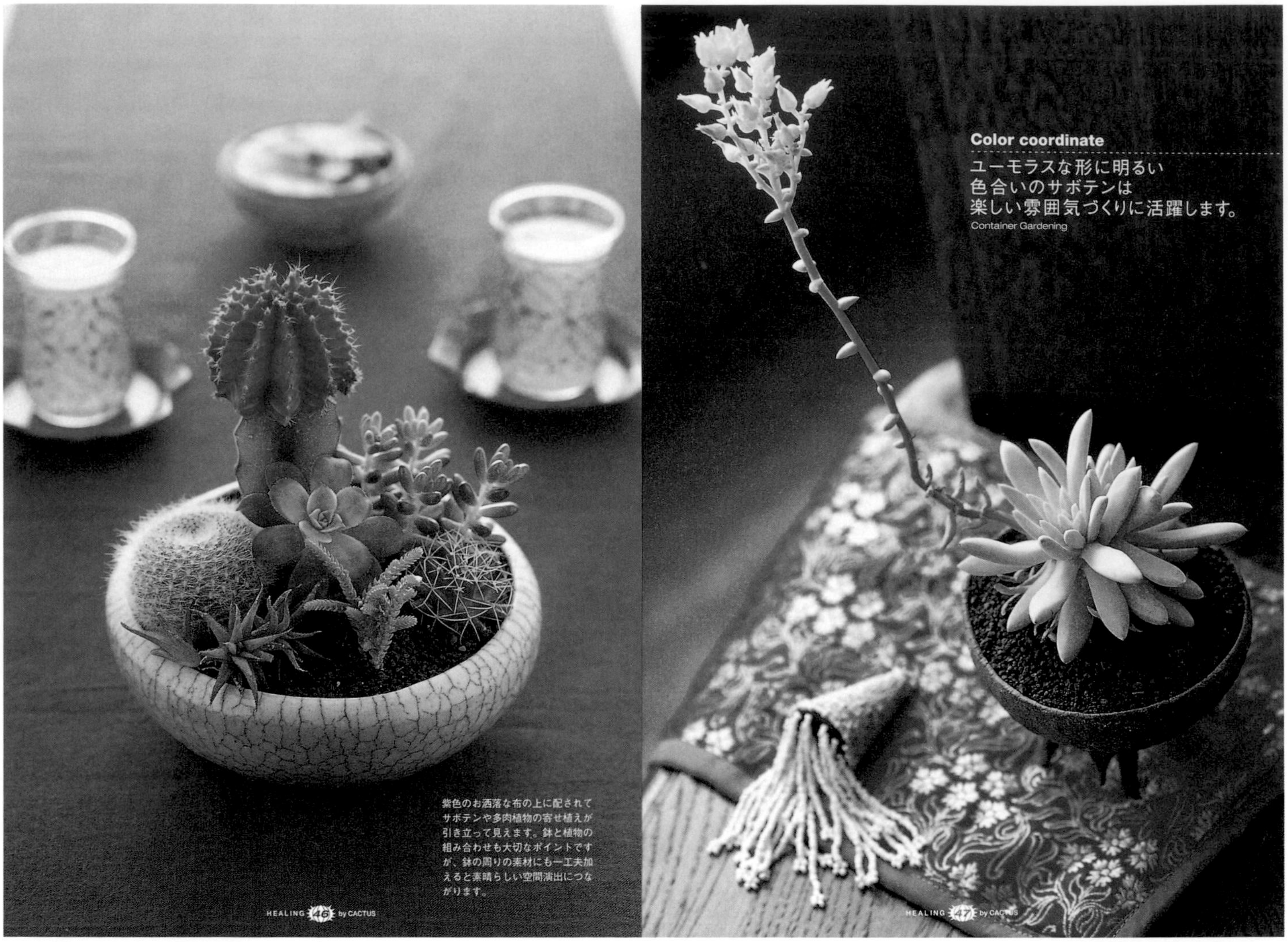

紫色のお洒落な布の上に配されて
サボテンや多肉植物の寄せ植えが
引き立って見えます。鉢と植物の
組み合わせも大切なポイントです
が、鉢の周りの素材にも一工夫加
えると素晴らしい空間演出につな
がります。
HEALING 46 by CACTUS
Color coordinate
ユーモラスな形に明るい
色合いのサボテンは
楽しい雰囲気づくりに活躍します。
Container Gardening
HEALING 47 by CACTUS

▲

サボテン
大好き
サボテン＆多肉植物
Cactus & Succulent
飯島健太郎
Healing
by CACTUS
Catalogue 面白い種類
Cultivation やさしい栽培
Container Garden 楽しい演出法
Story & Guide サボテンの話

COVER

HEALING 46 by CACTUS

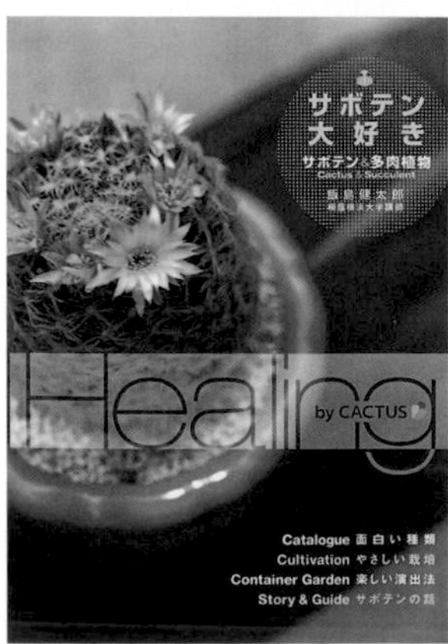

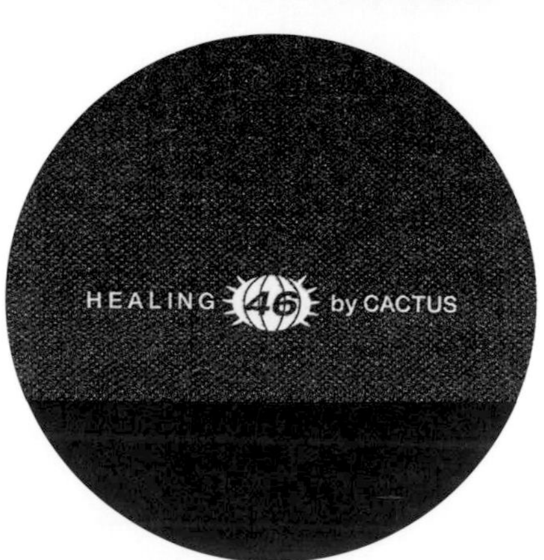

目次 CONTENTS | 扉 TITLE PAGES | **ノンブル PAGE NUMBERS** | キャプション CAPTIONS | 190 柱 / 見出し HEADINGS / TITLES | チャート CHARTS

MOOK ムック **Beads Accessary Book ビーズアクセサリーBOOK** 2002

PB: (株) 双葉社 FUTABASHA E: オフィス棟 Office Ren / 山路洋子 Yoko Yamaji D: キッタヒロシ Hiroshi Kitta P: 中川カンゴロー Kangoro Nakagawa I: 林 慎悟 Shingo Hayashi

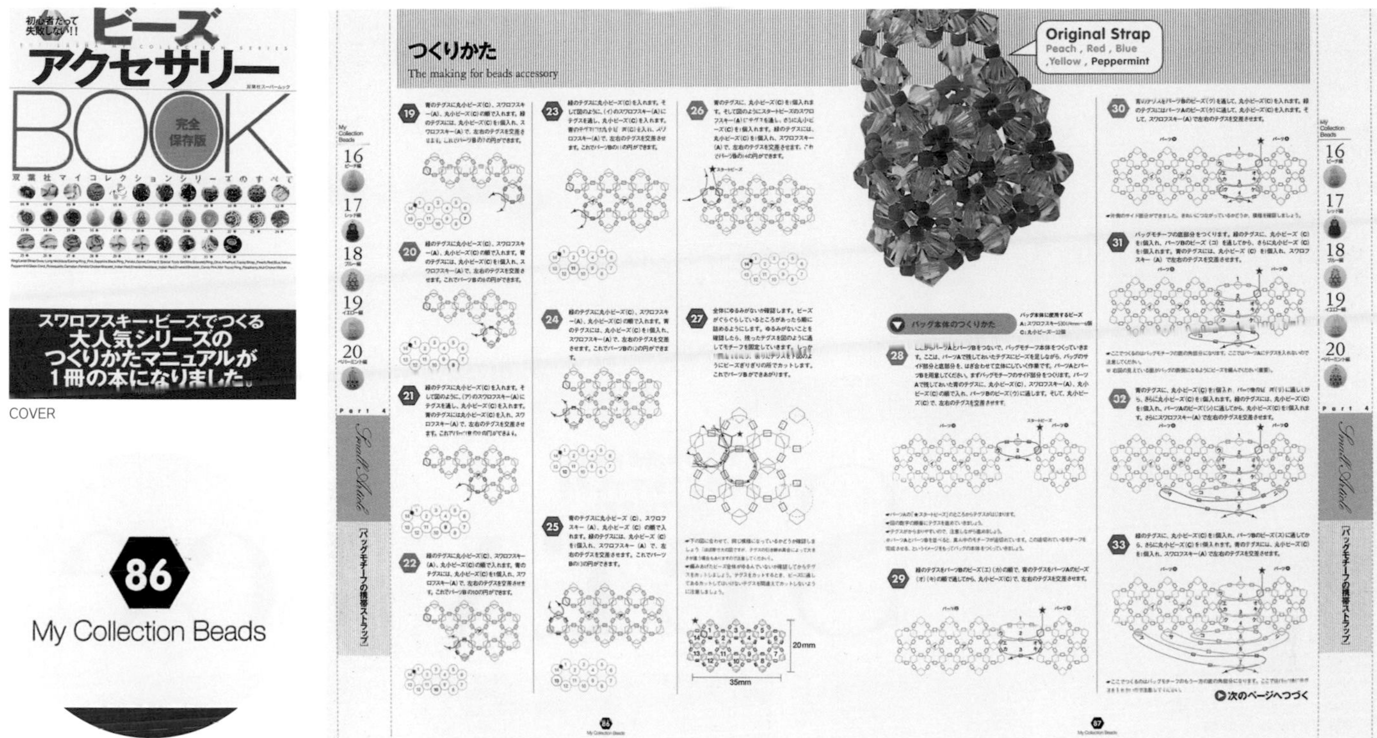

COVER

051 目次 CONTENTS | 扉 TITLE PAGES | **ノンブル PAGE NUMBERS** | キャプション CAPTIONS | 柱 / 見出し HEADINGS / TITLES | チャート CHARTS

MAGAZINE 雑誌 **Arne アルネ** No.1 2002

PB: (株) イオグラフィック IO GRAPHIC, Inc. E, CD, P, I: 大橋 歩 Ayumi Ohashi AD: 細山田光宣 Mitsunobu Hosoyamada D: 奥山志乃 Shino Okuyama / 斉藤恵子 Keiko Saito I: 佐々木美穂 Miho Sasaki
DF: (株) 細山田デザイン事務所 HOSOYAMADA DESIGN OFFICE

COVER

CORPORATE PROFILE　会社案内　　ASKUL Corporate Profile　アスクル会社案内　2001

CL: アスクル（株）ASKUL Corporation　E: 於保実佐子 Misako Oho / 鈴木 文 Aya Suzuki　CD, AD: 岡本一宣 Issen Okamoto　D: 小埜田尚子 Naoko Onoda / 夏野秀信 Hidenobu Natsuno
P: 瀬尾浩司 Hiroshi Seo / 小寺浩之 Hiroyuki Kodera　DF: 岡本一宣 Okamoto Issen Graphic Design Company Ltd.

COVER

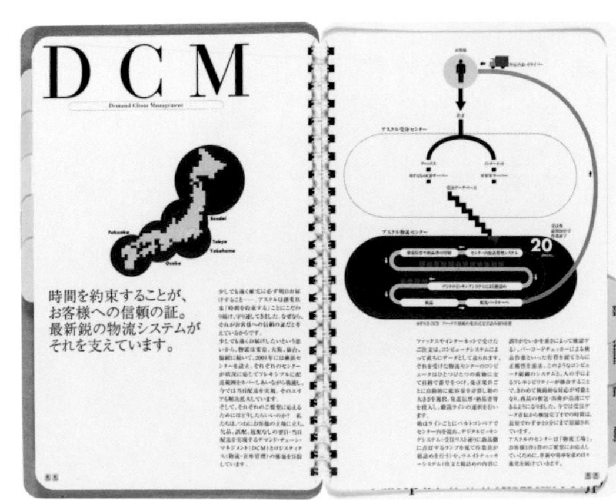

CORPORATE PROFILE 会社案内　CORPORATE PROFILE 2002 EC物流会社案内 2002

CL: (株) EC物流 EC Butsuryu Inc. CD, AD: 古賀賢治 Kenji Koga D: 屋嘉比盛弘 Morihiro Yakabi DF: (株) シーワイエー（コレクティブ イエロー アーティスト） Collective Yellow Artist Inc.

COVER

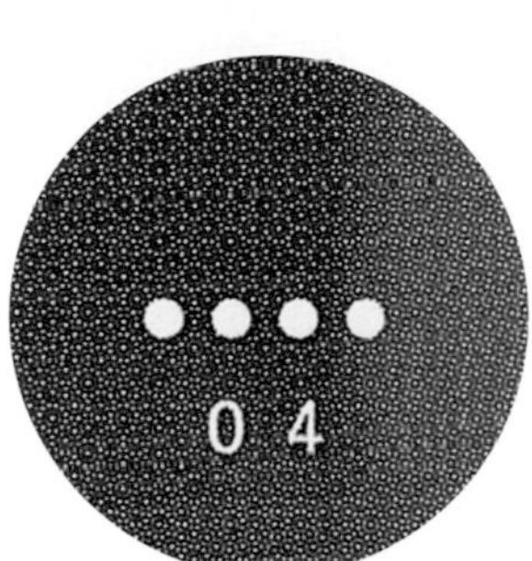

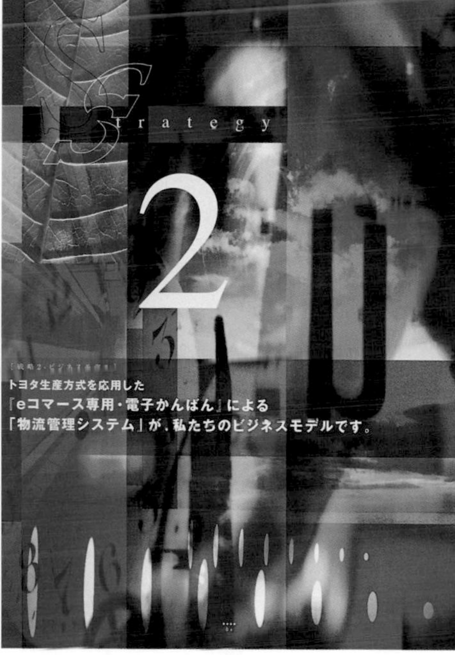

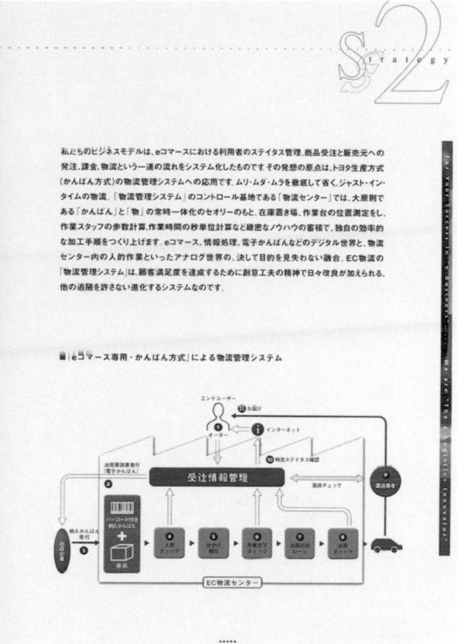

BOOK 書籍　The Perfect Manual トリセツ 2002

PB: ぴあ（株） PIA CORPORATION E: 大木淳夫 Atsuo Oki CD: 細山田光宣 Mitsunobu Hosoyamada / 岡 睦 Mutsumi Oka I: 牧野良幸 Yoshiyuki Makino DF: 細山田デザイン事務所 HOSOYAMADA DESIGN OFFICE

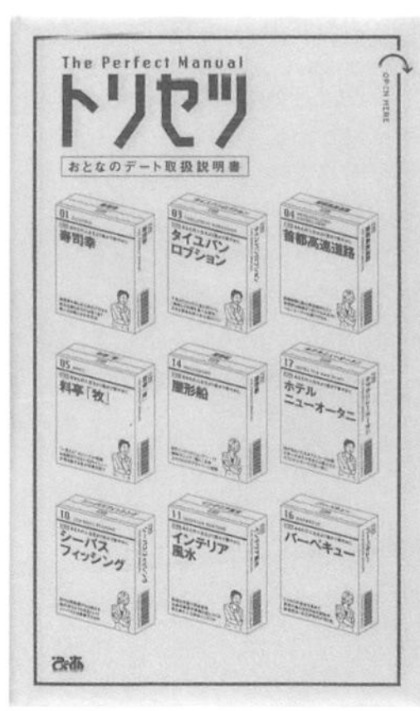

COVER

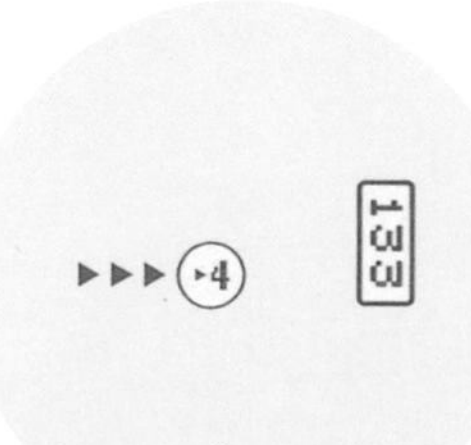

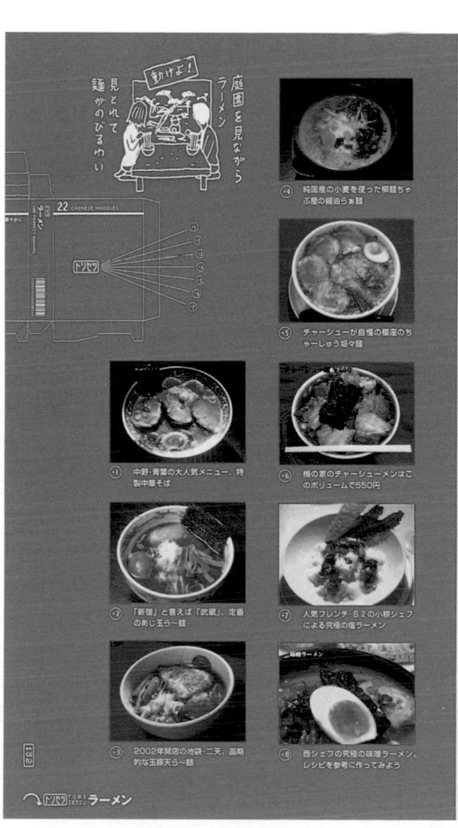

BOOK　書籍　　MORI CHACK SPARTA MASSAGE　森チャック スパルタ マッサージ　2002

PB: (株) マガジンハウス MAGAZINE HOUSE LTD.　E: 吉村 司 Tsukasa Yoshimura　AD: ヤマモトヒロユキ Hiroyuki Yamamoto　I: 森チャック Mori Chack　DF: (株) ピクト Picto Inc.

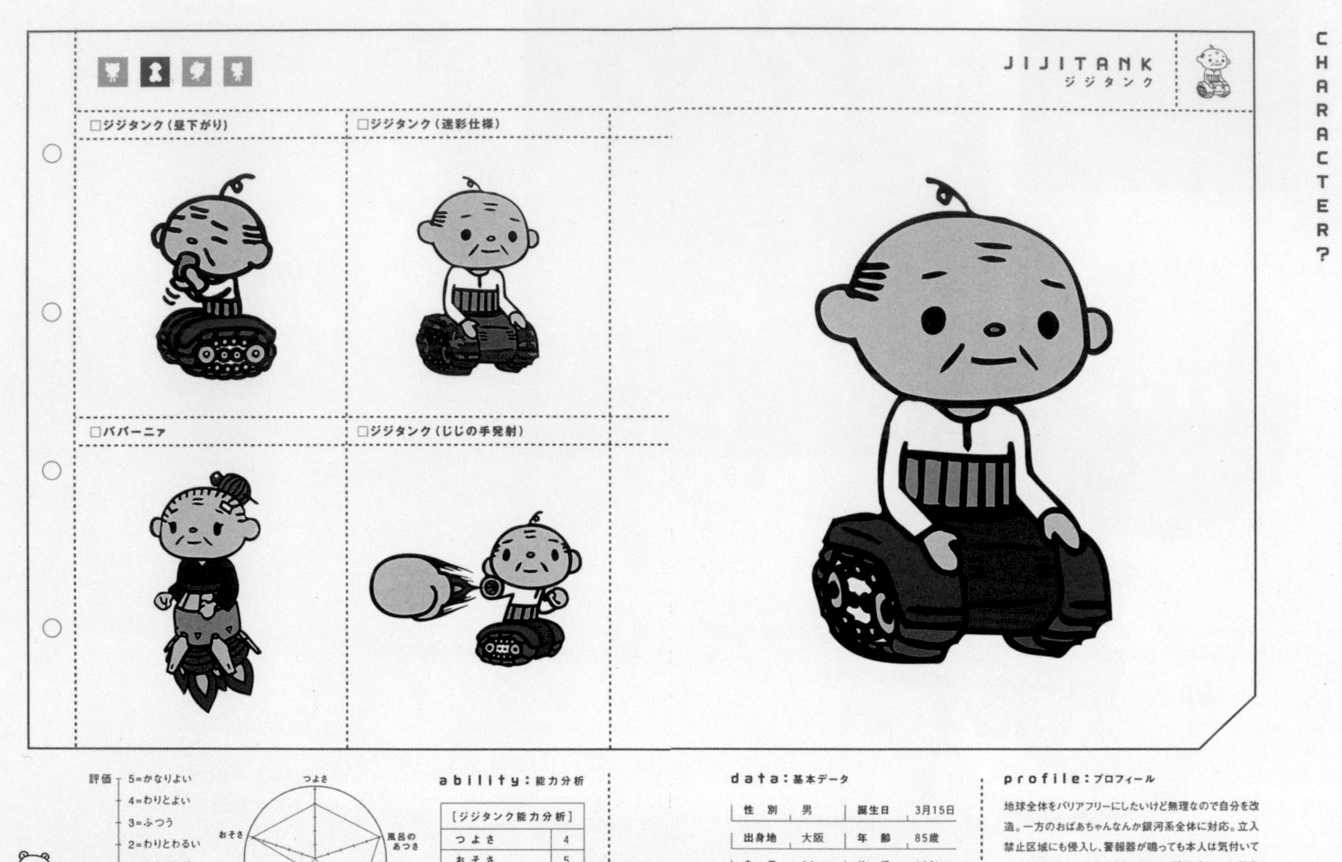

COVER

※ページをパラパラめくると、図柄に動きが生まれるノンブル。
Random perusing of the pages reveals "animated" page numbers within the visuals.

ADMISSIONS INFORMATION 学校案内 **AICA Course Guide AICA入学案内** 2002

CL: 学校法人秋田経理情報学園 秋田経理情報専門学校 Akita Institute of Computing & Accounting CD, AD, D: 阿部健一 Kenichi Abe P: 誉田慎一 Shinichi Honda CW: 畠 譲 Yuzuru Hata DF: （有）マゼンタ Magenta

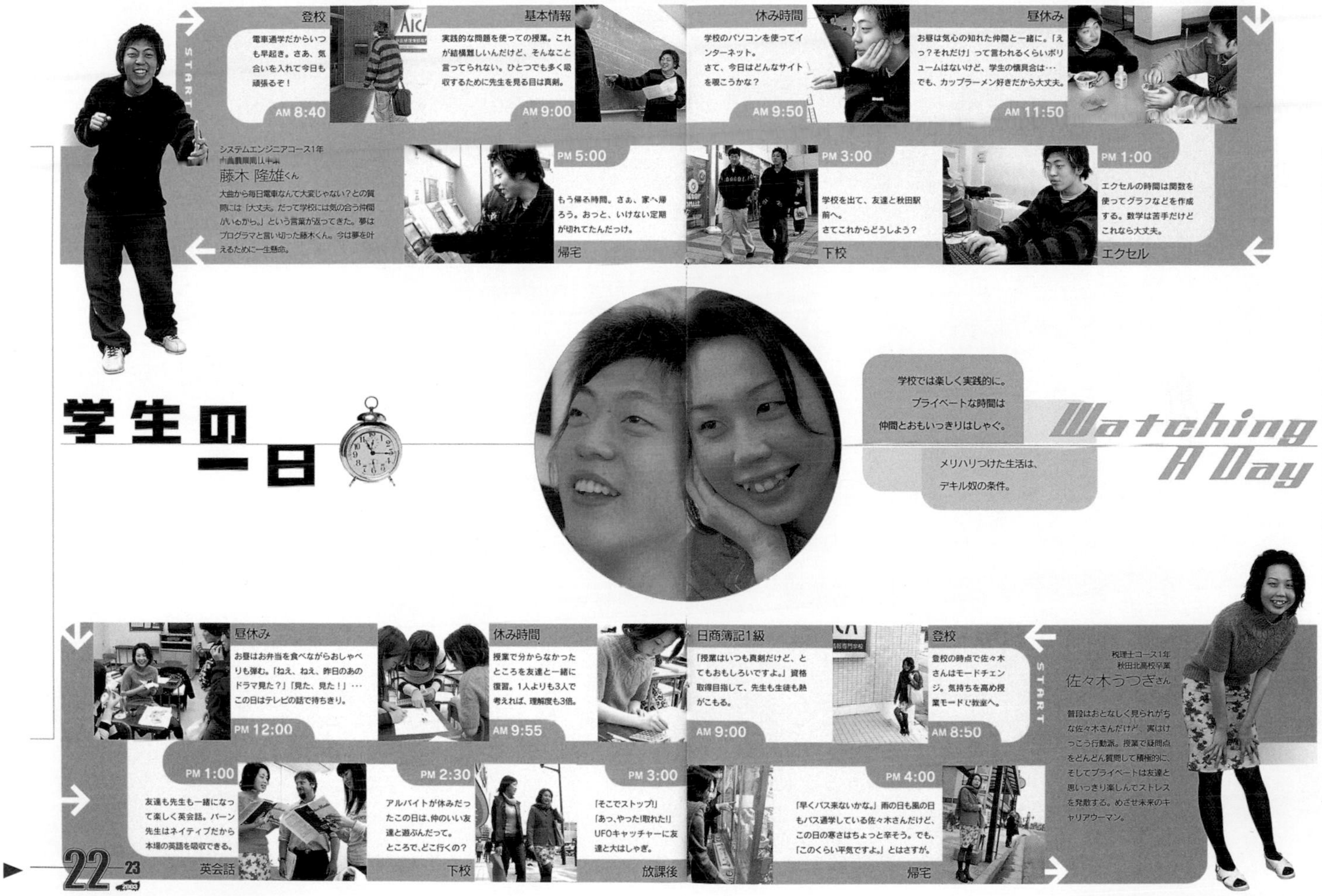

START
登校
電車通学だからいつも早起き。さあ、気合いを入れて今日も頑張るぞ！
AM 8:40
基本情報
実践的な問題を使っての授業。これが結構難しいんだけど、そんなこと言ってられない。ひとつでも多く吸収するために先生を見る目は真剣。
AM 9:00
休み時間
学校のパソコンを使ってインターネット。さて、今日はどんなサイトを覗こうかな？
AM 9:50
昼休み
お昼は気心の知れた仲間と一緒に。「えっ？それだけ」って言われるくらいボリュームはないけど、学生の懐具合は…でも、カップラーメン好きだから大丈夫。
AM 11:50
PM 1:00
エクセルの時間は関数を使ってグラフなどを作成する。数学は苦手だけどこれなら大丈夫。
エクセル
PM 3:00
学校を出て、友達と秋田駅前へ。さてこれからどうしよう？
下校
PM 5:00
もう帰る時間。さぁ、家へ帰ろう。おっと、いけない定期が切れてたんだっけ。
帰宅
システムエンジニアコース1年
藤木 隆雄くん
大曲から毎日電車なんて大変じゃない？との質問には「大丈夫。だって学校には気の合う仲間がいるから。」という言葉が返ってきた。夢はプログラマと言い切った藤木くん。今は夢を叶えるために一生懸命。
学生の一日
学校では楽しく実践的に。
プライベートな時間は
仲間とおもいっきりはしゃぐ。
メリハリつけた生活は、
デキル奴の条件。
Watching A Day
税理士コース1年
秋田北高校卒業
佐々木うつぎさん
普段はおとなしく見られがちな佐々木さんだけど、実はけっこう行動派。授業で疑問点をどんどん質問して積極的に、そしてプライベートは友達と思いっきり楽しんでストレスを発散する。めざせ未来のキャリアウーマン。
START
登校
登校の時点で佐々木さんはモードチェンジ。気持ちを高め授業モードで教室へ。
AM 8:50
日商簿記1級
「授業はいつも真剣だけど、とてもおもしろいですよ。」資格取得目指して、先生も生徒も熱がこもる。
AM 9:00
休み時間
授業で分からなかったところを友達と一緒に復習。1人よりも3人で考えれば、理解度も3倍。
AM 9:55
昼休み
お昼はお弁当を食べながらおしゃべりも弾む。「ねえ、ねえ、昨日のあのドラマ見た？」「見た、見た！」…この日はテレビの話で持ちきり。
PM 12:00
PM 1:00
友達も先生も一緒になって楽しく英会話。バーン先生はネイティブだから本場の英語を吸収できる。
英会話
PM 2:30
アルバイトが休みだったこの日は、仲のいい友達と遊ぶんだって。ところで、どこ行くの？
下校
PM 3:00
「そこでストップ!」
「あっ、やった!取れた!」
UFOキャッチャーに友達と大はしゃぎ。
放課後
PM 4:00
「早くバス来ないかな。」雨の日も風の日もバス通学している佐々木さんだけど、この日の寒さはちょっと辛そう。でも、「このくらい平気ですよ。」とはさすが。
帰宅
22
23
2003

AKITA INSTITUTE OF COMPUTING & ACCOUNTING
COURSE
GUIDE
2003
KICK OFF!
AICA

COVER

22
23
2003

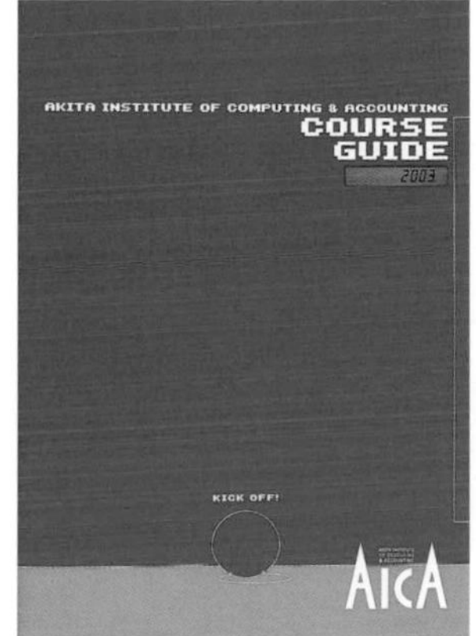

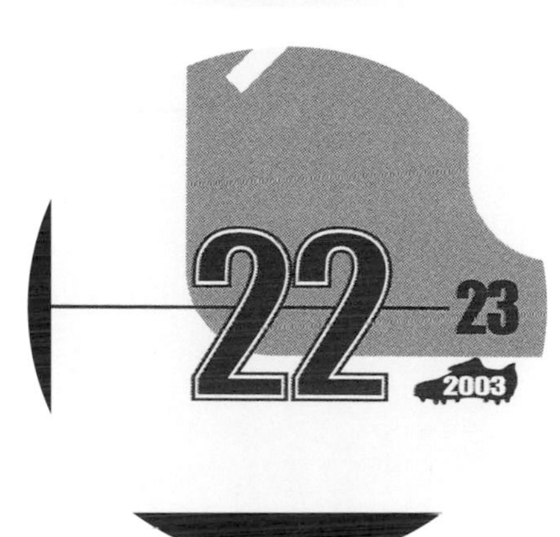

BOOK 書籍 **Modern Design Museum TV BOOK** 2003

PB: (株)ビーエスフジ BS FUJI Inc. E: MDM-TV CD: 山脇晃治 Koji Yamawaki (DNP Media Create Co., Ltd.) AD: 白山真介 Shinsuke Shirayama (PLUSZERO Inc.) D: 阿部雄長 Takahisa Abe (PLUSZERO Inc.) P: 小抜貴広 Takahiro Onuki PROGRAM DIRECTOR: 関和真史 Masashi Sekiwa PRODUCER: 立本洋之 Hiroyuki Tachimoto (BS FUJI Inc.) DF: PLUSZERO Inc.

▼

Modern Design Museum TV
Lio
069
070
Hippo
Modern Design Museum TV
「見る人の微笑を誘う作品を作りたい」という、1966年生まれの英国人デザイナーセバスチャン・バーン。その感性がポップでかわいい光を作り出した。コンパクトなサイズ、ユニークな樹脂製のシェード。部屋のすみに置けば、ほのかに心あたたまる。
「LIO」とロゴが入ったカジュアルでポップなマスコットスタンド。方形の樹脂製セードがユニーク。
本棚や部屋のコーナーなどに置いて、光のレイアウトの変化を楽しむことができる。デザインのセバスチャン・バーンは、1966年、イランに生まれたイギリス人。
家具、照明器具、オフィスアクセサリーなどのデザインを手がけている。オーセンティクス社やカッシーナ社との共同のプロジェクトも行っている。
MOMA(ニューヨーク近代美術館)やロンドンデザインミュージアム等に作品が収蔵されている。
商品名 Lio
製造会社 driade
製造年 1995年
使用楽曲 You'd Be So Nice To Come Home To
楽曲発表年度 1954年
一般名称 Light
デザイナー Sebastian Bergne
製造国 Italy
Artist Helen Merrill
選曲解説 通称"ニューヨークの溜め息"ヘレン・メリルのヴォーカルに優しく寄り添うクリフォード・ブラウンのトランペット。モダーン・ジャズの名品だけが持つ気品。
椅子で知られるノルウェーのストッケ社製木馬。頑丈なビーチ材を自在に使いデザインする。危険なく楽しく遊べるバランス、幼い子供の夢をかきたてるフォルム。リラックスした愉快な時間は幼児期の大切な宝物。
北欧の環境コンシャスの流れは筋金入りである。
ノルウェーのストッケ社も、ひとりひとりの健康や快適さはもちろん、自然そのものへの思いやりを考えた生活デザインを目指して、商品を生み出しつづけている。
この新しい木馬「ヒッポ」は、遊ぶ子供の安全を最優先に考えてデザインされている。デザインはウォルフガング・レーベンティッシュ。
合板を作るための接着剤には、ドイツの厳しい安全基準をクリアしたものを使用しているなど、細かいところまで、健康や安全に配慮した姿勢が貫ぬかれている。
頑丈なブナ材を素材に使用、本体部分が長いので、大きな動きでも前につんのめることがない。後方にのびた座面は乱暴に乗っていてもきっちりと止まる、ブレーキの役目を果たす。
商品名 Hippo
製造会社 Stokke
製造年 1995年
使用楽曲 Brand New Key
楽曲発表年度 1971年
一般名称 Rocking Horse
デザイナー Wolfgang Rebentisch
製造国 Kingdom of Norway
Artist Melanie
選曲解説 シンガー・ソング・ライターの草分け的存在のメラニーの全米No.1ヒット。彼女の素朴で有りながら母性を感じさせるヴォーカルが暖かい思いやりを感じさせる。

Modern
Design
Museum TV
COVER

Modern Design Museum TV
Transistor Radio TR-610
047
048
"Walkman" WM-2
Modern Design Museum TV

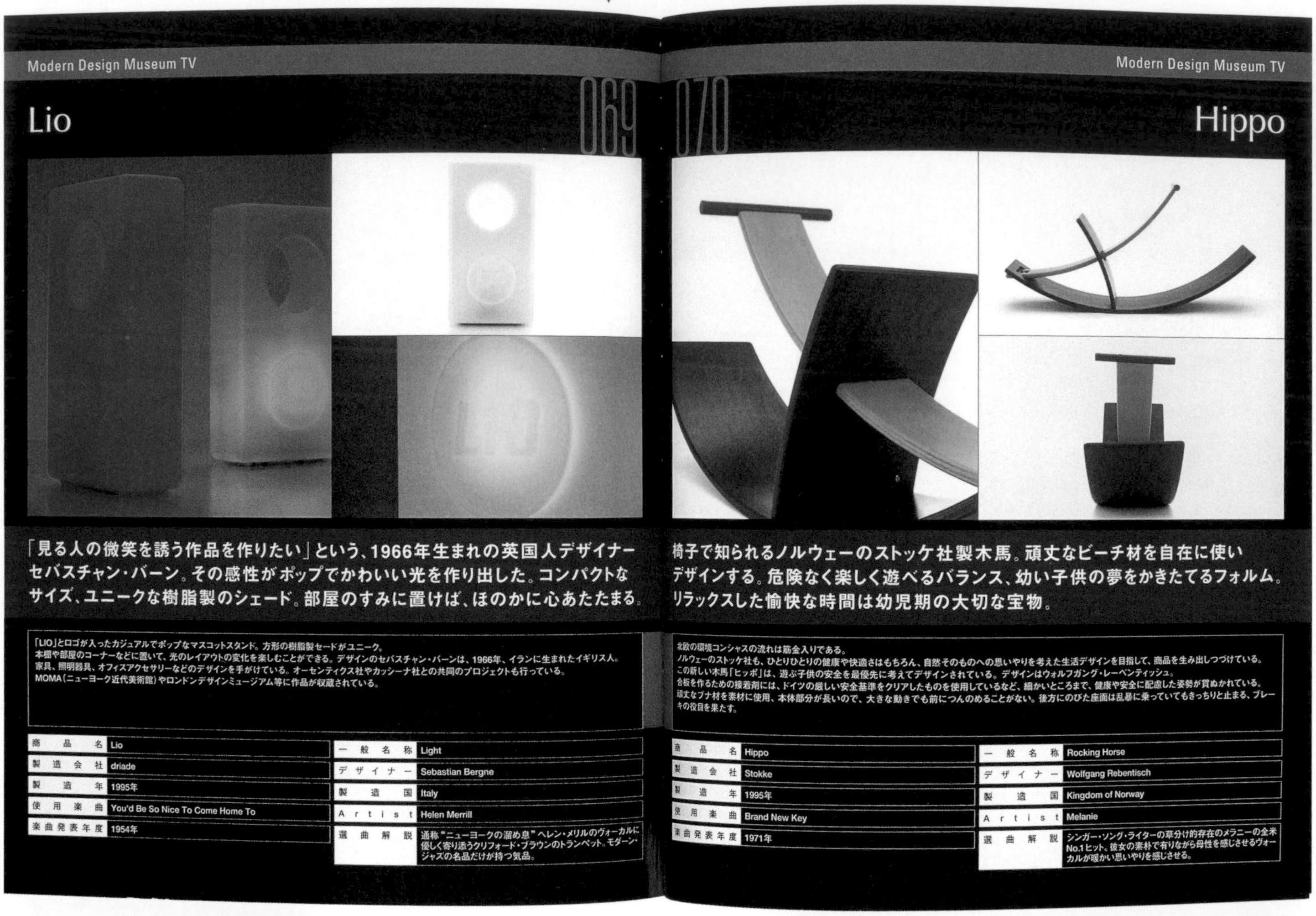

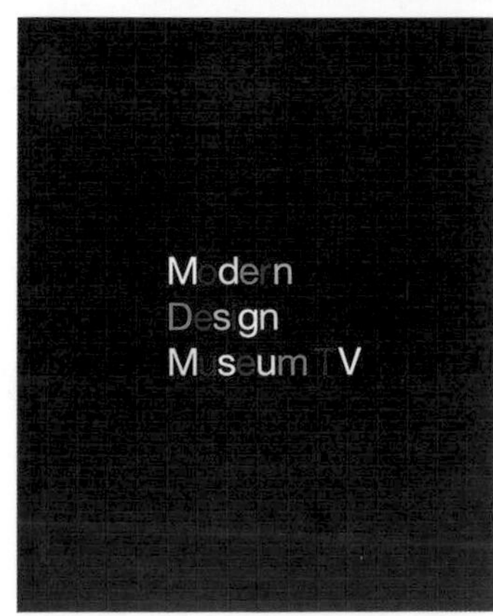

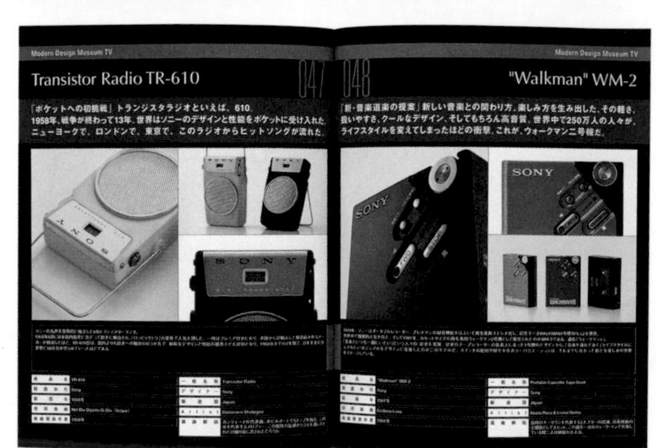

キャプション
CAPTIONS

写真などのヴィジュアルとバランスが良く、情報伝達に優れたレイアウトを紹介します。
Layouts that show good balance with photographs and other visuals, and convey information well.

MAGAZINE 雑誌　Ryuko Tsushin 流行通信　No.477 March 2003

PB: インファス INFAS　E: 石田 純 Jun Ishida　AD: 服部一成 Kazunari Hattori　P: 瀧本幹也 Mikiya Takimoto / 森本美絵 Mie Morimoto / 井上博康 Hiroyasu Inoue

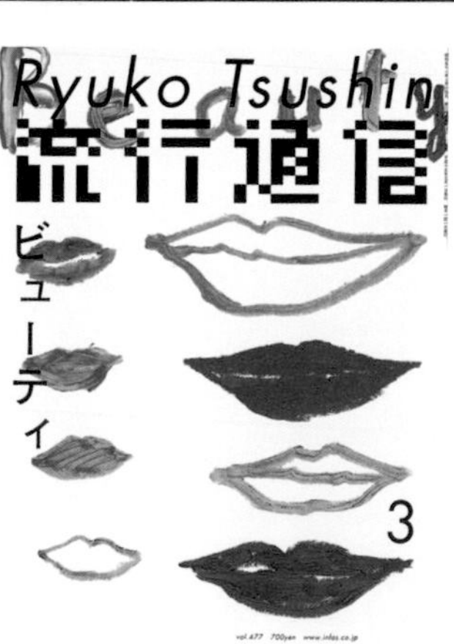

COVER

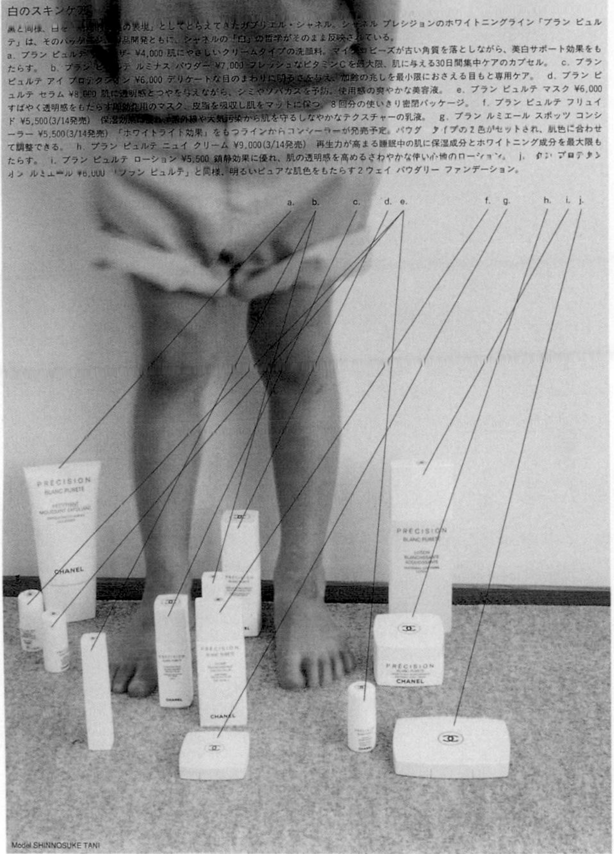

白のスキンケア

黒と同様、白を「完璧の美の表現」としてとらえてきたガブリエル・シャネル。シャネル プレシジョンのホワイトニングライン「ブラン ピュルテ」は、そのパッケージ、製品開発ともに、シャネルの「白」の哲学がそのまま反映されている。
a. ブラン ピュルテ クレンザー ¥4,000 肌にやさしいクリームタイプの洗顔料。マイクロビーズが古い角質を落としながら、美白サポート効果をもたらす。 b. ブラン ピュルテ ルミナス パウダー ¥7,000 フレッシュなビタミンCを最大限、肌に与える30日間集中ケアのカプセル。 c. ブラン ピュルテ アイ プロテクション ¥6,000 デリケートな目のまわりに明るさを与え、加齢の兆しを最小限におさえる目もと専用ケア。 d. ブラン ピュルテ セラム ¥8,000 肌に透明感とつやを与えながら、シミやソバカスを予防。使用感の爽やかな美容液。 e. ブラン ピュルテ マスク ¥6,000 すばやく透明感をもたらす即効作用のマスク。皮脂を吸収し肌をマットに保つ。8回分の使いきり密閉パッケージ。 f. ブラン ピュルテ フリュイド ¥5,500(3/14発売) 保湿効果に優れ、紫外線や大気汚染から肌を守るしなやかなテクスチャーの乳液。 g. ブラン ルミエール スポッツ コンシーラー ¥5,500(3/14発売) 「ホワイトライト効果」をもつラインからコンシーラーが発売予定。パウダータイプの2色がセットされ、肌色に合わせて調整できる。 h. ブラン ピュルテ ニュイ クリーム ¥9,000(3/14発売) 再生力が高まる睡眠中の肌に保湿成分とホワイトニング成分を最大限もたらす。 i. ブラン ピュルテ ローション ¥5,500 鎮静効果に優れ、肌の透明感を高めるさわやかな使い心地のローション。 j. タン プロテクシオン ルミエール ¥6,000 「ブラン ピュルテ」と同様、明るいピュアな肌色をもたらす2ウェイ パウダリー ファンデーション。

Model SHINNOSUKE TANI

色の遊び／ヴェルニ

ひとつひとつの色が独特の輝きと存在感を放つ、シャネルのネイル エナメル、ヴェルニ。そのカラーバリエーションは、最も洗練された「色の遊び」を表現している。ヴェルニはまた色を楽しみながら、本格的なトリートメントができることも特徴。爪を保護するセラミドと補強効果のあるバイオセラミックが配合され、同時に高度な持続性と速乾性を実現している。
ヴェルニ #05 フロコン #08 ピラート #10 フラメンコ #12 タンゴ #13 サルサ #14 サンバ #18 ルージュ ヌワール #56 シレン #60 ヴェルティゴ #61 エロティック #62 エレクトリック #64 ローズ ベイビー #73 ヴィオレット #74 カブキ #83 ペランゴ #87 フラム ローズ #90 マタドール #101 セデュクシオン(新色) #103 ピュルシオン(新色) #105 トリオンフ(新色)／各¥2,800

人気モデルに聞くパーフェクト・スキンのツボ

モデルたちが放つ強いパーソナリティは完璧な肌があってこそ
モデルエージェンシー「AMAZONE」に所属する個性派モデル12人に、こだわりのスキンケア法を聞いてみた。

撮影＝井上博康　取材協力＝AMAZONE

Q1. スキンケアへのこだわりを教えてください。
Q2. 愛用している基礎化粧品を教えてください。
Q3. オリジナルのスキンケア法を教えてください。

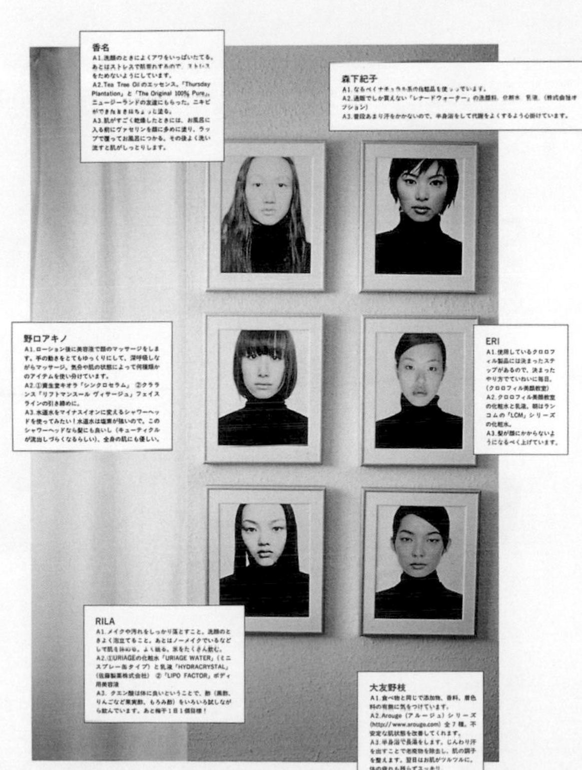

香名
A1.洗顔のときによくアワをいっぱいたてる。あとはストレスで肌荒れするので、ストレスをためないようにしています。
A2.Tea Tree Oilのエッセンス。「Thursday Plantation」と「The Original 100% Pure」。ニュージーランドの友達にもらった。ニキビができたときはちょっと塗る。
A3.肌がすごく乾燥したときには、お風呂に入る前にヴァセリンを顔に多めに塗り、ラップで覆ってお風呂につかる。その後よく洗い流すと肌がしっとりします。

森下紀子
A1.なるべくナチュラル系の化粧品を使っています。
A2.通販でしか買えない「レナードウォーター」の洗顔料、化粧水、乳液（株式会社オフション）
A3.普段あまり汗をかかないので、半身浴をして代謝をよくするよう心掛けています。

野口アキノ
A1.ローション後に美容液で顔のマッサージをします。手の動きをとてもゆっくりにして、深呼吸しながらマッサージ。気分や肌の状態によって何種類かのアイテムを使い分けています。
A2.①資生堂キオラ「シンクロセラム」②クラランス「リフトマンスール ヴィサージュ」フェイスラインの引き締めに。
A3.水道水をマイナスイオンに変えるシャワーヘッドを使ってみたい！水道水は塩素が強いので、このシャワーヘッドなら髪にも良いし（キューティクルが流出しづらくなるらしい）、全身の肌にも優しい。

ERI
A1.使用しているクロロフィル製品には決まったステップがあるので、決まったやり方でていねいに毎日。（クロロフィル美顔教室）
A2.クロロフィル美顔教室の化粧水と乳液。朝はランコムの「LOM」シリーズの化粧水。
A3.髪が顔にかからないようになるべくよけています。

RILA
A1.メイクや汚れをしっかり落とすこと。洗顔のときよく泡立てること。あとはノーメイクでいるなどして肌を休ませる。よく眠る、水をたくさん飲む。
A2.①URIAGEの化粧水「URIAGE WATER」（ミニスプレータイプ）と乳液「HYDRACRYSTAL」（佐藤製薬株式会社）②「LIPO FACTOR」ボディ用美容液
A3.ケミン酸は体に良いということで、酢（黒酢、りんごなど果実酢、もろみ酢）をいろいろ試しながら飲んでいます。あと梅干1日1個目標！

大友野枝
A1.食べ物と同じで添加物、香料、着色料の有無に気をつけています。
A2.Arouge（アルージュ）シリーズ（http://www.arouge.com）全7種。干安定な肌状態を解消してくれます。
A3.半身浴で長湯をします。じんわり汗を出すことで老廃物を除去し、肌の調子を整えます。冒頭は1時間ぐらい体の疲れも一緒にとります。体の疲れも飛ぶスッキリ。

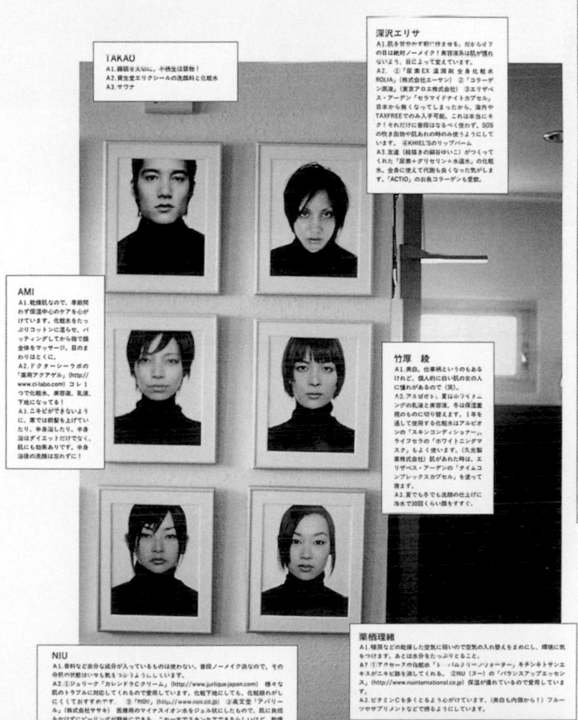

TAKAO
A1.睡眠を大切に。不摂生は禁物！
A2.資生堂ユリクシールの洗顔料と化粧水
A3.サウナ

深沢エリサ
A1.肌を甘やかす前に汗をかき、だからなどの日は絶対ノーメイク！美容液系は肌が慣れないよう、目にとって変えています。
A2.①「薬用EX 温泉肌 全身化粧水 ROLIA」（株式会社エーサン）②「コラーゲン原液」（東京アロエ株式会社）③エリザベス・アーデン「セラマイドナイトカプセル」日本から無くなってしまったから、海外やTAXFREEでのみ入手可能。これは本当にキク！それだけに皆様はなるべく使わず。SOSの乾き急傷や肌あれの時のみ使うようにしています。④KHIEL'Sのリップバーム
A3.友達（経験ある顔日ゆいこ）がつくってくれた「尿素＋グリセリン＋水道水」の化粧水。全身に使えて代謝も良くなった気がします。「ACTIO」のお魚コラーゲンも愛飲。

AMI
A1.乾燥肌なので、季節問わず保湿中心のケアを心がけています。化粧水をたっぷりコットンに湿らせ、パッティングしてから指で顔全体をマッサージ。目のまわりはとくに。
A2.ドクターシーラボの「美肌アクアゲル」（http://www.ci-labo.com）コレ1つで化粧水、美容液、乳液、下地になってる！
A3.ニキビができないように、果てば前髪を上げていたり、半身浴したり。半身浴はダイエットだけでなく、肌にも効果ありです。半身浴後の洗顔は忘れずに！

竹厚 綾
A1.美白。仕事柄というのもあるけれど、個人的に白い肌の女の人に憧れがあるので（笑）。
A2.アルビオン。夏はホワイトニングの乳液と美容液。冬は保湿重視のものに切り替えます。1年を通して使用するのはアルビオンの「スキンコンディショナー」、ライフセラの「ホワイトニングマスク」もよく使います。（大光製薬株式会社）肌があれた時は、エリザベス・アーデンの「タイムコンプレックスカプセル」を塗って寝ます。
A3.夏でも冬でも洗顔の仕上げに冷水で30回くらい顔をすすぐ。

NIU
A1.香料など余分な成分が入っているものは使わない。普段ノーメイク派なので、その分肌の状態はいつも気をつかうようにしています。
A2.①ジュリーク「カレンドラクリーム」（http://www.jurlique-japan.com）様々な肌のトラブルに対応してくれるので愛用しています。化粧下地にしても、化粧崩れがしにくくておすすめです。③「NIOU」（http://www.nion.co.jp）②美文堂「アパリーム」（株式会社サナキ）医療用のマイナスイオン水をジェル状にしたもので、肌に負担をかけずにピーリングが簡単にできる。これ一本でスキンケアできちゃうけど、乾燥肌の私には少し物足りないので、ピーリング後は保湿力のある別のアイテムでケアするようにしています。
A3.基礎化粧品だけでなく、肌にいい食べ物や、ハーブティー、漢方薬などの飲み物でもケアしています。ハーブティーは飲むだけでなく、無農薬のものを選ぶ湯やパックにも使用。

栗栖理緒
A1.暖房などの乾燥した空気に弱いので空気の入れ替えをまめにし、環境に気をつけます。あとは水分をたっぷりとります。
A2.①アクセーヌの化粧水「シーバムクリーニングローション」、キテンキトサンエキスがニキビ跡を消してくれる。②NIU（ヌー）の「バランスアップエッセンス」（http://www.nuinternational.co.jp）保湿が優れているので愛用しています。
A3.ビタミンCを多くとるようがけています。（美白も内側から！）フルーツやサプリメントなどで摂るようにしています。

MAGAZINE 雑誌　　PAPER SKY　No.4　2003

PB: ニーハイメディア・ジャパン Knee High Media Japan　E: ルーカス・バデキ・バルコ Lucas Badtke-Berkow　AD: 岩淵まどか Madoka Iwabuchi　D: 炭谷 賢 Ken Sumitani

6 MEDICINE

SPICE! CHILE PEPPERS HEAT UP THE WORLD

BUSH MEDICINE:
CHILE PEPPER FOLK CURE RECIPES

Model : Ayu Honda

野生の秘薬：チリ・ペッパー民間伝承薬効レシピ

Herbal Ointment for Wounds ①
傷口治療用ハーブ軟膏

傷口をきれいにして、この軟膏を塗り込み、包帯またはガーゼを巻くこと。
✚タンポポの葉・・・・・・・・・・・・・62 グラム
✚オオバコの葉・・・・・・・・・・・・・62 グラム
✚ヒメスイバの葉・・・・・・・・・・・・62 グラム
✚沸騰した1.2 リットルの湯
✚ラード・・・・・・・・・・・・・・・・1/2 カップ
✚蜜蝋・・・・・・・・・・・・・・・・・62 グラム
✚カイエンヌペッパー・・・・・・・・・・小さじ1杯
鍋にタンポポ、オオバコ、ヒメスイバの葉を混ぜる。沸騰した湯を加え、液体が半分の量になるまで沸騰させる。裏ごしし、残りの材料を加えよく混ぜる。清潔な瓶に移しかえて保存する。

Clean the wound and then apply this ointment. Cover with a bandage or gauze.
✚2 ounces dandelion leaves
✚2 ounces plantain leaves
✚2 ounces yellow dock leaves
✚1 quart boiling water
✚1/4 cup lard
✚2 ounces beeswax
✚1 teaspoon cayenne
In a pot, combine the dandelion, plantain, and yellow dock. Add the boiling water and continue boiling until the liquid is reduced by one-half. Strain the mixture and add the remaining ingredients, stirring well. Transfer to a clean jar for storage.

Tincture of Cayenne and Whiskey ②
カイエンヌペッパー・チンキとウイスキー

霜焼け部分に一日に数回擦り込む事。
✚カイエンヌペッパー・・・・・・・・・・小さじ2杯
✚しょうがの粉末・・・・・・・・・・・・小さじ1杯
✚スコッチウイスキー
（出来れば"デューワーズ"）・・・・・・・1リットル
カイエンヌペッパー、しょうが、スコッチウイスキー約0.5リットルを瓶の中で混ぜ、よく掻き回した後、1時間寝かせる。その間、そして治療中も、残りのスコッチウイスキーを（出来れば友人と共に）楽しむ。治療後は運転しないこと！

This is a treatment for frostbite that is rubbed on the afflicted area several times daily.
✚2 teaspoons cayenne
✚1 teaspoon powdered ginger
✚2 pints Scotch whiskey (Dewars preferred)
Combine the cayenne, ginger, and 1 pint of the Scotch in a jar and stir well. Allow to steep for an hour. While you are waiting, and during the treatment, sip on the remaining Scotch, preferably with a friend. Do not drive a motor vehicle after applying this remedy.

Cayenne-Based Indigestion Remedy ③
カイエンヌペッパー消化不良治療薬

消化不良と同様に、流感性の腹痛症状にも適用されるらしい。チリペッパーは、北・南アメリカで消化不良沈静の薬として日常的に多用されている。食前に1カプセル、または症状に合わせて適量を完治するまで服用。
✚ヒドラスチス・・・・・・・・・・・・・大さじ3杯
✚アカニレ・・・・・・・・・・・・・・・大さじ3杯
✚カイエンヌペッパー・・・・・・・・・・大さじ3杯
✚シナモンパウダー・・・・・・・・・・・大さじ3杯
全ての材料をボールで良く混ぜる。出来上がったものを、カプセルに入れて服用する。

This formula is said to combat stomach flu symptoms as well as indigestion. Chiles are commonly used for stomach relief by many indigenous peoples of North and South America. The dosage one capsule before meals or as needed until the symptoms are gone.
✚3 tablespoons powdered goldenseal
✚3 tablespoons powdered slippery elm
✚3 tablespoons cayenne
✚3 tablespoons powdered cinnamon
Combine all ingredients in a bowl and mix well. Add the mixture to capsules.

文：デイヴ・デウィット　Text : **Dave DeWitt**

Hot Herbal Cough Syrup ④
ぴり辛ハーブ咳止めシロップ

これは、しつこい風邪の撃退法。咳が続く間は、1時間おきに大さじ一杯服用すること。
✚ハバネロ、ピキンチリあるいはカイエンヌペッパーの粉末・・・・・・・・・・・・・・・・・小さじ1/2
✚絞りたてのレモンジュース・・・・・・・1カップ
✚にんにく6個を摩り下ろしたもの
✚おろしたしょうが・・・・・・・・・・・大さじ1杯
✚砂糖またはハチミツ・・・・・・・・・・1/4 カップ
全ての材料をミキサーにかけ、裏ごしする。清潔な瓶に移し、冷蔵庫で寝かせる。

This is a remedy for persistent coughs. Take it in 1 tablespoon doses every hour as long as the coughing persists.
✚1/2 teaspoon hot chile powder such as habanero, piquin, or cayenne
✚1 cup freshly squeezed lemon juice
✚6 cloves garlic, minced
✚1 tablespoon grated ginger
✚1/4 cup sugar or honey
Place all ingredients in a blender and puree. Store in a clean jar in the refrigerator.

Capsicum Cold Remedy and Tonic ⑤
唐辛子入り風邪薬、強壮薬

J.マイケル・クイーン医師は、この治療法による収斂補給効果、痰の切れ、及び一般の強壮薬としての効果に絶大な自信を持っている。強壮薬として習慣的に、あるいは風邪の治療に使用すること。慣れてきたら、ひりひりするくらい、出来る限りカイエンヌペッパーの量を増やすこと。ただし痛みを感じるまでは増量しないこと。
✚しょうがの根・・・・・・・・・・2.5 センチ
✚熱湯（沸騰していないこと）・・・・1 カップと1/4
✚ラヴェンダーの花びら・・・・・・大さじ山盛り1杯
✚濃縮レモネードを凍らせたもの・・少量
✚カイエンヌペッパー・・・・・・・・小さじ1/4 杯
にんにくプレス器で、しょうがの根をマッシュする。搾り出された汁とどろどろした身の部分を小ぶりのガラスのボールに移す。熱湯、ラヴェンダーを加え、3分から5分漬け込む。汁を裏ごしし、カップに移し、レモネードを濃縮したもの、カイエンヌペッパーを加える。出来上がったミックスジュースを飲む。

Dr. J. Michael Queen swears by this remedy's astringent, mucous-reducing and general stimulating qualities. Use this regularly as a tonic for general health, or specifically to treat cold symptoms. Increase the amount of cayenne as your tolerance increases—use enough to feel the heat, but not be in pain.
✚1 inch-long piece of ginger root
✚1 1/4 cups very hot (not boiling) water
✚1 round tablespoon lavender flower
✚Frozen lemonade concentrate, to taste
✚1/4 teaspoon cayenne
Mash the ginger root in a garlic press, then place the juice and pulp into a small glass bowl. Add the hot water and lavender, and steep for 3 to 5 minutes. Strain the liquid into a cup, then add the lemonade concentrate and cayenne. Drink the entire mixture.

Infused Habanero Oil ⑥
ハバネーロオイル煎じ薬

関節炎、筋肉の痛みに使用する。歯の痛みにも2、3滴垂らすと効き目がある。冷蔵庫で2週間保存可。ハゲにも効き目があるらしいのだが…。
✚ハバネーロの粉末・・・・・・・・・・・大さじ2杯
✚ひまわりオイル・・・・・・・・・・・・2カップ
両手鍋に粉末とオイルを混ぜ、弱火で2時間ほど加熱する。ガーゼで濾し、清潔な瓶に移す。軟膏にする場合は、47グラムの蜜蝋を加えること。

This oil is used to treat arthritis pain and sore muscles. A couple of drops helps to soothe toothaches. It should be stored in the refrigerator, where it will last for a couple of weeks.
Some sources state that this combination will grow hair on the heads of balding men, but it didn't work for me.
✚2 tablespoons habanero powder
✚2 cups sunflower oil
In a saucepan, combine the powder and the oil. Cook over a low flame for about 2 hours. Strain through cheesecloth into a clean glass jar. To make a salve, add 1 1/2 ounces of beeswax.

COVER

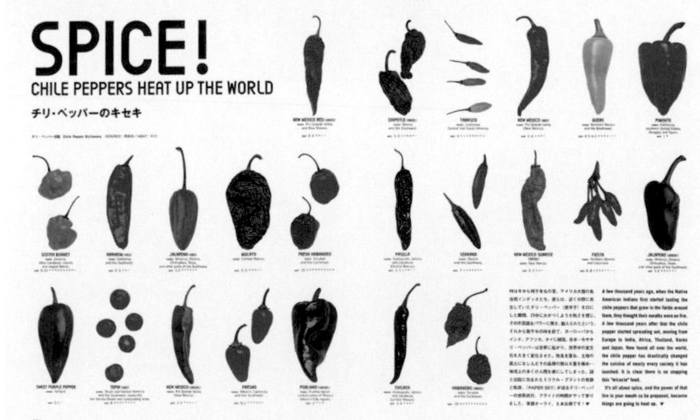

MAGAZINE 雑誌　**Casa BRUTUS カーサ ブルータス**　**Vol.28 July 2002**

PB: (株) マガジンハウス MAGAZINE HOUSE LTD.　E: 吉家千絵子 Chieko Yoshiie　AD: 藤本やすし Yasushi Fujimoto　CHIEF D: 岩本陽一 Yoichi Iwamoto　D: 田島嗣人 Hideto Tajima
ARTWORK (COVER): 佐藤可士和 Kashiwa Sato　DF: cap

Mr. Ferran Adrià gave a fantastic surprise
for Mr. Joel Robuchon

14 sopa de guisantes 50°/4° (1999)
冷温グリンピースのスープ／ミント風味のスープは一気に飲む。「上は冷たく、下から熱いスープが、潜在意識を変える」

15 kellogg's de paella—pipeta de gamba en sashimi (2001)

言われたとおりに食べなくちゃ。
スポイトはどこで手に入れたの?

tapas
16～25

16 "ajo blanco" (1996)
アホ・ブランコ／生ニンニクを添えた生アーモンドのアイスクリーム、オリーブオイルにバルサミコ。生ニンニクはまるで生アーモンド？ 甘みなしが意外。

17 parrillada de verduras al aceite de carbón (2001)

18 "quinoa" helada de foie-gras de pato con consomé (2001)

19 cous-cous de coliflor con salsa sólida de aromáticos (2000)

20 erizos en texturas (1998)

21 tagliatelli de consomé a la carbonara (1998)

22 raviolis de piñones tiernos al aceite de pino (2000)

23 esparragos blancos con mahonesa caliente (2000)

24 risotto a la milanesa (2001)

25 sepia a la brutesca (2001)

main course
26～32

26 aspic caliente de percebes al te (2000)

27 "espardenyes" empanadas con esponja de coco y aceite ahumado (2001)

28 tuétano con caviar (1992)

29 falsa tapioca de jamón ibérico (2000)

30 puré dulce de patata a la vainilla homenaje Joel Robuchon (2000)
J・ロブションに捧げるジャガイモのバニラ風味のピュレ／ロブションのレシピ、クリーム化したピュレをバニラ風味に。

31 ravioli helado de anisados con toffee (2001)

32 caramelo de aceite de oliva (2001)

dessert
33～36

33 espuma de frambuesas con helado de pimienta de sechuan (1995)

34 timbal helado de albaricoque y toffee de amaretto con espuma de almendra (2001)

35 enceraditos de chocolate y eucalipto con sorbete de pera (1999)

36 pequeñas locuras

バニラの香りを嗅ぎながら
ピュレを口に。こりゃ難しいね。

087 Casa JULY 2002　　JULY 2002 Casa 086

COVER

PAMPHLET パンフレット　Marunouchi 1-Chome Yaesu Project 丸の内1丁目八重洲プロジェクト　2002

CL: 森トラスト(株) Mori Trust Co., Ltd.　AD: 西村 武 Takeshi Nishimura　D, DF: (有)コンプレイト completo inc.　CG: (株)キャドセンター Cad Center

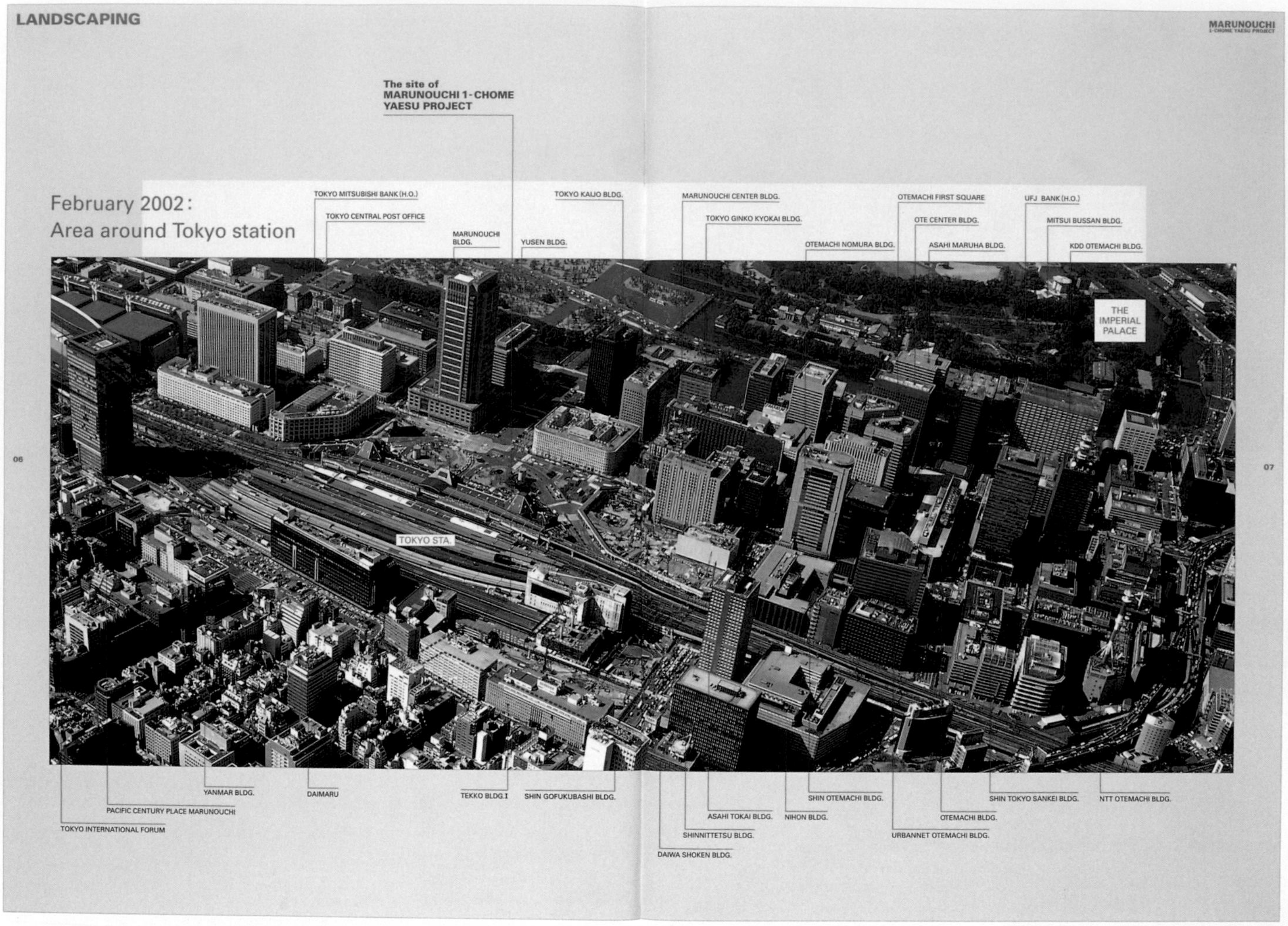

LANDSCAPING
MARUNOUCHI
1-CHOME YAESU PROJECT
The site of
MARUNOUCHI 1-CHOME
YAESU PROJECT
February 2002:
Area around Tokyo station
TOKYO MITSUBISHI BANK (H.O.)
TOKYO CENTRAL POST OFFICE
MARUNOUCHI BLDG.
YUSEN BLDG.
TOKYO KAIJO BLDG.
MARUNOUCHI CENTER BLDG.
TOKYO GINKO KYOKAI BLDG.
OTEMACHI NOMURA BLDG.
OTEMACHI FIRST SQUARE
OTE CENTER BLDG.
ASAHI MARUHA BLDG.
UFJ BANK (H.O.)
MITSUI BUSSAN BLDG.
KDD OTEMACHI BLDG.
THE IMPERIAL PALACE
TOKYO STA.
06
07
YANMAR BLDG.
PACIFIC CENTURY PLACE MARUNOUCHI
TOKYO INTERNATIONAL FORUM
DAIMARU
TEKKO BLDG.I
SHIN GOFUKUBASHI BLDG.
DAIWA SHOKEN BLDG.
SHINNITTETSU BLDG.
ASAHI TOKAI BLDG.
NIHON BLDG.
SHIN OTEMACHI BLDG.
URBANNET OTEMACHI BLDG.
OTEMACHI BLDG.
SHIN TOKYO SANKEI BLDG.
NTT OTEMACHI BLDG.

MARUNOUCHI
1-CHOME YAESU PROJECT

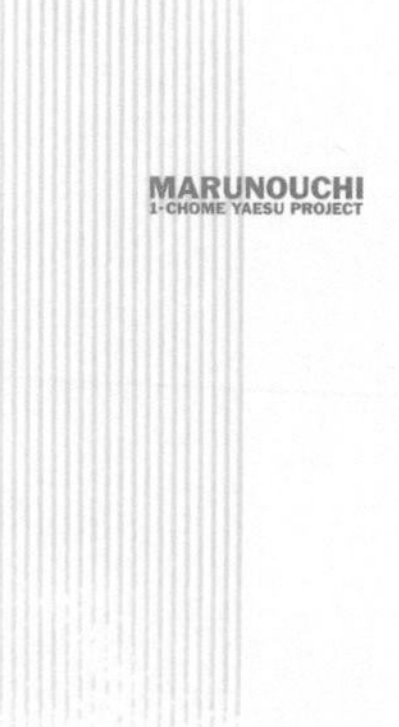

COVER

BOOK 書籍 **cafe co. —complete works カフェ コー コンプリート ワークス** 2003

CL: (株) カフェ cafe co. E, AD: ヤマモトヒロユキ Hiroyuki Yamamoto D: 古川智基 Tomoki Furukawa DF: (株) ピクト Picto Inc.

Other works

1.COMFORT 26FE (1996) CHUO-KU OSAKA
2.JAMÓN JAMÓN (1997) NISHI-KU OSAKA
3.GLASS FACTORY kobe1f (1997) CHUO-KU KOBE
4.LA MAISON BLANCHE (1997) CHUO-KU OSAKA
5.YOSHIKI HISHINUMA (1997) SHIBUYA-KU TOKYO
6.HASHIBA (1998) HIGASHIYAMA-KU KYOTO
7.COMFORT VAULT (1998) CHUO-KU OSAKA
8.CORE (1998) SAKYO-KU KYOTO
9.NEW BAKAYA (1998) CHUO-KU OSAKA
10.COMME CI COMME CA (1999) SAKYO-KU KYOTO
11.COUPER DE DOUX (1999) NISHI-KU OSAKA
12.REFUEL (1999) NAKAGYO-KU KYOTO

1.CONCORDE (1999) NISHI-KU OSAKA
2.07MISSION (1999) CHUO-KU OSAKA
3.BOTAN (1999) KITA-KU OSAKA
4.GLASS FACTORY kobe2f (1999) CHUO-KU KOBE
5.CHARLEY (1999) NISHI-KU OSAKA
6.WHY ARE YOU HERE? (1999) CHUO-KU OSAKA
7.DELICIOUS (1999) CHUO-KU OSAKA
8.MARGINAL wakayama (1999) WAKAYAMA
9.AGURA (1999) NISHI-KU OSAKA
10.KANAZAWA B CHAPT (1999) KANAZAWA
11.EDEN (1999) TOYONAKA
12.CAFE RISTRANTE PAOLA FRANI (1999) TENNOJI-KU OSAKA

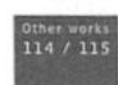

cafe co. —complete works

『AFRICA』『GLASS FACTORY』『of HAIR』『煙花』など…
話題の空間を手掛けるインテリアデザイナー
森井良幸、松中博之率いるデザイナー集団『cafe co.』。
時代性を的確に捉えた感性で、数々の全国の人気ショップを
デザインする彼らの仕事を凝縮した1冊！

COVER

MOOK ムック　　**Beru@Maga mode mook 新和食 for Lovers**　**2002**

PB: ソフトバンク パブリッシング（株） Softbank Publishing Inc.　E: 山田真司 Shinji Yamada　AD: 長友啓典 Keisuke Nagatomo　D: 十河岳男 Takeo Togawa / 上浦智宏 Tomohiro Ueura
I: 大野八生 Yayoi Ohno　DF: ケイツー K2

Shall We Dine on a Counter?

カウンターで楽しむ和食

板前が料理をつくる姿は美しい。まったく無駄のない洗練された動き、鮮やかな手さばき、そしてどんな言葉よりも饒舌な皿の上の料理の数々。そんな料理人の息づかいが直に感じられるのがカウンター席の醍醐味。ときにはちょっと背伸びして、カウンターで食事を楽しんでみたい。

AOYUZU

まるで演劇のステージであるかのように、薄暗い店内でひときわその存在を強烈にアピールするスタイリッシュなカウンター。(→P.35参照)

日月 白金台店

いまでは見られなくなった火を囲んで食事する光景を再現したユニークなカウンター席。(→P.39参照)

松玄 麻布十番

蕎麦屋らしからぬ大きなカウンター。炭火で干物を炙ったり蕎麦を打つ様子など、臨場感たっぷりの光景が目の前に。(→P.89参照)

直線的でスマートなカウンター。コーナーに置かれているおでん鍋が、ぬくもりを与えている。(→P.116参照)

旬菜と炭火焼・おでん 百

彩喰・焼酎Bar ゆらり草庵

何枚ものガラス板を重ねたカウンター。一枚一枚のガラスは無色透明なのに、幾重にも重なるとグリーンに。(→P.107参照)

56　57

Beru@Maga
mode mook
新和食
for Lovers
ニュースタイル和食空間で
驚きとリラックスと健康と幸せを

COVER

MAGAZINE 雑誌　　+ING プラスイング　Issue 5　2002

PB: (株) プラスイングプレス PLUSING PRESS Co., Ltd.　E, CD, D, P: 大 dai　AD: 茂木正行 Masayuki Mogi　D, I: ブリジット・ジラウディ Brigitte Giraudi　SUPERVISER: 五島 考 Kou Goto　DF: バルブ bulb

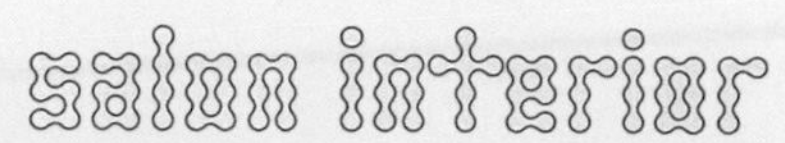

京都市北部の閑静な住宅街。その中に80年以上の歴史を持つ京町屋が静かにたたずんでいる。
それが「FINO」だ。
オーナーの阪本孝さんは「店内の写真を見れば日本の、京都の、『FINO』とわかる店にしたかった」ため、
独立してから丸12年、理想の内装を施せる町屋を探し続けたのだという。
こうして完成した「FINO」のコンセプトは「和と洋の融合」。
80年以上前の建物だけに全てに手を加えなければならなかったが、そこで阪本さんは新しさを出すのではなく、古さとの調和を考えた。
外観にいたっては、ほぼそのままの姿で残され、サロンのイメージとのギャップが訪れる人たちを驚かせている。
「自然や地球の"めぐみ"を大切に、四季を目と肌で感じて欲しい」という内装は、土壁などの自然素材で構成。
４面ある天窓や大きな出窓からは自然光が射し込み、格子を活かした店内には心地よい風が吹く。
床の檜から漂ってくる香りも、肩の力が抜けてリラックスできる。
「ある一定以上の接客技術を身につけると、建物がそれ以上の精神的サービスを与えるんです。
そんな空間で心からやすらいで欲しい」。
コレ、70坪という広い店内に、鏡台を三つしか置いていない理由でもあるんです。

「FINO」
京都府京都市北区紫野下鳥田町46-1
tel 075-495-3208

1・とにかく広い店内。天井をはしる大きな梁も迫力満点だ。カットスペースのイスはカッシーナ。
体に疲れのこないほど座り心地はよく、自然の匂いがする空間効果もあって、
「時間を忘れていつまでもいたくなる」とお客さんも大満足だとか。
2・ゆったりとした着付け室には床の間に掛け軸と和のテイストが取り入れられている。
3・通気性をよくしているため、35mと奥行きのある構造でも入口から通り庭まで風が通る。
4・麻ののれんが目立つ店頭。この町屋、もとは西陣の織屋だったそうだ。
5・「店とともに人さも成長するように」と通り庭には季節の花木を植える。
つくばいから流れる水の音も心が穏やかになるようだ。
6・冬には炉に炭火が入るという待合い。一枚板のテーブルは「ドジハウス」で購入したモノだ。
「お客さんは、この空間が懐かしかったり新鮮だったりするようで、待ち時間も楽しそうです」。

92　93

COVER

BOOK 書籍 un Livre de Recettes 「庵」のレシピ公開！ 新しい和風創作料理 2002

PB: (株) 宣伝会議 SENDENKAIGI E, CD: 花田紀凱 Kazuhiro Hanada AD: 白 承坤 Haku Shoukon P: 及川雅夫 Masao Oikawa DF: (有) パイクデザインオフィス Paik Design office Inc.

COVER

MAGAZINE 雑誌　　sumu 住む。　#3 Autumn 2002

PB: (株) 泰文館 taibunkan　E: (有) 編集座 Henshuza　AD, D: 松平敏之 Toshiyuki Matsudaira　D: 佐藤芳孝 Yoshitaka Sato　P (COVER): 青木健二 Kenji Aoki　P: 近藤正一 Shoichi Kondo　DF: hubbard

selection

掃除の道具

リュウゼツランの葉でつくる白いブラシ。

穂は葉の繊維を使用。柄は松のオイル仕上げ。小サイズは子供用。スウェーデン製。汚れたらシャンプーでぬるま湯洗いしてヘヤードライヤーで乾かし櫛で整える。木部は木製品用のオイルで手入れする。／(大)全長153cm、(小)全長73cm／(大)1,500円、(小)1,200円／
A

広い面積を一度に掃く幅広のヤシ箒。

穂幅30cm。幅広の箒。柄は松のオイル仕上げ。スウェーデン製。手入れは右と同じ。仕舞う際はきちんと乾燥させると長持ちする。吊しておくと型くずれしない。全長161cm／1,700円
A

ざっくり粗く編んだ頑丈な竹箕。

先端に鉄板を渡した頑丈なつくりの「竹石箕（特）」。中国製。竹製品は風雨にさらすと枯れるので、乾燥させて物置に仕舞うのが長持ちの秘訣。／48×43×13cm／1,000円／
I

ごしごし洗い流せる丈夫で強いシダ。

お湯や薬品に強いシダのデッキブラシ。柄は木製。／全長113cm／630円
F

庭

軽くて扱いやすい細めの竹箒。

最近の竹箒は重くて疲れる、軽くて扱いやすい竹箒が欲しいというリクエストに応えた「スリム竹箒」。中国製。／全長145cm／520円／
I

弾力性に優れ、水に強いヤシの箒。

ヤシの葉脈を束ねた「庭園ホーキ・小」。柄は天然木に着色。インドネシア製。／全長82cm／450円／
F

苔を傷めることなく、落葉や塵を払う苔箒。

細いので隅々を掃くのに重宝する。室内では、階段の隅や壁紙の埃を払うのにも便利。穂先から柄までホウキグサを束ねたもの。／全長65cm／1,800円
C

砂利道や芝生の落葉掃きに、熊手。

もとは落葉や籾殻を掻き集める農具だった。竹を割り、先端を火曲げして熊手状に束ねてつくる。「国産品ミニ熊手・大」／全長70cm／300円
F

竹を細かく割って束ねた、ササラ箒。

鉄道関係の清掃業者からのリクエストでつくられた。軽くて腰が強く、砂利の間の細かいゴミや、濡れて重いゴミを掃き集めるのに適している。中国製。／全長130cm／600円
I

Niwa-bouki

砂利敷き、芝生、デッキなど、場所と作業に応じて選ぶ庭箒。

COVER

BOOK　書籍　　**100 views of The Mambonsai　ザ・マン盆栽百景**　2002

PB: (株) 扶桑社 Fusosha Publishing Inc.　E: 石黒謙吾 Kengo Ishiguro (BLUE ORANGE STADIUM) / 井上健太郎 Kentaro Inoue (BLUE ORANGE STADIUM) / 碇 耕一 Kouichi Ikari (Fusosha Publishing Inc.)
SUPERVISOR, AUTHOR: パラダイス山元 Paradise Yamamoto　D: 小宮山秀明 Hideaki Komiyama (TGB design.)　P: 田中秀樹 Hideki Tanaka

COVER

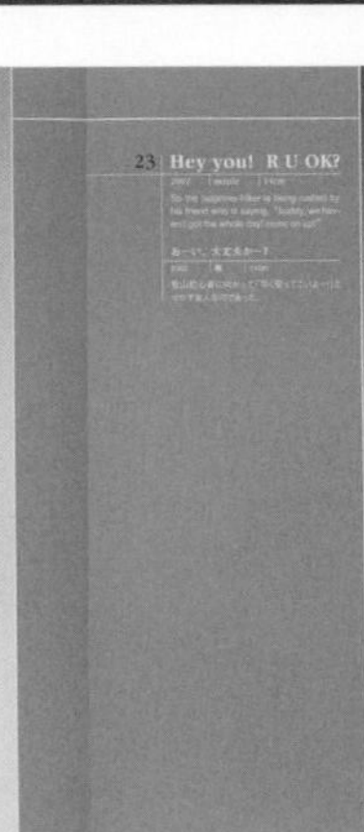

BOOK 書籍　**Chinese Tea Book　選び方・いれ方・楽しみ方入門 中国茶の本**　2002

PB:（株）永岡書店 NAGAOKA SHOTEN PUBLISHING Co., Ltd.　D: 伊丹友広 Tomohiro Itami / 大野美奈 Mina Ohno / 人野晴美 Harumi Ohno　P: 日置武晴 Takeharu Hioki　DF: イット イズ デザイン IT IS DESIGN

高さ約13㎝と大きくて落ち着いた印象のポット。大人数のときや、ティーバッグでお茶をいれるときに。[illegible]／キャトル・セゾン・トキオ

正面には漢文が彫り込まれているアンティークの茶壺。存在感があり、[illegible]。¥22000／茶語 新宿高島屋店

すっと長く伸びたフォルムが印象的。[illegible]やすいのもうれしい。¥2500／リビング・モティーフ

ペタリと平たいアクセントがところどころに。卵形をした茶壺は、いれているうちにいいツヤが出てきそう。¥6500／マディ 銀座店

茶壺

陶器製のものと磁器製のものがあります。磁器製のものにはお茶の香りは移りませんが、陶器製のものにはお茶の移り香が。陶器製のものなら、いれるお茶の種類を決めたいもの。そこから茶壺を育てるという楽しみが生まれてもきます。また、お茶を注いだときに注ぎ口の水きれがいいか、茶葉を入れやすいよう、口が小さすぎないかなども選ぶときのポイントに。宜興の紫砂のものが上等とされています。

白磁製なのでどんなお茶をいれてもOK。正面に薄く浮かび上がっているのは、蓮の花。¥2700／華泰茶荘 渋谷店

優しげで、素朴な温かみを感じさせる段泥色の茶壺。コロンとしたつまみ部分がかわいらしさを添えて。¥5800／遊茶

中国では縁起のいい桃がモチーフに。色みを抑えた茶壺に浮かぶきれいな色使いが新鮮です。¥2800／松屋銀座

87

朱泥色の茶壺は上部の六角形がポイントになっています。キュッとそり上がった注ぎ口の形がきれい。¥12000／遊茶

持ち手のあたり、指が絡み合っているのをイメージして作られたという茶壺です。黒さがシブイ。¥3500／華泰茶荘 渋谷店

コロンとした丸さがかわいい。蓋と本体にビーズつきの紅線がついているので、注ぐときも安心。¥4300／華泰茶荘 渋谷店

茶器カタログ

中国茶には、茶器をそろえる楽しみもあります。茶壺に蓋碗、茶杯……。同じ道具でもひとつひとつに違った味わいがあります。いろいろと見てさわって、あなたのお気に入りを見つけてください。

自分で好きな茶器を集めてセッティングするのも楽しいもの。カラフルな茶杯で彩りを添え、華やいだ雰囲気に。桃型茶壺¥6500／華泰茶荘 渋谷店　茶杯 各¥950／春風秋月　トレー¥5800／リビング・モティーフ　茶則¥250／karako自由が丘店

中国茶の本
選び方・いれ方・楽しみ方入門
監修 平田公一

COVER

CATALOG　カタログ　　**Tomorrowland Autumn & Winter 1999-2000　トゥモローランド秋冬 1999-2000**　　1999

CL: (株) トゥモローランド Tomorrowland Co., Ltd.　AD: 西村 武 Takeshi Nishimura　D, DF: (有) コンプレイト completo inc.　P: 中川十内 Junai Nakagawa

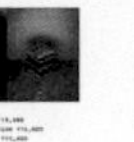

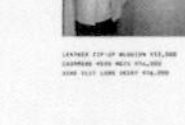

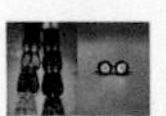

COVER

CATALOG カタログ　**Suit Style 2002 Autumn & Winter スーツスタイル2002 秋冬**　**2002**

CL: (株) トゥモローランド Tomorrowland Co., Ltd.　AD: 西村 武 Takeshi Nishimura　D, DF: (有) コンプレイト completo inc.　P: 小林ゆふ子 Yuko Kobayashi

CLASSIC

GLEN-CHECK SUIT [BELVEST] ¥190,000　REGULAR-COLLAR STRIPE SHIRT [GUY ROVER] ¥18,000　CASHMERE× SILK STOLE [HOLLIDAY & BROWN] ¥46,000

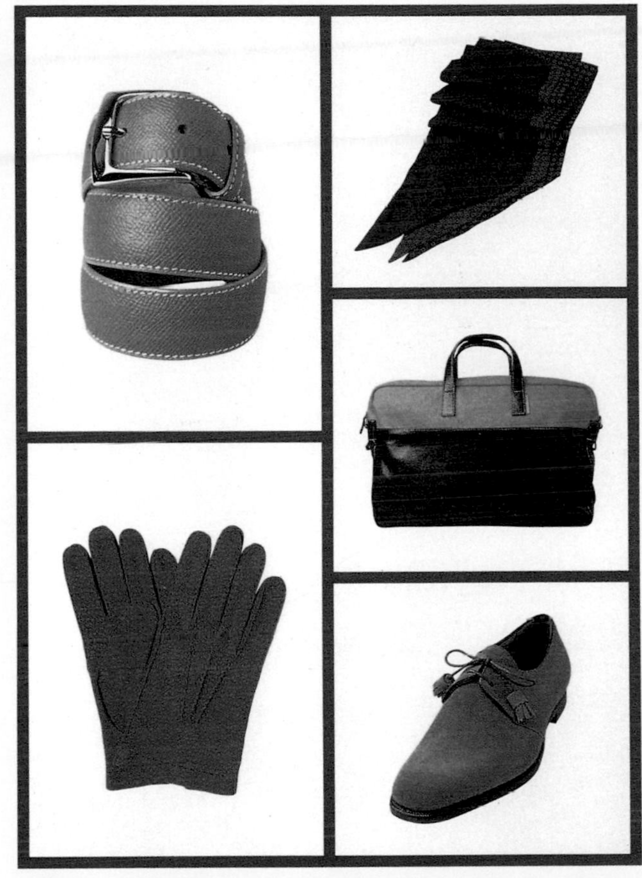

CLASSIC

1. BELT [TOMORROWLAND] ¥9,800　2. PECCARY GLOVES [FRANCESCO FARNERARI] ¥19,800　3. WOOL ASCOT TIE [TOMORROWLAND] ¥7,800　4. COTTON×LEATHER BRIEF CASE [FRANKDANIEL] ¥39,000　5. SUEDE PLAIN-TOE SHOES [EDWARD GREEN] ¥88,000

COVER

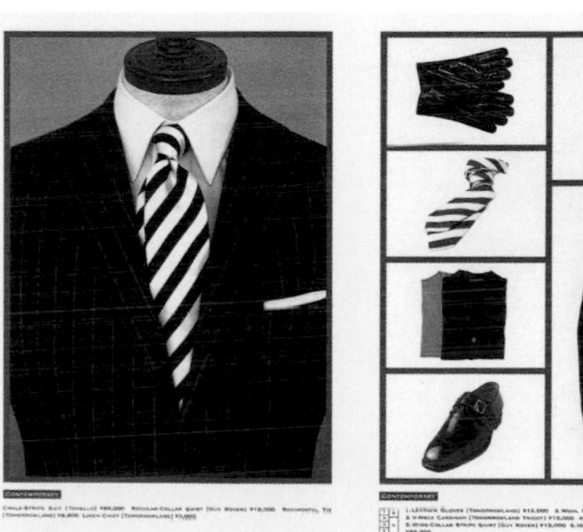

CATALOG カタログ　　RUG COLLECTION ラグ コレクション　2001

CL, DF: (有) ディーディーデザインワークス D.D. DESIGN WORKS Co., Ltd.　E, CD, AD: 林 泰子 Yasuko Hayashi / 勝田喜久江 Kikue Katsuta　D: 濱田進吾 Shingo Hamada

FABRICS-柔らかくって、優しい、
肌触りがよくって
ついつい触っていたくなるような・・・
そんなアイテムをEROTICのデザインコンセプトで仕上げました。
まずはラグを皆様にお届けします。
EROTICの家具と合わせて遊んでみて下さい。

RUG COLLECTION
has been designed by D.D.design works.

COVER

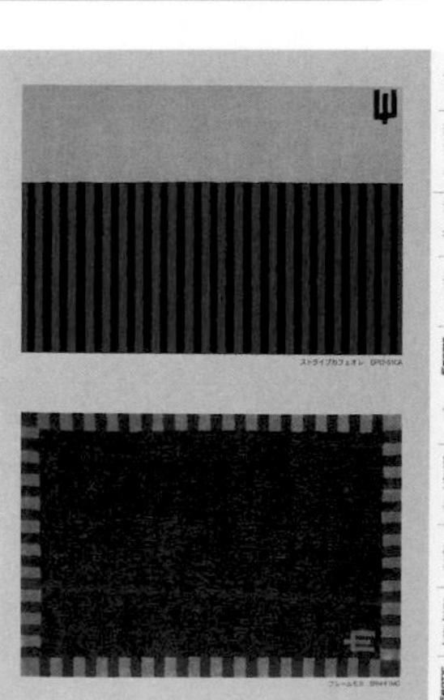

CATALOG カタログ **BALDO CATALOG** バルドーカタログ 1999

CL, DF: (株) ジー・エム・ティー GMT inc. E: 小俣裕人 Hirohito Omata

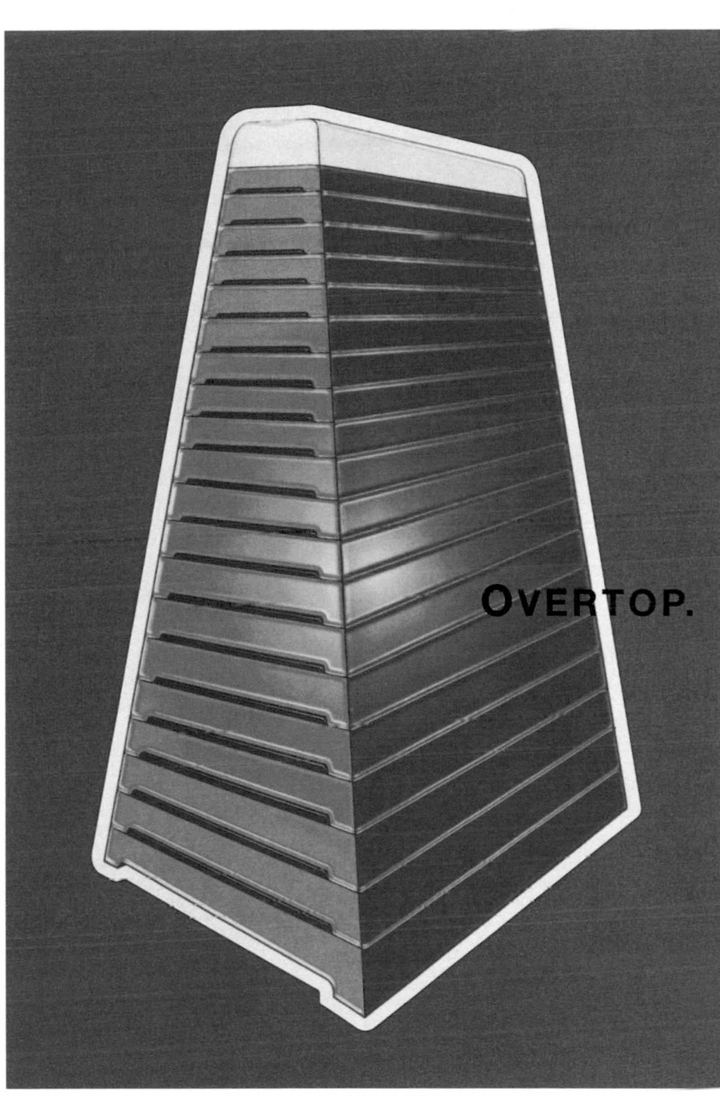

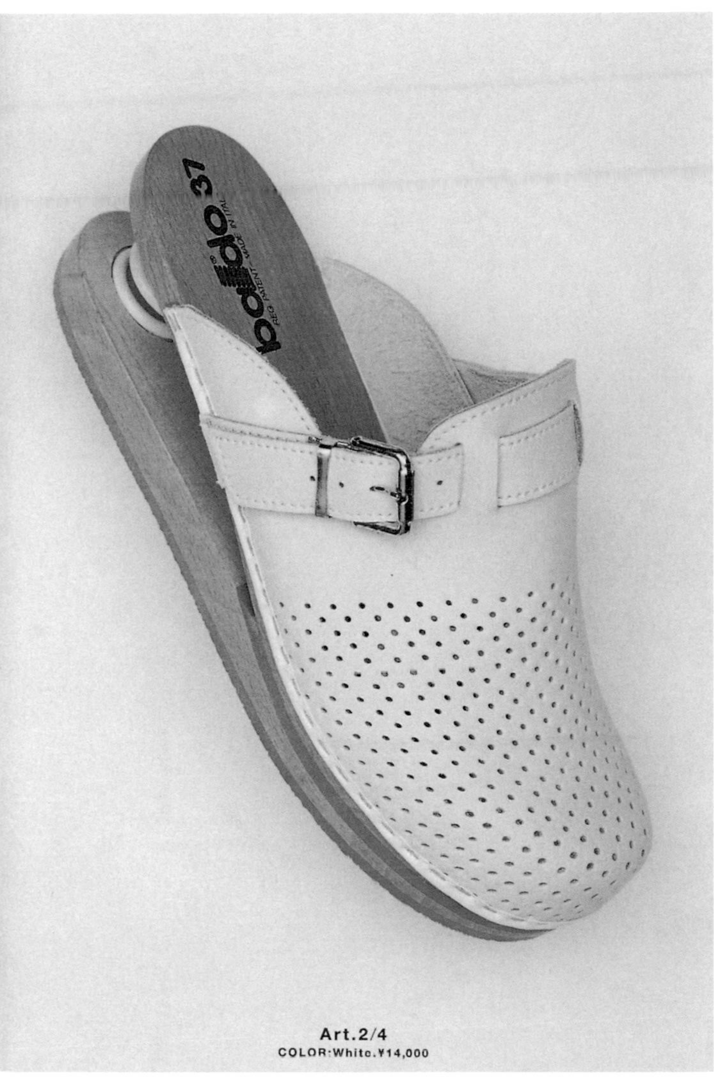

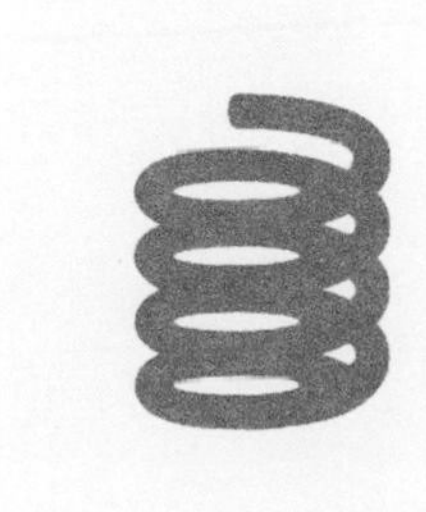

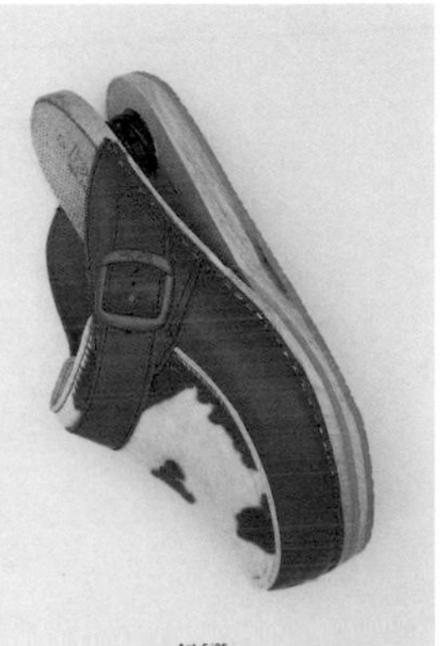

COVER

CATALOG カタログ　　ORINE. 02 A/W CATALOG　オリネ 02 A/W カタログ　2002

CL: オリネ ORINE.　CD, D: 佐藤 篤 Atsushi Sato　AD: 大溝 裕 Hiroshi Ohmizo (Glanz)　P: 北島 明 Akira Kitajima　STYLIST: 金子夏子 Natsuko Kaneko　PRODUCE: ビームス BEAMS

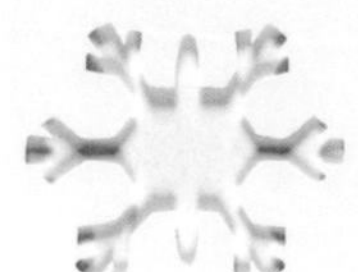

ASYMMETRY PULLOVER ¥20,000

HOME WEAR SETS (with CAMISOLE) ¥12,000

COIN BROOCH ¥8,500

COVER

MAGAZINE 雑誌　**Cocoa ココア**　**Vol.2 2002**

PB, CD, AD, D, DF: コアグラフィックス coa graphics　E: 河野 舞 Mai Kono　P: 藤岡由紀子 Yukiko Fujioka

COVER

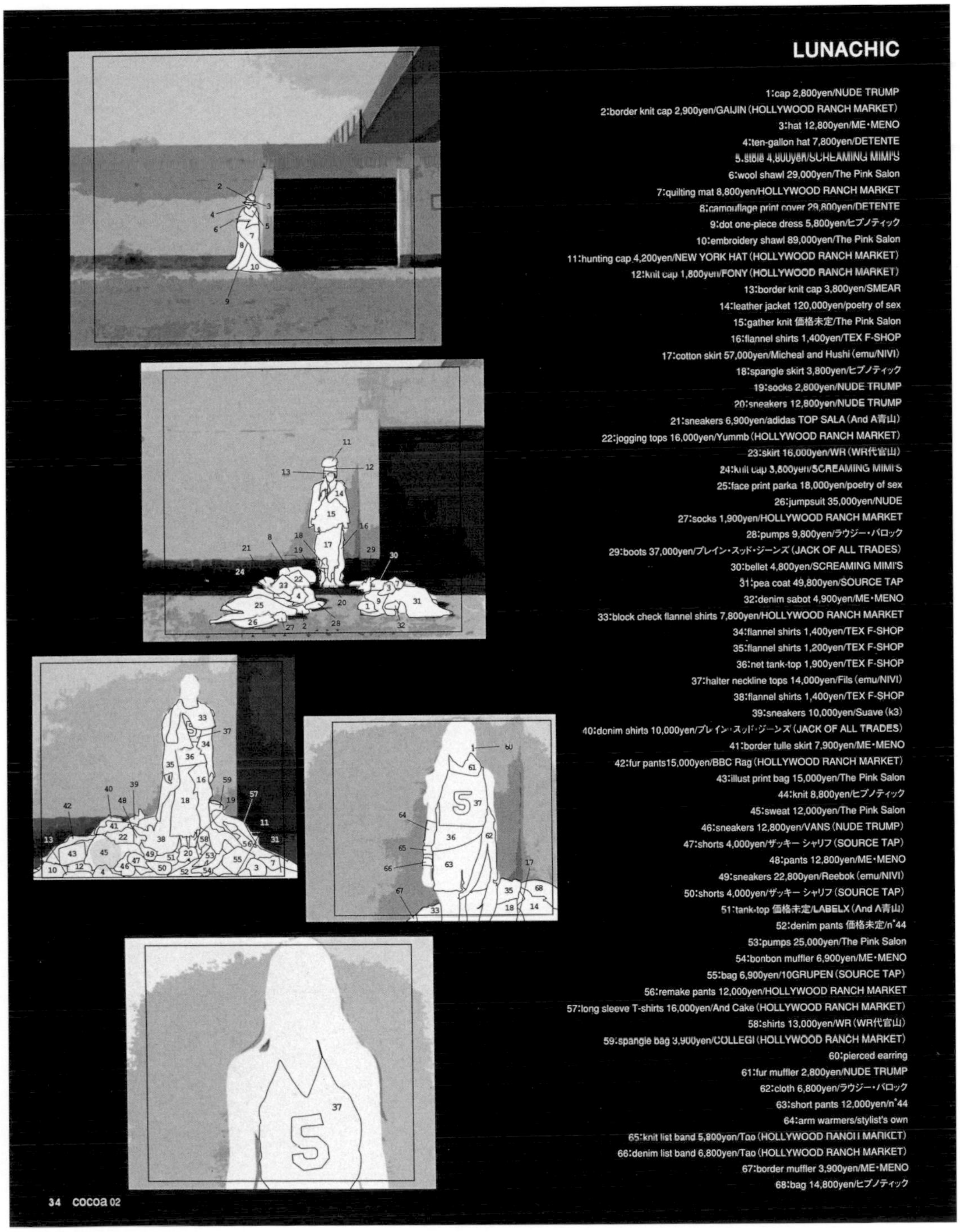

LUNACHIC

1:cap 2,800yen/NUDE TRUMP
2:border knit cap 2,900yen/GAIJIN (HOLLYWOOD RANCH MARKET)
3:hat 12,800yen/ME・MENO
4:ten-gallon hat 7,800yen/DETENTE
5:stole 4,800yen/SCREAMING MIMI'S
6:wool shawl 29,000yen/The Pink Salon
7:quilting mat 8,800yen/HOLLYWOOD RANCH MARKET
8:camouflage print cover 29,800yen/DETENTE
9:dot one-piece dress 5,800yen/ヒプノティック
10:embroidery shawl 89,000yen/The Pink Salon
11:hunting cap 4,200yen/NEW YORK HAT (HOLLYWOOD RANCH MARKET)
12:knit cap 1,800yen/FONY (HOLLYWOOD RANCH MARKET)
13:border knit cap 3,800yen/SMEAR
14:leather jacket 120,000yen/poetry of sex
15:gather knit 価格未定/The Pink Salon
16:flannel shirts 1,400yen/TEX F-SHOP
17:cotton skirt 57,000yen/Micheal and Hushi (emu/NIVI)
18:spangle skirt 3,800yen/ヒプノティック
19:socks 2,800yen/NUDE TRUMP
20:sneakers 12,800yen/NUDE TRUMP
21:sneakers 6,900yen/adidas TOP SALA (And A青山)
22:jogging tops 16,000yen/Yummb (HOLLYWOOD RANCH MARKET)
23:skirt 16,000yen/WR (WR代官山)
24:knit cap 3,800yen/SCREAMING MIMI'S
25:face print parka 18,000yen/poetry of sex
26:jumpsuit 35,000yen/NUDE
27:socks 1,900yen/HOLLYWOOD RANCH MARKET
28:pumps 9,800yen/ラウジー・バロック
29:boots 37,000yen/プレイン・スッド・ジーンズ (JACK OF ALL TRADES)
30:bellet 4,800yen/SCREAMING MIMI'S
31:pea coat 49,800yen/SOURCE TAP
32:denim sabot 4,900yen/ME・MENO
33:block check flannel shirts 7,800yen/HOLLYWOOD RANCH MARKET
34:flannel shirts 1,400yen/TEX F-SHOP
35:flannel shirts 1,200yen/TEX F-SHOP
36:net tank-top 1,900yen/TEX F-SHOP
37:halter neckline tops 14,000yen/Fils (emu/NIVI)
38:flannel shirts 1,400yen/TEX F-SHOP
39:sneakers 10,000yen/Suave (k3)
40:denim shirts 10,000yen/プレイン・スッド・ジーンズ (JACK OF ALL TRADES)
41:border tulle skirt 7,900yen/ME・MENO
42:fur pants15,000yen/BBC Rag (HOLLYWOOD RANCH MARKET)
43:illust print bag 15,000yen/The Pink Salon
44:knit 8,800yen/ヒプノティック
45:sweat 12,000yen/The Pink Salon
46:sneakers 12,800yen/VANS (NUDE TRUMP)
47:shorts 4,000yen/ザッキー シャリフ (SOURCE TAP)
48:pants 12,800yen/ME・MENO
49:sneakers 22,800yen/Reebok (emu/NIVI)
50:shorts 4,000yen/ザッキー シャリフ (SOURCE TAP)
51:tank-top 価格未定/LABELX (And A青山)
52:denim pants 価格未定/n°44
53:pumps 25,000yen/The Pink Salon
54:bonbon muffler 6,900yen/ME・MENO
55:bag 6,900yen/10GRUPEN (SOURCE TAP)
56:remake pants 12,000yen/HOLLYWOOD RANCH MARKET
57:long sleeve T-shirts 16,000yen/And Cake (HOLLYWOOD RANCH MARKET)
58:shirts 13,000yen/WR (WR代官山)
59:spangle bag 3,900yen/COLLEGI (HOLLYWOOD RANCH MARKET)
60:pierced earring
61:fur muffler 2,800yen/NUDE TRUMP
62:cloth 6,800yen/ラウジー・バロック
63:short pants 12,000yen/n°44
64:arm warmers/stylist's own
65:knit list band 5,800yen/Tao (HOLLYWOOD RANCH MARKET)
66:denim list band 6,800yen/Tao (HOLLYWOOD RANCH MARKET)
67:border muffler 3,900yen/ME・MENO
68:bag 14,800yen/ヒプノティック

34 cocoa 02

MAGAZINE 雑誌 **Girlie** Vol.6 December 2001

PB: (株) ガーリー Girlie Co., Ltd. E: 芳賀更沙 Sarasa Haga / 藤本 昌 Aki Fujimoto CD: 藤枝 憲 Ken Fujieda AD, D, DF: コアグラフィックス coa graphics I (COVER): アン anne I: 100%オレンジ 100% ORANGE

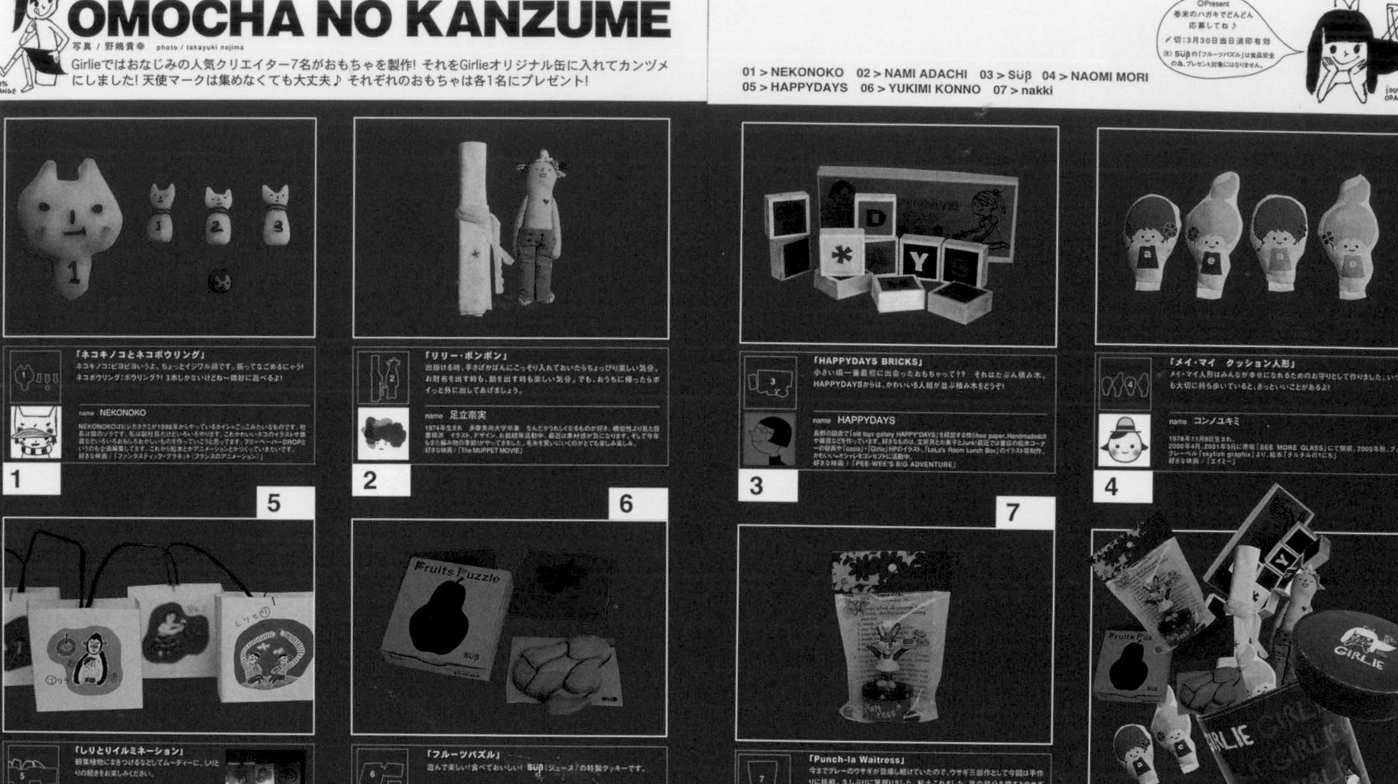

おもちゃのカンヅメ
OMOCHA NO KANZUME
写真 / 野嶋貴幸 photo / takayuki nojima

Girlieではおなじみの人気クリエイター7名がおもちゃを製作! それをGirlieオリジナル缶に入れてカンヅメにしました! 天使マークは集めなくても大丈夫♪ それぞれのおもちゃは各1名にプレゼント!

01 > NEKONOKO 02 > NAMI ADACHI 03 > Süβ 04 > NAOMI MORI
05 > HAPPYDAYS 06 > YUKIMI KONNO 07 > nakki

1 「ネコキノコとネコボウリング」 name NEKONOKO

2 「リリー・ボンボン」 name 足立奈実

3 「HAPPYDAYS BRICKS」 name HAPPYDAYS

4 「メイ・マイ クッション人形」 name コンノユキミ

5 「しりとりイルミネーション」 name モリナオミ

6 「フルーツパズル」 name Süβ

7 「Punch-la Waitress」 name nakki

COVER

MAGAZINE 雑誌　　spoon. スプーン　No.14 February 2003

PB: (株)プレビジョン prevision inc.　E: 斉藤まこと Makoto Saito　AD: 大溝 裕 Hiroshi Ohmizo　P (COVER): 恩田義則 Yoshinori Onda　MODEL (COVER): 高橋マリ子 Mariko Takahashi　I: 冬野さほ Saho Tono
DF: グランツ Glanz

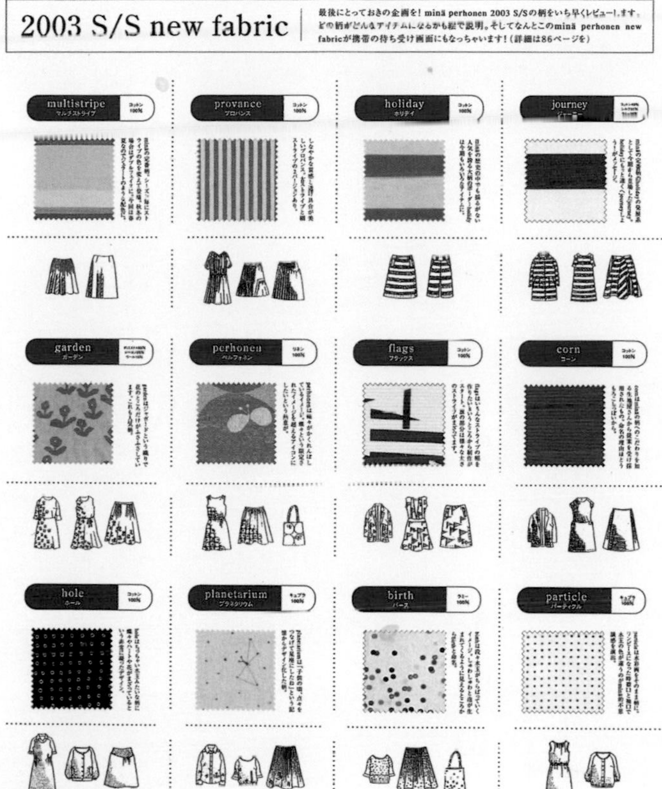

2003 S/S new fabric

最後にとっておきの企画を! minä perhonen 2003 S/Sの柄をいち早くレビューします。どの柄がどんなアイテムになるかも絵で説明。そしてなんとこのminä perhonen new fabricが携帯の待ち受け画面にもなっちゃいます!(詳細は86ページを)

multistripe マルチストライプ
provance プロバンス
holiday ホリデイ
journey
garden ガーデン
perhonen ペルホネン
flags フラッグス
corn コーン
hole ホール
planetarium プラネタリウム
birth バース
particle パーティクル

029 spoon.

minä graphic

春夏アイテムと秋冬アイテムの小売店からの受注会&発表会として年2回開催されるのがminäの展示会。一般の人は目にすることが出来ませんが、じつはminäの場合は展示会の案内状がクオリティー高すぎ! というわけで毎回凝った展示会案内状のグラフィックをまとめて紹介します。思わず足を運びたくなるDMアートをどうぞ!

1999-2000 A/W

2000 S/S

2000-2001 A/W

2001 S/S

2001-2002 A/W

2002 S/S

2002-2003 A/W

2003 S/S

2002 S/Sカタログ

2002-2003 A/Wカタログ

spoon. 028

COVER

FREEPAPER フリーペーパー **Scratch Magazine スクラッチマガジン** **Vol.1 2002**

CL: インターネットナンバー (株) Internet Number Corporation CD: 佐藤和晃 Kazuaki Sato D: 青井達也 Tatsuya Aoi / 漢那徳隆 Yasutaka Kanna D, I (COVER): 大野 崇 Takashi Ohno (Northern Graphics)
CW: 鈴木健太郎 Kentaro Suzuki DF: ノーザングラフィックス Northern Graphics

COVER

FREEPAPER フリーペーパー　　epoch エポック　No.1 April 2001

PB: デシャバリ出版事業部 Deshavaly Publishing　CD: 草本 明 Akira Kusamoto / 井上 尚 Takashi Inoue　AD, D, DF: エムエスジー msg.　P: 向井畑 喬 Takashi Mukaihata

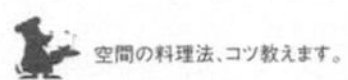

一過性のモノではない

これまでと、これから。

このところインテリア雑貨や家具が様々なメディアにとりあげられている。これは流行!?なのかもしれない。お店もたくさん増えてきたし、でも次々と提案される家具にとまどいを感じる人も多いはず。
1991年に家具の修理を行うショップとしてスタートしたP.F.S.は使い続ける為の安心がある。

recipe
材料

sofa		shelf	
スタンダードC(2p)	186,000	リーフユニットB	72,000
chair		light	
low(右)	11,700	スタンド	60,000
high	12,300	total price	
			342,000

●インテリア

P.F.S.

Pacific Furniture Service
パシフィック ファニチャーサービス

かっこいい家具より
かっこいい生活。

これがP.F.S.の家具に対するスタイルのコンセプトで実にストレートで気持ちいい。
セレクトした雑貨にもしっかりとP.F.S.のカラーがあり、存在感がある。なぜか?「カレー」が食べたくなった。日本のオリジナルカレーです。

point
!

1 オリジナルにチャレンジ。

一般的に必要な材料はほぼ共通。それだけにオリジナリティを出したいものですね。カットの仕方で味も変わります。異色なものはワンポイントぐらいにしておきましょうね。

2 時間をかけてじっくりと…。

材料一つ一つの味を引き出す行程です。
何の料理でも大切なのは加減です。納得行くまでやってみては?

3 かくし味をお忘れなく。

●店内レジカウンター

全体をひきしめるフィニッシュは、かくし味を好みに合わせて用意しましょう。シンプルで重み、コクのある仕上がりがこの料理の醍醐味です。

ひとくちメモ

ファニチャーサービスの意味!?
P.F.S.では自社工場があるので、オーダー家具やリフォームを設計から注文が可能です。ただし、広島での経験はないのでご相談を。

space
PACIFIC FURNITURE SERVICE / 渋谷区恵比寿南1-20-4 tel 03·3710·9865。11時～20時。火曜休。

■ 06

空間の料理法、コツ教えます。

楽しい生活を目指して

何でも「きっかけ」ってあるもの。

単体の良さばかり考えても空間ってうまく使えない。その時の環境もあれば気分っていうのもあるけど、でも全体を見通す気配り次第で、気分もその後の環境も変わっていく。
「空間」は、いろんな力を持ってます。

recipe
材料

sofa	
オリジナル	未定
table	
丸テーブル	98,000
side board	
サイドボード	128,000
other	
カウハイドラグ	89,000
カップ&ソーサー	2,800
灰皿	1,500
total price	
	319,300～

昨年にオープン
したばかりの
セレクトショップ

決して広いスペースではないからそれだけにバイヤーの目利きが大切。「グローバルな視点で、新旧を問わず、長く使い続けられるものを」と言うだけに幅広い商品構成になっている。

●インテリア雑貨

ELEMENT FURNITURE

エレメント ファニチャー

point
!

1 新鮮な素材選びも料理の基本。

たくさんのものを見てそれを選ぶ。基本を決めたらトッピング次第でどんな風にでもなる。自分らしいオリジナル料理(空間)をつくろう。

2 色味を整えながらお好みのソースを。

これでないとダメなんてものはないわけだから、和風、フレンチ、中華、そのときの気分で選んで…。ただし、全体のバランスは見ないとね。素の味だけでもおいしいものもありますよ。

ひとくちメモ

きっかけ作りに一役。
「コレ探してるんですけど」なんて事も対応してくれるし、若手デザイナーを起用しリフォーム・施工も受け付けています。アットホームな感覚で相談してみては?

space
ELEMENT FURNITURE / 広島市中区橋本町6-17 池尻ビル1F-B tel 082·545·3830。11時～20時。無休。

07 ■

COVER

CATALOG カタログ　Wilson Tennis Wear, Golf Wear 2002 Fall-Winter Collection ウィルソン2002年秋冬コレクション　2002

CL: ヒットユニオン Hit Union　CD, AD: 草次耕二 Koji Kusatsugu　D: 中岡裕子 Yuko Nakaoka　P: 海田俊二 Shunji Kaida　DF: （株）スタジオビス studio vis co., ltd.

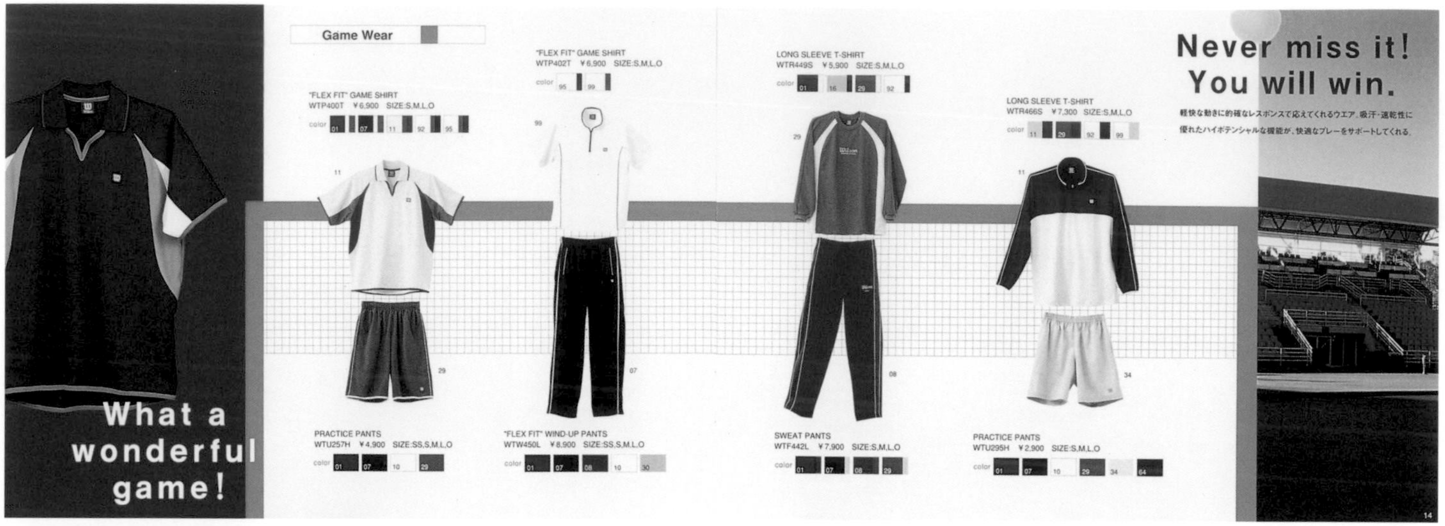

COVER

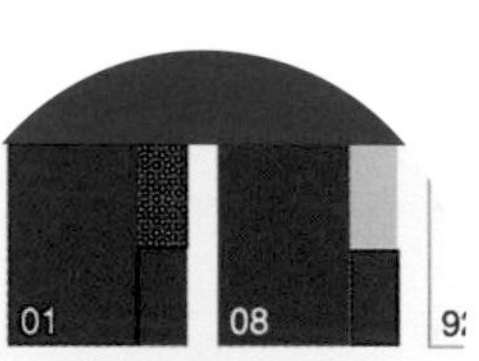

COVER

CATALOG　カタログ　　　**wAtOSA　ワトゥサ カタログ**

CL: (株)ソニー シーピー ラボラトリーズ Sony CP Laboratories Inc.　CD: 渡邉サブロオ Sablo Watanabe　AD: 武井一臣 Kazuomi Takei　D: 宮武奈津子 Natsuko Miyatake　DF: IDEA interactive company

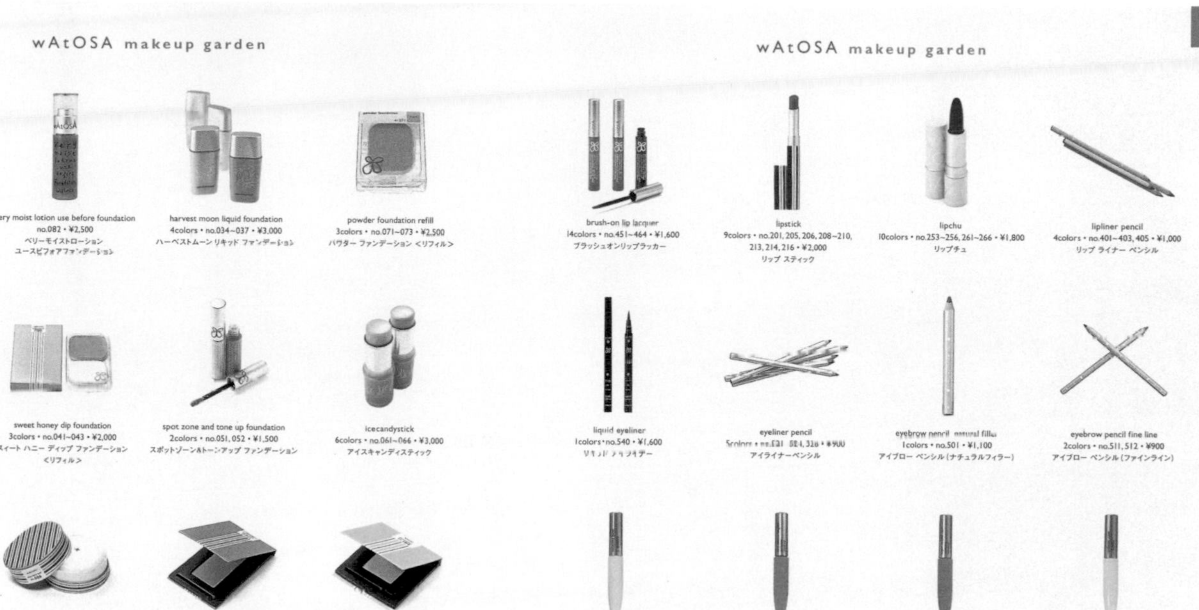

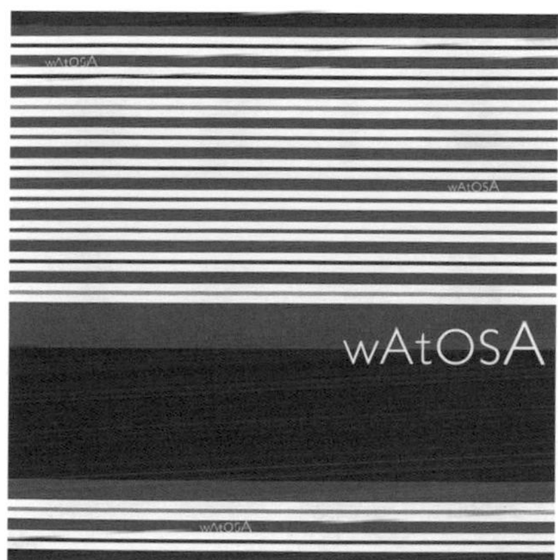

COVER

CATALOG カタログ　　**Catalog Autumn, Winter 商品カタログ 平成12年秋号、冬号**　2001

CL, E, CD, AD, D: 京菓匠 鶴屋吉信 Tsuruyayoshinobu Inc.

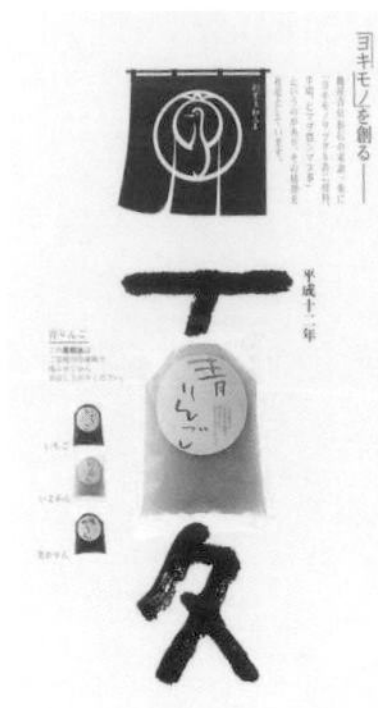

COVER

●販売期間・4月中旬～8月末日

❻各1個　250円
❼6個入　1,700円
❽8個入　2,200円
❿11個入　3,000円
⓫15個入　4,000円
⓬18個入　5,000円

※賞味期間…90日

※「水ようかん」「抹茶水ようかん」のみのお詰合せもご用意いたしております。
※この他、お好みに合わせていかようにもお詰め合わせさせていただきます。

❿11個入　3,000円

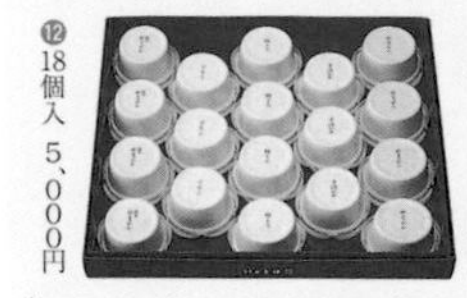

⓬18個入　5,000円

4　3

COVER

5個入
3,000円(18.0×18.0×7.3㎝)
5,000円(22.7×22.7×9.0㎝)
〔2,000円～5,000円〕
紅白のお詰合せもご用意いたしております。

2個入
1,000円(14.3×8.2×5.3㎝)
1,500円(17.2×8.7×5.9㎝)
白白のお詰合せもございます。
内祝などにもご利用いただけます。

織部満雲寿（登録商標）
小倉と備中白小豆の二重あんを薯蕷で包みました。織部の意匠。光悦満雲寿と姉妹品です。
1個　500円
●京阪神地区で販売

光悦満雲寿（登録商標）
1個　500円
●東京地区で販売
※賞味期間…3日

●ご用命の折は、お電話を承りましたら、係員がお伺い申し上げます。
●その他、薯蕷饅頭の価格につきましては弊店のお祝いのしおりをご参照下さいませ。

12　11

CATALOG カタログ　**Catalog Fall & Winter 秋冬カタログ**　2002

CL: (株) 曙 Akebono Inc.　CD: 細野一美 Kazumi Hosono　AD, D: トーキョウ・グレート・ヴィジュアル Tokyo Great Visual　P: 森 豊 Yutaka Mori

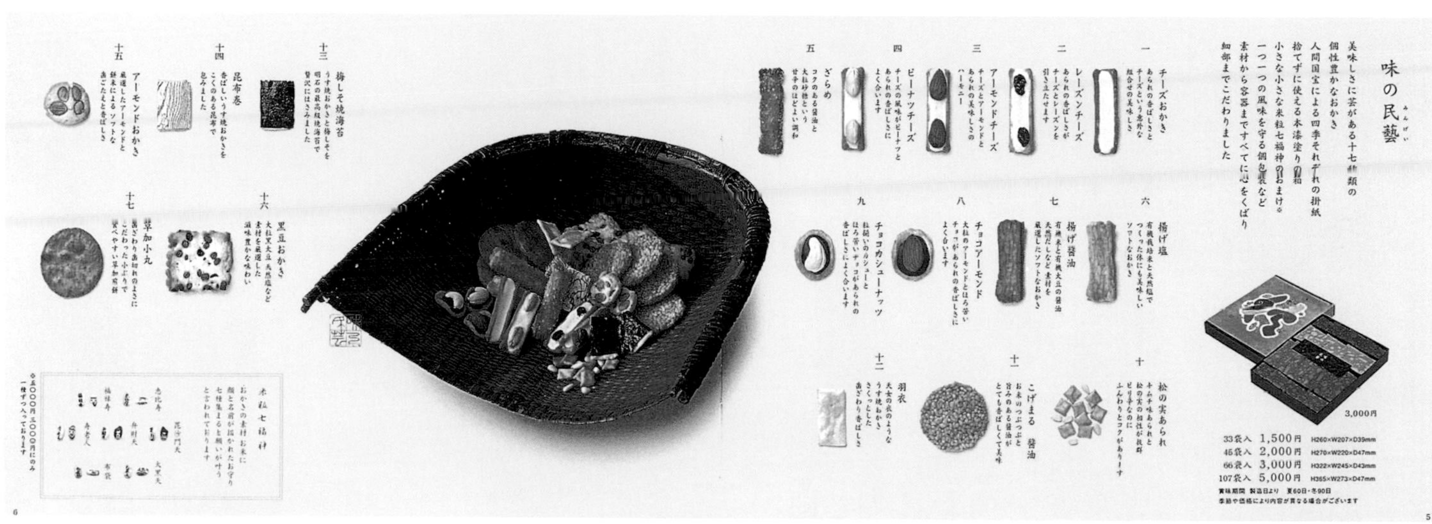

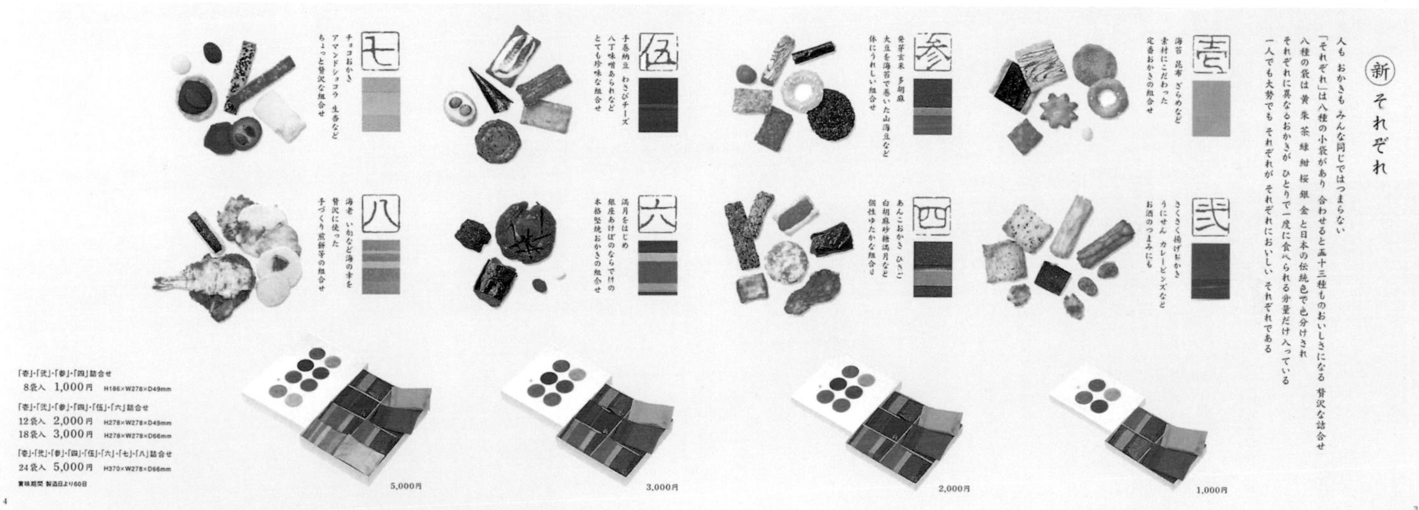

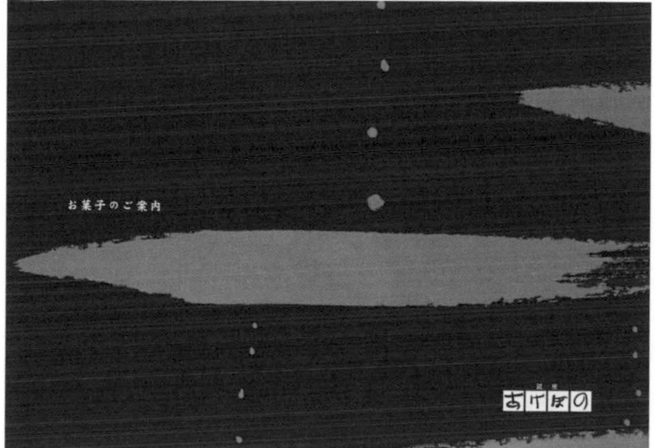

COVER

MAGAZINE 雑誌 **WARAKU 和樂** **Nobember 2002**

PB: 小学館 SHOGAKUKAN PUBLISHING Co., Ltd. E: 花塚久美子 Kumiko Hanatsuka AD: 木村裕治 Yuji Kimura P (COVER): 森川 昇 Noboru Morikawa P: 三浦憲治 Kenji Miura
DF: 木村デザイン事務所 KIMURA DESIGN OFFICE, Inc.

COVER

柱 / 見出し
HEADINGS / TITLES

数ページにわたる特集内で、連続して使用されるコンテンツ名やタイトルの中から、アイキャッチに優れたデザインを紹介します。
Content headings and titles that are eye-catching yet maintain continuity.

MAGAZINE 雑誌 **STUDIO VOICE スタジオ・ボイス** **Vol.318 June 2002**

PB: インファス INFAS E: 加藤陽之 Haruyuki Kato AD: 藤本やすし Yasushi Fujimoto D, DF: キャップ cap P (COVER): TAKU

江成常夫写真展「基地のなかの沖縄」

世界の重さも、景色の色も、食べ物の味も、なにもかもがなんだか希薄に感じてしまうあなたには、アジア放浪なんかするよりもよっぽど"沖縄"のほうが魂に響くはず。土地が生きているし、風は踊っているし、人は唄っている。豊饒な世界だ。日本に住む者として、ビザもパスポートもなしにこの地に行けることを感謝したい。ところが、実はほんの30年前まで沖縄は行きたくてもそう簡単に足を踏み入れることのできない土地だった、ということをみなちゃんと覚えているだろうか？ 第二次世界大戦後、長らくこの地はアメリカの統治下にあったのだ。1971年6月17日、返還協定が調印されたこの日、本土復帰を祝う記念行事が行われる一方で、返還協定反対運動がおこり、人々は日本とアメリカのはざまでゆれ動いていた。そこに広がっていたのは、高度経済成長を成し遂げた本土とはかけ離れた風景。そして、今に続く基地問題……。江成常夫は、新聞社から特派され、この日の沖縄を現地で取材していた。本展では、そんな本土の人々の目には触れることのなかった当時の沖縄の姿を写し撮ったドキュメンタリー写真82点が展示される。戦後の経済発展の過程で忘れられてきた日本人達の姿をドキュメントしてきた写真家、江成常夫。彼の写真に写る、哀しみも力強さも全てを内包しているかのような多層的な沖縄の表情に、私達は何を感じることができるのだろうか？（〜5/26 JCII フォトサロン☎03-3261-0300）

SV ANYTIME HISTORIC

027 STUDIO VOICE

DUB Magazine

DUBMagazineはアメリカのブラック・カルチャーのセレブリティ、とくにヒップ・ホップ・アーティストやスポーツのスター選手達ご自慢のクルマやモーターサイクルを紹介する雑誌である。これまでにスヌープ・ドッグ、DJマグス、フレッド・ダースト、マイク・タイソン、NBAのL・スプリューエル、NFLのJ・カースなど各界の札付きが自分達のクルマへのこだわりを披露している。彼らのお気に入りは、キャデラックのRV、ベンツのクーペ、レクサス、ベントレーなど。それらにギリギリまでインチ・アップしたタイヤと鏡のように磨きあげられたクローム・ホイールを穿かせ、テレビ、ゲーム、もちろん巨大なスピーカーなどを積み、何台も所有するのが主流のようだ。そしてルイ・ヴィトンのジャージ・セットアップにグッチのブーツ、ダイヤモンドのチェーンやアクセサリーをふんだんに身に付けストリートを徘徊するのが彼らのスタイル。紙面は彼らのクルマのホイールやダイヤの広告でものすごく眩しい。アニメじゃないけど、明るい所で離れて読まないとトリップしてしまいそう。

ゲットーやストリートから這い上がってステイタスを築いた者たちは、自らの成功を誇示するため、またゲットーで暮らすキッズ達に夢を与えるために、自己を飾りたてる。理由はそれだけではないにしろ、ブラック・テイストの真髄が存分に込められたこの雑誌。トゥルーブラック魂ここにあり。

SV ANYTIME G-LIFE

021 STUDIO VOICE

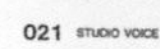

COVER

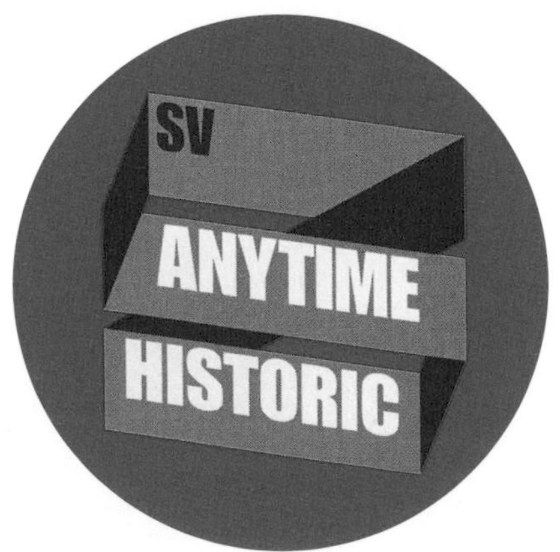

IMAGE BOOK イメージブック　　SHOES AND INDIGENOUS ART 靴と先住民族芸術　2001

PB: カンペール CAMPER　CD: キコ・ヴィダル Quico Vidal　AD: ペプ・カリオ Pep Carrió / ソニア・リンチェス Sonia Sánchez　P: ランドレ・エスコルセーユ Landre Escorseu / ペペ・ヴィラ・リン・ホアン Pepe Vira San Juan　CONCEPT: ギエルモ・フェレール Guillermo Ferrer　CURATOR: マルタ・シエラ Marta Sierra　DF: カンペール本社 CAMPER HEAD OFFICE

CAMPER

COVER

MAGAZINE 雑誌　　Casa BRUTUS カーサ ブルータス　Vol.28 July 2002

PB: (株) マガジンハウス MAGAZINE HOUSE LTD.　E: 吉家千絵子 Chieko Yoshiie　AD: 藤本やすし Yasushi Fujimoto　CHIEF D: 岩本陽一 Yoichi Iwamoto　D: 草間友夏子 Yukako Kusama
ARTWORK (COVER): 佐藤可士和 Kashiwa Sato　DF: cap

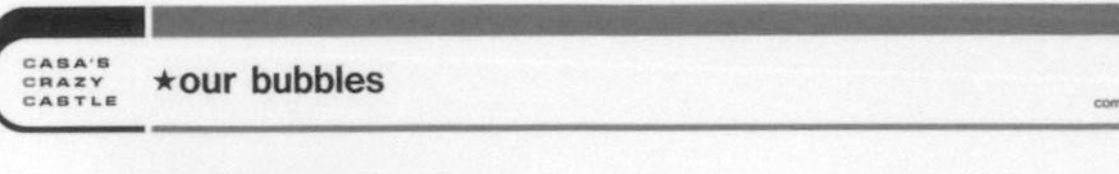

comfortable @sky

シンガポール航空は鉄料理が得意なレストラン〈ジョルジュ・ブラン〉の料理。チキンロールに詰めたフォアグラやリー・ド・ヴォーの脂質にシャンパンの軽快な泡立ちがすっきりと合う。

こんなシャンパンでうっとりできる。

★エールフランス航空
ローラン・ペリエ キュヴェ・グラン・シエクル 1990

★シンガポール航空
左／ドン ペリニヨン 1993
右／クリュッグ グランド・キュヴェ

★日本航空
左／テタンジェ コント・ド・シャンパーニュ ブラン・ド・ブラン 1995
右／ヴーヴ・クリコ ラ・グランダム

★ブリティッシュ・エアウェイズ
クリュッグ グランド・キュヴェ

ファーストクラスでゆっくり飲めるシャンパンは?

photo_Hiroaki Ishii, Keiko Nakajima (bottles)　text_Taeko Terao

ここ数年で各社ファーストクラスの機内食はグンとブラッシュアップされた。なんと、世界のエグゼクティブシェフの料理を空の上でも食べられるようになってきているのだ。そしてシャンパンは各エアライン、料理とのバランスや、お客の嗜好をよく考えた銘柄を提供している。シンガポール航空はフランスの3ツ星シェフ、ジョルジュ・ブランや〈菊乃井〉の村田吉弘など8人の有名シェフの料理に合うよう均整のとれた〈ドン ペリニヨン〉と、やや重ボディの〈クリュッグ〉。日本航空の〈テタンジェ コント・ド・シャンパーニュ ブラン・ド・ブラン〉は白ブドウ（シャルドネ）だけで造られた気品ある軽やかな味わい、繊細な和食にぴったりだ。エールフランス航空は1992年のソムリエコンクール世界一に輝いたフィリップ・フォーブラックのセレクトで〈ローラン・ペリエ キュヴェ・グラン・シエクル〉。ボリューム感と深みがあるのでフランス料理の濃厚なソースにも向く。〈NOBU〉ロンドン店のエグゼクティブ・ヘッドシェフ考案の革新的な日本食が楽しめるブリティッシュ・エアウェイズは〈クリュッグ〉。小樽で熟成させる伝統的な製法で造られた古酒をブレンドして造る。熟成感のあるワインが好まれるイギリスらしいチョイスである。

長期熟成で魅力倍増のドン ペリニヨン、登場。

5月にファーストリリースされた〈ドン ペリニヨン エノテーク〉ヴィンテージ'73（60,000円）と'85（20,000円）は単に古いヴィンテージというのではない。これまで〈ドン ペリニヨン〉は1度飛躍的な熟成のピークに達したものを出荷していたが、〈エノテーク〉は貴重なヴィンテージの仕込み瓶を特別なセラーに保管し、第2、第3のピークに持っていくという製法で造られているのだ。熟成感の中にフレッシュな味わいを持つ'73と、こなれつつもまだまだパワフルな'85。●問合せ／ジャーディン ワインズ アンド スピリッツ☎03・3434・3727。

CASA'S CRAZY CASTLE
★our nests

9 tubo house

左／〈9坪ハウス〉のプロトタイプとなった〈スミレアオイハウス〉の内部。大きな開口部を持つ全面ガラス張りのファサードによって、吹き抜けのある室内にはくまなく陽光が行き渡る。右／ミニマルの極致といった感じのキュービックな外観。●問合せ／Boo-Hoo-Woo.com☎03・5765・5300。6月15日と7月28日に「9坪ハウス見学会」を開催予定。詳しくはホームページかお電話で。http://9tubohouse.com

ウワサの〈最小限住宅〉が、最小限価格でついに製品化！

photo_Boo-Hoo-Woo.com, Julius Shulman(column)　text_Shigekazu Ohno

長〜いデフレ不況が続く中、巷では「1,000万円住宅」などという代物がさも当り前のように語られている。が、1999年に〈スミレアオイハウス〉が建った時の驚きは大きかった。たった9坪のミニサイズとはいえ、曲がりなりにもデザイナーズ住宅が1,000万円台で建てられるとは、ほとんどの人には思いも寄らないことだったのだ。

この小さな家のルーツは1952年、建築家増沢洵が設計した〈最小限住宅〉に遡ることができる。家は「誰もがどこでも建てられるもの」という理念を掲げ、建築家は実際、給料で建てられる範囲内の低予算で都内に自邸を建てている。

だがその試みは、単なるローコスト住宅の実験として片づけることのできない斬新なライフスタイルの原像をはらんだものだった。大きな開口部を持つファサードと、小さいながらも吹き抜けのあるオープンな内部空間——それはほぼ同時期にアメリカに建てられた、ケース・スタディ・ハウスに勝るとも劣らないモダン住宅だったのだ。

先述の〈スミレアオイハウス〉は、建築家の理念に感銘を受けた施主がデザイナー小泉誠にリメイクを依頼し、これを現代に甦らせたもの。ところが評判が評判を呼び「僕も、私も住みたい！」の声が殺到。ついにオリジナルの設計から半世紀を経た今年、Boo-Hoo-Wooのプロデュースによる〈9坪ハウス〉として販売されることとなった。

製品は造作家具完備のタイプ（1,460万円〜）と、家具を省いたシンプルなタイプ（1,090万円〜）の2種類。「小さいながらもこだわりのわが家」を、あなたもいかが？

ケース・スタディ・ハウスが、まさかのfor Sale!!

本文でも言及したケース・スタディ・ハウスといえば、ミッドセンチュリーモダンのアイコン的存在。その#20として1958年に建てられた通称〈バス・ハウス〉が、今回まさかのfor Saleです！●所在地／2275 Santa Roza Ave., Altadena (LA近郊)、設計／バフ、ストラウブ&ヘンスマン、規模／地上1階建て、築年数／44年、価格／595,000ドル、問合せ／Crosby Doe☎(1)310・550・3579、ホームページ（http://www.architectureforsale.com）で「search listings」をクリックし、検索も可能。

COVER

►

a wall newspaper
CASA BRUTUS JULY

HA NACIDO + EL NIÑO DIOS

NO ESPERES A LANZAR TU LUZ A LO LEJOS, ALEGRA E ILUMINA EL RINCON EN QUE VIVES.

カードは1枚2.5ペソ～。壁に描かれる聖書の言葉や看板に使われるような、メキシコ伝統のスタイルがタイポグラフィーのベースになっているようだ。シンプルなグラフィックにポップな色使いはきわめてモダン。恐らく、アレジャーノ神父は当時のアメリカの新しいデザインやアートの動向にも造詣が深かったのだろう。＊1ペソは約15円。

Father, You Are So Pop!

カトリックに50sデザインを！アレジャーノ神父のアイデアです。

メキシコが世界に誇る芸術家といえば、カーロやリベラ。でも、教会を訪れる信者のために、静かに黙々と制作を続けた芸術家もいたんです。この、アレジャーノ神父のように。

photo_Kazuya Morishima (architecture), Nagahide Takano (card)
text_Housekeeper

ホノボノかつモダンなスペイン語のタイポグラフィー。アメリカのミッドセンチュリーを彷彿とさせるデザイン。神様、思えば何だか分からないままのひと目ボレ♡でした。

メキシコの首都、メキシコ・シティー。フェリックス・キャンデラが手がけたエル・アルティージョ礼拝堂を取材に来た我々カーサ ブルータス取材班は、教会の購買部でこのグラフィックに出会ってしまったのだった。

棚に並んだボックスには、カトリックの信仰に関するメッセージが、とってもファブなタイポとイラストで描かれたカードがずらり。うーん、これいいね、あれもなーんかいいねえと、気がついたら大量購入。しかも、絵を見ているうちにちょっと優しい気分になっている自分を発見。お神様、私は今、癒されているのでは？ このカードの役割が布教であるならば、スペイン語が読めない日本人にさえ、ちょっと効果ありってこと。よく見ると、本の装丁なんかも明らかに同じスタイルのデザインであることに気づき、購買部のおばちゃんに聞いてみた。これ、誰が描いたの？

「それはパドレ（神父）・マニュエル・アレジャーノ・バラが1950年代に描いたものよ」

アレジャーノ神父は1928年に生まれ、50年代にこの教会で教義の勉強に励んでいたという。彼は画家でもあり、宿舎の彼の部屋はアトリエ兼ギャラリーといった趣だったとか。55年のエル・アルティージョ竣工時には、あの構造設計の天才、フェリックス・キャンデラの傍らで、ステンドグラスの美術監督として働いたそうだ。

その後、画家としての能力を信仰のために使いたいと常に考えていたアレジャーノ神父は、印刷物の新しいグラフィックデザインを自分に任せてほしい、と教会に申し出たのだという。

こうして製作された、当時としてはきわめてモダンなカードや書籍は、教区の人々の間で驚きをもって迎えられ、大人気に。オリジナルのリトグラフが散逸してしまった今でも、絵から版を起こし直して作りつづけられている。

エル・アルティージョ礼拝堂 曲面の屋根を持つHPシェル構造で有名。構造設計はフェリックス・キャンデラ。アレジャーノ神父は、この礼拝堂のステンドグラスの製作に、美術監督として関わったという。●Av. Universidad 1700, Coyoacán, Mexico D.F.

133 Casa JULY 2002 | JULY 2002 Casa 132

MAGAZINE 雑誌　**STUDIO VOICE スタジオ・ボイス**　**Vol.323 November 2002**

PB: インファス INFAS　E: 加藤陽之 Haruyuki Kato　AD: 藤本やすし Yasushi Fujimoto　D, DF: キャップ cap　P: 森本美絵 Mie Morimoto

特集 東京100景　001-002/100

001
明治神宮御苑 原宿
かつての大名家下屋敷の庭園だった名残か、お茶室・隔雲亭の前には蓮池がある。バスツアーの観光客はまずは社殿に向かうからか、手入れは大雑把である意味人間くさい。

002
上野駅 上野
由緒ただしき東京の玄関口ではありますが、上野動物園や美術館、博物館など古き良き「官」の匂いと寄席の鈴本演芸場などいわば下世話な「趣味」の佇まいが交錯する場所でもある。

環境〜建築〜サブカルチャー
東京100景

大震災と戦争で焼け野原を経験した東京には奔放な江戸っ子気質が今も脈々と流れている。そう、壊さずにはいられないのだ。ならば欧州はステキ！なんて闇雲にパラダイスを夢見て地団駄ふむよりは、端っからサバイバルに徹したほうがいい。街も建物も人も自分も、あるがままに気持ちよくメンテナンスしていけばいい。堅牢な階級社会とは縁のない私たちはどこにでも行ける。そのコアなところまで深く愛してゆくために。東京画、2002年。

001-076　撮影＝森本美絵　Photography by MIE MORIMOTO (but 20,29,41-46)
077-100　撮影＝藤田信一郎　Photography by SHINICHIRO FUJITA (but 84)

021 STUDIO VOICE　　STUDIO VOICE 020

COVER

MAGAZINE 雑誌 **WWD FOR JAPAN** ALL ABOUT 2003 S/S 2003

PB: インファス INFAS E: WWDジャパン編集部 WWD JAPAN AD: 稲葉英樹 Hideki Inaba P (SPREAD 2): ユルゲン・テラー Juergen Teller

SPREAD 1

094 WWD FOR JAPAN ALL ABOUT 2003 SS 095

CONTENTS NEWS NY NEWS SPECIAL ISSUE TREND AD STORY PARTY&SHOW

ィブ・ディレクターも務めるサイモン・ドゥーナンは最近意外なものを発見した。1977年出版の「スカヴュロー・オン・メン」に載っていたカールのお言葉だ。「ガリガリに痩せている人は好きになれない。まさに『デモデ（ダサイ）そのもの』と語るカール。ドゥーナンはオブザーバー紙の「サイモン・セイズ」のコラム全面を割いて、カールのファッション哲学の変化を綴った。もちろん、カールの気分が変わるのはいつものこと。今のうちに彼のダイエット・ドクターの意見を仰ぎ、最近出版されたカールのダイエット・ブックを読んでおいて、何年か後のカールの言動と比べてみるのも一興かも。

ところでカールは筋金入りのワーカホリックだ。「シャネル」「フェンディ」「ラガーフェルド・ギャラリー」のデザインだけでなく、様々な出版プロジェクトを抱え、写真家としても活躍している。そんな彼が怒りを爆発させたのが、フランス政府が近々、週35時間労働法を緩和するというニュースだ。「そもそも、ワークシェアリングのために労働時間を決めること自体が間違っている」とカール。「人にはそれぞれ事情がある。好きなだけ働く権利をもっているんだ」と人権にも配慮を忘れない。カールは、労働時間云々などと言っていたら、手間暇の掛かるオートクチュール・コレクションなど作れるはずがないとおかんむりだ。「仏政府が定める見当違いの法律が『トレ・フランセ（まさにフランス的）』なものを駄目にしてしまうのだ」。さすがカール、パリの伝統を守るのはあなたです。ドイツ人だけどね。

熱烈的ワーカホリック、カールは大変な読書家でもある。「大変な問題だよ、ねぇ？」と頭を悩ましているのは、23万冊に上る蔵書を、クリエイティブに収納するにはどうしたらよいのか？という問題だ。答えはフランス南西部の町、ビアリッツの彼の家の……テニスコートの下にあった。面積約1,800㎡、空調完備の地下の複合施設には、フォトスタジオも併設する予定。が、最も肝心なプロジェクトは、なんといっても面積約900㎡、高さ約6mの図書室の建造だ。その次にすべきことは、シャネルにセクシーな図書館員を招聘することか？

NY NEWS 4
FICTIONAL FAHION
事実は小説よりも・・・

Giorgio Armani is the latest member of the fashion world to get the novel treatment. Author Gini Alhadeff has apparently provided readers with a fictional account of her experiences working for the designer during the Eighties in her latest novel, "Diary of a Djinn," proofs of which are making the rounds in New York. The novel is slated for a Feb. 4, 2003, release by Pantheon Books, a subsidiary of Random House. Alhadeff could not be reached at press time and a representative for Armani had no comment. Alhadeff's first book, "The Sun at Midday," which told the story of the author's Sephardic Jewish family, was widely praised by critics. Alhadeff's book follows on the heels of former Anna Wintour assistant Lauren Weisberger getting $250,000 for an unfinished roman a clef about Vogue, "The Devil Wears Prada." Then, as The New York Post reported, ex-Vogue writer Plum Sykes inked a lucrative deal with Miramax Books for her first loosely autobiographical novel, "Bergdorf Blondes."

デザイナーのジョルジオ・アルマーニが小説の世界に初登場を果たした。ジニ・アルハデフの最新作「ジーンの日記」は、80年代にアルマーニの下で働いた経験を基にしている。この小説は、アナ・ウィンター=ヴォーグ編集長の元アシスタント、ローレン・ワイズバーガーが書いた「悪魔はプラダを着る」に迫る面白さという評判だ。「悪魔は～」は完成前から25万ドル（約3,000万円）を約束されたヒット作だった。「ジーンの日記」は2003年2月4日にランダムハウスの子会社のパンテオン・ブックスから出版された。アルハデフとアルマーニのコメントは取れていない。アルハデフの処女作「真昼の太陽」は、彼女のセファルディ語を話すユダヤ人一家の生活を描いた作品で、高い評価を受けた。また、ニューヨーク・ポストは、ヴォーグの元ライター、プラム・シークスが、自伝っぽい処女作「バーグドルフ・ブロンズ」の、美味しい契約をミラマックス・ブックスと結んだと報じた。

NY NEWS 5
CUT AND PASTE
切って貼って楽しむヴォーグ

Carine Roitfeld, who caused a stir last month by devoting French Vogue to fur, has taken scissors to the cover of the October issue. The unusual collage is to announce the issue's focus on cutting-edge designers and artists. "We dare to do it because Vogue is really a fashion magazine and this graphic style is very fashion," she said. But Roitfeld said variety is important. To wit: she's plotting a more classic cover for November with model Angela Lindvall.

フレンチ・ヴォーグのカリーヌ・ロワトフェルド編集長は、9月号では毛皮をフィーチャーしてゴージャスなカバーフォトを作った。そして10月号のカバーは、「はさみ」を活用して、切り絵をペタペタ貼り付けたような斬新なビジュアルに仕上げた。この切り絵細工の表紙は、10月号では手が切れそうにエッジなデザイナーやアーティストを取り上げていることを、実にユニークな方法で読者に伝えている。「ヴォーグは真のファッションマガジンだから敢えてこういう表紙を作ってみたの。ファッショナブルでしょ？」とロワトフェルド。「でも物事にはバランスが大事なのよ」。彼女がアンジェラ・リンドヴァルをモデルに手掛けた11月号の表紙は、ずっとクラシックな仕上がりだ。さすが。

NY NEWS 6
CAFTAN CHIC
中東女性御用達ブランドは？

Customizing luxury for a Middle Eastern lifestyle, Kuwaiti retailer Majed Al-Sabah of Villa Moda has approached some of the biggest fashion houses to create caftans for his well-heeled clients. And Miuccia Prada was the first to say "yes" to his project. Her dozen-plus designs, with shoes and bags to match, are set to hit the sales floor in November, retailing from about $2,000 up to five figures for extensively embroidered and beaded styles. Prada caftans also will be exhibited at Villa Moda's gallery throughout November, the month of Ramadan. Al-Sabah said most Middle Eastern women, even the most rabid designer shoppers, wear caftans, especially to entertain at home. But chic ones are hard to come by at the local souks. Not to worry. Fendi, Missoni, Etro and Marni have also agreed to make caftans for Villa Moda in the coming months.

中東女性のライフスタイルにあったラグジュアリーを提供しようと務めているのが、クウェートのヴィラ・モーダのオーナー、マジェド・アル・サバー氏だ。彼はファッション界のビッグネームに、カフタンを作ってくれないかと持ちかけた。最初に「オーケー」と言ったのはミウッチャ・プラダだ。彼女は1ダース以上のカフタンをデザインし、それにマッチするバッグと靴も作った。同氏によれば地元でシックなカフタンを見つけるのは至難の業とか。ご心配なく。「フェンディ」「マルニ」などがカフタンをデザインすることを承諾してくれた。

NY NEWS 7
ROCK ON
ロックだってスリムに決める

Hedi Slimane, the designer of Dior Homme, is on a major roll. Make that rock 'n' roll. Bryan Ferry and David Bowie wore Dior Homme on stage last week for performances in Paris. And Mick Jagger was slated to wear Slimane's slim threads at Madison Square Garden Thursday night. In fact, Slimane created a complete wardrobe for the Rolling Stones' "Licks World Tour," which runs through 2003.

「ディオール オム」のデザイナー、エディ・スリマンがロックの世界で大活躍を見せている。ブライアン・フェリーとデヴィッド・ボウイは、パリで開かれたコンサートで、「ディオールオム」を身につけて舞台に上がった。さらにミック・ジャガーも、マディソン・スクエアで開催されたパフォーマンスで、スリマンのスリムな服を着こなしていた。それだけではない、スリマンはローリングストーンズの「リックス・ワールド・ツアー」のために、舞台衣装一式を作り上げたのだ。

NY NEWS 8
RUFF LIFE
新しいアシスタント

Phoebe Philo has a new assistant in her design studios at Chloé. Her name is Scout and she's a four-month-old Belgian shepherd. Philo, who just moved into a new apartment in Paris' 10th arondissement, got her new roommate three weeks ago and has been seen walking Scout, or being dragged by her, on the streets around the Chloé offices.

クロエのデザイナー、フィービー・フィロの新アシスタントの名前はスカウト。生後4ヵ月のベルギーシェパードだ。フィロはパリ10区のアパートに引っ越したばかりで、彼女をゲットしたのはほんの3週間前だ。それからというもの、彼女に夢中なフィービーがスカウトを散歩させている（というよりも、引きずられている）姿が所々で目撃されている。

CONTENTS NEWS NY NEWS SPECIAL ISSUE TREND AD STORY PARTY&SHOW

COVER

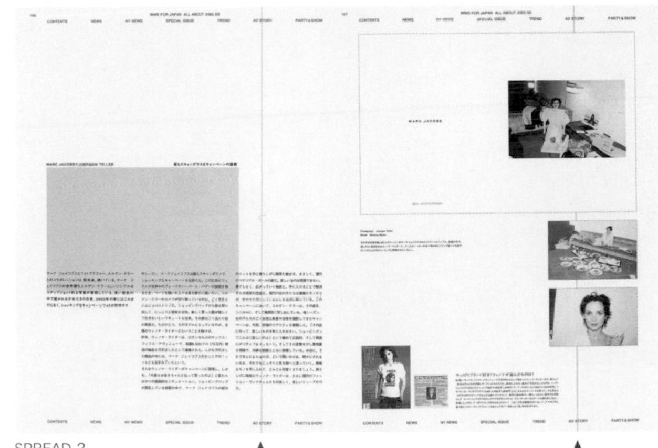
SPREAD 2

MOOK ムック　X-Knowledge HOME エクスナレッジホーム　Vol.1 January 2002

PB: (株) エクスナレッジ X-Knowledge Co., Ltd.　E: 澤井聖一 Seiichi Sawai　AD: 角田純一 Junichi Tsunoda
D: イトー・マユミ Mayumi Ito (cluster) / 大村太一 Taichi Ohmura (MANAS) / 小澤加代子 Kayoko Ozawa (MANAS)　P (COVER): 高橋恭司 Kyoji Takahashi

Culture Space
DESIGNER'S FILE

クリスマスには温かい木のオブジェを。サンタの国
フィンランドで培われたアーリッカ親子のデザインとは？

取材・文＝布施英利　撮影＝塩田正幸

ピンポン玉のような木彫りの球がたくさんついた羊の置き物。フィンランドのヘルシンキを基点に、世界に木の工芸品を発信しているアーリッカの代表作だ。抽象造形のようでありながら、羊のかわいさを失っていない。部屋に飾りたくなる逸品である。

羊はフィンランドでもポピュラーな動物ということで、ピンポンの球のようなかたちはウールボールという綿羊をイメージしているという。

アーリッカは自然志向のデザインを心がけている。フィンランドといえば、森と湖の国だが、そんな北国の空気を存分に吸った赤松や白樺をつかって、アクセサリーや食器、クリスマスのキャラクターなどをデザインしている。

アーリッカのスタートは40年前。母娘が中心の会社だが、母カイヤ・アーリッカが、工芸専門学校での卒業制作で木製ボタンを作ったことにはじまる。「すべてはボタンからはじまった」と言われるが、木でボタンを作るということは当時、珍しいことだった。

木というのはフィンランドの自然の代表だが、軽い、温かいなど、木には独特の魅力がある。それと木製の食器がぶつかったときの「音」のやわらかさ。

さらにそんな木らしさを強調するように、アーリッカのデザインにはどれも曲線が多用されている。そもそもボタンからして、丸いオブジェだ。

かわいい。けれど大人にも似合う。気品に満ちたデザインである。

Culture Space
THE CRYSTALLIZED ANIMAL

生きているバーチャル犬
——フレンチブルドック

文＝編集部

カワイイという人もいるし、犬に見えないという人もいる。冷静にパーツを見ると奇妙である。イングリッシュ・ブルドッグの体を小さく貧相にして、中国犬パグの情けない顔をつけ、とびきり大きいコウモリのような耳を頭の上に乗せている。体の割に頭も、目も、耳も大きすぎる。なによりこの上を向いた大きな耳が異様だ。顔を正面から見ると、生き物というよりポケモンやデジモンなどゲームやアニメに出てくるモンスター・キャラクターに似ている。ロボットのAIBOの方が犬らしく見え、この犬がバーチャルな存在に思えるのは何故だろう。

この犬の元になったイングリッシュ・ブルドッグはアーラントという絶滅した古代犬がご先祖様だし、パグは中国数千年の歴史をもつ由緒正しき種族。それなのに、この耳はないだろう。フランス人も意外に趣味が悪いと思っていたら、実はアメリカ人の仕業だった。フランス人はローズイヤー（半立ち耳）を好んだが国内の人気は今ひとつ。アメリカ人は、自分がつけたバットイヤー（立ち耳）が大のお気に入り。結局、フレンチの耳にはコウモリ耳が選ばれた。20世紀初頭のことである。

日本には大正のモボモガの時代にやってきた。伝統文化や生活様式が近代化の大きなうねりの中で変貌し、東洋と西洋という異質な文化が長い時間をかけて、やっと融合しはじめた頃。住文化というものが、日本にまだ残っていた時代だ。当時の日本人の美意識としては、受け入れがたい姿だった。

平成になって、彼は再びやってきた。きっと、今度は人気が出るのだろう。今の日本人にとっては、カワイイ存在だから。そういえば、ポケモンはアメリカでも大人気だった。

最も人工的に作られた、最も人間的な情感をもつといわれる犬。陽気でユーモアたっぷりの表情だけれど、ストイックにただ一人の人間を熱愛する。暗色の瞳の奥に、それと同じくらい深い嫉妬心を潜ませながら。

神これを　創り給へり　蟹歩む（山口誓子）
人これを　創り給へり　フレンチ歩む

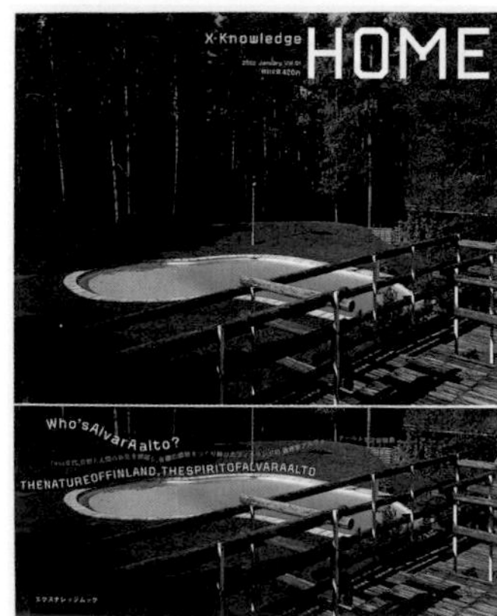

COVER

Culture Space
THE CRYSTALLIZ

MOOK ムック　X-Knowledge HOME エクスナレッジホーム　Vol.11 December, Vol.12 January　2002, 2003

PB: (株) エクスナレッジ X-Knowledge Co., Ltd.　E: 澤井聖一 Seiichi Sawai　AD: 角田純一 Junichi Tsunoda
D: イトー・マユミ Mayumi Ito (cluster) / 大村太一 Taichi Ohmura (MANAS) / 小澤加代子 Kayoko Ozawa (MANAS)　P (COVER 1): 上田義彦 Yoshihiko Ueda　P (COVER 2): 清野賀子 Yoshiko Seino

COVER 1

CITY in BOOK
書物から読む都市 Vol.3
マン・レイの「セルフ ポートレイト」：パリ

サン＝ラザール駅　ルーヴル美術館　モンマルトル　リュクサンブール　サン＝ジェルマン＝デ＝プレ　モンパルナス

X-HOME 126

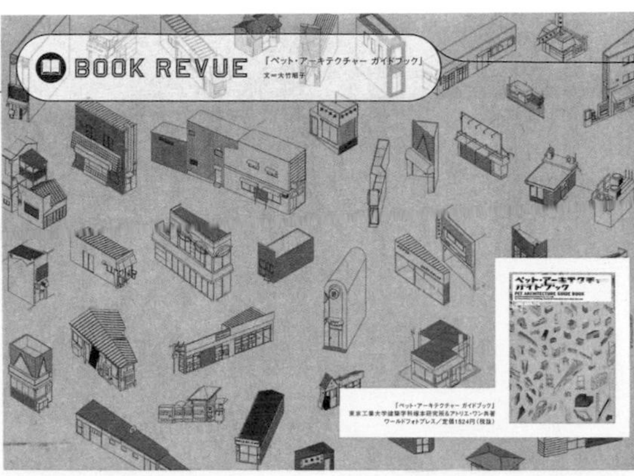

BOOK REVUE
『ペット・アーキテクチャー ガイドブック』

小さな空間への理解と慈しみ

X-HOME 127

COVER 2

MUSIC REVUE
都市から響く音楽：ロック・ミュージックの聖地、マンチェスターの「現在」

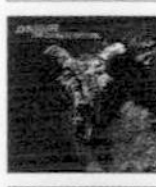

X-HOME 128

MOVIES
砂漠に導かれた映画たち

coming soon in theatres　一票のラブレター

DVD REVUE

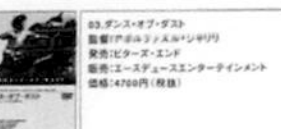

X-HOME 129

MOOK　ムック　　**Toshin ni sumu　都心に住む**　Vol.9 Winter　2003

PB: (株) リクルート RECRUIT Co., Ltd.　E: 藤井大輔 Daisuke Fujii　CD (COVER): 永倉智彦 Tomohiko Nagakura (SUN-AD)　AD (COVER): 福地 掌 Sho Fukuchi (SUN-AD)　AD: 尾原史和 Fumikazu Ohara (SOUP DESIGN)　D (COVER): 安藤基広 Motohiro Ando (SUN-AD)　P (COVER): ホンマタカシ Takashi Honma　P: ヒムロイサム Isamu Himuro　DF (COVER): (株) サンアド SUN-AD　DF: スープデザイン SOUP DESIGN

COVER

▼

Tokyo Column Center

丸の内建築物年表

丸の内はケンチクの博物館!?

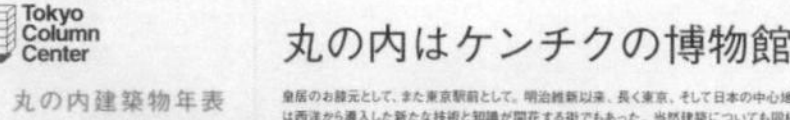

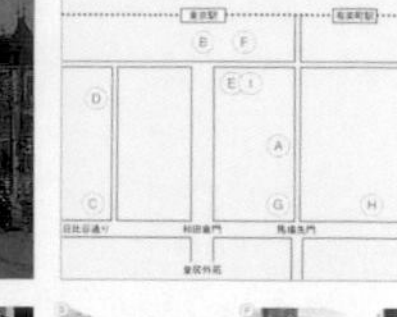

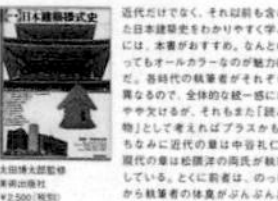

TOKYO建築アカデミー

第1回：日本近代建築史を総ざらえ　講師／米山 勇

日本の近代建築史の流れを
オフィス街・丸の内で学ぶ

Tokyo Column Center

日本近代建築史を読み解くための 4 テキスト

53　52

LDKに縛られるのは、もう終わり

Tokyo Column Center

気鋭建築家インタビュー

家は"風景"で左右される

55　54

CORPORATE PROFILE 会社案内 **Azone+Associates Inc. Company Brochure (株)アゾーンアンドアソシエイツ会社案内** 2002

CL, DF: (株)アゾーンアンドアソシエイツ Azone+Associates Inc. CD: 杉原 寛 Hiroshi Sugihara AD, D: 森 治樹 Haruki Mori

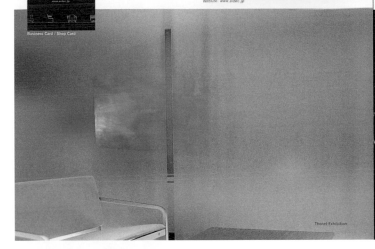

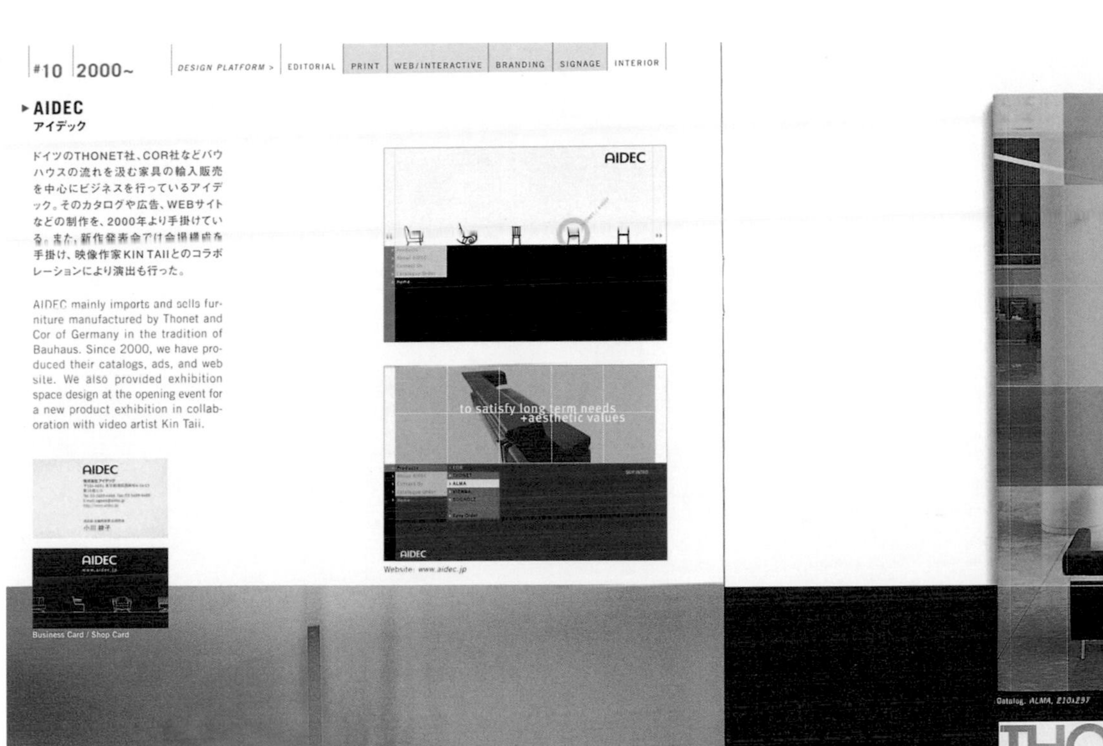

#10 2000~
DESIGN PLATFORM > EDITORIAL PRINT WEB/INTERACTIVE BRANDING SIGNAGE INTERIOR
▸AIDEC
アイデック
ドイツのTHONET社、COR社などバウハウスの流れを汲む家具の輸入販売を中心にビジネスを行っているアイデック。そのカタログや広告、WEBサイトなどの制作を、2000年より手掛けている。また、新作発表会では会場構成を手掛け、映像作家KIN TAIIとのコラボレーションにより演出も行った。
AIDEC mainly imports and sells furniture manufactured by Thonet and Cor of Germany in the tradition of Bauhaus. Since 2000, we have produced their catalogs, ads, and web site. We also provided exhibition space design at the opening event for a new product exhibition in collaboration with video artist Kin Taii.
AIDEC
to satisfy long term needs +aesthetic values
Website: www.aidec.jp
Business Card / Shop Card
Thonet Exhibition
ALMA
2002
Catalog: ALMA, 210x297
THONET
VIENNA
Catalog: THONET, 210x297
Catalog: VIENNA, 210x297

COVER

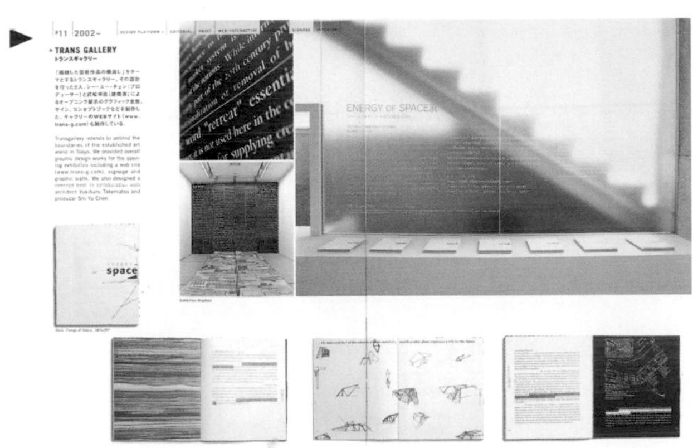

MAGAZINE 雑誌 **PAPER SKY** No.4 2003

PB: ニーハイメディア・ジャパン Knee High Media Japan E: ルーカス・バデキ・バルコ Lucas Badtke-Berkow AD: 岩淵まどか Madoka Iwabuchi D: 炭谷 賢 Ken Sumitani

▼

PAPER SKY/ #4/ TAKE OFF

文：グスタフ・ボウマー
写真：ミニストリ・ファン・フェルケール・エン・ウォーター・スタート
Text : Gustaf Beumer
Photography : Ministerie Van Verkeer En Waterstaat

安全って美しい

長い間、オランダは国民全員が「模範的な干拓地国家を造り、国家としての理想郷を実現させる」ため、手に手を取り合って頑張ってきた。しかし、あの「9.11」以降、新たな右翼人民党LPFが台頭し、一見ユートピアのようにも思えるこの国で、有権者達の心の奥底に潜む政治体系への不信感が露になり、今、「安全性」という言葉が新たな政治的スローガンとなっている。この状況は、平和を愛し寛容性に溢れるオランダ人像とは異なる暗い側面を浮き彫りにしている。彼らは、敵が侵入して来るという強い妄想から逃れられないのでいるのだ。

ミデルブルグのデ・フリースハル・ギャラリーで開催される展覧会「安全な楽園か、安全の美学か」も、安全をテーマとしている。この展覧会は、世界的な政治背景に焦点を当てる、というような類のものではなく、ある種の政策により安全そのものがビジネスの一部となってしまった一つまり我々の日常生活での「美観」の中に「安全」というものが介在している一という現実を展示することが目的である。

今や安全というものは、美しい存在となった。そしてこの特異な美は、現代生活のあらゆる側面に浸透してきている。染みひとつ無いスチールキッチンになぜ我々は心惹かれるのか。なぜ未だに病院のような無垢な空間が好まれるのか。レジャースペースはなぜあんなに隅から隅まで真っ白なんだろう。犬のウンコを踏まない通りは、安全な通りを意味するのか。この展覧会では、こんな質問が投げ掛けられる。ここで、我々は安全のパラレルワールドへ誘われるのだ。▼

Safety is Beautiful

For years The Netherlands perceived itself as a kind of enlightened reserve, where socialism and capitalism were harmoniously married, and everyone worked hand in hand to achieve a common goal; the poldermodel. It was a political model less concerned with addressing "underlying problems" that it was with the projection of ambition. Namely, the ambition to create a blissful future. But after September 11th and the rise of a new right-wing populist party, the LPF, The Netherlands was forced to admit that just under the surface of the utopian poldermodel many Dutch voters cherished a deep mistrust of the current political system and it's ambitions. A new reality presented itself, a reality that seemed to focus on one issue in particular: safety. Safety became the new political buzzword, showing that those harmonious and tolerant Dutch had another darker side, and were in the grips of a deeply felt paranoia of the enemies they perceived had made their way "within".

This issue of saftey is the subject of a exhibition at De Vleeshal Gallery in Meddelburg, the Netherlands, entitled "Safe Haven or the Aesthetics of Safety" that will open on the 27 of January. The show does not attempt to uncover the current notion of safety by focusing on the political context of the word, but by showing how by way of certain politics safety has become part of the market, and therefore part our daily aesthetics. Safety has become beautiful, and it is a particular form of beauty that has permeated nearly every facet of modern living. Why are we so preoccupied with our stainless steel kitchens? Why do we still embrace the purist look of a hospital in our modern spas? Where does the abundance of white in our leisure lounges come from? And why is a street free of dogshit synonymous with a safe place to walk? The exhibition at De Vleeshal addresses these questions, and invites people to take a trip into a parallel universe of safety. ▼

Safe Haven,
On the Easthetics of Safety
Curated By Gustaf Beumer and Rutger Wolfson
28 January to 28 March 2003

De Vleeshal
Markt 4330 LA Middelburg
The Netherlands
www.vleeshal.nl

031

▼

CHECK IN 1

文：編集部
Text : PAPER SKY

PAPER SKY/ #4/ CHECK IN

これが効く！世界の風邪対策

まだまだ厳しい寒さが続くこの時期。うかつにも風邪を引いてしまったら、薬に頼るのは最後の手段として、昔の人々の知恵を集結した民間療法で風邪を退治してみませんか？まず日本代表の玉子酒。卵に日本酒を入れ、半熟になりだしたらはちみつを加え温かいうちに頂きます。さて世界を見回してみると？▼

Cold remedies from around the world

The winter is not nearly over yet, and if you're not careful you could still catch a cold. Before resorting to medicine why don't you first try out one of the remedies below. It's a sampling of how the world beats the winter sniffle. ▼

■ 01 The Philippines
■ 02 France
■ 03 Hong Kong
■ 04 Russia
■ 05 Venezuela
■ 06 Guatemala
■ 07 Libya
■ 08 Turkey
■ 09 Singapore

解説は27頁に…
Turn the page and find out what country makes use of each item to fight a cold...

025

COVER

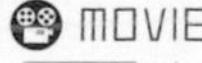

CD 1

ロックな気分、「コレット」コンピ最新作

パリ・コレクションの時期に合わせて年２回リリースされている、コレットのコンピレーションの最新作はかなり良かったです。注目のN.Y.のレーベル、DFAからTHE RAPUTUREなどまさに旬のアーティストをタイミングげっちりでピックアップ！ 今のパリのロックな気分満載です。ブルックリンのバンド、RADIO4はこのセカンドで大脱皮！GANG OF FOURばりのカッティングギターが最高にクール。DEATH IN VEGASの新作も、一緒に買った前作セカンドもダークでサイケデリックなロック魂炸裂の快作。PRIMAL SCREAMの新作に通じる気分が感じられました。そしてこういうのを聴いているととても聴きたくなるのがLOVE AND ROKETS！時代は巡っています。(小松亮子)

Paris Rock

Released two times a year to coincide with the Paris collections, the newest Collette Compilation release is impressive. There's a good variety of fresh, current artists included, such as The Rapture from the hip New York DFA label, which is getting lots of attention lately. The CD is packed with the mood of the current Paris rock scene. Brooklyn band Radio4 has come into its own on this, their second release and the Gang Of Four style guitar phrasing is cool. I bought the new Death in Vegas CD along with their last release, and both are dark psychedelic rocking soul explosion masterpieces. The vibe is not unlike that on the new Primal Scream album. And what goes well after listening to music like this? The new Love and Rockets release of course! The good stuff always comes around again. (Ryoko Komatsu)

V.A.
COLETTE NO.4
(COLETTE)

RADIO 4
GOTHAM
(GERN BLANDSTEN)

DEATH IN VEGAS
SCOPIO RISING
(BMG)

LOVE AND ROKETS
EXPRESS
(BEGARS BANQUET)

MOVIE 2

「ボーリング・フォー・コロンバイン」

100%理詰めでアメリカ銃社会の腐敗ぶりを暴く硬派なドキュメンタリー。ここに一粒の毒味あるユーモアをまぶすと、これがカンヌ映画祭で"超スタンディング×20分!"の大絶賛を浴びる作品に仕上がった。いや、だってこれマジで手に汗モノ。世界観を根こそぎ覆されちゃうほどの「リアル」がそこには確実にある。しかも容赦アポなし取材を繰り返すマイケル・ムーア監督は、そんなヘヴィな題材を軽やかに諷刺に転化して見せる。だから例のコロンバイン高校での事件の後に、全米のマスコミがしたり顔で「マリリン・マンソンが悪い～」と豪語したり、NRA（全米ライフル協会）の会長チャールトン・ヘストンが「IT'S A FREE COUNTRY！」という常套句を笠に着て"わざわざ被害者の街まで出向いて"銃擁護の大演説をぶつにつけ…。なんか悲劇を通り越してすべてが可笑し味を帯びてくるのだ。っていうか、あまりのアメリカの狂いっぷりに、笑って感覚を麻痺させることでしか対処できなくなるのかもしれない。いや～、アメリカ病んでるね。末期症状。自分も感染しちゃう前に、お願い見て。(岩城京子)

From Gun Country

"Bowling For Columbine" is a documentary that exposes the inner world of American gun culture. Rife with poisonous humor, the film won them all at the Cannes film festival where it received a 20-minute standing ovation. The director Michael Moore shows how the issue is often transformed into satire. For example, just after the Columbine High School shootings the chairman of the National Rifle Association (NRA) Charlton Heston, wearing a "It's a Free Country!" hat, went so far as to visit the traumatized city and give a speech on gun advocacy. The film transcends tragedy and enters the realm of the absurd, and it's so crazily American that the only possible response at times is to laugh and dull your senses. Conclusion: America is suffering from a disease. It is terminally ill, and you should see this movie before you are infected too. (Kyoko Iwaki)

「ボウリング・フォー・コロンバイン」 2002年 カナダ
監督・主演：マイケル・ムーア 出演：マリリン・マンソン／チャールトン・ヘストン 2003年正月第2弾、恵比寿ガーデンシネマ他にて公開

Bowling For Columbine Canada, 2002
Directed by and starring Michael Moore
Appearances by Marilyn Manson and Charlton Heston

WEB 3

「ビミョー」な貴方のためのサイト

世の中そんなに「微妙」なことで溢れてますか？ 正確には「ビミョー」ですかね。嫌だったり変だったり詰まらなかったり駄目なこと、すべて「ビミョー」の一言で済ませてませんか？ それなりに適当なニュアンスを醸してくれる、とっても便利な言葉なのは判ります。ちょうど良い感じというか、それが正解なんじゃないかと思わせる均衡感。もちろん便利な反面、どこもかしこもビミョーだと、頭使ってませ～んという安っぽさが目立ってきます。それはスターバックスの株価並みに安いですよ。今回紹介する「Albino Blacksheep」は、世界中の品のないflashやムービー、バカテキストやチープなゲームなどを玉石混合に毎月紹介する饒舌なwebページですが、ここにある様々なアーカイブを見ても「ビミョー」としか言えないとしたら、それこそ自分が「ビミョー」であることを自覚しましょう。ちなみにぜひ見て欲しいのはこれ。http://www.albinoblacksheep.com/flash/nydefender.html（松戸与三）

A Definite Lack of Subtlety

Is the world really overflowing with so much "subtlety"? These days anything weird or strange, boring or not very good seems to be described with the word "bimyou", which roughly translates as "subtle" or "nice" in English. Basically it's used when you don't really have an opinion about something. It's conveniently vague. Still, while it may be convenient, when anything and everything is "bimyo", you start to look kind of dumb you know? It's almost as if you declare: "I'm not using my brain!".

"Albino Blacksheep" is a hyper web site that introduces the world's worst flash images, movies, crazy text and cheap games all cobbled together into one giant mass. If after looking at some of the various archives on this site all you have to say is "bimyou" then, well, you yourself are "bimyou". One of the archives you should definitely check out can be found at http://www.albinoblacksheep.com/flash/nydefender.html (Yozou Matsudo)

Albino Blacksheep
http://www.albinoblacksheep.com/

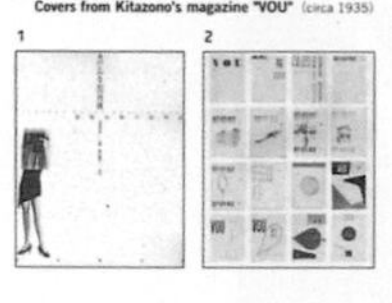

BOOK 4

北園克衛のプラスティック・ポエムの世界

例えば「あ」という平仮名を、よーくよく凝視すると、何だか不思議な形をした線に見えてきちゃったりすることってありませんか？なんでこの３画目はこう、くるーっと曲がって、こんなとこを通っているんだろう？なんて。僕は、北園克衛の詩に触れる時、これに近い感覚を抱きます。彼が発明したプラスティック・ポエムとは、文字を使わず、紙の上に置かれた石ころやら針金やら紙屑やらを撮った写真。なんでそれが詩？と思われる方、いちど彼の写真詩を見てください。さっきの「あ」の話じゃないけれど、プライマルな気持ちでその写真詩を眺めると、そこにある石や紙屑は、僕らの頭にこびり付いているイメージの石や紙屑よりも明らかに躍動し、文字で表せる領域を超える感情がほとばしっています。視覚的にも実に格好よい。正直、僕はそれが詩か？ 写真か？ という議論はあまり気にしていないけど、素晴らしい表現であることは絶対です。「カバンの中の月夜」の序文は堀江敏幸さんが。(幅 允孝)

Plastic Poetry

When you look for a long time at the Japanese hiragana character for the sound "a" it starts to seem like a mere jumble of strangely entangled lines. I find myself wondering why the third stroke is looped like that, and why it's placed where it is. When I first came across Katsue Kitazono's poems similar questions came to mind. The "plastic poems" that he has conjured don't use any words at all. They are photographs of pebbles, wire or discarded paper. Some people will ask, "can something without words be called a poem?" What I can say is that if you look at these pictures with a primal frame of mind, the stones and rope change from their "set" image into something else. The pictures are striking in that they defy the categories so routinely imposed on the visible world. But in all honesty, I'm not really interested in the debate about whether these works are pictures or poems. They are just wonderful expressions. (Yoshitaka Haba)

1 カバンの中の月夜／北園克衛の造型詩（国書刊行会）
Kaban no Naka no Tsukiyo (Kokusyo Kankou Kai)

2 '36年に創刊した雑誌「VOU」表紙
Covers from Kitazono's magazine "VOU" (circa 1935)

1

2

FASHION 5

BLUE BLUEのピースなデニム

春とは名ばかりの寒風吹き荒ぶ人肌恋しいこの季節。しかしファッションは冬の声とともに猛ダッシュでスタート。半そでどころか水着まで並ぶ始末。そんなドーキドキ気分は'70年代のカリフォルニアへGO！ さあ、あの青い空の下、ウォッシュデニムのフレアーがほらあそこにも、ここにも！ 一時は絶滅の危機を迎えたそんなスタイルは今や見事によみがえり、ステキなデニムがたくさんで選び放題の今。そう今こそあのころのフレーバーとJUST NOUな気分盛り込んだ2004デニムを見つけましょう。とりあえず何でも似合う私もLET'S TRY. リーバイスというよりラングラーって感じのGジャン&パンツ、カリフォルニアドリーミンないしピースなダムーのはずが、そこには反戦運動に燃えるピースな女の姿が！ 大切なのは常に今の気分。まずは洗練された70年代がすでにお膳立てされているこちらでどーぞ。(河部奈津子)

Celebrate The Season

When the violent winds of spring start blowing we all breathe a sigh of relief for having safely passed through another winter, and the fashion world starts its mad dash to expose as much of our pale and winter-worn skin to the brilliant new season as possible. From short-sleeve shirts to swimsuits, the beach mood has now gone straight back to the 70s when it first really started to really make an impact. Beach chicks and surfer dudes abound in what has become an international lifestyle and fashion phenomenon.

Almost on the brink of extinction denim style has made an incredible comeback. You can now choose between loads of cool denim fashions. Find some denim things with that good old '70s vibe and mix them with something that has a more current mood. Outfitted in a Langley-style jean jacket and jeans I'm a California dreamin' girl, or maybe a peace chick passionately opposed to war! (Natsuko Kawabe)

BLUE BLUE：
ヒッコリーEMBジャケット
¥23,000
シャンブレーパンツ
¥18,000
Hickory EMB Jacket :
¥23,000
Chambray Pants :
¥18,000

問合せ：ハリウッド・ランチ・マーケット
tel. 03.3463.5668
Inquiries : HOLLYWOOD RANCH MARKET
tel. +81(0)3.3463.5668

ART 6

向島ウォーキング・デイ

11月、東京の下町・向島を歩いた。ナビは「現代美術製作所」（地元にある自社工場の一部を改造したギャラリー）の曽我高明さん。この界隈には最近、空家だった戦前からの木造家屋に移り住む若手アーティストが増えている。人と人との距離が近いまちだから、まわりもほっといちゃいない。あるスタジオを訪問したら、おばあさんが引き戸をがらっと開けて、揚げたおかきを差し入れに来たり。地元の大工さんが触発されて作品をつくったり。「アート」と「まち」の新しい関わり方をみせてくれる、自然発生的・下町再生モデルケースになってきた。いくつかのスポットをあげると、大学生ふたりが路地文化体験（卒業研究）のために一軒家を借りて、展示&制作&交流スペースにしている「ヤヒロインライフ」。アーティスト・北川貴好さんが廃屋改装の過程をみせる「ヤヒロハウスプロジェクト」。海外アーティスト滞在の場をキュレーターが提供する「向島アーティスト・イン・レジデンス」など。(ミラウ・ミコフ)

A day of walking in Mukoujima

In November I took a stroll around Mukoujima in downtown Tokyo. My navigator was Takaaki Saga, director of the "Contemporary Art Factory". Recently there have been a large number of young artists moving into vacant pre-war wood houses in this area, and since the buildings are built very close together they can't help but interact with the local residents. While I was visiting one studio an elderly lady suddenly opened the sliding door and brought in some fried persimmons for the artists. Downtown Tokyo is experiencing a kind of artistic renewal that encourages communication between artists and residents. For example, there is the "Yahiro In Life" exhibition space designed by two university students who are trying to tap into street culture. The process of renovating a derelict building is the theme of artist Takayoshi Kitagawa's work entitled the "Yahiro House Project". (Mirau Mikof)

Contemporary Art Factory (closed until 3/8)
http://www.ask.ne.jp/~factory/
Mukojima Artist In residence
(a weekend café is planned: +81(0)42.562.2767)
Yahiro in Life (until the end of March 090.9369.2052)

「現代美術製作所」（～3/8まで臨時休館）www.ask.ne.jp/~factory/
「向島アーティスト・イン・レジデンス」（週末カフェオープン予定 042.562.2767）
「ヤヒロインライフ」（3月末まで 090.9369.2052）

1
HISTORY

SPICE!
CHILE PEPPERS HEAT UP THE WORLD

PAPER SKY

HISTORY

HOW CHILE PEPPERS CONQUERED THE WORLD

文：編集部 Text : PAPER SKY

チリ・ペッパー世界一周旅行

今や世界各地の料理に深く受け入れられている チリ・ペッパー（唐辛子）の歴史は、世界の歴史と切っても切れない関係にある。数奇な運命を辿ったチリ・ペッパーの世界旅行の軌跡を調べてみると…。

Chile peppers are an integral part of diets the world over, and their story is inextricably linked with the course of human history. We wanted to know how chile peppers made such an impact so we traced the route they fook as they made their way around the globe.

チリ・ペッパーの起源はアメリカ大陸の先住民たち。メキシコでは紀元前7000年（！）にはチリ・ペッパーの野生種を採集して利用していたと言われているが、何と紀元前5000年頃にはすでに栽培も始まっていたとか。それまで狩猟や採集をしていた人類が最初に栽培した植物のひとつが、チリ・ペッパーなのだ。

このチリ・ペッパーが、アメリカ大陸以外に伝わるきっかけは、時はずっと流れて15世紀も終わりに近づいた頃、コロンブスによる航海にある。コロンブスは当時非常に価値の高かった「胡椒」やその他の香辛料を求めてインドを目指したが、誤ってカリブ海地域に到達（イスパニョーラ島：現在のハイチとドミニカ共和国）。そこをインドと勘違いしてしまった、という話は誰でも知ってる世界の定番エピソード。しかし、彼はそこで「アヒ」と呼ばれる、小粒で辛く赤いチリ・ペッパーに出会い、ヨーロッパに持ち帰った。これこそ、チリ・ペッパー世界一周の旅の始まり。チリ・ペッパーはヨーロッパの探検家たちによって次々と持ち帰られ、アメリカ大陸各地での先住民による利用法や品種が報告されていった。つまり、コロンブス以前にはヨーロッパにもアジアにもチリ・ペッパーは存在しなかったのだ。

コロンブスは最初チリ・ペッパーを「これは胡椒より価値がある！」と思ったようだが、彼によって持ち帰られたチリ・ペッパーは、当初ヨーロッパでは関心を集めることがなかった。理由は簡単、「辛すぎた」のだ。チリ・ペッパーはまず、ポルトガル人の商人による交易船でアジアとアフリカに運ばれ、辛い食物をすでに食べており気候的にも適していた熱帯地域で受け入れられた。インドや中国、また日本にもこのころ伝わったと言われている。その後、ヨーロッパでも好みの味に品種改良され、風土と嗜好にあったマイルドなチリ・ペッパーが生まれた。ハンガリーのパプリカはその代表だろう。アメリカやカナダへはヨーロッパを経て移民によって運ばれ、最初は辛いチリ・ペッパーを好まなかった現地の人々の嗜好も大きく変化した。

数千年の歴史を持つチリ・ペッパーの、アメリカ大陸を出てからの約400年に及ぶ世界一週旅行はこれでおしまい。その間に彼らは姿かたちを変えて人々の生活に根付き、世界各地の料理文化を大きく変化させていったのだ。▼

The story of the chile pepper begins with the aboriginal people of North and South America. It is said that wild species of chile peppers were being used in Mexico as far back as 7000 B.C and around 5000 B.C. cultivation of peppers had already begun. The chile pepper was actually one of the first plants to be cultivated by humans.

At the close of the 15th century Columbus headed west across the Atlantic hoping to reach India and open a new trading route by which to ship black pepper and other spices back to Europe. Of course he never made it that far, but mistook the Caribbean island of Hispaniola (now divided into Haiti in the west and The Dominican republic in the east) for his intended destination. While traveling in the region he came across the small chile pepper know as the Ahi and seeing an opportunity to turn a quick profit by using it as a substitute for black pepper took it back with him to Europe. After that, peppers were regularly taken back to Europe by many other explorers who related how the indigenous societies of the New World put them to use.

The Ahi Columbus took back with him didn't go over too well in Europe as a replacement for black pepper. The reason was simple. It was too damn hot. But when it and other varieties of peppers were shipped to Asia and Africa on Portuguese trading ships they gained great popularity in regions with climates and existing diets to which they could assimilate more easily. It's also thought that they reached India, China and Japan at this time. Nonetheless, soon the Europeans began to breed milder chile peppers that were more suitable to their taste and climate. Hungarian paprika is an example of one such variety.

The chile pepper was eventually carried by immigrants who passed through central and western Europe on their way to America and Canada, resulting in a second introduction of the spicier varieties of peppers. Tongues must have become more sophisticated because upon being introduced to the food for the second time Europeans fell in love with it like everyone else.

Between the time chile peppers first left the New World to when they returned to its shores in the hands of people in search of a better life roughly 400 years had passed. It took only 400 years to conquer the globe and to root itself into the fabric of people's lives and cuisine in ways that to this day are not fully understood. ▼

MAGAZINE 雑誌 **Girlie** Vol.6 December 2001

PB: (株) ガーリー Girlie Co., Ltd. E: 芳賀更沙 Sarasa Haga / 藤本 昌 Aki Fujimoto CD: 藤枝 憲 Ken Fujieda AD, D, DF: コアグラフィックス coa graphics I (COVER): アン anne
I (SPREAD 1): 100%オレンジ 100% ORANGE I (SPREAD 2): セキユリヲ Yurio Seki

SPREAD 1

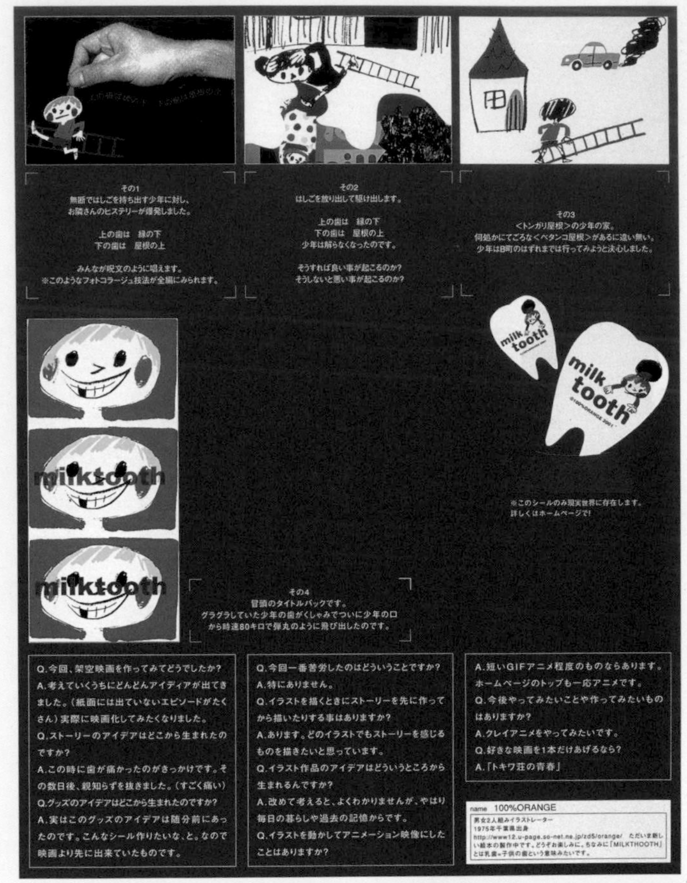

COVER

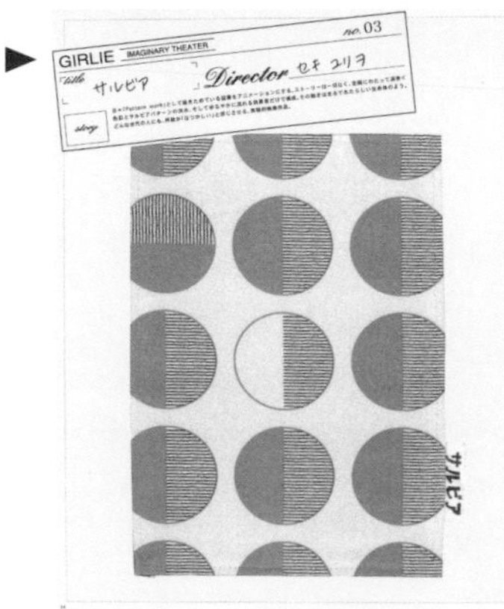

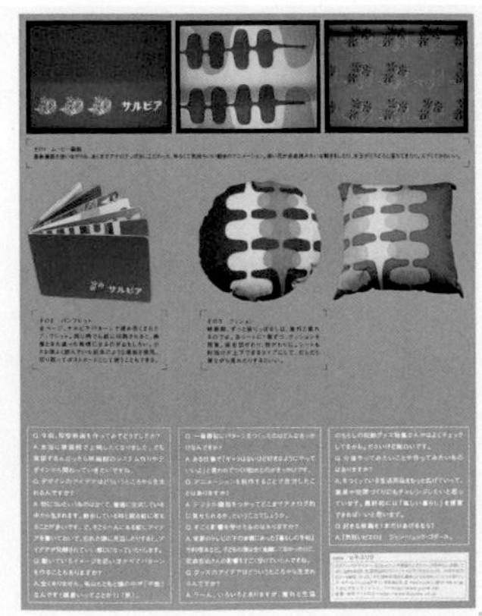

SPREAD 2

MAGAZINE 雑誌 FAR Vol.6 September 2001

PB, E, CD, AD, D, DF: コアグラフィックス coa graphics

「ホラー映画の作り方」

Far 文 竹村真奈 TEXT MANA TAKEMURA

FARTOPICS 3 FAR 06

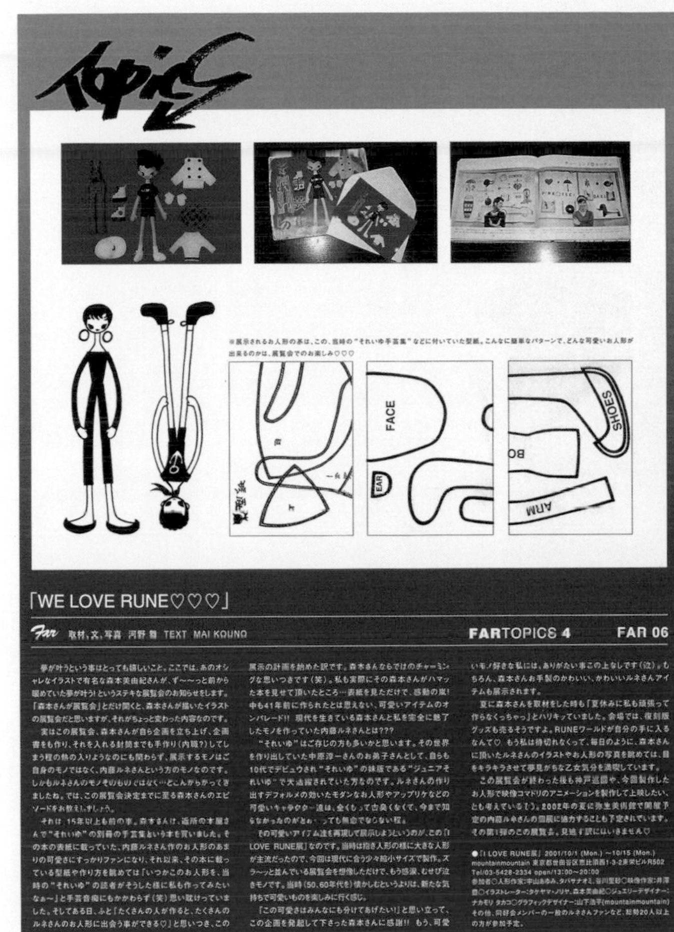

「WE LOVE RUNE♡♡♡」

Far 取材、文、写真 河野舞 TEXT MAI KOUNO

FARTOPICS 4 FAR 06

COVER

MAGAZINE 雑誌　　FAR　Vol.2 October 2000

PB, E, CD, AD, D, DF: コアグラフィックス coa graphics　P (COVER): 真名子 Manako

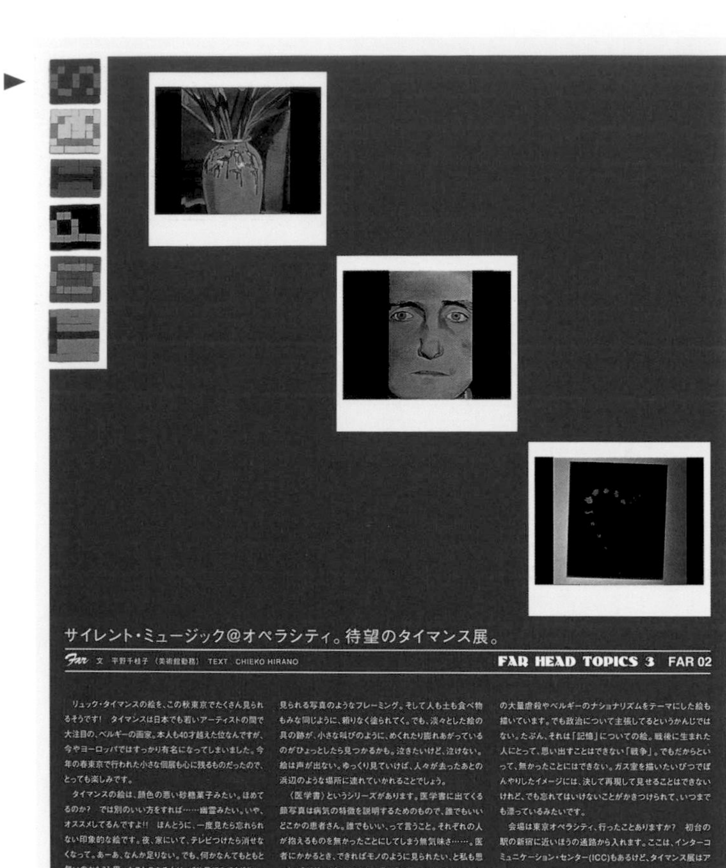

サイレント・ミュージック＠オペラシティ。待望のタイマンス展。

Far 文 平野千枝子（美術館勤務） TEXT CHIEKO HIRANO　　FAR HEAD TOPICS 3　FAR 02

リュック・タイマンスの絵を、この秋東京でたくさん見られるそうです！　タイマンスは日本でも若いアーティストの間で大注目の、ベルギーの画家。本人も40才越えた位なんですが、今やヨーロッパではすっかり有名になってしまいました。今年の春東京で行われた小さな個展も心に残るものだったので、とっても楽しみです。

タイマンスの絵は、顔色の悪い砂糖菓子みたい。ほめてるのか？　では別のいい方をすれば……幽霊みたい。いや、オススメしてるんですよ!!　ほんとうに、一度見たら忘れられない印象的な絵です。夜、家にいて、テレビつけたら消せなくなって。あーあ、なんか足りない。でも、何かなんてもともと無いのかも?と思ったことのある人は、ぜひ見てみてください。よく分からないけど。孤独。潜伏。残像。
見ているとそんな言葉が浮かんでくる……あるはずのなにかが無いようなかんじ。

この人は80年代の初めに映画撮ってたこともあるし、テレビや雑誌や広告、イメージのイメージのイメージ……に囲まれて育った世代。写真を見て描くことも多いその絵は、奇妙に現実感がない。そこがリアルだったりします。しばしば見られる写真のようなフレーミング。そして人も土も食べ物もみな同じように、頼りなく塗られてく。でも、淡々とした絵の具の跡が、小さな叫びのように、めくれたり膨れあがっているのがひょっとしたら見つかるかも。泣きたいけど、泣けない。絵は声が出ない。ゆっくり見ていけば、人々が去ったあとの浜辺のような場所に連れていかれることでしょう。

〈医学書〉というシリーズがあります。医学書に出てくる顔写真は病気の特徴を説明するためのもので、誰でもいいどこかの患者さん。誰でもいい、って言うこと。それぞれの人が抱えるものを無かったことにしてしまう無気味さ……。医者にかかるとき、できればモノのように見られたい、と私も思っちゃうけど。でも、イヤらしい目で見られるのと、冷静な科学の目で見られるのと、実はどっちも同じくらい気持ち悪いことかもしれないです。どっちも「私という人」を無いことにしてるから。タイマンスが医学書の写真を見ながら描いた人は、無表情だけど少しとまどっているようにも見えたので、そんなことを考えてしまいました。でもこの絵、おでこのトコが角になってて、実際みたらけっこうオモシロイかもしれないな。

そこはかとなく笑える絵も多いタイマンスは、一方ナチスの大量虐殺やベルギーのナショナリズムをテーマにした絵も描いています。でも政治について主張してるというかんじではない。たぶん、それは「記憶」についての絵。戦後に生まれた人にとって、思い出すことはできない「戦争」。でもだからといって、無かったことにはできない。ガス室を描いたいびつでぼんやりしたイメージには、決して再現して見せることはできないけれど、でも忘れてはいけないことがかきつけられて、いつまでも漂っているみたいです。

会場は東京オペラシティ、行ったことありますか？　初台の駅の新宿に近いほうの通路から入れます。ここは、インターコミュニケーション・センター(ICC)もあるけど、タイマンス展はアートギャラリーのほうなのでお間違いなく！　そういえば、帰りに新宿駅まで歩くなら途中の裏道にベルギービールやさんがあるよね。

リュック・タイマンス展（仮題）2000年10月22日-12月28日
東京オペラシティアートギャラリー　Tel／03-5353-0756
12:00-20:00　月曜休館（祝日の場合は翌月曜日）

まるでそこは南の島！　人込みのないオアシスへようこそ

Far 文 高橋有紀子 TEXT YUKIKO TAKAHASHI　　FAR HEAD TOPICS 4　FAR 02

春にリニューアルオープンしたばかりの「Keep Left」。青山のキラー通りを千駄ヶ谷方面に下って行った先にあるアンティークショップ。誰もが気軽に入れて、しかもお値段もリーズナブル！な店。

60〜70年代のロスやシカゴで購入したという骨董品が並んでいて、スウエードのベンチ用ミニクッション、ソファー、照明などセンスのよい家具に出会える。ちょっと頑張れば買えるものばかりなので、部屋の模様替えをしたーい！と思っているあなたは是非行ってみてはどうですか？

もともと同名で15年前にオープンしており、アンティーク好きの常連のお客さんは多かった。しかし、デッドストックなんて言うと、高価で買えないし……となかなか手が出せないでいる人も多い。お店に入っても何も買わないで出ていく人や、入りづらそうに通りすがる人も多かったという。

そんな若者のニーズに答えるべく、オープン当時から店で働いていた田原さん（現在店主）が立ち上がった。

「以前の店の雰囲気は、ちょっと入りづらくて古くさ〜いイメージだったと思うんですけど、商品としてはまだまだイケるんじゃないかなと思って。だったら、私西海岸が好きなので内装もそういう風に変えてやったらどうかなって、やってみることにしたんです。始めは時間もなくて準備が大変でしたけど、なんとか形になって現在に至るという感じ。基本的に思うのは、街にいるみんなが買えればいいなということ。あんまり片寄らないような明るい雰囲気に心掛けています。最近、そういう意味で客層も変わってきました。渋谷にいるようなギャルのような女の子も入ってくれるようになったんです。それは何か買う買わないは別として、いいんじゃないかなと思うんですよ」

中学生の頃からこの店の常連だったという彼女は、今や店のオーナーとして買い付けから店番まで全て1人でこなし、店内の雰囲気をより良いものにするために内装にとても気を配っている。一歩店内に足を踏み入れると、ビーチの近くに来たような、別世界をみているような不思議な気分になる。

「それはみんな言いますね。この辺は昔から変わってないんですよね。店もあまりないから人通りも少ないし。それはそれでまぁいいかなと。何時間でもいてください（笑）という感じでのんびりやってます」

店の中から、大きな通りを眺めるのは、時間がこちら側だけ止まっているように思え、自分だけ得をしている気分で居心地がいい。店を継続させていくことは困難を要するかも知れない。けれど常にアイデアは豊富に持っている彼女だからこそ、これからもマイペースにやっていくことでしょう。

「何より続けていくことがむずかしいですね。今は他がやってないものなんて、正直いうと無いじゃないですか。アンティークにしても、お客さんの目も厳しいし、同じようなことやっていたら絶対にお客さんがすぐに気付くっていう。だから、店にある基本のものは変えないで、見せ方としてもっと新しいことができればいいなという感じですね。まずはアンティークの入りずらい固定観念をとりたい」

ちなみに、お店の看板とショップカードがとってもかわいいので、そちらも要チェック。

「Keep Left」 渋谷区神宮前2-12-1
Tel/Fax 03-3478-4345 日曜日定休

COVER

MAGAZINE 雑誌　　**sarah　サラ Vol.1　2001**

PB, E, AD, D, DF: コアグラフィックス　coa graphics　E: 「お茶の葉」編集部　「ocha no ha」editorial room　CD: 藤枝 憲　Ken Fujieda　D: 川上由紀子　Yukiko Kawakami　P (COVER): 渋谷征司　Seiji Shibuya

Kaitokun
年齢：4歳
　　月、火、木、金、8時半〜17時まで保育園
生年月日：平成7年12月12日
出生地：神奈川県
生まれた時の体重：3516g
身長：112.8cm（保育園でも一番大きい）
体重：21.0kg
血液型：？（AかO）型
平熱：36.2度

Nanachan
年齢：2歳
生年月日：平成9年9月14日
出生地：神奈川県
生まれた時の体重：3260g
身長：80cm
体重：10.5kg
血液型：O型
平熱：36.6度

　　「ナナちゃん、「アンパンマンとあおばひめ」読んで。
　　ナナ、読んでよ。せっかくだからお姉ちゃんに聞かせてあげてよお」(母)
・・・・・・。・・・はあい。
(小さな声で)アンパンマンがあそんでいます。へんだなあ、みどおしじま。
ぞおもかたちもすっかりかわってる。たかーいなみが、ザブーン、ザブーン！
アンパンマ[illegible]しまでいっしみると、なんだかなきごえがきこえてきます。
チーズ、あぶないぞ、やめろ!!!（だんだん大きな声で）どっしーん。
とびだしてきたのが、バイキンマンとドキンちゃん！
やったー。アンパンマンがハッホーハホー！
（ナナちゃんの熱演にみんなが笑うと）
笑うな！
そこにあらわれたのは、あおばひめのこえでした。
しまあのみどりはぜんめつです。たすっけてください。・・・。それで・・・。
　　「あっ。新しい顔と取り替えないと、力が出ないんだ、じゃない」(母)
ママが言ってんじゃん。
　　「ア、ハイ。ママが言わないように」(母)
ジャムおじさんはアンパンマンのかおをつくるのにおおいそがし。
メロンパンナちゃんはできたんてんのアンパンマンのかおをもってとびだしました。
まっててっ！ アンパンマンッ。
すぐにあたらしーかおをとどけるわッ。
え―――っい！ そっそっそれー！ だだー！
アンパーンチ！ アンパーンチ！
（また、みんなが笑うと）あ〜笑うなって！
　　「ア、わかったハイ」(母)
う・・・。
　　「あ、忘れちゃった。よし、ここ、最後は？ さようなら、みどりじま」(母)
さようなら、あおばひめ、じゃない？
　　「ア、ハイ。きれいなみどりをまもってね、じゃない」(母)
きれいなみどりをまもってねッ、じゃない？

COVER

MAGAZINE 雑誌　　**hands ハンズ**　**Vol.54 February 2003**

PB: (株) ハンズ・コム Hands-Com Inc.　E, CD: 宮島 修 Osamu Miyajima　D: 砂川靖成 Yasunari Sunagawa　I: Namihey　DF: SUZ-Q

COVER

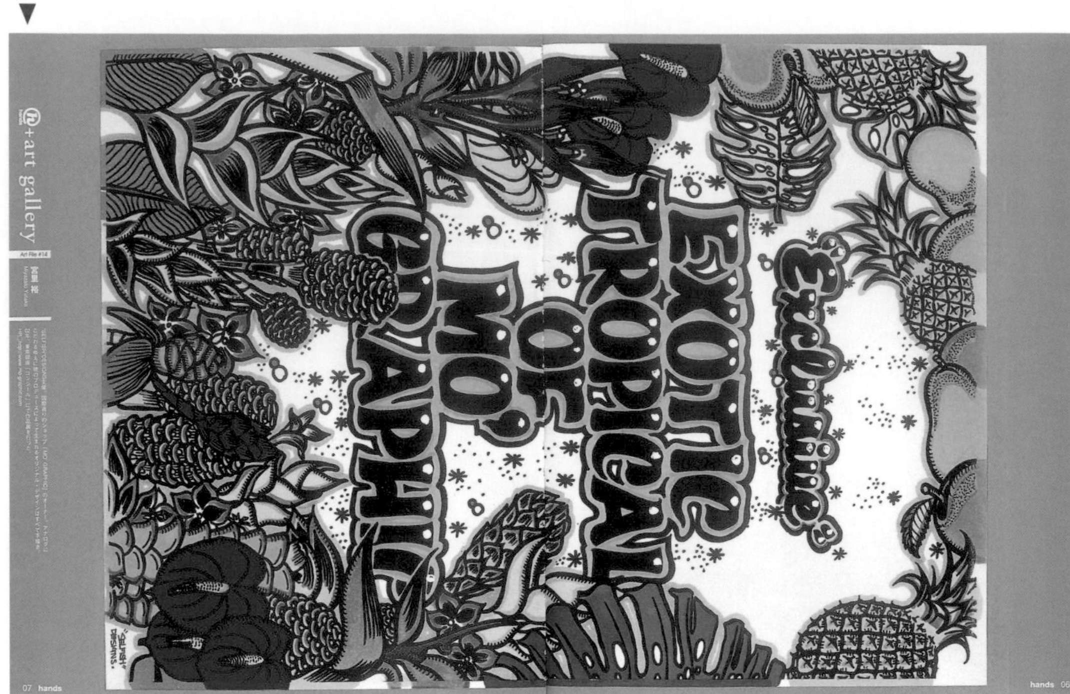

BOOK 書籍　　**Modern Kosho-Annai モダン古書案内**　**2002**

PB: (株) マーブルトロン Marbletron Inc.　CD, AD: 大橋宏子 Hiroko Ohashi　I (COVER): 山本祐布子 Yuko Yamamoto

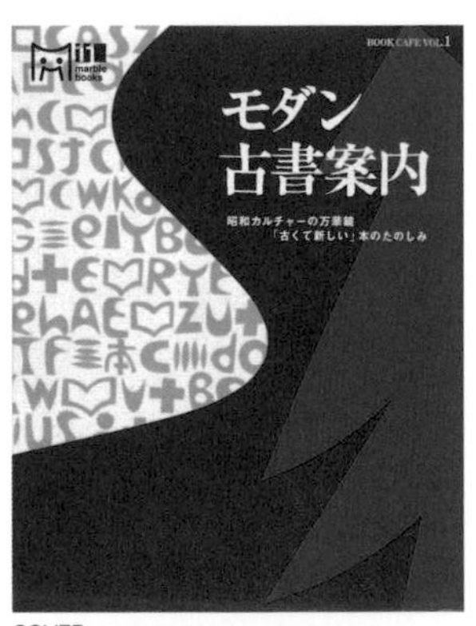

COVER

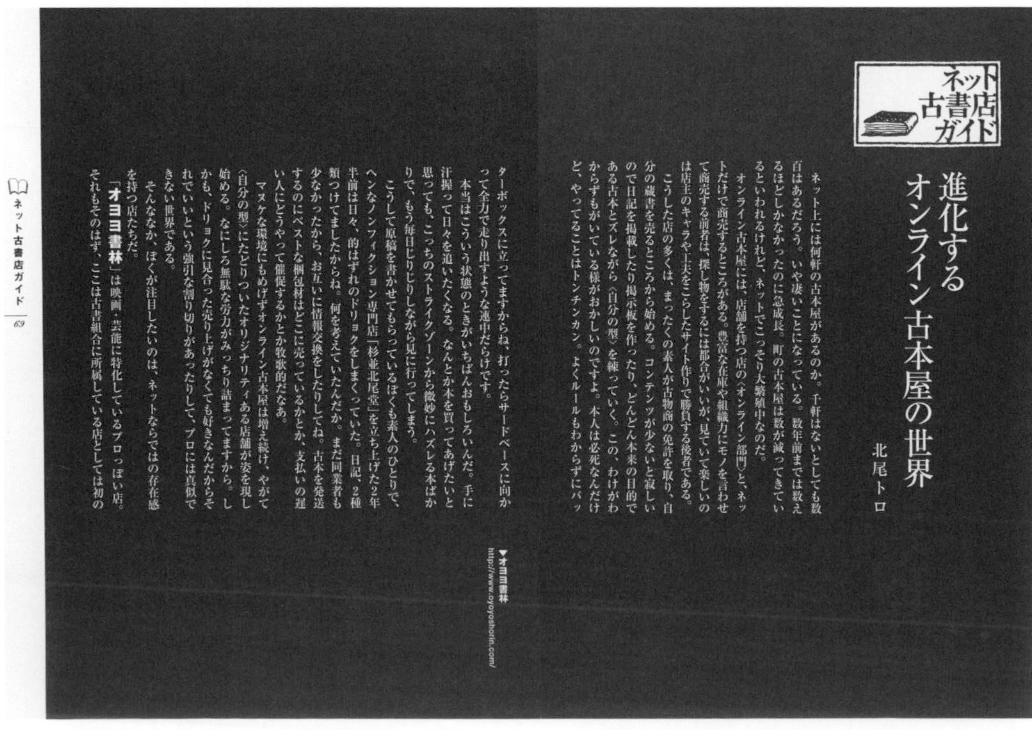

ネット古書店ガイド

進化するオンライン古本屋の世界

北尾トロ

ネット上には何軒の古本屋があるのか。千軒はないとしても数百はあるだろう。いや凄いことになっている。数年前までは数えるほどしかなかったのに急成長。町の古本屋は数が減ってきているといわれるけれど、ネットでこっそり大繁殖中なのだ。

オンライン古本屋には、店舗を持つ店の〈オンライン部門〉と、ネットだけで商売するところがある。豊富な在庫や組織力にモノを言わせて商売する前者は、探し物をするには都合がいいが、見ていて楽しいのは店主のキャラや工夫をこらしたサイト作りで勝負する後者である。

こうした店の多くは、まったくの素人が古物商の免許を取り、自分の蔵書を売るところから始める。コンテンツが少ないと寂しいので日記を掲載したり掲示板を作ったり、どんどん本来の目的である古本とズレながら〈自分の型〉を練っていく。この、わけがわからずもがいている様がおかしいのですよ。本人は必死なんだけど、やってることはトンチンカン。よくルールもわからずにバッターボックスに立ってますからね、打ったらサードベースに向かって全力で走り出すような連中だらけです。

本当はこういう状態のときがいちばんおもしろいんだ。手に汗握って日々を追いたくなる。なんとか本を買ってあげたいと思っても、こっちのストライクゾーンから微妙にハズレる本ばかりで、もう毎日じりじりしながら見に行ってしまう。

こうして原稿を書かせてもらっているぼくも素人のひとりで、ヘンなノンフィクション専門店「杉並北尾堂」を立ち上げた2年半前は日々、的はずれのドリョクをしまくっていた。日記、2種類つけてましたからね。何を考えていたんだか。まだ同業者も少なかったから、お互いに情報交換をしたりしてね。古本を発送するのにベストな梱包材はどこに売っているかとか、支払いの遅い人にどうやって催促するかとか牧歌的だなあ。

マヌケな環境にもめげずオンライン古本屋は増え続け、やがて〈自分の型〉にたどりついたオリジナリティある店舗が姿を現し始める。なにしろ無駄な労力がみっちり詰まってますから。しかも、ドリョクに見合った売り上げがなくても好きなんだからそれでいいという強引な割り切りがあったりして、プロには真似できない世界である。

そんななか、ぼくが注目したいのは、ネットならではの存在感を持つ店たちだ。

「**オヨヨ書林**」は映画・芸能に特化しているプロっぽい店。それもそのはず、ここは古書組合に所属している店としては初の

▼オヨヨ書林
http://www.oyoyoshorin.com/

68

ネット古書店ガイド 69

MOOK ムック **Sports Bikes for Commuters and Students 通勤・通学スポーツ自転車の本** 2002

PB: (株)枻出版社 EI Publishing Co., Ltd. E: 西垣成雄 Shigeo Nishigaki AD: 長 信一 Shinichi Cho D: 大村裕文 Hirofumi Omura P: 添田 実 Minoru Soeda DF: ピークス (株) Peacs Inc.

►

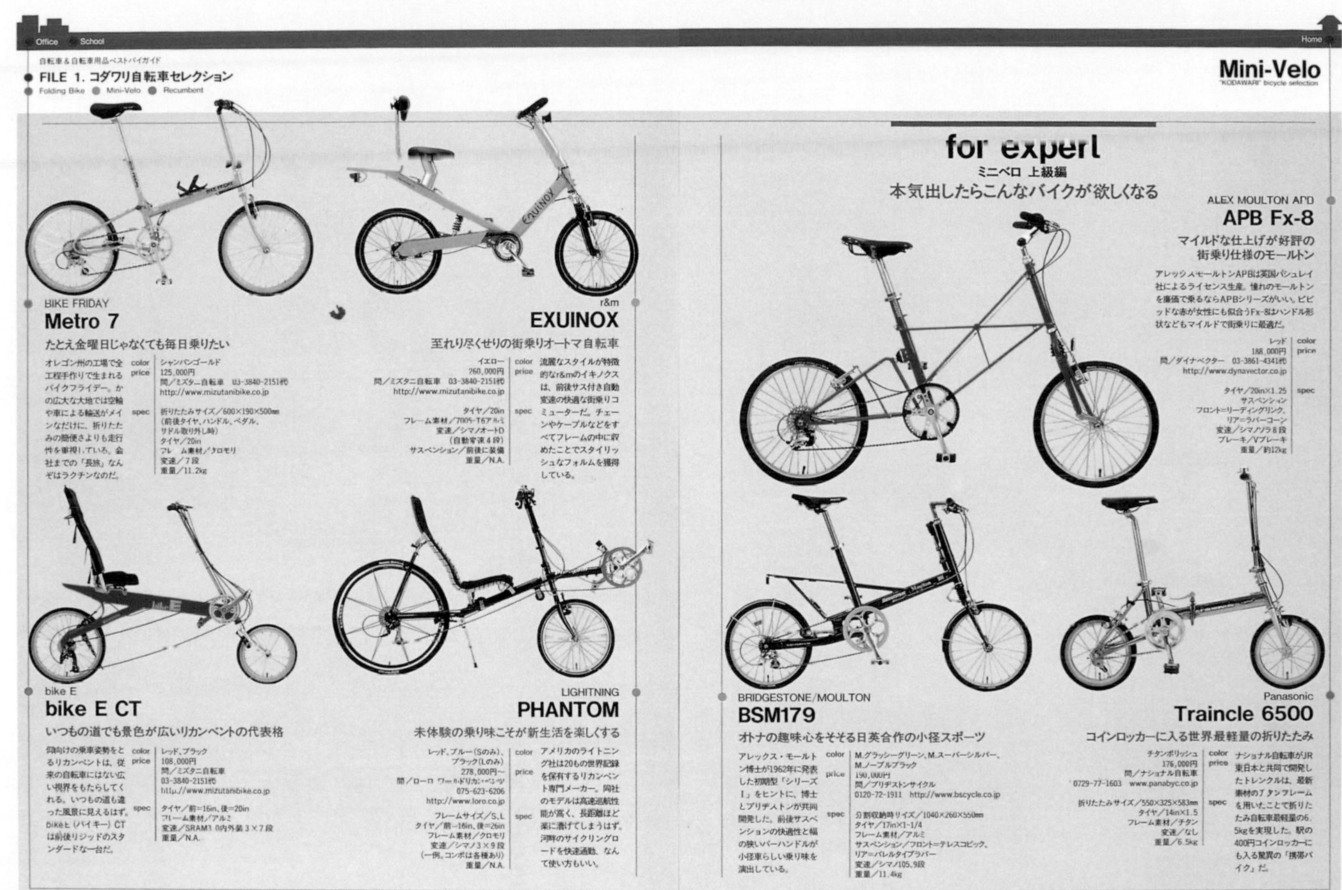

Office School

自転車＆自転車用品ベストバイガイド

FILE 1. コダワリ自転車セレクション

Folding Bike / Mini-Velo / Recumbent

Home

Mini-Velo
"KODAWARI" bicycle selection

BIKE FRIDAY
Metro 7
たとえ金曜日じゃなくても毎日乗りたい

オレゴン州の工場で全工程手作りで生まれるバイクフライデー。かの広大な大地では空輸や車による輸送がメインなだけに、折りたたみの簡便さよりも走行性を重視している。会社までの「長旅」なんぞはラクチンなのだ。

color シャンパンゴールド
price 125,000円
問／ミズタニ自転車 03-3840-2151代
http://www.mizutanibike.co.jp
spec 折りたたみサイズ／600×190×500㎜（前後タイヤ、ハンドル、ペダル、サドル取り外し時）
タイヤ／20in
フレーム素材／クロモリ
変速／7段
重量／11.2kg

r&m
EXUINOX
至れり尽くせりの街乗りオートマ自転車

color イエロー
price 260,000円
問／ミズタニ自転車 03-3840-2151代
http://www.mizutanibike.co.jp
spec タイヤ／20in
フレーム素材／7005-T6アルミ
変速／シマノオートD（自動変速4段）
サスペンション／前後に装備
重量／N.A.

流麗なスタイルが特徴的なr&mのイキノクスは、前後サス付き自動変速の快適な街乗りコミューターだ。チェーンやケーブルなどをすべてフレームの中に収めたことでスタイリッシュなフォルムを獲得している。

bike E
bike E CT
いつもの道でも景色が広いリカンベントの代表格

仰向けの乗車姿勢をとるリカンベントは、従来の自転車にはない広い視界をもたらしてくれる。いつもの道も違った風景に見えるはず。bikeE（バイキー）CTは前後リジッドのスタンダードな一台だ。

color レッド、ブラック
price 108,000円
問／ミズタニ自転車
03-3840-2151代
http://www.mizutanibike.co.jp
spec タイヤ／前=16in、後=20in
フレーム素材／アルミ
変速／SRAM3.0内外装3×7段
重量／N.A.

LIGHITNING
PHANTOM
未体験の乗り味こそが新生活を楽しくする

color レッド、ブルー（Sのみ）、ブラック（Lのみ）
price 278,000円～
問／ローロ ワールドリカンベンツ
075-623-6206
http://www.loro.co.jp
spec フレームサイズ／S、L
タイヤ／前=16in、後=26in
フレーム素材／クロモリ
変速／シマノ3×9段（一例。コンポは各種あり）
重量／N.A.

アメリカのライトニング社は20もの世界記録を保有するリカンベント専門メーカー。同社のモデルは高速巡航性能が高く、長距離ほど楽に漕げてしまうはず。河畔のサイクリングロードを快速通勤、なんて使い方もいい。

for expert
ミニベロ 上級編
本気出したらこんなバイクが欲しくなる

ALEX MOULTON APB
APB Fx-8
マイルドな仕上げが好評の街乗り仕様のモールトン

アレックスモールトンAPBは英国パシュレイ社によるライセンス生産。憧れのモールトンを廉価で乗るならAPBシリーズがいい。ビビッドな赤が女性にも似合うFx-8はハンドル形状などもマイルドで街乗りに最適だ。

color レッド
price 188,000円
問／ダイナベクター 03-3861-4341代
http://www.dynavector.co.jp
spec タイヤ／20in×1.25
サスペンション フロント=リーディングリンク、リア=ラバーコーン
変速／シマノソラ8段
ブレーキ／Vブレーキ
重量／約12kg

BRIDGESTONE/MOULTON
BSM179
オトナの趣味心をそそる日英合作の小径スポーツ

アレックス・モールトン博士が1962年に発表した初期型「シリーズⅠ」をヒントに、博士とブリヂストンが共同開発した。前後サスペンションの快適性と幅の狭いバーハンドルが小径車らしい乗り味を演出している。

color M.グラッシーグリーン、M.スーパーシルバー、M.ノーブルブラック
price 190,000円
問／ブリヂストンサイクル
0120-72-1911 http://www.bscycle.co.jp
spec 分割収納時サイズ／1040×260×550㎜
タイヤ／17in×1-1/4
フレーム素材／アルミ
サスペンション／フロント=テレスコピック、リア=バレルタイプラバー
変速／シマノ105、9段
重量／11.4kg

Panasonic
Traincle 6500
コインロッカーに入る世界最軽量の折りたたみ

color チタンポリッシュ
price 176,000円
問／ナショナル自転車
0729-77-1603 www.panabyc.co.jp
spec 折りたたみサイズ／550×325×583㎜
タイヤ／14in×1.5
フレーム素材／チタン
変速／なし
重量／6.5kg

ナショナル自転車がJR東日本と共同で開発したトレンクルは、最新素材のチタンフレームを用いたことで折りたたみ自転車最軽量の6.5kgを実現した。駅の400円コインロッカーにも入る驚異の「携帯バイク」だ。

⓪③③ Sports bikes for commuters and students

⓪③②

COVER

Office School
自転車＆自転車用品べス
FILE 1. コダ
Folding Bike

MAGAZINE 雑誌　　SIM シム　No.1 2003

PB: シム-コミュニティ SIM - CMN　E, CD, AD, D, P, I: 古屋蔵人 Kurando Furuya　E, D, I: 佐野あさみ Asami Sano　D, I: ナン nan　D, I: アダプター adapter　P: 大島貴明 Takaaki Oshima

西東京の外れ、小田急線沿いの家賃45000円の小さなアパートの一室が彼らのスタジオだ。狭いワンルームの中にフィギュアやビデオ、レコード、音楽機材、あらゆるゲームハードやソフトが散乱し、本棚には「ブレードランナー」「ヘルボーイ」「シドミード画集」「ニューロマンサー」といったサイバーパンク、アメコミ、80年代、をキーワードにした本が並んでいる。ここには毎晩コアゲーマー達が集うのだという。オタククリエーター、8BIT世代の直系。それがナンだ。

>>sim：結成のきっかけは？
佃弘 樹(以下、T)なんとなく。前から友達だったから。
廣瀬 晋(以下、H)特に。無いよね(笑)。予備校が一緒だったから。
T：予備校にゲーム仲間がいなくて、ゲームやってるの廣瀬くらいだったから。

>>デザインチームを組んだのはいつですか？
T：去年、俺がマックを買ってからだから9月頃。なんとなく。コイツは前から持ってたんだけど。だから結構覚えたてで。で、最初にデザインフェスタでバイトしてたからその時にパンフレットを作ることになって色々活動しはじめて。

>>sim：他にはどんな活動を？
T：いや、Tシャツ作ったりくらいで、メディアに出るのはこれが初めてです。

>>sim：影響を受けたアーティストは？
T：シドミードとか、(デザイナーズ)リパブリックとか、マグリットとか(笑)。

H：水木しげる、ますむらひろし、オールドスクールのヒップホップが好きだから、80年代とか書いてください(笑)。リパブリック。あとラメルジー！

>>sim：役割分担はどんなかんじですか？
T：うーん、モノによる。こいつと一緒にパーツをたくさん作って組み合わせたりとか、あとコレ(P.56のグラフィック)とかは機械の部分を俺が作って、煙の部分を廣瀬が作ってとか、あとは個人でやったりとか。結構適当かもしんない。

>>sim：今後の予定は？
T：特になし、次回のシムの為のグラフィック漫画の作成です。SIM

右から、廣瀬晋と佃弘樹。
佃はTHE VOMID名義でエレクトロニカユニットを結成。こちらも要注目である。シム第2号には彼らのとシムのデザインチームのコラボレーション漫画を計画中。前編彼らの超精密グラフィックで描かれた漫画！想像するだけで鼻血が出そうです。

COVER

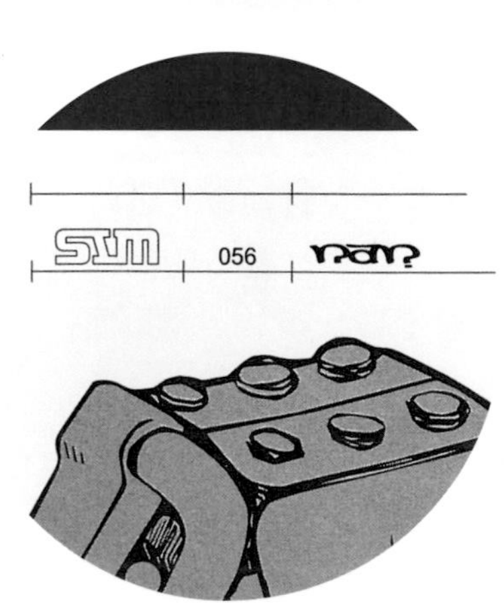

MOOK ムック　　**Free Climber フリークライマー**　　No.4 2002

PB: (株)枻出版社 El Publishing Co., Ltd.　E: 小川こけ松 Kokematsu Ogawa　AD: 長 信一 Shinichi Cho　P (COVER): 世良田郁子 Ikuko Serata　P: 千葉和浩 Kazuhiro Chiba　DF: ピークス（株） Peacs Inc.

Les Goudes

一日の完全休養の後、Les Goudesにある Secter La Grotte de l`ermiteを訪れた。仙人の洞窟という名のこの場所、アプローチ途中からもかなり被っていることがはっきりわかる。着いてみると最も被った場所の一番奥は洞穴になっており、ときおり冷たい空気が噴き出していた。この穴が仙人の洞窟の由来か！ 最も被ったところから始まる40mに及ぶ長いラインが、昨年フランソワ・ルグランが完成させたRobi in the sky（9a）だ。

まずはHelios（6c）でアップ。これは延々30m、ほぼ垂直のフェースを、海を横目に見ながら登るという超快適な一本。60mロープでぎりぎり一杯なので、ロワーダウンには注意が必要。Les etoiles meurent ausi（7b）短いながら楽しいルートで、ジムのルーフボルダーで磨いたテクを存分に発揮できる。その隣のラインLe denti（7c+）は、同じように強い傾斜の課題だが、伊東が会心のオンサイト。Bout de femme（7b+）は「ルートが読みずらい、ハマリ注意！」（竹田）、La course des nuage（8a+）は延々30メートル近く登る持久系のルートだ。これは夕方の最後に最高の光を浴びて嵯峨、伊東ともに素晴らしい登りでレッドポイントした。

エリアへのアプローチは登りが長く少々きついが、着いてみれば眺めは最高の場所だ。ルートも6〜9台まで揃っており申し分ない。目指すレベルが違うパートナー同士でも、十分楽しめるエリアだ。下地は全体的に傾斜している上、見事に百万人化しているため、転落事故には十分注意すること。

また、ここに行ったらぜひ日暮れまでいてほしい。壁全体が燃え上がるように照らされ、太陽が地中海に沈む様子は幻想的ですらある。

キャンプ場などの生活環境は最高。若干長いアプローチも道はよく整備されており、また素晴らしい景色とあいまって苦にはならない。居心地のいいエリアで長く滞在できる。ボルトもほとんどケミカルですばらしい。ヨーロッパのクライミング経験が豊富な嵯峨によって「間違いなくヨーロッパいちのオススメエリア」とのお墨付きをいただいていることも、最後に記しておこう。

Information

マルセイユ空港から車の場合は、高速道路A-7からマルセイユ方面へ。ただし町に入ると混雑が激しいうえ運転マナーは最悪なので、高速道路経由をオススメする。高速道路経由でキャンプ場までは一時間。TGVのマルセイユ駅からキャンプ場は約40分。

キャンプ場はCamping les cigales（☎：0442010734　Fax：0442013418）。所在地は13260 Cassisカシスの町への入り口、高台の道路沿いにある。営業期間は3月15日から11月15日まで。冬季は休業なので、ホテルかGiteに泊まることになる。清潔で暖かいシャワー、トイレも清潔で数が多く混雑はない。キャンプ場内に、バーとちょっとした食品店あり。歩いて5分で大きなスーパーがあるので、買出しに困ることはない。Cassisの町には、たくさんの宿泊施設があるが値段は若干高め。マルセイユ郊外にも安ホテルはたくさんあるが、フランスで一二を争う治安の悪い場所なので承知の上利用されたし。

トポはEscalade Les Calanques（21ユーロ）キャンプ場の受付にもある。クライミングジムは☎：0491449454。所在地は73 Boulvard st-marcel 13011 Marseilleクライミングショップは2件。La montagne 85 rue ditaly 13006 Marseille（☎：0491421836）とAlpina 6 rue lafon 13006 Marseille（☎：0491543516）

1.嵯峨敦　さが・あつし。1980年、東京都出身。クライミングを始めてわずか3年で、8bを登ったという驚異的なモチベーションで知られる。OS：7c+、RP：8b。2002年全日本ユースチャンピオンシップ1位、Yokohama rock masters 2位。スポンサー：The NorthFace

2.伊東秀和　いとう・ひでかず。1976年、千葉県出身。パンプスタッフとして働く傍ら、コンペを中心に活動する。OS：7c+、RP：8a+。2001年ららぽーとカップ2位、Yokohama rock masters 3位。スポンサー：プラナ、DMM、エーデルワイス。

3.竹田拓哉　たけだ・たくや。1975年、大阪府出身。参加したコンペのうち、半分は優勝をさらってゆくと言われる猛者。2001年富山大会1位、2000年筑波大会1位。当たれば強いというのが周囲の評価。OS：7b+、RP：8a。現在スポンサー募集中！

World Climbing Spot　FRA AREA GUIDE in　102(103)　+100(101)　+104(105)106(109)110(112)　>>NZL>>USA

La Triperie・Rose des Sables（7a)）・海を足下に登る伊藤秀和

雰囲気の良いCassisの港

Grotte de l Ours・Le Bilboquet（7b+）・竹田拓哉

ヨ〜シ今日も登るぞ〜!

La course des nuage（8a+）レッドポイントする嵯峨敦

La directe de l ermite（7c）をトライするEmmanuel Boucrot

Luminyのアプローチから見えるスパイアー

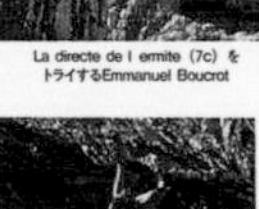

Parfumsauvage（7c）をオンサイトする嵯峨敦

Grotte de l Ours・Ysengrin（8a）にトライする嵯峨敦

Morgiouからの帰り道

大舞台で照明を浴びて登る伊藤秀和・La course des nuage（8a+）

入念なオブザベーション

Free Climber—102

Free Climber—103

フリークライマー
Free Climber
フリークライミング・コアマガジン
2002/No.4
定価980円
伸び悩んでいるクライマー必見！
テクニック＆トレーニング特集
ぜったいに上手くなる！
平山ユージ
小山田大
小林由佳
拝見！プライベートウォール

COVER

見事に百万人化しているため、転
落事故には十分注意すること。
また、ここに行ったらぜひ日暮れまでいて
ほしい。壁全体が燃え上がるように照らされ、
太陽が地中海に沈む様子は幻想的ですらある。
キャンプ場などの生活環境は最高。若干長
0442010734
13260 Cassis
FRA World Climbing Spot 102(103) +100(101) AREA GUIDE in >>NZL>>USA

MAGAZINE 雑誌　　+ING プラスイング　Issue 5　2002

PB: (株) プラスイングプレス PLUSING PRESS Co., Ltd.　E, CD, D, P: 大 dai　AD: 茂木正行 Masayuki Mogi　D, I: ブリジット・ジラウディ Brigitte Giraudi　SUPERVISER: 五島 考 Kou Goto　DF: バルブ bulb

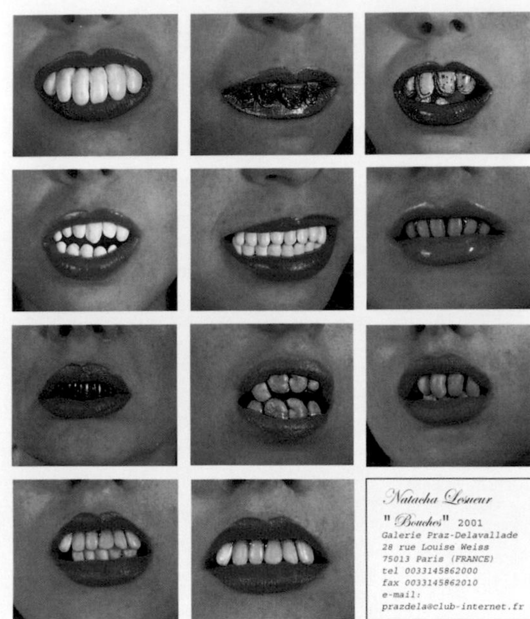

▼

In Natacha Lesueur's work the female body is never shown completely nude but is scarred or covered with food. The recent series of Aspics (1998-1999) is a body-as-food metaphor, showing heads covered with jelly in characteristics to decorative motifs from the world of cuisine. These gelatinous images are powerfully suggestive. And disturbing. The covering of the skull denies the body and turns it into a bouchée to be gulped down. Moreover, the curves and squiggles of the culinary decorations can also be read as a map of brain inside. The central circular motif in some pieces brings to mind a giant eye. And, as Bataille's story has taught us, there is but a small distance from eye to sex.
A constant in Lesueur's work is the negation of the face, that place where our identity is so singularly marked. These "decapitations" remind us of Duchamp's final work, "Etant donnés (given)".

Natacha Lesueur
"Aspics" 1998
(Galerie Praz-Delavallade)

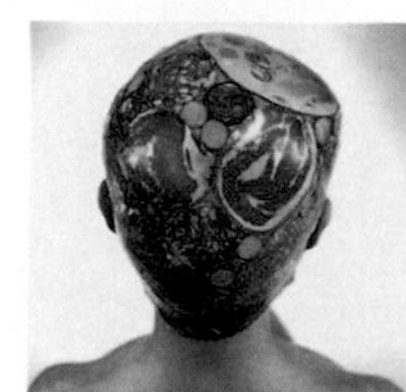

ナタシャ・ルシュールが撮る肉体の写真は、魅力的であると同時に恐怖を喚起する。言いかえれば、真にエロティックなのだ。彼女の作品では、女性は決して完全なヌードを見せるのではなく、傷跡があったり、あるいは体が食べ物で覆われていたりする。
最近の作品集（1998〜1999）である「アスピック」（訳注：肉汁から作るゼリーのこと）において、体は食べ物の隠喩として扱われている。世界の様々な料理を連想させる色をしたゼリーが頭部を覆う。このゼラチンのイメージは極めて示唆的だ。そして、見る者を落ちつかなくさせる。頭部を隠してしまうということは、肉体を否定していることであり、まるで頭を一口で食べてくれ、と言わんばかりだ。
さらに、台所に施された曲がりくねったデコレーションは、脳の内部の地図であると解釈することもできる。いくつかの作品に見られるような、中央に位置する円形の模様が、巨大な目に見えることもある。そして、バタイユが教えてくれたように、目とセックスとは切っても切り離せない関係にあるのだ。

+ING

COVER

◀

MAGAZINE 雑誌　**htwi ヒッティ**　**No.17 2002**

PB: 特定非営利活動法人ヒール・ザ・ワールド・インスティテュート Heal the World Institute　E: 鈴木冬根 Fuyune Suzuki / 吉本幸史 Koji Yoshimoto　CD: 畠中健次 Kenji Hatanaka　AD: 松村耕介 Kousuke Matsumura
D: 喜多春美 Harumi Kita　P: 清水丈司 Takeshi Shimizu

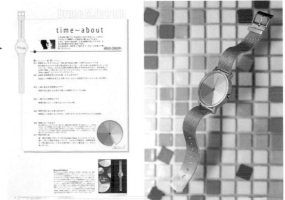

▶

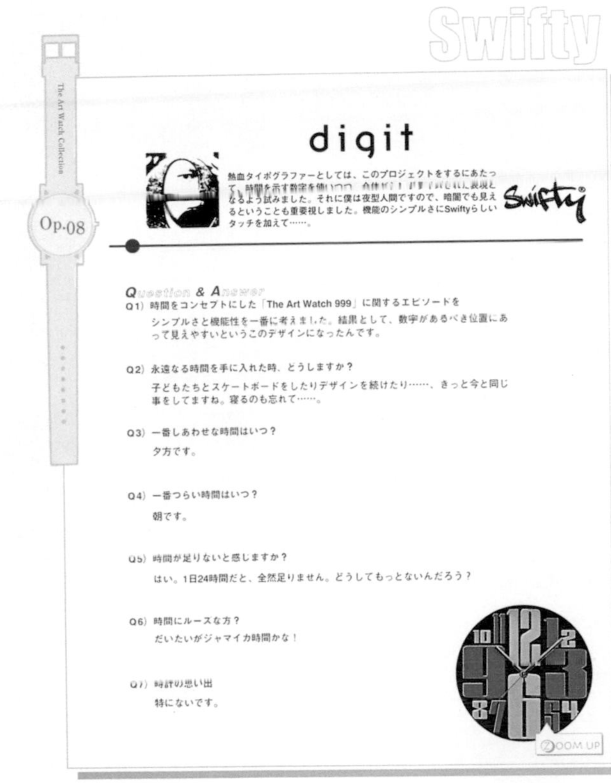

Swifty

The Art Watch Collection

Op-08

digit

熱血タイポグラファーとしては、このプロジェクトをするにあたって、時間を示す数字を使いつつ……表現となるよう試みました。それに僕は夜型人間ですので、暗闇でも見えるということも重要視しました。機能のシンプルさにSwiftyらしいタッチを加えて……。

Question & Answer

Q1）時間をコンセプトにした「The Art Watch 999」に関するエピソードを
シンプルさと機能性を一番に考えました。結果として、数字があるべき位置にあって見えやすいというこのデザインになったんです。

Q2）永遠なる時間を手に入れた時、どうしますか？
子どもたちとスケートボードをしたりデザインを続けたり……、きっと今と同じ事をしてますね。寝るのも忘れて……。

Q3）一番しあわせな時間はいつ？
夕方です。

Q4）一番つらい時間はいつ？
朝です。

Q5）時間が足りないと感じますか？
はい。1日24時間だと、全然足りません。どうしてもっとないんだろう？

Q6）時間にルーズな方？
だいたいがジャマイカ時間かな！

Q7）時計の思い出
特にないです。

ZOOM UP

Swifty
1965年生まれ。スコットランドでカブトムシやねずみを追いかけて育った超自然児の転機となったのはApple Mac PlusとNeville Brodyとの出会い。86年にバックを1つ持ってマンチェスターをあとにした。The FaceやArena Magazineのデザイナーを皮きりに、89年にはジャズの専門誌Straight No Chaserのデザインとアートディレクションを引き受けるという幸運に恵まれる。90年、Swifty Typografixを設立。タイポグラフィーを主軸に、たくさんのミュージシャンのカバーデザインをし、数々の賞を獲得した。現在は、本業のレコードや雑誌のデザインの他に、各地でレクチャーをしたりTVのオープニングタイトルやインターネットの仕事などをしている。J-WAVEのロゴやBlue Noteのスリーブが日本での仕事の代表作。今は、本の出版、ファッションの仕事などの新しい分野にも挑戦中。今後の活躍も大いに楽しみ。

25　The Art Watch Every art watch is limited edition of 999, and manufactured with serial number　NUTS Collection

photo_Shimizu Takeshi（ディス・ワン）

COVER

▶

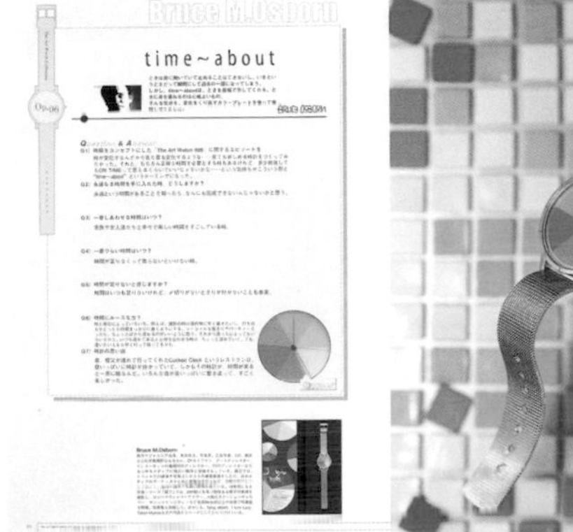

BOOK 書籍　Healing by Cactus Cactus & Succulent　サボテン大好き サボテン＆多肉植物　2002

PB: (株) 講談社 KODANSHA　E: (株) 第一出版センター Daiichi Shuppan Center　AD, D: 日高慶太 Keita Hidaka　P: 林 桂多 Keita Hayashi　DF: SUN HIGH! graphics

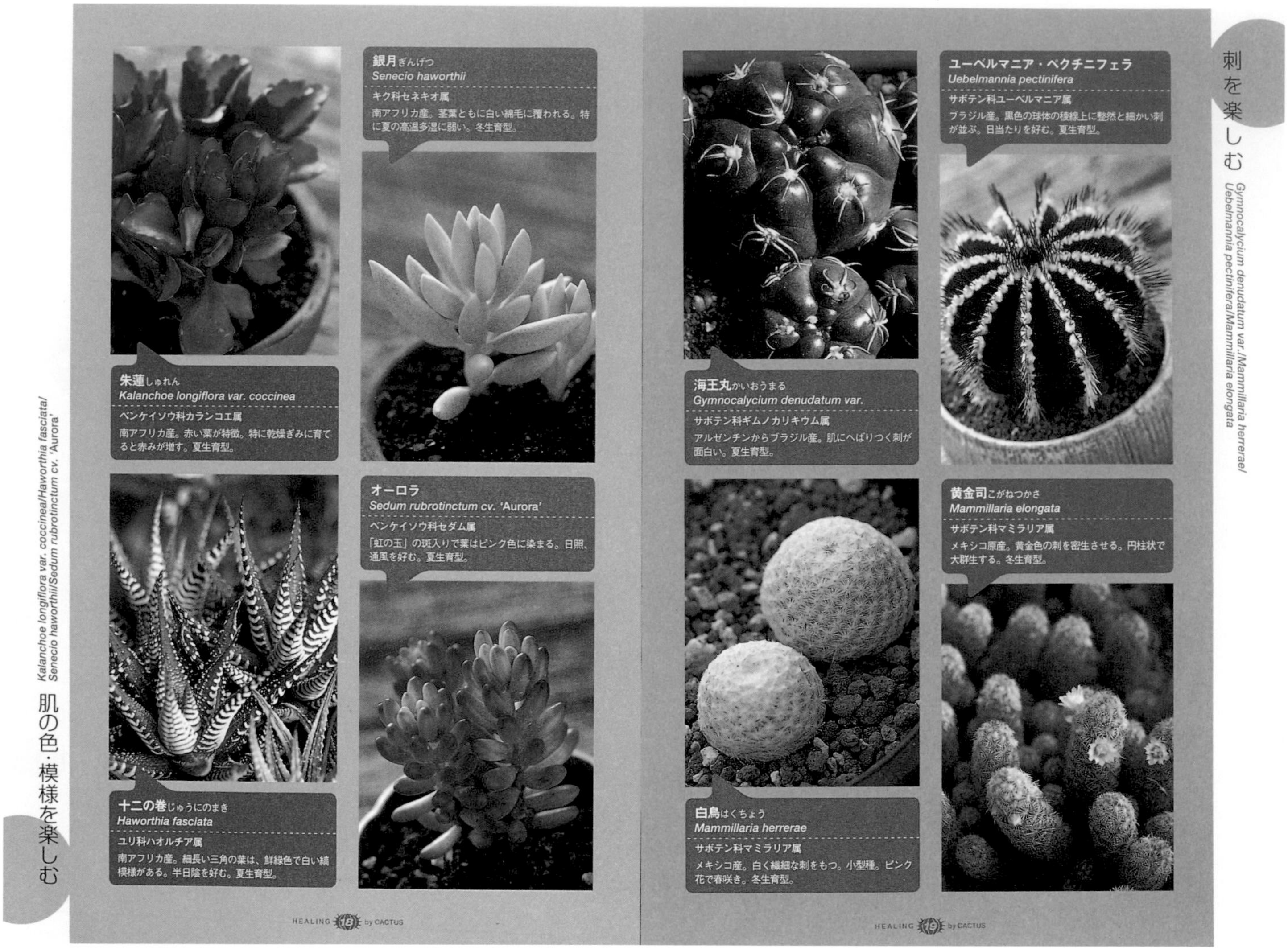

肌の色・模様を楽しむ
Kalanchoe longiflora var. coccinea/Haworthia fasciata/Senecio haworthii/Sedum rubrotinctum cv. 'Aurora'

朱蓮しゅれん
Kalanchoe longiflora var. coccinea
ベンケイソウ科カランコエ属
南アフリカ産。赤い葉が特徴。特に乾燥ぎみに育てると赤みが増す。夏生育型。

銀月ぎんげつ
Senecio haworthii
キク科セネキオ属
南アフリカ産。茎葉ともに白い綿毛に覆われる。特に夏の高温多湿に弱い。冬生育型。

十二の巻じゅうにのまき
Haworthia fasciata
ユリ科ハオルチア属
南アフリカ産。細長い三角の葉は、鮮緑色で白い縞模様がある。半日陰を好む。夏生育型。

オーロラ
Sedum rubrotinctum cv. 'Aurora'
ベンケイソウ科セダム属
「虹の玉」の斑入りで葉はピンク色に染まる。日照、通風を好む。夏生育型。

刺を楽しむ
Gymnocalycium denudatum var./Uebelmannia pectinifera/Mammillaria herrerae/Mammillaria elongata

海王丸かいおうまる
Gymnocalycium denudatum var.
サボテン科ギムノカリキウム属
アルゼンチンからブラジル産。肌にへばりつく刺が面白い。夏生育型。

ユーベルマニア・ペクチニフェラ
Uebelmannia pectinifera
サボテン科ユーベルマニア属
ブラジル産。黒色の球体の稜線上に整然と細かい刺が並ぶ。日当たりを好む。夏生育型。

白鳥はくちょう
Mammillaria herrerae
サボテン科マミラリア属
メキシコ産。白く繊細な刺をもつ。小型種。ピンク花で春咲き。冬生育型。

黄金司こがねつかさ
Mammillaria elongata
サボテン科マミラリア属
メキシコ原産。黄金色の刺を密生させる。円柱状で大群生する。冬生育型。

COVER

MOOK ムック **DANCE STYLE ダンス・スタイル** Vol.3 2001

PB: (株) リットーミュージック Rittor Music Inc. E: 坂上晃一 Koichi Sakaue D (COVER): セキネシンイチ Shinichi Sekine P (COVER): 楠本辰雄 Tatsuo Kusumoto DF: インフォバーン INFOBAHN

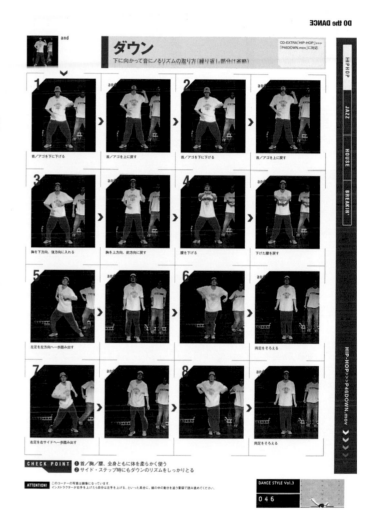

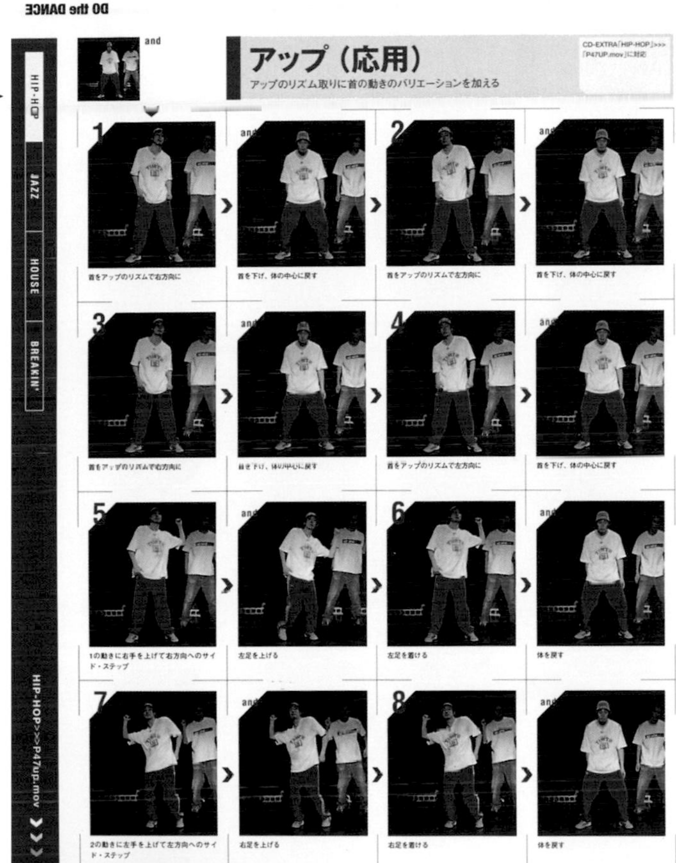

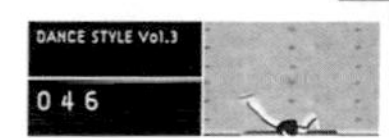

COVER

IMAGE BOOK イメージ・ブック　　dene　2002

CL: (株) INAX INAX Corporation　E, CW: 山村光春 Mitsuharu Yamamura　AD, D: 有山達也 Tatsuya Ariyama　P: 長嶺輝明 Teruaki Nagamine　I: 長崎訓子 Kuniko Nagasaki　STYLIST: 西村千寿 Chizu Nishimura
DF: アリヤマデザインストア Ariyama design store

▶

/1

育てるおもしろさが味わえる、ハーブ栽培のすすめ。

松田哲也

まつだ・てつや
造園設計および施工業務等を手がける
Matsuda Landscape Architect Design Office代表。
横浜で植物・ガーデングッズのショップ「フロッグス・テラ」を経営。
http://www.frogs-terra.co.jp/

見た目にも楽しくきれいで、またそれらを毎日の生活に活用できる庭づくり。そんなキッチンガーデンをはじめるならおすすめしたいのが、ハーブの栽培です。ハーブとは、日本語でいうと香草、薬草のこと。人間にとって有用な植物を称してそう呼ばれていますが、食用ハーブといわれる、食べものや飲みものとして使われるものから、虫除けや、やけどを沈静化させるなど薬としての利用まで、効用はさまざま。 また葉っぱや香りのバリエーションが多く、生命力も旺盛なので、野菜などと違って、あまり神経を使わなくてものびのびと育ってくれるたくましさがあります。そういう意味で、ハーブにはこどもと一緒に"育てる、観察する、使える"おもしろさをもっとも実感できる植物だと思います。

ハーブを育てる際に、まず覚えておきたいのが水のこと。ハーブの中には、水を好む種類と好まない種類があり、この区別によって手入れの方法が変わってきます。

水を好まない種類としては、肉の臭み消しに使うローズマリーや、きれいな花を咲かせるナスタチウムなど。また逆に水を好むハーブで代表的なのは、パセリやバジル、そしてすぅっとした香りと味がさわやかなミントでしょう。ミントの中でもフルーティーな香りのパイナップルミント、清涼感が強いスペアミントにペパーミント、独特の強い香りを放つオーデコロンミント、葉のかたちがユニークで、オイルに入れてドレッシングの香り付けをするのに適したカーリーリーフミントなど、あげ出したらきりがないほど。これら共通の特徴としては、繁殖力が強く、地面の下の根っこが這うように伸びてもうれつに動き、とにかくじっとしていないこと。特にオーデコロンミントは香りも強いけれど繁殖力もしかりで、他の植物が場所を浸食される上に、日照を奪ってしまうという、雑草的な強さがあるくせものです。

これらのいちばんいい育てかたは、地面に直接植えたり、他の種類と寄せ植えせず、直径13cmほどのポットに1種類ずつ植え、名前の札を差して並べておく。水は土が乾いたらたっぷりと。すると早く育つので、毎日の観察もおもしろく、また葉をちぎってもすぐに生えてくるので、それこそ毎日湯水のように使っても大丈夫です。

また蒸れや加湿には弱いので、水はけのいい土を使うこと。また風がないとひょろひょろとしたもやしっ子になってしまうので、できればキッチンのそばよりも、日当たりのいい屋外で育てることをおすすめします。ただ真夏の暑さと真冬の寒さに弱いハーブが多いので、この点は気を付けましょう。

香りが強いほどタフだったり、暑さと寒さに弱かったり。ハーブは人間とどこか似ているところがあるかもしれませんね。

22

23

パイナップルミント

パイナップルとりんごを合わせたような香り。他のミントより冬の遅い時期まで育ち、また他の植物の生育を妨げることもあまりない。デザートや料理などの香味付けとして。

ナスタチウム

草丈は20cmくらいまででプランター植えなどに適しており、さらに食べられる花の代表としても人気。花は満開になる直前に摘み取って、サラダなどに使うのが一般的。

スペアミント

歯磨きや化粧品・ガムなどの香味料としてよく知られている。7〜9月に付ける白い花は小さく、清楚な雰囲気。日本の土壌でよく育ち、生長すると草丈60cmくらいになる。

ローズマリー

肉の臭み消しや香り付けによく使われ、殺菌・酸化防止作用があり、食欲増進や脂肪の消化を助ける作用も。また乾燥品をお香のように炊くと、部屋の悪臭を取ることもできる。

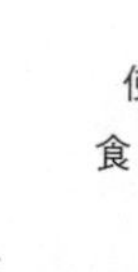

使える植物、食べられる植物 8選

オーデコロンミント

紫がかった茎や葉。オレンジに似たスッキリとした香りで、紅茶や料理では使われることはなく、主にアレンジメントやクラフト用として。気分転換やリラックス効果を高める。

パセリ

料理の付け合わせまたは彩り用としてなじみ深いハーブ。地中海沿岸に原産する寒さに強い2年草で、草丈60cmくらい。2年目の秋になって咲く花は、きみどり色の傘状。

バジル

パスタ料理には欠かせない、別名ハーブの王様。ひとつの種で これだけ香味にバリエーションのある植物はほかになく、その数はゆうに百を越えるとも。花はシソと同じ唇形。

カーリーリーフミント

その名の通り葉の先がカールしたちょっと変わったミントで、別名は「縮み葉ハッカ」。夏に淡いパープルの穂状花序をつける。フラワーアレンジメントの花材にしても面白い。

COVER

▶ COLUMN 2

こどもともっと近づくために、親が耳を傾けること。

小野澤みさを

36

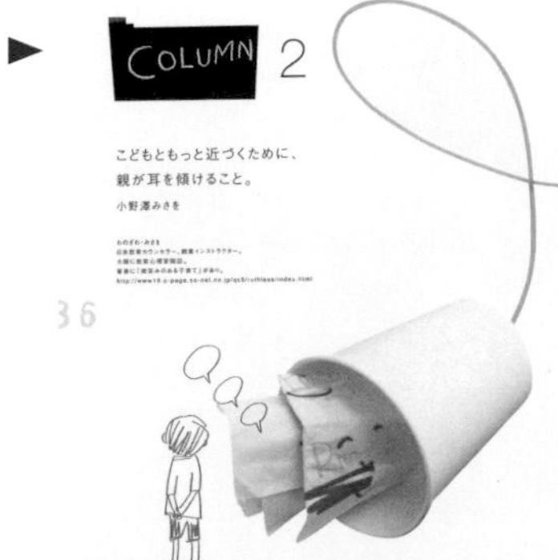

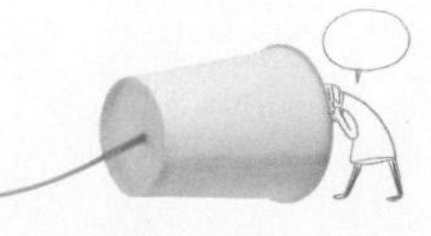

37

BOOK 書籍 **Nemoto Kico Street Food 根本きこのストリートフード** 2002

PB: 日本放送出版協会 JAPAN BROADCAST PUBLISHING Co., Ltd. E: 多久美 素 Motori Takumi / 伍堂由季子 Yukiko Goto AD, I: 大島依提亜 Idea Oshima D: 勝部浩代 Hiroyo Katsube / 冨岡克朗 Yoshiaki Tomioka P: 長嶺輝明 Teruaki Nagamine I: 根本きこ Kico Nemoto

▶

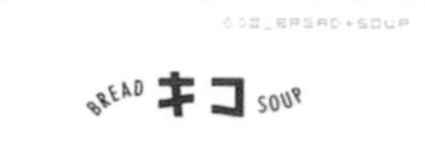

****

さつまいものクラムチャウダー

****

材料(2人分)

あさり(むき身)	20g
さつまいも	1/3本
たまねぎ	1/3個
牛乳	2カップ
オリーブ油	小さじ1
ローリエ	1枚
塩・こしょう	各少々
	225kcal

作り方

1
あさりは水で洗って水けをよくきる。さつまいもは皮のまま薄切りにする。たまねぎはみじん切りにする。

2
鍋にオリーブ油を熱し、たまねぎとあさりを炒める。たまねぎが透き通ってきたら、牛乳、さつまいも、ローリエを加え、弱火でさつまいもが柔らかくなるまで煮込む。塩、こしょうで味を調える。

COVER

MOOK ムック　　MENU MAGAZINE メニューマガジン　Vol.1 2002

PB: (株)枻出版社 EI Publishing Co., Ltd.　E: 猪田昌明 Masaaki Inoda　CD: 保坂英孝 Hidetaka Hosaka　AD: 山田洋一 Yoichi Yamada　P (COVER): 中川正子 Masako Nakagawa　P: 黒田かおり Kaori Kuroda
DF: ピークス（株） Peacs Inc.

PROJECT
RECREATION
RESTRUCTURING
RENOVATION
『R』の風景。
『R-project』の最初のケーススタディ、
ダイニングバー、三軒茶屋『LAHAINA』。
スタッフの手作りで作られた店内は
ハワイの楽園"ラハイナ"がイメージ。
セルフビルドの様子、
そして店ができるまでのドラマを写真で追う。
TO BE CONTINUED...
THE MENU, WE ARE SUPPORTING R-PROJECT!
さて、「LAHAINA」はどんな変化を見せているのか…。「R-PROJECT」は次号に続きます。

ケーススタディ
三軒茶屋「ラハイナ」の場合

三軒茶屋の『Rプロジェクト』は7月から始まり、数々のミーティングを経て、9月に着工を迎えた。様々な問題をクリアしていく中で、当初からのセルフ・ビルドという考え方だけは変わらず、スタッフ総出での作業が予想された。

そんな中、駒澤はイデーのネットワークを使って学生の参加を呼びかける。いまや世界的にも認められつつある、インテリアショップ・イデー。そのイデーはこれまで、東京デザイナーズブロックをはじめとした、大小様々なイベントを企画、運営しており、そのスタッフとして学生ボランティアの参加を呼びかけてきた。そのネットワークを利用して、今回の『Rプロジェクト』でも施工にあたるボランティアスタッフを募ったのである。

折しも今、DIY（ドゥ・イット・ユアセルフの頭文字。＝セルフ・ビルド）がものすごい勢いで流行っている。クリエイターや若い世代の人たちが、自分たちの居心地のいい空間、場所を自分たち自身で作る、ということが、スポーツなど、一般の趣味を楽しむのと同じレベルで親しまれているようだ。彼らにとって、「自分たちでつくる」ということが今、一番新しく、そして、かっこいい遊び方なのだろう。

工事には総勢20名ほどの学生が参加した。平均すると、毎日5人くらいの学生が作業して、壁を塗ったり、錆で腐食した階段をきれいに磨いたり、床材を敷くなど、本格的に店作りの作業を進めていく。「彼らにとっても新しい遊びになったんじゃないかと思います。実際にツナギを着て、電動ドリルを持って作業する。のこぎりをひく。ペンキを塗る…。ゲームやインターネット、CGなど、ヴァーチャルな世界のかっこよさにとても敏感な彼らですが、『R』でリアル作業を体験して、かっこよさや楽しさの新しい価値観を持ち始めているんだと思います」と話す稲垣。稲垣自身もまた、自らのこぎりを片手に作業に参加し、楽しんでいた。また、学生をまとめる現場責任者である石川も学生たちの発想の並外れた面白さを感じるという。「だんだんと自分たちの意見を持ってくるんですよね。ここの壁は何色がいいとか、テーブルはどうだ、とかメニューは何だ、とか。突拍子もない話もあるけれど、それは非常に刺激的だし、彼らが考えながら作業して、楽しんでくれるのが一番嬉しい」と駒澤も声を揃える。もちろん職人が入らなくてはならない本格的な作業もあるわけだが、基本的には駒澤や稲垣、石川を中心に集まった、学生スタッフのボランティアによって店作りは進められていったのである。

三軒茶屋でのケーススタディを経て『R』は進化しつづける…。

さて、この三軒茶屋の『Rプロジェクト』、どんなカタチでオープンを迎えるのか、非常に興味深く、楽しみなところだ。オープニングの様子や、詳しい店舗の情報などは次号で詳しくリポートする予定。チェックしてほしい。

また、イデーが展開する『Rプロジェクト』は飲食店のみならず、今後も様々な形でプロジェクトが展開されていくようだ。キーワードは『R』。古いものを有効に利用して、新しい付加価値を作り出すという新しい考え方はひょっとすると、私たちにとっても案外身近なハナシなのかもしれない。今後も『R』から目が離せなくなりそうだ。

上）国道246沿いにも関わらず、廃ビルと呼ぶにふさわしい外観。元々はカラオケスタジオだったが、今やガラスは割れ、荒れ放題の状態。工事はここからスタート。右）工事開始直後の様子。各フロアは、決して広いとは言えない店内が今後どうなっていくのか。セルフ・ビルドの楽しみがここにある

081 080

THE FOODING SCENE!
ようこそ大人の食楽空間へ。

COVER

MOOK　ムック　　　MENU MAGAZINE　メニューマガジン　Vol.2　2003

PB: (株)梗出版社 EI Publishing Co., Ltd.　E: 猪田昌明 Masaaki Inoda　CD: 保坂英孝 Hidetaka Hosaka　AD: 山田洋一 Yoichi Yamada　P (COVER): 久保田育央 Ikuo Kubota　P (SPREAD 1): 鈴木 伸 Shin Suzuki　P (SPREAD 2): 中橋正治 Masaharu Nakahashi　DF: ピークス（株） Peacs Inc.

COVER

SPREAD 1

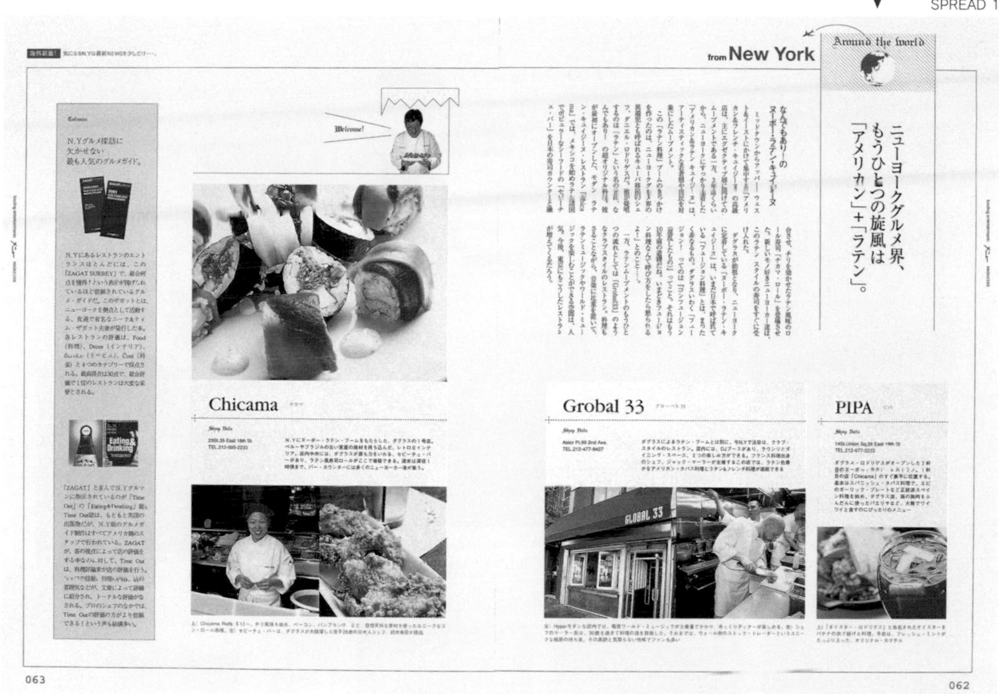

Tokyo Renovation *01

SPREAD 2

MAGAZINE 雑誌　**be Sure ビー・シュア**　**No.58 February 2002**

PB: トーソー出版 TOSO COMPANY, LIMITED.　AD: 愛田泰子 Yasuko Aida　D: 住田 桜 Sakura Sumida　DF: モノタイプ monotype

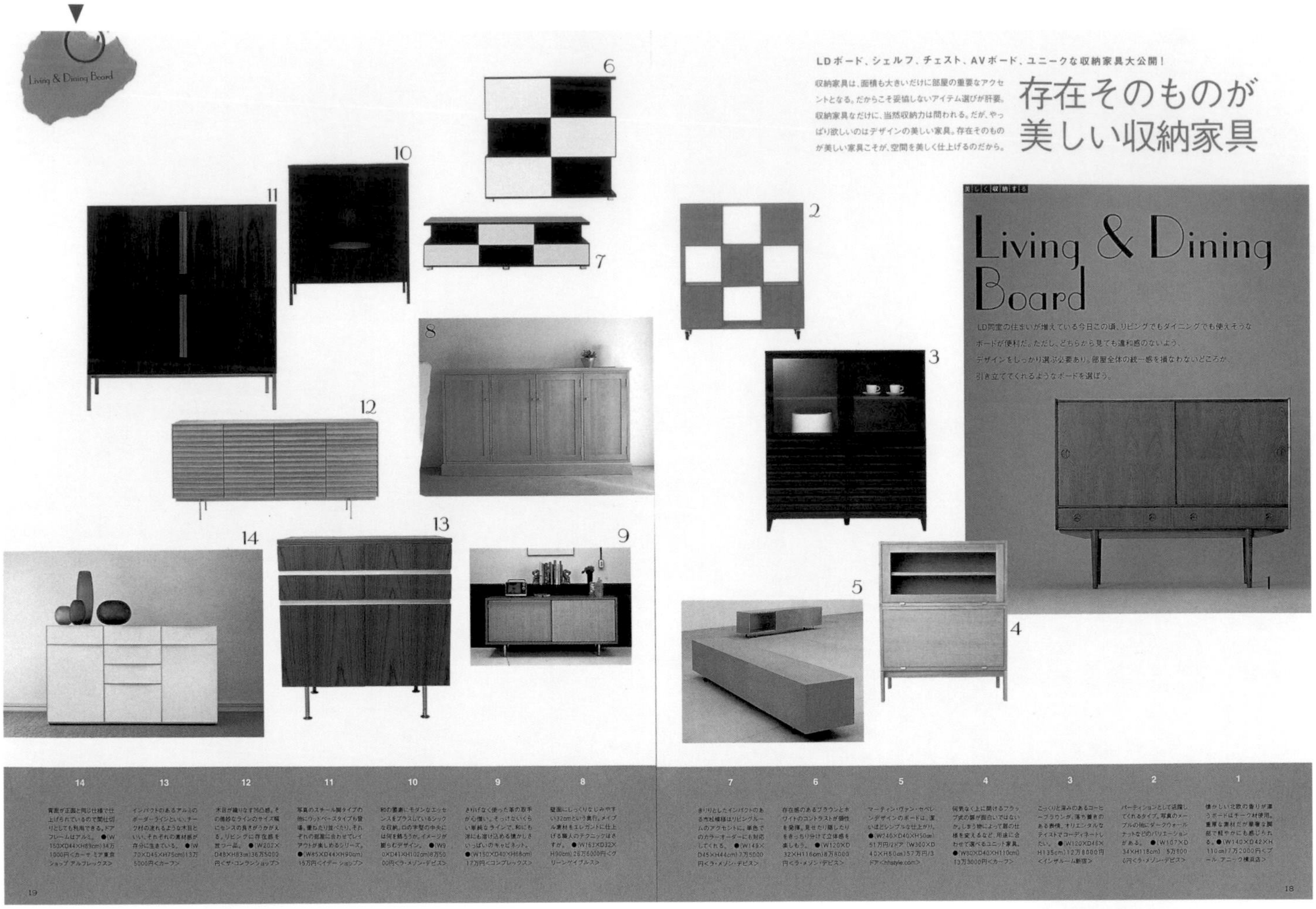

Living & Dining Board

LDボード、シェルフ、チェスト、AVボード、ユニークな収納家具大公開！

存在そのものが美しい収納家具

収納家具は、面積も大きいだけに部屋の重要なアクセントとなる。だからこそ妥協しないアイテム選びが肝要。収納家具なだけに、当然収納力は問われる。だが、やっぱり欲しいのはデザインの美しい家具。存在そのものが美しい家具こそが、空間を美しく仕上げるのだから。

美しく収納する

Living & Dining Board

LD同室の住まいが増えている今日この頃、リビングでもダイニングでも使えそうなボードが便利だ。ただし、どちらから見ても違和感のないよう、デザインをしっかり選ぶ必要あり。部屋全体の統一感を損なわないどころか、引き立ててくれるようなボードを選ぼう。

6　10　11　2　7　8　3　12　1　14　13　9　5　4

1
懐かしい北欧の香りが漂うボードはチーク材使用。重厚な素材だが華奢な脚部で軽やかにも感じられる。●(W140×D42×H110cm)7万2000円<ブール アニック横浜店>

2
パーティションとして活躍してくれるタイプ。写真のメープルの他にダークウォールナットなどのバリエーションがある。●(W107×D34×H118cm) 5万8000円<ラ・メゾン・デビス>

3
こっくりと深みのあるコーヒーブラウンが、落ち着きのある表情。オリエンタルなテイストでコーディネートしたい。●(W120×D46×H135cm)12万8000円<インザルーム新宿>

4
何気なく上に開けるフラップ式の扉が面白いではないか。しまう物によって扉の仕様を変えるなど、用途に合わせて選べるユニット家具。●(W80×D40×H110cm)13万3000円<カーフ>

5
マーティン・ヴァン・セベレンデザインのボードは、潔いほどシンプルな仕上がり。●(W240×D40×H50cm)51万円/2ドア (W300×D40×H50cm)57万円/3ドア<hhstyle.com>

6
存在感のあるブラウンとホワイトのコントラストが個性を発揮。見せたり隠したりをきっちり分けて立体感を楽しもう。●(W120×D32×H116cm)8万8000円<ラ・メゾン・デビス>

7
きりりとしたインパクトのある市松模様はリビングルームのアクセントに。単色でのカラーオーダーにも対応してくれる。●(W149×D45×H44cm)7万5000円<ラ・メゾン・デビス>

8
壁面にしっくりなじみやすい32cmという奥行。メイプル素材をエレガントに仕上げる職人のテクニックはさすが。●(W163×D32×H90cm)26万6000円<グリーンゲイブルス>

9
さりげなく使った革の取手が心憎い。そっけないくらい単純なラインで、和にも洋にも溶け込める懐かしさいっぱいのキャビネット。●(W150×D40×H68cm)17万円<コンプレックス>

10
和の要素にモダンなエッセンスをプラスしているシックな収納。ロの字型の中央には何を飾ろうか。イメージが膨らむデザイン。●(W90×D41×H102cm)8万5000円<ラ・メゾン・デビス>

11
写真のスチール脚タイプの他にウッドベースタイプも登場。重ねたり並べたり、それぞれの部屋に合わせてレイアウトが楽しめるシリーズ。●(W85×D44×H90cm)15万円<イデー ショップ>

12
木目が織りなす凹凸感。その微妙なラインのサイズ幅にセンスの良さがうかがえる。リビングに存在感を放つ一品。●(W202×D48×H83cm)36万5000円<ザ・コンランショップ>

13
インパクトのあるアルミのボーダーラインといい、チーク材の流れるような木目といい、それぞれの素材感が存分に生きている。●(W70×D45×H75cm)13万5000円<カーフ>

14
背面が正面と同じ仕様で仕上げられているので間仕切りとしても利用できる。ドアフレームはアルミ。●(W150×D44×H89cm)34万1000円<カーサ ミア東京ショップ アルフレックス>

19　18

COVER

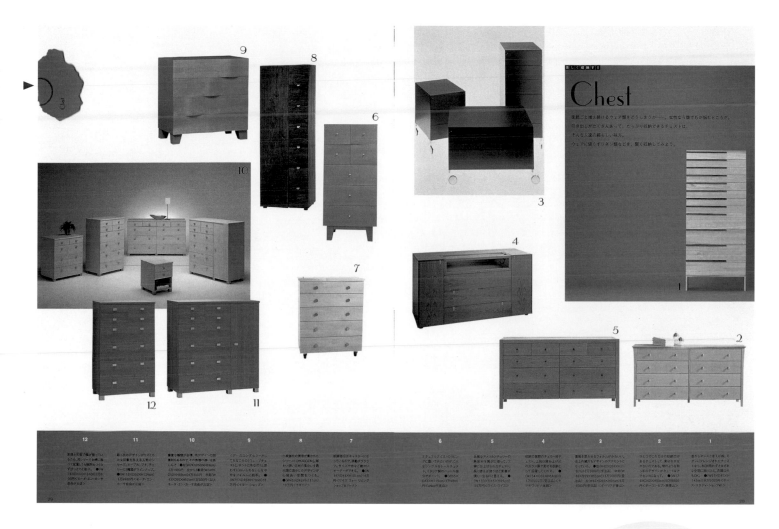

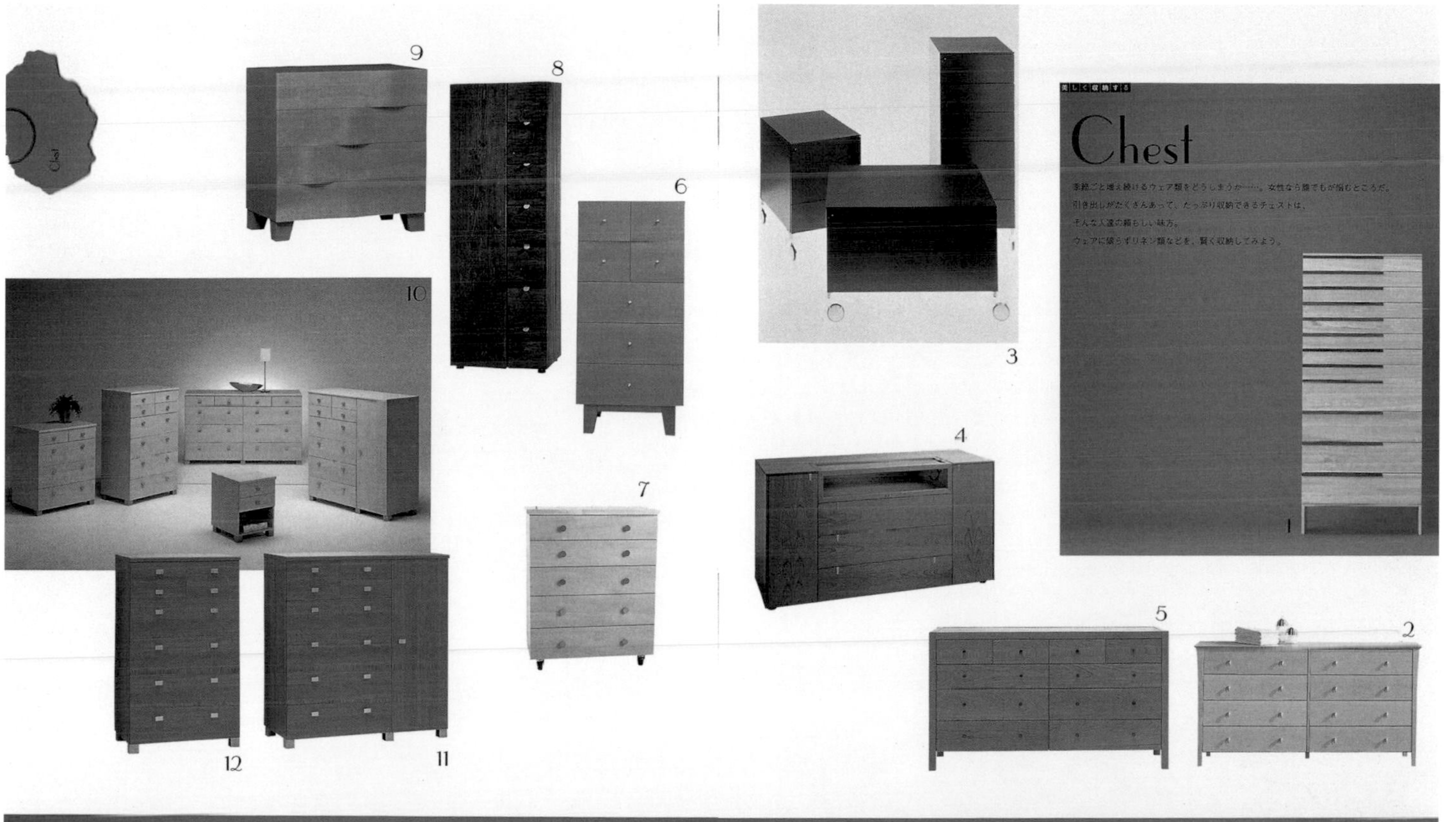

美しく収納する

Chest

季節ごと増え続けるウェア類をどうしようか……。女性なら誰でもが悩むところだ。
引き出しがたくさんあって、たっぷり収納できるチェストは、
そんな人達の頼もしい味方。
ウェアに限らずリネン類などを、賢く収納してみよう。

12
本体と天板で柄が揃っているため、同シリーズを横に並べて配置しても隙間をつくらずぴったりと並ぶ。●(W74×D59×H124cm)3万6900円<モーダ・エン・カーサ自由が丘店>

11
取っ手のデザインがリズミカルな印象を与える人気のシリーズ。メープル、ブナ、チェリーの3種類がラインナップ。●(W115×D59×H124cm)3万8900円<モーダ・エン・カーサ自由が丘店>

10
豊富な種類が自慢。同デザインの別素材もあるので、その表情の違いを楽しんで。●左(W74×D50×H89cm)2万1900円　左から3番目(W148×D50×H89cm)4万4900円　手前(W43×D50×H57cm)1万7300円<以上モーダ・エン・カーサ自由が丘店>

9
イデーのロングセラーとしておなじみの「ウェーブチェスト」。ホントに木なの?と思わずにはいられないしなやかなフォルムに拍手。●(W75×D46×H78cm)16万円<イデーショップ>

8
小泉誠氏の美学が貫かれたシリーズ「CHOCOZAI」。味わい深い古材の風合いを最大限に活かしたデザインが心地良い空間をつくる。●(W45×D49×H131cm)16万円<カダロイ>

7
脚部部分がキャスターになっているので、移動がラクラク。サイズや色など細かいオーダーができる。●(W64×D43×H101cm)14万円<ワイズ フォー リビング ショップ&プレス>

6
ナチュラルテイストのリビングに置いてみたいのが、こんなシンプルなトールチェスト。イタリア製のハンドル部分がポイント。●(W65×D43×H115cm)3万9800円<unico代官山>

5
良質なアメリカンチェリーの無垢材を贅沢に使って、丁寧に仕上げられたチェスト。長く使えば使うほど愛着が湧く一生ものと言える。●(W150×D45×H85cm)34万円<ワイス・ワイス>

4
収納力抜群のチェリー材チェスト。上段は跳ね上げ式のガラス扉で見せる収納としても活躍してくれる。●(W154×D52×H84cm)34万8900円(受注品)<ヤマギワリビナ本館>

3
重箱を思わせるフォルムがかわいい。右上の鍵穴もデザインのアクセントになっている。●右(W42×D59×H112cm)16万3000円(受注品)　中央(W80×D59×H55cm)13万5000円(受注品)　左(W42×D59×H54cm)9万5000円(受注品)<ダ・ドリアデ青山>

2
ひとつでこれだけの収納力があるチェストって、実はなかなかないのである。雫のような取っ手のデザインがキュートなアクセントになって。●(W176×D42×H90cm)8万9800円<ボーコンセプト南青山>

1
昔からタンスと言えば桐。モダンにアレンジされたチェストなら、和洋問わずさまざまな空間に溶け込む。衣類以外もOK。●(W63×D45×H145cm)19万5000円<ケース・スタディ・ショップ#1>

29　28

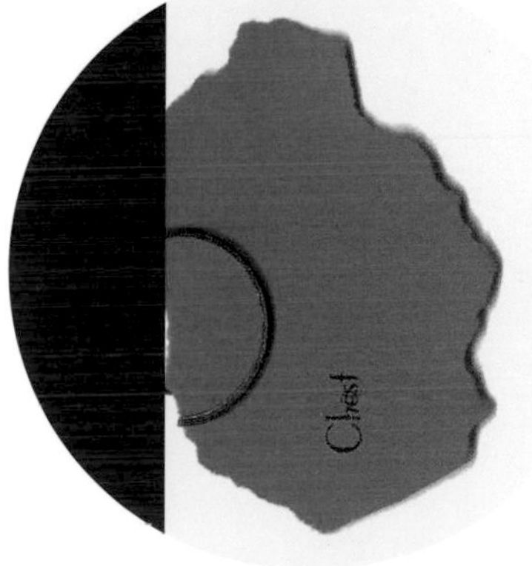

MAIL ORDER CATALOG 通信販売カタログ　　NOV@TEL ノヴァッテル　Vol.1 2000

PB: (株) NOVAドットコム NOVA. COM Co., Ltd. AD: 前田義生 Yoshio Maeda D: 永田伊知子 Ichiko Nagata I: 玉田紀子 Noriko Tamada CW: 瀬上昌子 Masako Segami
PLANNING OFFICE: 凸版印刷 (株) TOPPAN PRINTING Co., Ltd. DF: (有) クリエイティブオフィス・マエ creative office mae, inc.

COVER

FREEPAPER フリーペーパー　　metro min. メトロミニッツ　No.3 February 2003

PB: スターツ出版 (株) STARTS PUBLISHING CORPORATION E: 斎藤真知子 Machiko Saito AD, D (COVER): アオコ Aoco AD: エー・ティー・エス A.D.S P (COVER): 寝ころびギョラニストbigmouth bigmouth
P: 柳 大輔 Daisuke Yanagi CW (COVER): P. NAOTAKE WRITER: 吉田典代 Noriyo Yoshida / ヨンカース Yonkers

COVER

MOOK ムック　**brand-new hair style collection CUT & BLOW Spring 最新・ヘア オーダー カタログ** 2003

PB: (株)芝パーク出版 SHIBAPARK　E: 江尻亜由子 Ayuko Ejiri　CD: 守山晴雄 Haruo Moriyama (Dumas)　D, I: 中川久美子 Kumiko Nakagawa　P: 浅田敏之 Toshiyuki Asada / 喜多二三夫 Fumio Kita

049 : CUT & BLOW : solution of wave style

solution of Wave Style

MEDIUM

« after

« before

細くてやわらかく量も少ない超ネコっ手。ストレートヘアでぺったりとボリュームがない状態だと、顔も大きく見えてしまってソン。

ぺたんこミディアム

肩にあたってハネやすい長さのミディアムは、それを逆に利用して衿足に外巻きパーマをかければネコっ毛もいきいき元気な印象に。トップは根もとを起こしてふんわりと仕上げます。カール感は強調せずボリュームだけを出す、自然なシルエットパーマがおすすめ。

ミディアムでふくらむ髪を解決する

●パーマポイント

1 **毛束を高く持ち上げて根もとまで巻く**
トップの髪は極太ロッドを使って根もとまで巻きこみます。毛束を高く持ち上げることで、しっかり根もとから立ち上がりを出して。

2 **衿足は外巻きにして元気な外ハネに**
頭の真ん中のゾーンは、毛束の中間から毛先へ巻きこみ、ゆるいうねりが出るように。衿足は外巻きにし、外ハネカールに仕上げます。

●スタイリングポイント

1 **ペタつかないフォームでカールを再現**
タオルドライ後の湿った状態でフォームをもみこむようにつけて、カール感を引き出します。ペタつかない軽めのフォームを選んで。

2 **サイドは生え際を起こすようにブロー**
サイドの生え際部分を手ぐしで起こしながらドライヤーで乾かします。これでサイドにふんわりとした空気感が出てボリュームアップ。

内巻きのふんわり感と衿足の外ハネでネコっ毛を元気よく

トップからサイドは立ち上がりをつけてふんわり、衿足は外ハネにして空気感のある立体的なシルエットに。顔もキュッと小さく見えます。

●オーダーポイント

肩下3cmのウルフレイヤースタイル。後頭部に奥行きが出るように毛先は軽くし、全体的にスライドカットをして空気感を出します。前髪は奥行きを深くとって斜めに流して。

トップの髪は極太ロッドを使って根もとまで巻き込みます。頭の真ん中のゾーンは、毛束の中間から毛先へ巻き込み、ゆるいうねりが出るように。衿足は毛先を逃がしながら外巻きに。

salon：アクア ハラジュク
hair：渥美ちはる
photo：浅田敏之

Hair Problems　● LONG ● MEDIUM ● SHORT

« cutting point　« parmed point : CUT & BLOW : 048

根もとから巻いたランダムカールでペタンコ髪をふんわりと

ペタンコになりやすい髪を根もとからランダムカールで立ち上げてキュートなボリューム感を。ゆれるカールでいきいきした表情に。

●オーダーポイント

肩下20cmの前上がりロングベース。軽くなりすぎないよう、あごラインからレイヤーを入れます。空気感を出すため根もとからセニングですきます。前髪はやや深くつくるように。

太めのロングロッドと、円錐ロッドをミックスして巻きます。クセ毛っぽい動きが出るようランダムに。

●スタイリングポイント

洗い流さないトリートメント剤をつけ、髪を持ち上げるようにして乾かします。仕上げにソフトワックスをつけて。

salon：アフロート
hair：YOSSY
photo：喜多二三雄

solution of Wave Style

LONG

ぺたんこロング

顔まわりを包むランダムな内巻きパーマで女らしさ満点！

レイヤーでタイトに絞ったすそ部分にランダムな内巻きカールをプラス。ふんわりとした空気感のあるウェーブがやさしい表情を演出します。

●オーダーポイント

ロングウルフベース。耳下からタイトになるようにたっぷりとレイヤーを入れます。ドライ後、バランスを見ながらスライドカットで毛量調整。

毛先は逃がしてワンカールのパーマをかけます。太さの違うロッドでランダムなうねりを。

●スタイリングポイント

根もと中心に軽く乾かしたあと、ソフトワックスをもみこみます。顔まわりの髪は指で毛束感を出して。

salon：モリオフロム ロンドン原宿店
hair：谷内美人
photo：喜多二三雄

Hair Problems　● LONG ● MEDIUM ● SHORT

COVER

MOOK ムック **Beads Accessary Book ビーズアクセサリーBOOK** 2002

PB: (株) 双葉社 FUTABASHA E: オフィス棟 Office Ren / 山路洋子 Yoko Yamaji D: キッタヒロシ Hiroshi Kitta P: 中川カンゴロー Kangoro Nakagawa I: 林 慎悟 Shingo Hayashi

◆バラ色のリング

Original Ring

※このキットが欲しい方は、P102〜をご覧のうえ、お買い求めください。なお、品切れの際はご容赦ください。(キット価格1312円<税込>)

▶ 所要時間：約60分 ▶ できあがりのサイズ：最大で約15号

スワロフスキー・ビーズの中でも特に人気が高く、
希少なソロバン型の赤（シャム色）を使ったゴージャス感あふれるリング。
深みのあるシックなシャムの色合いは
大人の女性をより美しく見せるための色、といっても過言ではありません。
ぜひ、ファッションのアクセントカラーとして楽しんでみて。
スカーフどめやペンダントヘッドとしても活用できます。

Rose Color

材料

01

A: スワロフスキー5301/4mm ライトシャム（ライトシャムサテン、ライトシャムオーロラでもOK）…9個
B: スワロフスキー5301/4mm バーガンディ…6個
C: スワロフスキー5301/4mm シャム（シャムオーロラ、ルビー、ルビーサテン、ルビーオーロラでもOK）…9個
・ミニビーズ/ゴールドブロンズ …56個
・チェコビーズ/チェコカットビーズ4mm 赤…7個
・テグス…約1m

用意していただくとより便利な用具

■小皿
■セロテープ

リングのサイズについて

■このリングのサイズはチェコビーズとミニビーズの数で調節できます。（ただしテグスの引き締め具合によってサイズは変わってしまいますので、ご自分のサイズにあったリングを作りたい場合は、必ず大きさの確認をご自分でなさってください。つくりかた14参照）

つくりかた

The making for beads accessory

■ここがポイント！

読者からのアンケートでは、フェイス部分（つくりかた6〜8）が間違いやすかったようです。図をよく確認し、慎重に作業しましょう。編んでいる部分が長くなってきたら、ビーズをセロテープなどで固定すると、作業がよりスムーズに。

1 まずはリングのフェイス部分（リングの表になる部分）からつくっていきます。5種類のビーズを種類別に、浅いフチつきの小皿などに取り分けます。
A：スワロフスキー5301/4mm
ライトシャム（ライトシャムサテン、ライトシャムオーロラでもOK）…9個
B：スワロフスキー5301/4mm バーガンディ…6個
C：スワロフスキー5301/4mm
シャム（シャムオーロラ、ルビー、ルビーサテン、ルビーオーロラでもOK）…9個
ミニビーズ/ゴールドブロンズミニビーズ…56個
チェコビーズ/チェコカットビーズ4mm 赤…7個
テグス…約1m

2 テグス（茶）はカットせずにそのまま使います。テグスに(A)を1個入れて、テグスのセンターにくるようにします。

C A / B A C / C B / A B A / B C / C A B / A A / B C A / A C

★ スタートビーズ

Ring

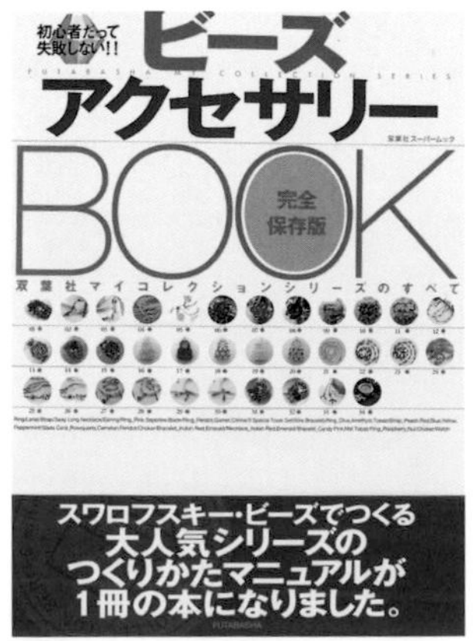

COVER

チャート
CHARTS

グリッド状の罫線や色の組み合わせから構成された表組や、ものごとの流れを図式化した作品の中から、見やすく美しいレイアウトを紹介します。
Attractive yet easy-to-decipher layouts that organize and trace the flow of information using grids, lines, color and other graphic devices.

BOOK 書籍 100 views of The Mambonsai ザ・マン盆栽百景 2002

PB: (株) 扶桑社 Fusosha Publishing Inc. E: 石黒謙吾 Kengo Ishiguro (BLUE ORANGE STADIUM) / 井上健太郎 Kentaro Inoue (BLUE ORANGE STADIUM) / 碇 耕一 Kouichi Ikari (Fusosha Publishing Inc.)
SUPERVISOR, AUTHOR: パラダイス山元 Paradise Yamamoto D: 小宮山秀明 Hideaki Komiyama (TGB design.) P: 田中秀樹 Hideki Tanaka

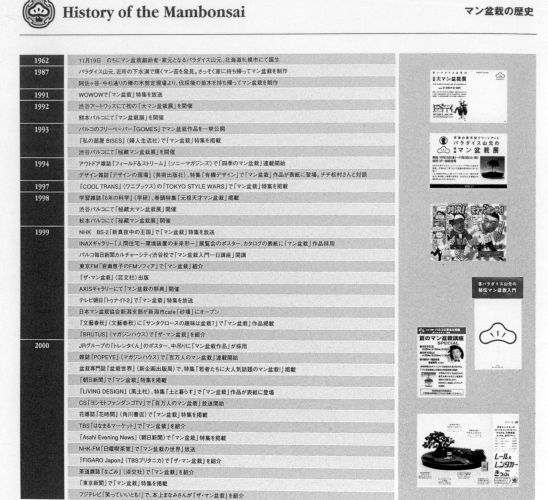

History of the Mambonsai

マン盆栽の歴史

1962	11月19日　のちにマン盆栽創始者・家元となるパラダイス山元、北海道札幌市にて誕生
1987	パラダイス山元、近所の下水溝で輝くマン苔を発見。さっそく家に持ち帰ってマン盆栽を制作
	阿佐ヶ谷・中杉通りの欅の木剪定現場より、伐採後の苗木を持ち帰ってマン盆栽を制作
1991	WOWOWで「マン盆栽」特集を放送
1992	渋谷アートワッズにて初の「大マン盆栽展」を開催
	熊本パルコにて「マン盆栽展」を開催
1993	パルコのフリーペーパー『GOMES』でマン盆栽作品を一挙公開
	『私の部屋 BISES』（婦人生活社）で「マン盆栽」特集を掲載
	渋谷パルコにて「秘蔵マン盆栽展」を開催
1994	アウトドア雑誌『フィールド&ストリーム』（ソニーマガジンズ）で「四季のマン盆栽」連載開始
	デザイン雑誌『デザインの現場』（美術出版社）、特集「有機デザイン」で「マン盆栽」作品が表紙に登場。チチ松村さんと対談
1997	『COOL TRANS』（ワニブックス）の「TOKYO STYLE WARS」で「マン盆栽」特集を掲載
1998	学習雑誌『6年の科学』（学研）、巻頭特集「元祖天才マン盆栽」掲載
	渋谷パルコにて「秘蔵大マン盆栽展」開催
	松本パルコにて「秘蔵マン盆栽展」開催
1999	NHK　BS-2「新真夜中の王国」で「マン盆栽」特集を放送
	INAXギャラリー「人間住宅ー環境装置の未来形ー」展覧会のポスター、カタログの表紙に「マン盆栽」作品採用
	パルコ毎日新聞カルチャーシティ渋谷校で「マン盆栽入門一日講座」開講
	東京FM「岩瀬恵子のFMソフィア」で「マン盆栽」紹介
	『ザ・マン盆栽』（芸文社）出版
	AXISギャラリーにて「マン盆栽の祭典」開催
	テレビ朝日「トゥナイト2」で「マン盆栽」特集を放送
	日本マン盆栽協会新潟支部が新潟市cafe「砂場」にオープン
	『文藝春秋』（文藝春秋）に「サンタクロースの趣味は盆栽?」で「マン盆栽」作品掲載
	『BRUTUS』（マガジンハウス）で『ザ・マン盆栽』を紹介
2000	JRグループの「トレンタくん」のポスター、中吊りに「マン盆栽作品」が採用
	雑誌『POPEYE』（マガジンハウス）で「百万人のマン盆栽」連載開始
	盆栽専門誌『盆栽世界』（新企画出版局）で、特集「若者たちに大人気話題のマン盆栽!」掲載
	「朝日新聞」で「マン盆栽」特集を掲載
	『LIVING DESIGN』（風土社）、特集「土と暮らす」で「マン盆栽」作品が表紙に登場
	CS「ヨシモトファンダンゴTV」で「百万人のマン盆栽」放送開始
	花雑誌『花時間』（角川書店）で「マン盆栽」特集を掲載
	TBS「はなまるマーケット」で「マン盆栽」を紹介
	「Asahi Evening News」（朝日新聞）で「マン盆栽」特集を掲載
	NHK-FM「日曜喫茶室」で「マン盆栽の世界」放送
	『FIGARO Japon』（TBSブリタニカ）で『ザ・マン盆栽』を紹介
	茶道雑誌『なごみ』（淡交社）で「マン盆栽」を紹介
	「東京新聞」で「マン盆栽」特集を掲載
	フジテレビ「笑っていいとも!」で、本上まなみさんが『ザ・マン盆栽』を紹介

80

2001	第11回「日本ホビー大賞アイデ
	J-WAVE「プライムアングル」で
	原宿ROCKETにて「秘蔵大マン
	NHK総合・教育テレビ「おしゃれ
	『ザ・マン盆栽2』（芸文社）出版
	『週刊文春』（文藝春秋）の「
	「新潟日報」に「これがマン盆栽
	生花雑誌『IKEBANA INTERN
	雑誌『Memo男の部屋』（ワール
	TBS「王様のブランチ」で「ザ・マ
	東京都杉並区にマン盆栽サロン
	雑誌『ラピタ』（小学館）で「マン
2002	日本政府外務省制作の海外向
	世界110数ヶ国の日本在外公
	『ザ・マン盆栽』文庫版（文春文
	『ザ・マン盆栽』（文庫版）が、「
	タウン誌『銀座百点』（銀座百店
	日本橋高島屋にて「マン盆栽展
	『ヨミー』（読売新聞）で「マン盆
	『週刊SPA!』（扶桑社）の特集
	デザイン雑誌『AXIS』（アクシス
	カメラ雑誌『デジタルカメラFRE
	NHKラジオ第1「ふれあいラジオ
	富田隆先生、岡元あつこさんが「
	「I LOVE TAMIYA」展（全国
	「THE DAILY YOMIURI」（読
	渋谷パルコで「マン盆栽講座」
	健康雑誌『壮快』（マキノ出版）
	ドイツテレビARD 1chのニュース
	渋谷東急ハンズで「マン盆栽講
	TBS「ニュースの森」で「マン盆
	NHKハイビジョン・BS-2・総合テ
	マン盆栽が小道具として登場。
	津田沼パルコで「一日マン盆栽
	ラテンパニック!　デビューLP盤
	TBSラジオ「ストリーム」で、松本
	テレビ朝日「所ジョージのそんな
	オセロ、林家こぶ平さんが「マン
	フジテレビ「堂本兄弟」で、堂本
	テレビ朝日「タモリ倶楽部」で「
	伊集院光さん、羽田実加さんが「
	JFN「ヒルサイド・アヴェニュー」
	『男の隠れ家』（あいであ・らいふ
	ロンドンのカルチャーマガジン「V
	フランスのファッション・ガーデニ

COVER

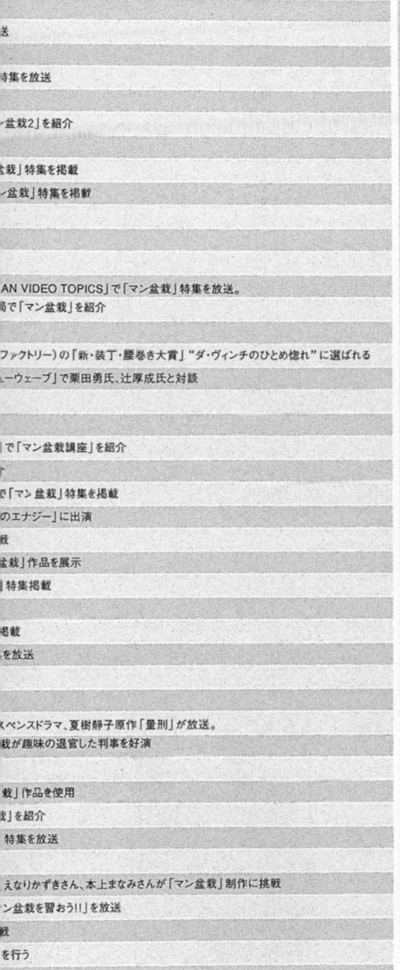

送

特集を放送

盆栽2」を紹介

盆栽」特集を掲載
ン盆栽」特集を掲載

AN VIDEO TOPICS」で「マン盆栽」特集を放送。
局で「マン盆栽」を紹介

ファクトリー)の「新・装丁・腰巻き大賞」“ダ・ヴィンチのひとめ惚れ”に選ばれる
ューウェーブ」で栗田勇氏、辻厚成氏と対談

で「マン盆栽講座」を紹介

で「マン盆栽」特集を掲載
のエナジー」に出演
戦
盆栽」作品を展示
特集掲載

掲載
を放送

スペンスドラマ、夏樹静子原作「量刑」が放送。
栽が趣味の退官した判事を好演

栽」作品を使用
栽」を紹介
特集を放送

えなりかずきさん、本上まなみさんが「マン盆栽」制作に挑戦
ン盆栽を習おう!!」を放送
戦
を行う
「蔓鮫苑」掲載
栽」の特集が掲載
「マン盆栽」の特集が掲載

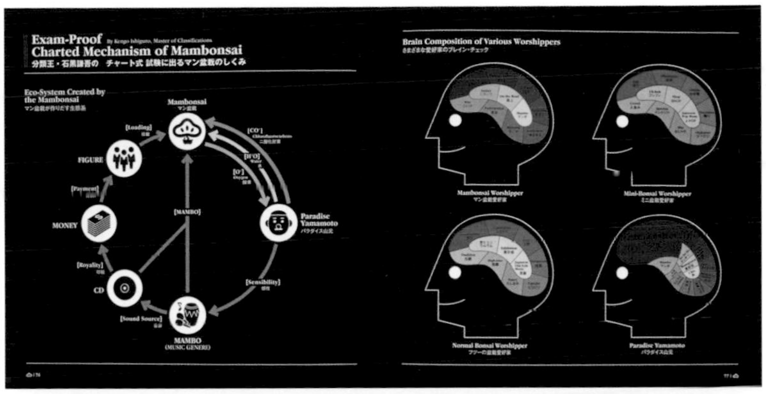

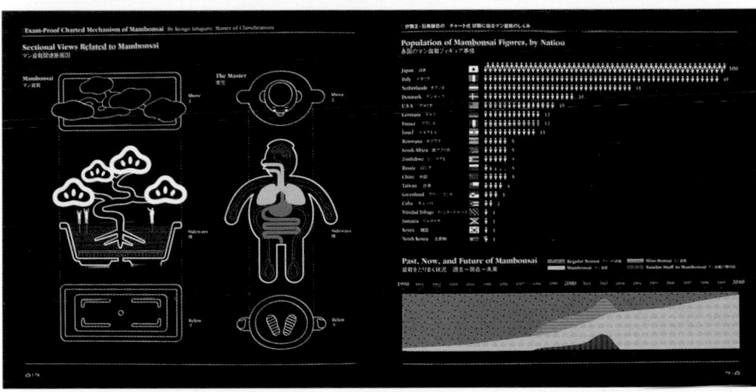

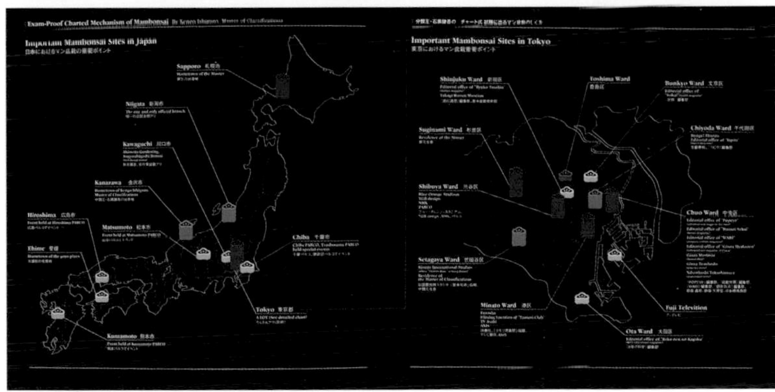

CORPORATE PROFILE　会社案内　　ASKUL Corporate Profile　アスクル会社案内　2001

CL: アスクル (株) ASKUL Corporation E: 於保実佐子 Misako Oho / 鈴木 文 Aya Suzuki CD, AD: 岡本一宣 Issen Okamoto D: 小埜田尚子 Naoko Onoda / 夏野秀信 Hidenobu Natsuno
P: 瀬尾浩司 Hiroshi Seo / 小寺浩之 Hiroyuki Kodera DF: 岡本一宣 Okamoto Issen Graphic Design Company Ltd.

COVER

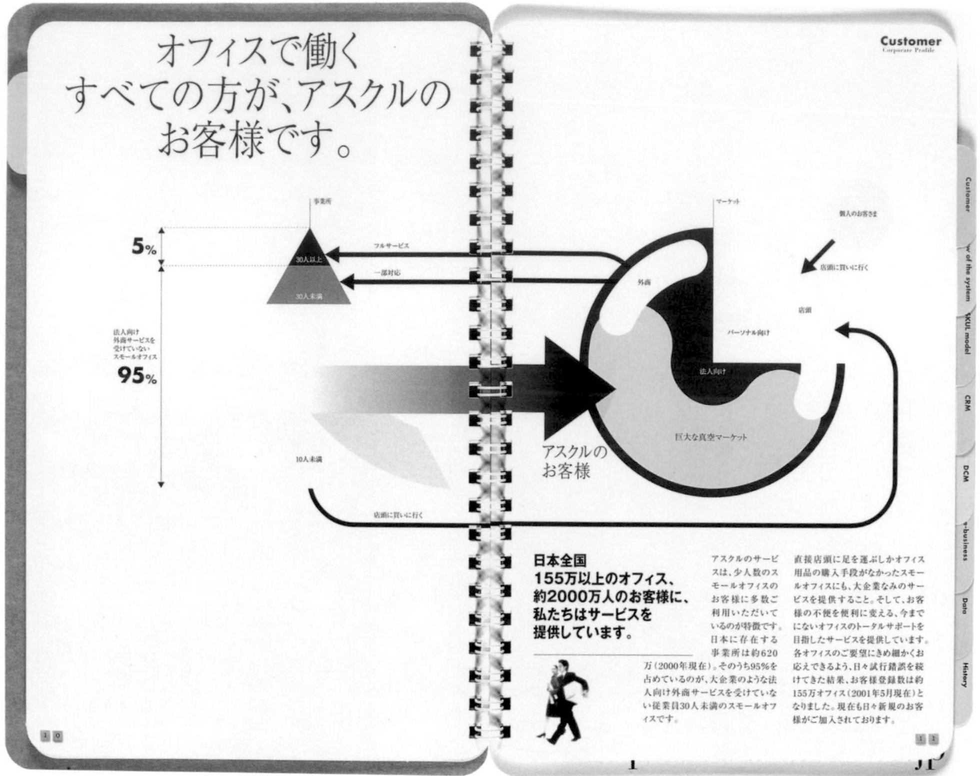

MAGAZINE 雑誌 **STUDIO VOICE スタジオ・ボイス** Vol.318 June 2002

PB: インファス INFAS E: 加藤陽之 Haruyuki Kato AD: 藤本やすし Yasushi Fujimoto D, DF: キャップ cap P (COVER): TAKU I: 小黒ケンジ Kenji Oguro

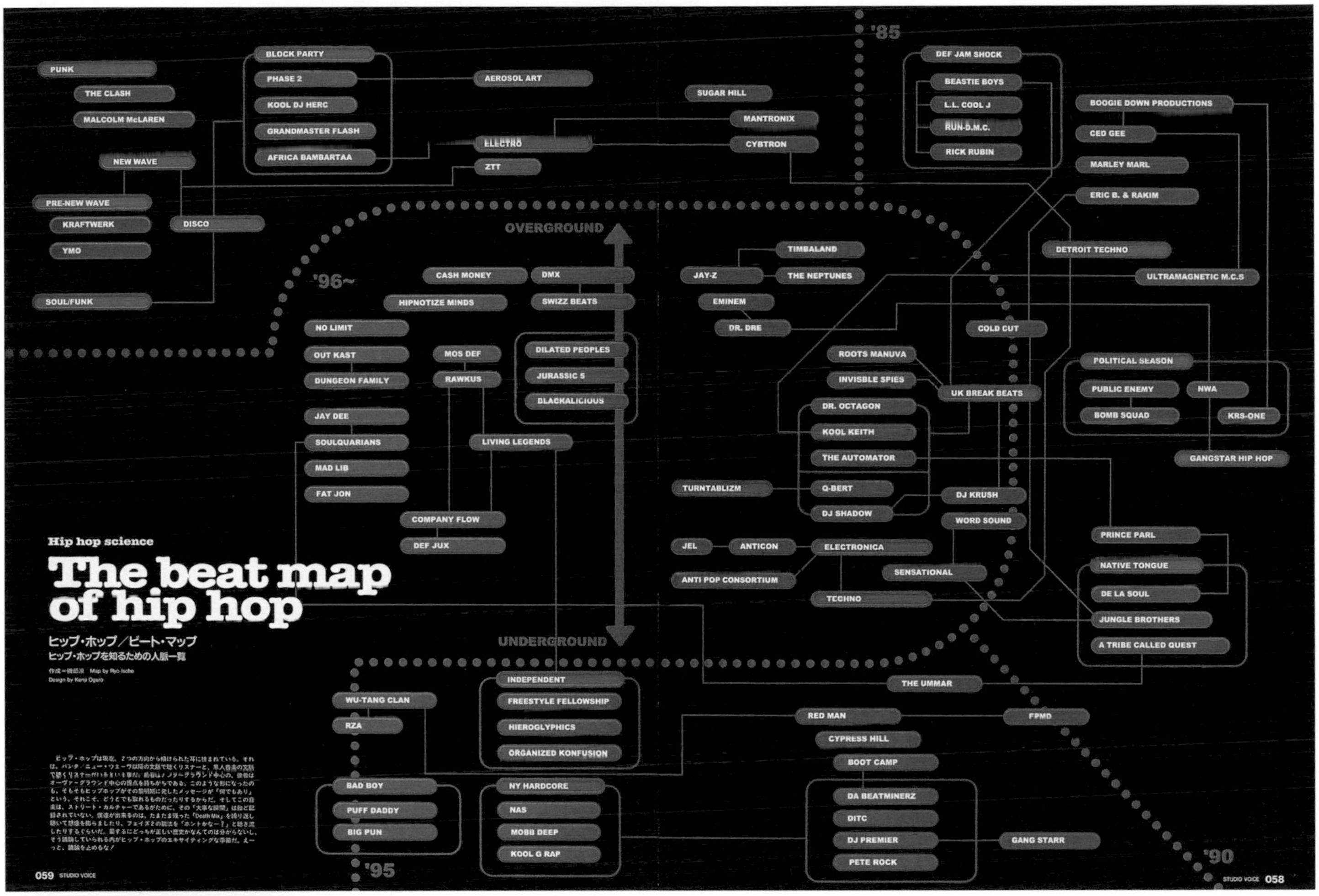

Hip hop science

The beat map of hip hop

ヒップ・ホップ／ビート・マップ
ヒップ・ホップを知るための人脈一覧

作成＝磯部涼 Map by Ryo Isobe
Design by Kenji Oguro

ヒップ・ホップは現在、2つの方向から傾けられた耳に挟まれている。それは、パンク／ニュー・ウェーヴ以降の文脈で聴くリスナーと、黒人音楽の文脈で聴くリスナーがいるという事だ。前者はアンダーグラウンド中心の、後者はオーヴァーグラウンド中心の視点を持ちがちである。このような形になったのも、そもそもヒップホップがその黎明期に発したメッセージが「何でもあり」という、それこそ、どうとでも取れるものだったりするからだ。そしてこの音楽は、ストリート・カルチャーであるがために、その「大事な瞬間」は殆ど記録されていない。僕達が出来るのは、たまたま残った「Death Mix」を繰り返し聴いて想像を膨らましたり、フェイズ2の説法を「ホントかなー？」と聴き流したりするぐらいだ。要するにどっちが正しい歴史かなんてのは分からないし、そう議論していられる内がヒップ・ホップのエキサイティングな季節だ。えーっと、議論を止めるな！

'85
'90
'95
'96~
OVERGROUND
UNDERGROUND

PUNK
THE CLASH
MALCOLM McLAREN
NEW WAVE
PRE-NEW WAVE
KRAFTWERK
YMO
DISCO
SOUL/FUNK
BLOCK PARTY
PHASE 2
KOOL DJ HERC
GRANDMASTER FLASH
AFRICA BAMBARTAA
AEROSOL ART
ELECTRO
ZTT
SUGAR HILL
MANTRONIX
CYBTRON
DEF JAM SHOCK
BEASTIE BOYS
L.L. COOL J
RUN-D.M.C.
RICK RUBIN
BOOGIE DOWN PRODUCTIONS
CED GEE
MARLEY MARL
ERIC B. & RAKIM
DETROIT TECHNO
ULTRAMAGNETIC M.C.S
CASH MONEY
DMX
HIPNOTIZE MINDS
SWIZZ BEATS
NO LIMIT
OUT KAST
DUNGEON FAMILY
MOS DEF
RAWKUS
DILATED PEOPLES
JURASSIC 5
BLACKALICIOUS
JAY DEE
SOULQUARIANS
MAD LIB
FAT JON
LIVING LEGENDS
COMPANY FLOW
DEF JUX
TIMBALAND
JAY-Z
THE NEPTUNES
EMINEM
DR. DRE
COLD CUT
ROOTS MANUVA
INVISBLE SPIES
UK BREAK BEATS
DR. OCTAGON
KOOL KEITH
THE AUTOMATOR
TURNTABLIZM
Q-BERT
DJ SHADOW
DJ KRUSH
WORD SOUND
JEL
ANTICON
ELECTRONICA
ANTI POP CONSORTIUM
SENSATIONAL
TECHNO
POLITICAL SEASON
PUBLIC ENEMY
NWA
BOMB SQUAD
KRS-ONE
GANGSTAR HIP HOP
PRINCE PARL
NATIVE TONGUE
DE LA SOUL
JUNGLE BROTHERS
A TRIBE CALLED QUEST
THE UMMAR
WU-TANG CLAN
RZA
INDEPENDENT
FREESTYLE FELLOWSHIP
HIEROGLYPHICS
ORGANIZED KONFUSION
RED MAN
FPMD
CYPRESS HILL
BOOT CAMP
DA BEATMINERZ
DITC
DJ PREMIER
PETE ROCK
GANG STARR
BAD BOY
PUFF DADDY
BIG PUN
NY HARDCORE
NAS
MOBB DEEP
KOOL G RAP

059 STUDIO VOICE
STUDIO VOICE 058

COVER

MOOK ムック　X-Knowledge HOME エクスナレッジホーム　Vol.1 January 2002

PB: (株) エクスナレッジ X-Knowledge Co., Ltd.　E: 澤井聖一 Seiichi Sawai　AD: 角田純一 Junichi Tsunoda
D: イトー・マユミ Mayumi Ito (cluster) / 大村太一 Taichi Ohmura (MANAS) / 小澤加代子 Kayoko Ozawa (MANAS)　P (COVER): 高橋恭司 Kyoji Takahashi

COVER

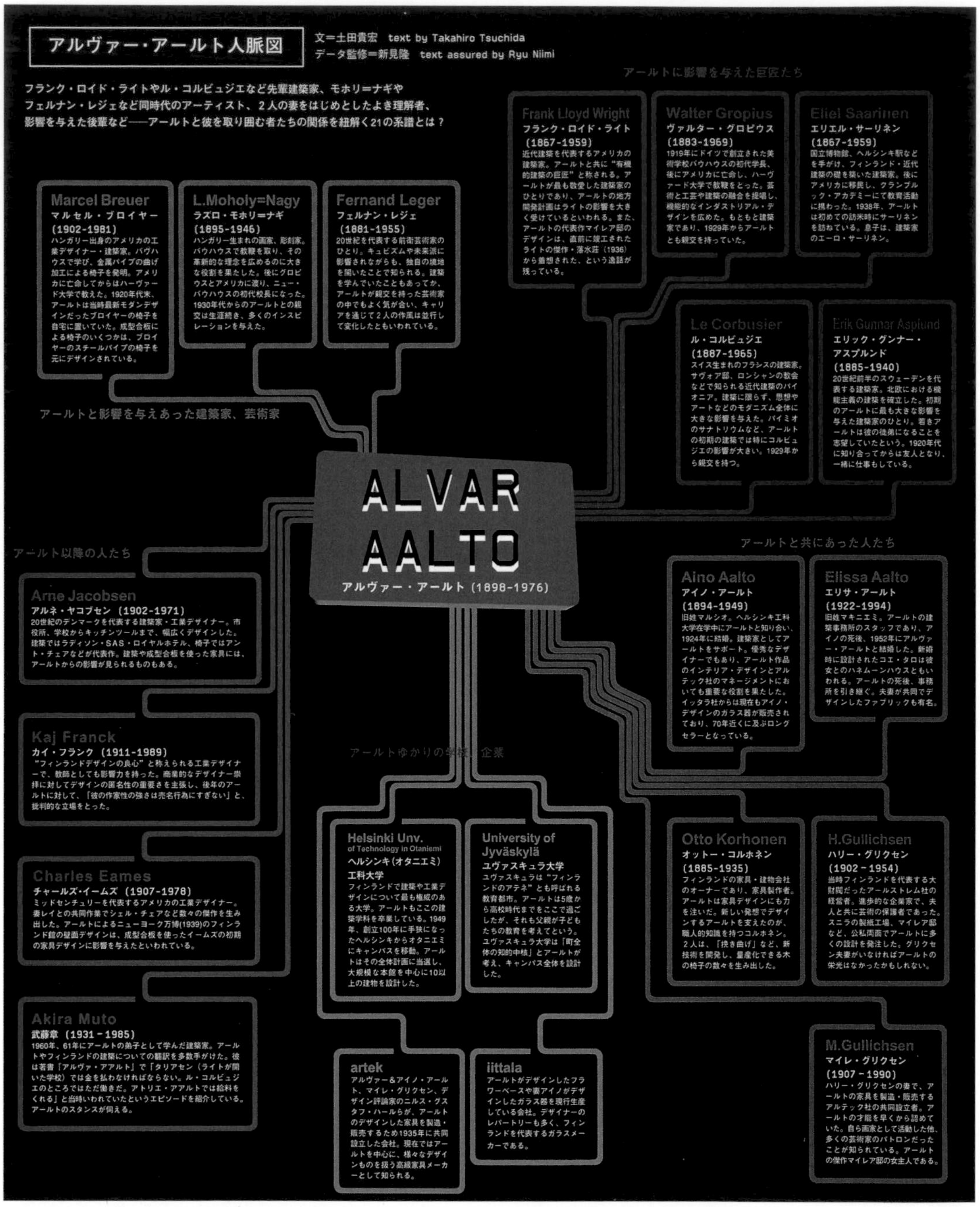

アルヴァー・アールト人脈図

文=土田貴宏　text by Takahiro Tsuchida
データ監修=新見隆　text assured by Ryu Niimi

フランク・ロイド・ライトやル・コルビュジエなど先輩建築家、モホリ=ナギやフェルナン・レジェなど同時代のアーティスト、2人の妻をはじめとしたよき理解者、影響を与えた後輩など――アールトと彼を取り囲む者たちの関係を紐解く21の系譜とは？

ALVAR AALTO
アルヴァー・アールト (1898-1976)

アールトに影響を与えた巨匠たち

Frank Lloyd Wright
フランク・ロイド・ライト (1867-1959)
近代建築を代表するアメリカの建築家。アールトと共に"有機的建築の巨匠"と称される。アールトが最も敬愛した建築家のひとりであり、アールトの地方開発計画はライトの影響を大きく受けているといわれる。また、アールトの代表作マイレア邸のデザインは、直前に竣工されたライトの傑作・落水荘（1936）から着想された、という逸話が残っている。

Walter Gropius
ヴァルター・グロピウス (1883-1969)
1919年にドイツで創立された美術学校バウハウスの初代学長、後にアメリカに亡命し、ハーヴァード大学で教鞭をとった。芸術と工芸や建築の融合を提唱し、機能的なインダストリアル・デザインを広めた。もともと建築家であり、1929年からアールトとも親交を持っていた。

Eliel Saarinen
エリエル・サーリネン (1867-1959)
国立博物館、ヘルシンキ駅などを手がけ、フィンランド・近代建築の礎を築いた建築家。後にアメリカに移民し、クランブルック・アカデミーにて教育活動に携わった。1938年、アールトは初めての訪米時にサーリネンを訪ねている。息子は、建築家のエーロ・サーリネン。

Le Corbusier
ル・コルビュジエ (1887-1965)
スイス生まれのフランスの建築家。サヴォア邸、ロンシャンの教会などで知られる近代建築のパイオニア。建築に限らず、思想やアートなどのモダニズム全体に大きな影響を与えた。パイミオのサナトリウムなど、アールトの初期の建築では特にコルビュジエの影響が大きい。1929年から親交を持つ。

Erik Gunnar Asplund
エリック・グンナー・アスプルンド (1885-1940)
20世紀前半のスウェーデンを代表する建築家。北欧における機能主義の建築を確立した。初期のアールトに最も大きな影響を与えた建築家のひとり。若きアールトは彼の徒弟になることを志望していたという。1920年代に知り合ってからは友人となり、一緒に仕事もしている。

アールトと影響を与えあった建築家、芸術家

Marcel Breuer
マルセル・ブロイヤー (1902-1981)
ハンガリー出身のアメリカの工業デザイナー・建築家。バウハウスで学び、金属パイプの曲げ加工による椅子を発明。アメリカに亡命してからはハーヴァード大学で教えた。1920年代末、アールトは当時最新モダンデザインだったブロイヤーの椅子を自宅に置いていた。成型合板による椅子のいくつかは、ブロイヤーのスチールパイプの椅子を元にデザインされている。

L.Moholy=Nagy
ラズロ・モホリ=ナギ (1895-1946)
ハンガリー生まれの画家、彫刻家。バウハウスで教鞭を取り、その革新的な理念を広めるのに大きな役割を果たした。後にグロピウスとアメリカに渡り、ニュー・バウハウスの初代校長になった。1930年代からのアールトとの親交は生涯続き、多くのインスピレーションを与えた。

Fernand Leger
フェルナン・レジェ (1881-1955)
20世紀を代表する前衛芸術家のひとり。キュビズムや未来派に影響されながらも、独自の境地を開いたことで知られる。建築を学んでいたこともあってか、アールトが親交を持った芸術家の中でもよく気が合い、キャリアを通じて2人の作風は並行して変化したともいわれている。

アールトと共にあった人たち

Aino Aalto
アイノ・アールト (1894-1949)
旧姓マルシオ。ヘルシンキ工科大学在学中にアールトと知り合い、1924年に結婚。建築家としてアールトをサポート。優秀なデザイナーでもあり、アールト作品のインテリア・デザインとアルテック社のマネージメントにおいても重要な役割を果たした。イッタラ社からは現在もアイノ・デザインのガラス器が販売されており、70年近くに及ぶロングセラーとなっている。

Elissa Aalto
エリサ・アールト (1922-1994)
旧姓マキニエミ。アールトの建築事務所のスタッフであり、アイノの死後、1952年にアルヴァー・アールトと結婚した。新婚時に設計されたコエ・タロは彼女とのハネムーンハウスともいわれる。アールトの死後、事務所を引き継ぐ。夫妻が共同でデザインしたファブリックも有名。

Otto Korhonen
オットー・コルホネン (1885-1935)
フィンランドの家具・建物会社のオーナーであり、家具製作者。アールトは家具デザインにも力を注いだ。新しい発想でデザインするアールトを支えたのが、職人的知識を持つコルホネン。2人は、「挽き曲げ」など、新技術を開発し、量産化できる木の椅子の数々を生み出した。

H.Gullichsen
ハリー・グリクセン (1902-1954)
当時フィンランドを代表する大財閥だったアールストレム社の経営者。進歩的な企業家で、夫人と共に芸術の保護者であった。スニラの製紙工場、マイレア邸など、公私両面でアールトに多くの設計を発注した。グリクセン夫妻がいなければアールトの栄光はなかったかもしれない。

M.Gullichsen
マイレ・グリクセン (1907-1990)
ハリー・グリクセンの妻で、アールトの家具を製造・販売するアルテック社の共同設立者。アールトの才能を早くから認めていた。自ら画家として活動した他、多くの芸術家のパトロンだったことが知られている。アールトの傑作マイレア邸の女主人である。

アールトゆかりの学校と企業

Helsinki Unv. of Technology in Otaniemi
ヘルシンキ(オタニエミ)工科大学
フィンランドで建築や工業デザインについて最も権威のある大学。アールトもここの建築学科を卒業している。1949年、創立100年に手狭になったヘルシンキからオタニエミにキャンパスを移動。アールトはその全体計画に当選し、大規模な本館を中心に10以上の建物を設計した。

University of Jyväskylä
ユヴァスキュラ大学
ユヴァスキュラは"フィンランドのアテネ"とも呼ばれる教育都市。アールトは5歳から高校時代までをここで過ごしたが、それも父親が子どもたちの教育を考えてという。ユヴァスキュラ大学は「町全体の知的中枢」とアールトが考え、キャンパス全体を設計した。

artek
アルヴァー&アイノ・アールト、マイレ・グリクセン、デザイン評論家のニルス・グスタフ・ハールらが、アールトのデザインした家具を製造・販売するため1935年に共同設立した会社。現在ではアールトを中心に、様々なデザインのものを扱う高級家具メーカーとして知られる。

iittala
アールトがデザインしたフラワーベースや妻アイノがデザインしたガラス器を現行生産している会社。デザイナーのレパートリーも多く、フィンランドを代表するガラスメーカーである。

アールト以降の人たち

Arne Jacobsen
アルネ・ヤコブセン (1902-1971)
20世紀のデンマークを代表する建築家・工業デザイナー。市役所、学校からキッチンツールまで、幅広くデザインした。建築ではラディソン・SAS・ロイヤルホテル、椅子ではアント・チェアなどが代表作。建築や成型合板を使った家具には、アールトからの影響が見られるものもある。

Kaj Franck
カイ・フランク (1911-1989)
"フィンランドデザインの良心"と称えられる工業デザイナーで、教師としても影響力を持った。商業的なデザイナー崇拝に対してデザインの匿名性の重要さを主張し、後年のアールトに対して、「彼の作家性の強さは売名行為にすぎない」と、批判的な立場をとった。

Charles Eames
チャールズ・イームズ (1907-1978)
ミッドセンチュリーを代表するアメリカの工業デザイナー。妻レイとの共同作業でシェル・チェアなど数々の傑作を生み出した。アールトによるニューヨーク万博(1939)のフィンランド館の壁面デザインは、成型合板を使ったイームズの初期の家具デザインに影響を与えたといわれている。

Akira Muto
武藤章 (1931－1985)
1960年、61年にアールトの弟子として学んだ建築家。アールトやフィンランドの建築についての翻訳を多数手がけた。彼は著書『アルヴァ・アアルト』で「タリアセン（ライトが開いた学校）では金を払わなければならない。ル・コルビュジエのところではただ働きだ。アトリエ・アアルトでは給料をくれる」と当時いわれていたというエピソードを紹介している。アールトのスタンスが伺える。

MOOK ムック **X-Knowledge HOME エクスナレッジホーム** **Vol.4 April 2002**

PB: (株) エクスナレッジ X-Knowledge Co., Ltd. F: 澤井聖一 Seiichi Sawai AD. 角田純一 Junichi Tsunoda
D. イトー・マユミ Mayumi Ito (cluster) / 大村太一 Taichi Ohmura (MANAS) / 小澤加代子 Kayoko Ozawa (MANAS) P (COVER): 鈴木 親 Chikashi Suzuki

COVER

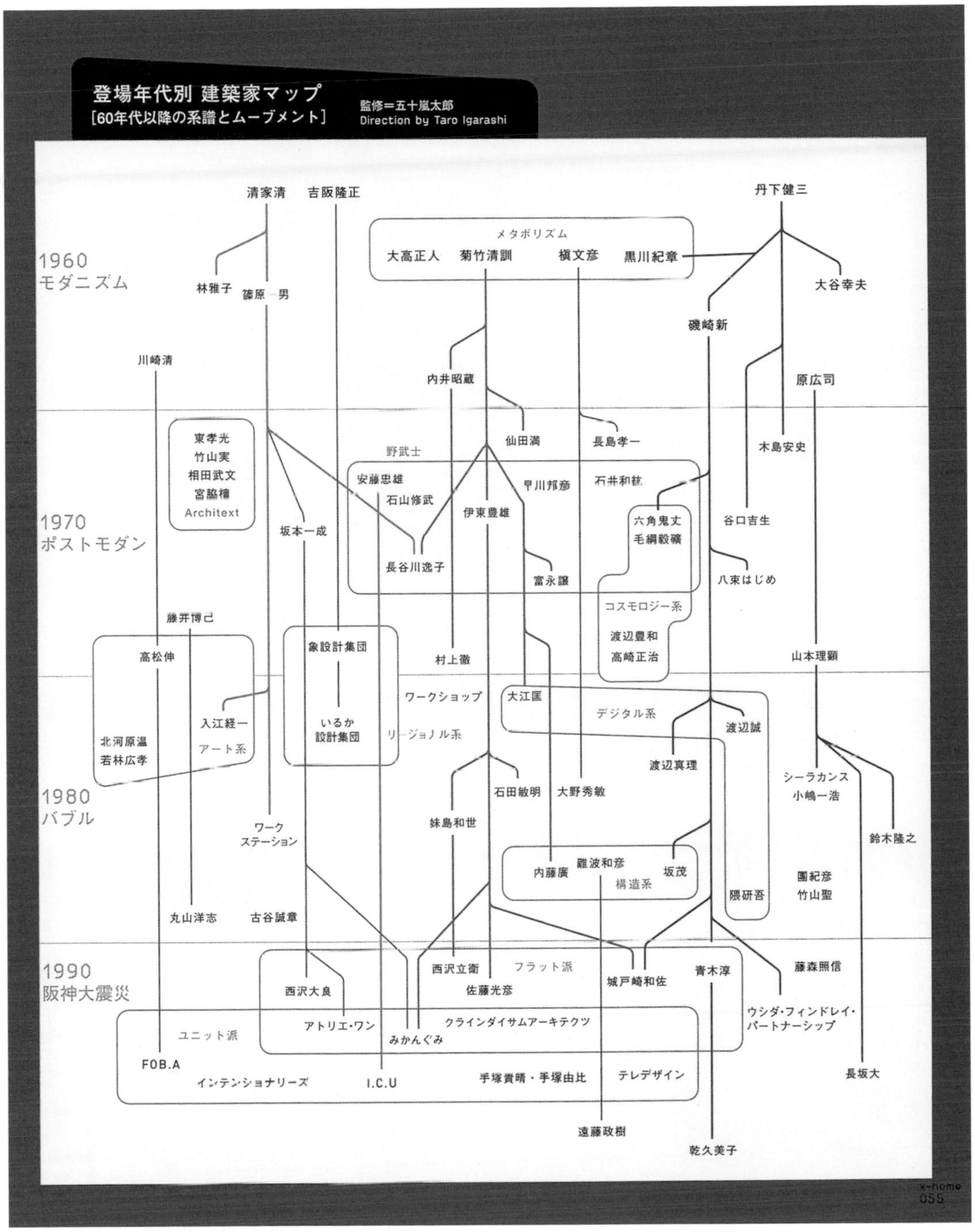

登場年代別 建築家マップ
[60年代以降の系譜とムーブメント]

監修＝五十嵐太郎
Direction by Taro Igarashi

1960
モダニズム

清家清
吉阪隆正
丹下健三
メタボリズム
大高正人
菊竹清訓
槇文彦
黒川紀章
林雅子
篠原一男
大谷幸夫
磯崎新
川崎清
内井昭蔵
原広司

1970
ポストモダン

東孝光
竹山実
相田武文
宮脇檀
Architext
仙田満
長島孝一
木島安史
野武士
安藤忠雄
石山修武
早川邦彦
石井和紘
伊東豊雄
六角鬼丈
毛綱毅曠
谷口吉生
坂本一成
長谷川逸子
富永譲
八束はじめ
コスモロジー系
渡辺豊和
高崎正治
藤井博己
高松伸
象設計集団
村上徹
山本理顕

1980
バブル

ワークショップ
大江匡
デジタル系
入江経一
いるか
設計集団
リージョナル系
渡辺誠
北河原温
若林広孝
アート系
渡辺真理
石田敏明
大野秀敏
シーラカンス
小嶋一浩
ワーク
ステーション
妹島和世
鈴木隆之
内藤廣
難波和彦
坂茂
構造系
團紀彦
竹山聖
隈研吾
丸山洋志
古谷誠章

1990
阪神大震災

西沢立衛
フラット派
城戸崎和佐
青木淳
藤森照信
西沢大良
佐藤光彦
ユニット派
アトリエ・ワン
みかんぐみ
クラインダイサムアーキテクツ
ウシダ・フィンドレイ・
パートナーシップ
FOB.A
インテンショナリーズ
I.C.U
手塚貴晴・手塚由比
テレデザイン
長坂大
遠藤政樹
乾久美子

x-home
055

MOOK　ムック　　X-Knowledge HOME　エクスナレッジホーム　Vol.11 December　2002

PB: (株) エクスナレッジ X-Knowledge Co., Ltd.　E: 澤井聖一　Seiichi Sawai　AD: 角田純一　Junichi Tsunoda
D: イトー・マユミ　Mayumi Ito (cluster) / 大村太一　Taichi Ohmura (MANAS) / 小澤加代子　Kayoko Ozawa (MANAS)　P (COVER): 上田義彦　Yoshihiko Ueda

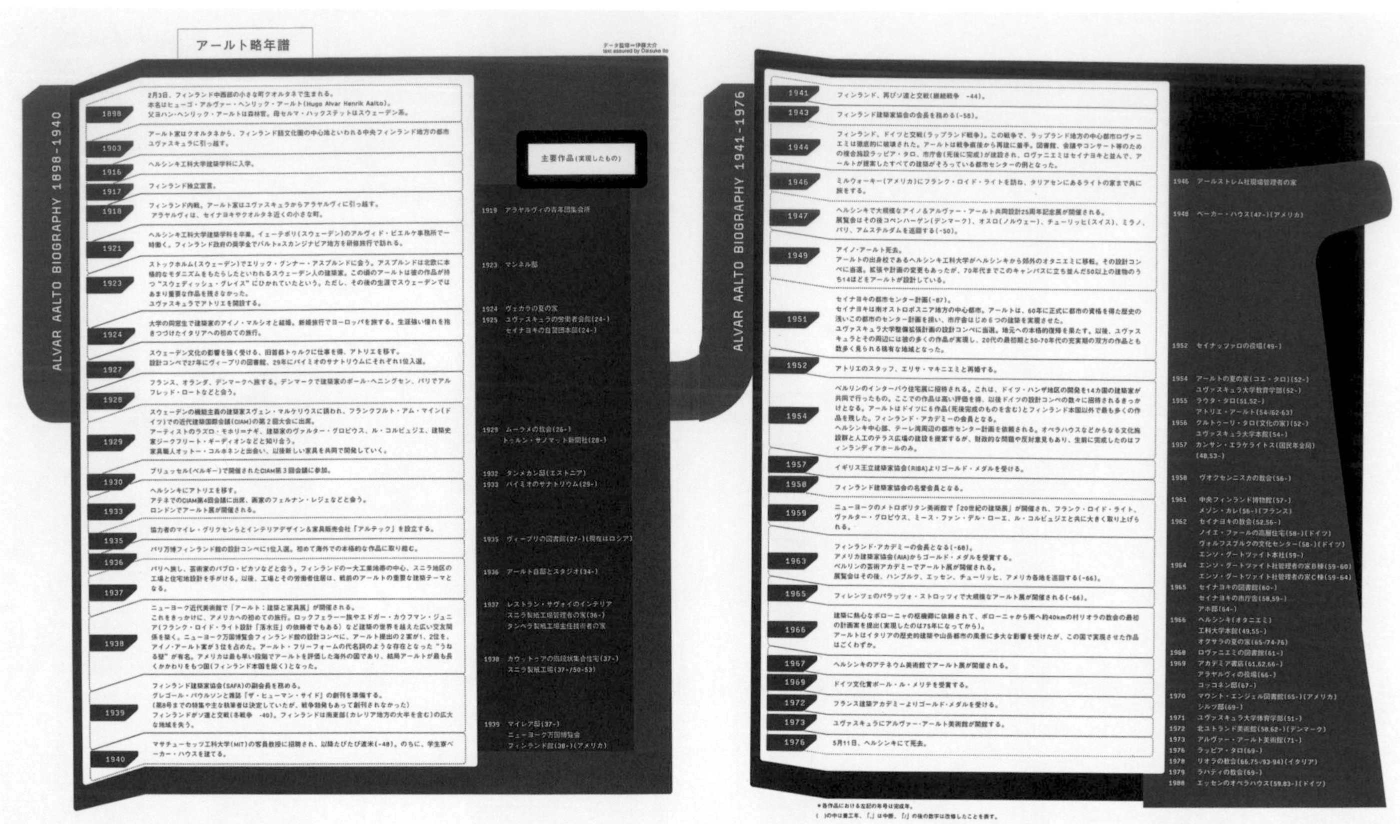

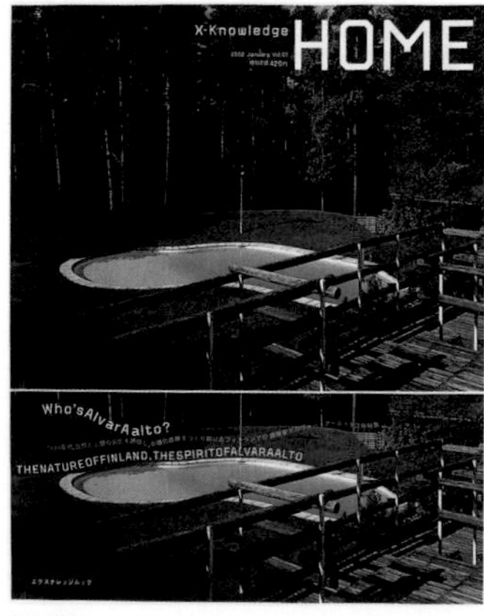

COVER

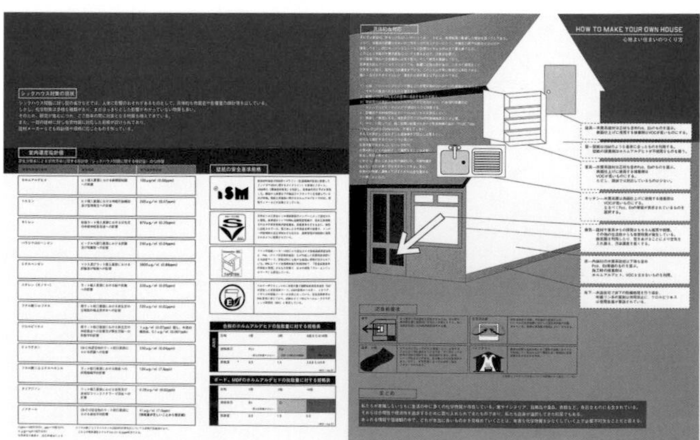

MOOK ムック　　X-Knowledge HOME　エクスナレッジホーム　Vol.1 January 2002

PB: (株) エクスナレッジ X-Knowledge Co., Ltd.　E: 澤井聖一 Seiichi Sawai　AD: 角田純一 Junichi Tsunoda
D: イトー・マユミ Mayumi Ito (cluster) / 大村太一 Taichi Ohmura (MANAS) / 小澤加代子 Kayoko Ozawa (MANAS)　P (COVER): 高橋恭司 Kyoji Takahashi

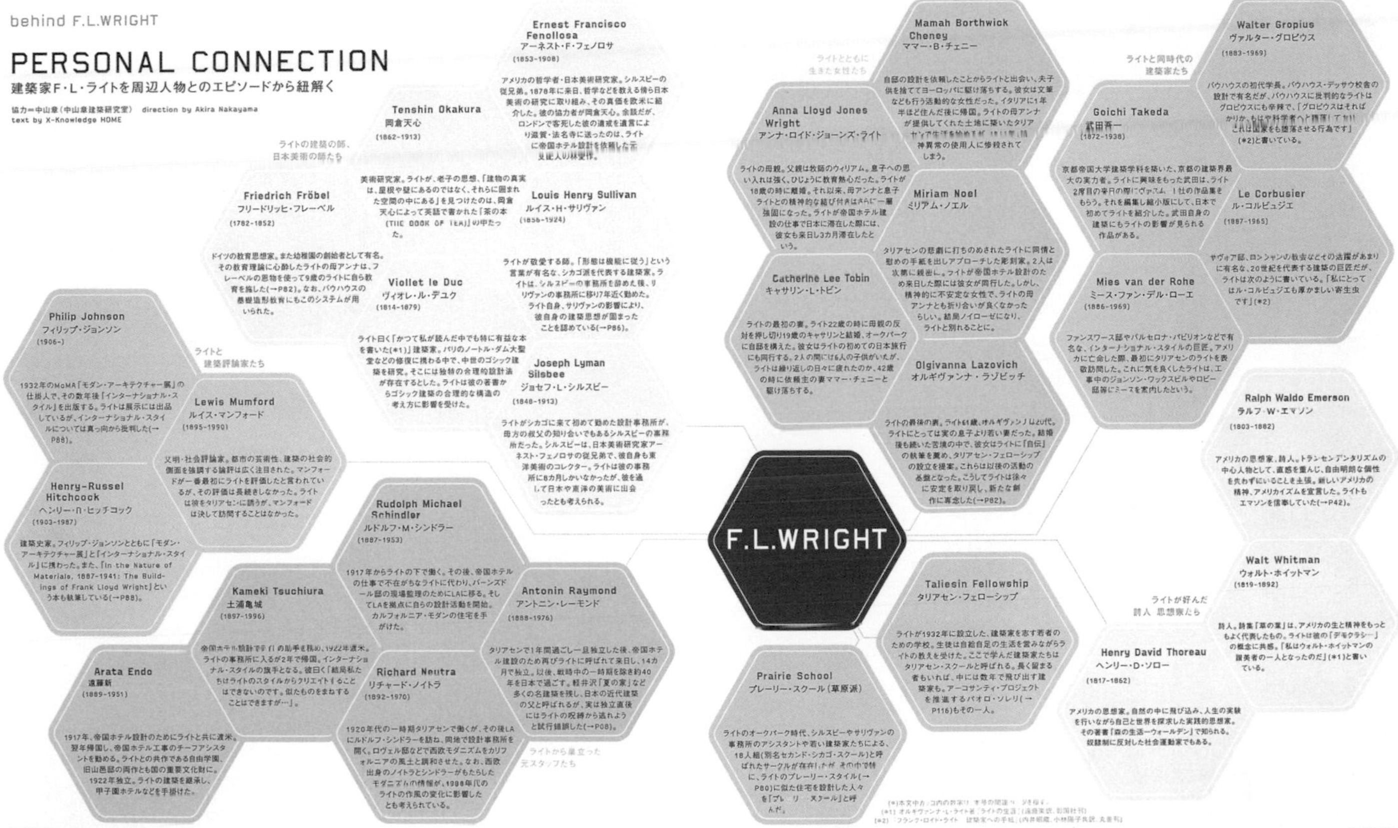

behind F.L.WRIGHT

PERSONAL CONNECTION

建築家F・L・ライトを周辺人物とのエピソードから紐解く

協力＝中山章(中山章建築研究室)　direction by Akira Nakayama
text by X-Knowledge HOME

ライトの建築の師、日本美術の師たち

Ernest Francisco Fenollosa
アーネスト・F・フェノロサ
(1853-1908)
アメリカの哲学者・日本美術研究家。シルスビーの従兄弟。1878年に来日、哲学などを教える傍ら日本美術の研究に取り組み、その真価を欧米に紹介した。彼の協力者が岡倉天心。余談だが、ロンドンで客死した彼の遺戒を遺言により滋賀・法名寺に送ったのは、ライトに帝国ホテル設計を依頼した元支配人の林愛作。

Tenshin Okakura
岡倉天心
(1862-1913)
美術研究家。ライトが、老子の思想、「建物の真実は、屋根や壁にあるのではなく、それらに囲まれた空間の中にある」を見つけたのは、岡倉天心によって英語で書かれた「茶の本(THE BOOK OF TEA)」の中だった。

Friedrich Fröbel
フリードリッヒ・フレーベル
(1782-1852)
ドイツの教育思想家。また幼稚園の創始者として有名。その教育理論に心酔したライトの母アンナは、フレーベルの恩物を使って9歳のライトに自ら教育を施した(→P82)。なお、バウハウスの基礎造形教育にもこのシステムが用いられた。

Louis Henry Sullivan
ルイス・H・サリヴァン
(1856-1924)
ライトが敬愛する師。「形態は機能に従う」という言葉が有名な、シカゴ派を代表する建築家。ライトは、シルスビーの事務所を辞めた後、サリヴァンの事務所に移り7年近く勤めた。ライト自身、サリヴァンの影響により、彼自身の建築思想が固まったことを認めている(→P86)。

Viollet le Duc
ヴィオレ・ル・デュク
(1814-1879)
ライト曰く「かつて私が読んだ中でも特に有益な本を書いた(*1)」建築家。パリのノートル・ダム大聖堂などの修復に携わる中で、中世のゴシック建築を研究。そこには独特の合理的設計法が存在するとした。ライトは彼の著書からゴシック建築の合理的な構造の考え方に影響を受けた。

Joseph Lyman Silsbee
ジョセフ・L・シルスビー
(1848-1913)
ライトがシカゴに来て初めて勤めた設計事務所が、母方の叔父の知り合いでもあるシルスビーの事務所だった。シルスビーは、日本美術研究家アーネスト・フェノロサの従兄弟で、彼自身も東洋美術のコレクター。ライトは彼の事務所に8カ月しかいなかったが、彼を通して日本や東洋の美術に出会ったとも考えられる。

ライトと建築評論家たち

Philip Johnson
フィリップ・ジョンソン
(1906-)
1932年のMoMA「モダン・アーキテクチャー展」の仕掛人で、その数年後「インターナショナル・スタイル」を出版する。ライトは展示には出品しているが、インターナショナル・スタイルについては真っ向から批判した(→P88)。

Lewis Mumford
ルイス・マンフォード
(1895-1990)
文明・社会評論家。都市の芸術性、建築の社会的側面を強調する論評は広く注目された。マンフォードが一番最初にライトを評価したと言われているが、その評価は長続きしなかった。ライトは彼をタリアセンに誘うが、マンフォードは決して訪問することはなかった。

Henry-Russel Hitchcock
ヘンリー・R・ヒッチコック
(1903-1987)
建築史家。フィリップ・ジョンソンとともに「モダン・アーキテクチャー展」と「インターナショナル・スタイル」に携わった。また、「In the Nature of Materials, 1887-1941: The Buildings of Frank Lloyd Wright」という本も執筆している(→P88)。

ライトから巣立った元スタッフたち

Rudolph Michael Schindler
ルドルフ・M・シンドラー
(1887-1953)
1917年からライトの下で働く。その後、帝国ホテルの仕事で不在がちなライトに代わり、バーンズドール邸の現場監理のためにLAに移る。そしてLAを拠点に自らの設計活動を開始。カルフォルニア・モダンの住宅を手がけた。

Kameki Tsuchiura
土浦亀城
(1897-1996)
帝国ホテル設計で遠藤新の助手を務め、1922年渡米。ライトの事務所に入るが2年で帰国。インターナショナル・スタイルの旗手となる。彼曰く「結局私たちはライトのスタイルからクリエイトすることはできないのです。似たものをまねすることはできますが…」。

Antonin Raymond
アントニン・レーモンド
(1888-1976)
タリアセンで1年間過ごし一旦独立した後、帝国ホテル建設のため再びライトに呼ばれて来日し、14カ月で独立。以後、戦時中の一時期を除き約40年を日本で過ごす。軽井沢「夏の家」など多くの名建築を残し、日本の近代建築の父と呼ばれるが、実は独立直後にはライトの呪縛から逃れようと試行錯誤した(→P08)。

Arata Endo
遠藤新
(1889-1951)
1917年、帝国ホテル設計のためにライトと共に渡米。翌年帰国し、帝国ホテル工事のチーフアシスタントを勤める。ライトとの共作である自由学園、旧山邑邸の両作とも国の重要文化財に。1922年独立。ライトの建築を継承し、甲子園ホテルなどを手掛けた。

Richard Neutra
リチャード・ノイトラ
(1892-1970)
1920年代の一時期タリアセンで働くが、その後LAにルドルフ・シンドラーを訪ね、同地で設計事務所を開く。ロヴェル邸などで西欧モダニズムをカリフォルニアの風土と調和させた。なお、西欧出身のノイトラとシンドラーがもたらしたモダニズムの情報が、1930年代のライトの作風の変化に影響したとも考えられている。

F.L.WRIGHT

ライトとともに生きた女性たち

Mamah Borthwick Cheney
ママー・B・チェニー
自邸の設計を依頼したことからライトと出会い、夫子供を捨ててヨーロッパに駆け落ちする。彼女は文筆なども行う活動的な女性だった。イタリアに1年半ほど住んだ後に帰国。ライトの母アンナが提供してくれた土地に築いたタリアセンで生活を始めるが、1914年に精神異常の使用人に惨殺されてしまう。

Anna Lloyd Jones Wright
アンナ・ロイド・ジョーンズ・ライト
ライトの母親。父親は牧師のウィリアム。息子への思い入れは強く、ひじょうに教育熱心だった。ライトが18歳の時に離婚。それ以来、母アンナと息子ライトとの精神的な結び付きはさらに一層強固になった。ライトが帝国ホテル建設の仕事で日本に滞在した際には、彼女も来日し3カ月滞在したという。

Miriam Noel
ミリアム・ノエル
タリアセンの悲劇に打ちのめされたライトに同情と慰めの手紙を出しアプローチした彫刻家。2人は次第に親密に。ライトが帝国ホテル設計のため来日した際には彼女が同行した。しかし、精神的に不安定な女性で、ライトの母アンナとも折り合いが良くなかったらしい。結局ノイローゼになり、ライトと別れることに。

Catherine Lee Tobin
キャサリン・L・トビン
ライトの最初の妻。ライト22歳の時に母親の反対を押し切り19歳のキャサリンと結婚、オークパークに自邸を構えた。彼女はライトの初めての日本旅行にも同行する。2人の間には6人の子供がいたが、ライトは繰り返しの日々に疲れたのか、42歳の時に依頼主の妻ママー・チェニーと駆け落ちする。

Olgivanna Lazovich
オルギヴァンナ・ラゾビッチ
ライトの最後の妻。ライト61歳、オルギヴァンナは20代。ライトにとっては実の息子より若い妻だった。結婚後も続いた苦境の中で、彼女はライトに「自伝」の執筆を薦め、タリアセン・フェローシップの設立を提案。これらは以後の活動の基盤となった。こうしてライトは徐々に安定を取り戻し、新たな創作に専念した(→P82)。

ライトと同時代の建築家たち

Walter Gropius
ヴァルター・グロピウス
(1883-1969)
バウハウスの初代学長。バウハウス・デッサウ校舎の設計で有名だが、バウハウスに批判的なライトはグロピウスにも辛辣で、「グロピウスはそればかりか、もはや科学者へと堕落してしまい、これは国家をも堕落させる行為です」(*2)と書いている。

Goichi Takeda
武田五一
(1872-1938)
京都帝国大学建築学科を築いた、京都の建築界最大の実力者。ライトに興味をもった武田は、ライト2度目の来日の際にヴァスムート社の作品集をもらう。それを編集し縮小版にして、日本で初めてライトを紹介した。武田自身の建築にもライトの影響が見られる作品がある。

Le Corbusier
ル・コルビュジエ
(1887-1965)
サヴォア邸、ロンシャンの教会などその活躍があまりに有名な、20世紀を代表する建築の巨匠だが、ライトは次のように書いている。「私にとってはル・コルビュジエも厚かましい寄生虫です」(*2)

Mies van der Rohe
ミース・ファン・デル・ローエ
(1886-1969)
ファンスワース邸やバルセロナ・パビリオンなどで有名な、インターナショナル・スタイルの巨匠。アメリカに亡命した際、最初にタリアセンのライトを表敬訪問した。これに気を良くしたライトは、工事中のジョンソン・ワックスビルやロビー邸等にミースを案内したという。

ライトが好んだ詩人 思想家たち

Ralph Waldo Emerson
ラルフ・W・エマソン
(1803-1882)
アメリカの思想家、詩人。トランセンデンタリズムの中心人物として、直感を重んじ、自由明朗な個性を失わずにいることを主張。新しいアメリカの精神、アメリカイズムを宣言した。ライトもエマソンを信奉していた(→P42)。

Walt Whitman
ウォルト・ホイットマン
(1819-1892)
詩人。詩集「草の葉」は、アメリカの生と精神をもっともよく代表したもの。ライトは彼の「デモクラシー」の概念に共感。「私はウォルト・ホイットマンの讃美者の一人となったのだ」(*1)と書いている。

Henry David Thoreau
ヘンリー・D・ソロー
(1817-1862)
アメリカの思想家。自然の中に飛び込み、人生の実験を行いながら自己と世界を探求した実践的思想家。その著書「森の生活ーウォールデン」で知られる。奴隷制に反対した社会運動家でもある。

Taliesin Fellowship
タリアセン・フェローシップ
ライトが1932年に設立した、建築家を志す若者のための学校。生徒は自給自足の生活を営みながらライトの教えを受けた。ここで学んだ建築家たちはタリアセン・スクールと呼ばれる。長く留まる者もいれば、中には数年で飛び出す建築家も。アーコサンティ・プロジェクトを推進するパオロ・ソレリ(→P116)もその一人。

Prairie School
プレーリー・スクール(草原派)
ライトのオークパーク時代、シルスビーやサリヴァンの事務所のアシスタントや若い建築家たちによる、18人組(別名セカンド・シカゴ・スクール)と呼ばれたサークルが存在したが、その中で特に、ライトのプレーリー・スタイル(→P80)に似た住宅を設計した人々を「プレーリー・スクール」と呼んだ。

(*)本文中カッコ内の数字は本号の関連ページを指す。
(*1) オルギヴァンナ・L・ライト著「ライトの生涯」(遠藤楽訳、彰国社刊)
(*2)「フランク・ロイド・ライト 建築家への手紙」(内井昭蔵、小林陽子共訳、丸善刊)

X-HOME 090　　X-HOME 091

COVER

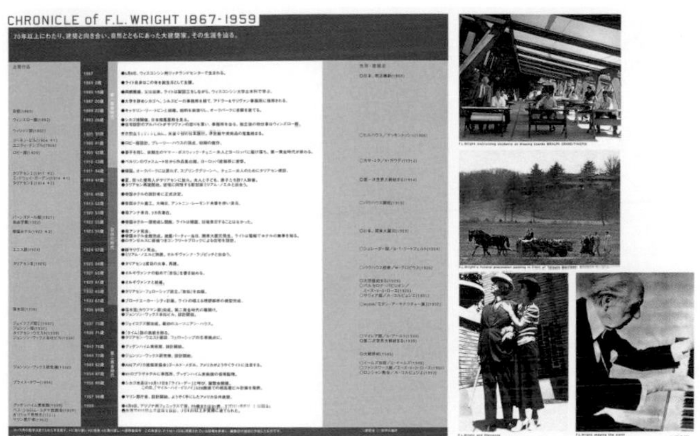

MAGAZINE 雑誌 **WWD FOR JAPAN** ALL ABOUT 2003 S/S 2003

PB: (株) インファス INFAS E: WWDジャパン編集部 WWD JAPAN AD: 稲葉英樹 Hideki Inaba

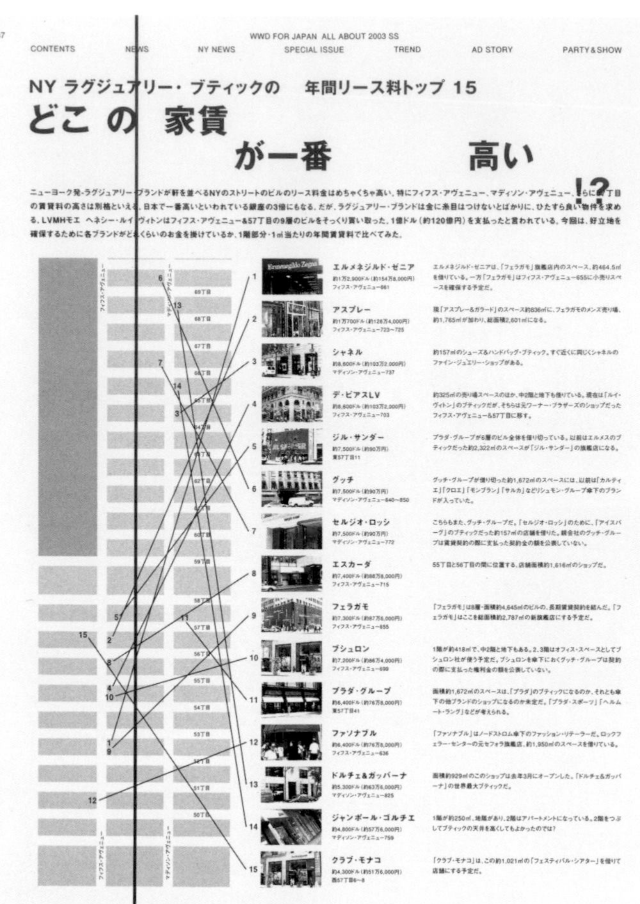

047 WWD FOR JAPAN ALL ABOUT 2003 SS

CONTENTS NEWS NY NEWS SPECIAL ISSUE TREND AD STORY PARTY&SHOW

NY ラグジュアリー・ブティックの 年間リース料トップ 15

どこ の 家賃 が一番 高い !?

ニューヨーク発-ラグジュアリー・ブランドが軒を並べるNYのストリートのビルのリース料金はめちゃくちゃ高い。特にフィフス・アヴェニュー、マディソン・アヴェニュー、さらに57丁目の賃貸料の高さは別格といえる。日本で一番高いといわれている銀座の3倍にもなる。だが、ラグジュアリー・ブランドは金に糸目はつけないとばかりに、ひたすら良い物件を求める。LVMHモエ ヘネシー・ルイ・ヴィトンはフィフス・アヴェニュー&57丁目の9層のビルをそっくり買い取った。1億ドル（約120億円）を支払ったと言われている。今回は、好立地を確保するために各ブランドがどれくらいのお金を掛けているか、1階部分・1㎡当たりの年間賃貸料で比べてみた。

1 エルメネジルド・ゼニア
2 アスプレー
3 シャネル
4 デ・ビアスLV
5 ジル・サンダー
6 グッチ
7 セルジオ・ロッシ
8 エスカーダ
9 フェラガモ
10 ブシュロン
11 プラダ・グループ
12 ファソナブル
13 ドルチェ&ガッバーナ
14 ジャンポール・ゴルチエ
15 クラブ・モナコ

CONTENTS NEWS NY NEWS SPECIAL ISSUE TREND AD STORY PARTY&SHOW

049 WWD FOR JAPAN ALL ABOUT 2003 SS

CONTENTS NEWS NY NEWS SPECIAL ISSUE TREND AD STORY PARTY&SHOW

東京・表参道 ラグジュアリー・ブティックの 年間リース料トップ15

どこ の 家賃 が一番 高い !?

東京発－NYのマディソン・アベニューに負けず、ラグジュアリー・ブランドが軒を連ねているのが東京で言えば、銀座や表参道だ。特に表参道はここ近年、ビッグブランドが土地そのものを買収している。購入する場合、表参道の相場は1坪3,000万円と言われ、例えばプラダは60億円、トッズは45億円、ルイ・ヴィトンは60億円（すべて推定）で土地を取得したと言われている。前ページのNYの表参道バージョンを作ってみた。各ブランドが好立地を獲得するため、どのぐらい投資しているのか？1階部分・1㎡あたりの年間賃貸料（および月坪賃貸料）で比べてみた。（なお、金額は弊紙推定）

1 ポロ・ラルフローレン
2 LVMHタワー
3 ザラ
4 グッチ
5 シャネル
6 イヴ・サンローラン
7 レスポートサック
8 エンポリオ・アルマーニ
9 ラコステ
10 マックス&Co
11 マリナ リナルディ
12 ショーメ
13 タグホイヤー
14 ポール・スチュワート
15 ギャップ

CONTENTS NEWS NY NEWS SPECIAL ISSUE TREND AD STORY PARTY&SHOW

COVER

女性誌ジャンル

主な女性誌の変遷

協力／電通

創刊年度	女性誌（出版社）	主な出来事
1936	装苑（文化出版局）	
58	家庭画報（世界文化社）	
60	ハイファッション（文化出版局）	60 六本木族登場
		64 東京オリンピック開催
66	流行通信（インファス）	
	mc Sister（婦人画報社）	
		67 ツイギー来日（ミニブーム）
68	セブンティーン（集英社）	
70	アンアン（マガジンハウス）	70 大阪万博
71	ノンノ（集英社）	71 アンノン族出現
75	ジェイジェイ（光文社）	73 第一次オイルショック
77	クロワッサン（マガジンハウス）	
	モア（集英社）	
	プチセブン（小学館）	
		78「VAN」倒産
79	コスモポリタン日本版（集英社）	79 第2次オイルショック
80	ヴァンサンカン（婦人画報社）	竹の子族・ハマトラ登場
81	ウィズ（講談社）	
	エッセ（扶桑社）	
	キャンキャン（小学館）	
82	オリーブ（マガジンハウス）	82 デザイナーズブランドブーム
	マリ・クレール日本版（中央公論社）	
83	ヴィヴィ（講談社）	
	セイ（青春出版社）	
	リー（集英社）	
84	クラッシィ（光文社）	
	エフ（主婦の友社）	
85	オレンジページ（オレンジページ）	
86	ミル（双葉社）	86 男女雇用機会均等法
	ラ・セーヌ（学習研修社）	
87	マイン（講談社）	87 ワンレン・ボディコンブーム
	レタスクラブ（ssコミュニケーションズ）	

創刊年度	女性誌（出版社）	主な出来事
88	日経ウーマン（日経ホーム出版）	88 渋カジ登場
	ハナコ（マガジンハウス）	
	レイ（主婦の友社）	
	マフィン（小学館）	
	グランマガザン（日之出出版）	
	ビーウィー（ソニー・マガジンズ）	
89	ミス婦人画報（世界文化社）	89 消費税3%導入
	エル（アシェットフィリパッキジャパン）	
	キューティ（宝島社）	
	クレア（文藝春秋）	
	クリーク（マガジンハウス）97年秋休刊	
	シュプール（集英社）	
	ヴァンテーヌ（婦人画報社）	
90	フィガロジャポン（TBSブリタニカ）	
	すてきな奥さん（主婦と生活社）	
91	H2O（日本放送出版協会）	
	フラウ（講談社）	
92	オッジ（小学館）	
	セダ（日之出出版）	
93	ジッパー（祥伝社）	93 Jリーグ開幕
	たんと（集英社）	ジュリアナ現象
		94 ストリートブランドブーム
95	ジュニー（扶桑社）	95 阪神大震災
	ヴェリイ（光文社）	
	おはよう奥さん（学習研究社）	
	アール（主婦と生活社）	
	ラ・ヴィ・ドゥ・トランタン（婦人画報社）	
	きれいになりたい（オレンジページ）	
96	カワイイ（主婦の友社）	
	グラツィア（講談社）	
	ピンク（マガジンハウス）	
	スプリング（宝島社）	

創刊年度	女性誌（出版社）	主な出来事
	ゾラ（祥伝社）98年6月号にて廃刊	
	ウノ（朝日新聞社）	
	98年8月号にて廃刊	
	ドマーニ（小学館）	
97	ギンザ（マガジンハウス）	97 消費税5%に引き上げ
	ドンナ（ビクターエンターブック）	
	98年9月号にて廃刊	
98	ヴォーチェ（講談社）	98 冬季長野オリンピック
	メイプル（集英社）	
	ルーシィ（扶桑社）	
	ヴィオラ（平凡社）	
	マイフォーティーズ（主婦の友社）	
99	スウィート（宝島社）	
	ハッピー（英知出版）	
	ヴォーグ ニッポン（日経コンデナスト）	
2000	プライヴ（日経BP社）	
	ハーパース・バザー日本版	
	（エイチビージャパン）	
	Sカワイイ（主婦の友社）	
	ミニ（宝島社）	
	A*ガール（学習研究社）	
01	グリ（講談社）	
	美的（小学館）	
	ミナ（主婦の友社）	
	バイラ（集英社）	
	和楽（小学館）	
	スタイル（講談社）	
	ラブベリー（徳間書店）	
	ジル（双葉社）	
02	PS（小学館）	02 日韓共催ワールドカップ
	ストーリィ（光文社）	
	In Red（宝島社）	

PAMPHLET　パンフレット　　11th NAMIOKA FILM FESTIVAL　第11回中世の里なみおか映画祭公式プログラム　2002

CL: 中世の里なみおか映画祭実行委員会 NAMIOKA FILM FESTIVAL　CD: 三上雅通 Masamichi Mikami　AD: 鈴木一誌 Hitoshi Suzuki　D: 鈴木朋子 Tomoko Suzuki　DF: 鈴木一誌デザイン SUZUKI HITOSHI DESIGN

中田秀夫
Nakata Hideo

1961年7月19日、岡山県生まれ。東京大学在籍中から篠田正浩監督主宰の表現社で助監督の見習を始める。大学卒業後、'85年にっかつ(現:日活)撮影所にメディア・クリエイターとして入社し、演出部に配属される。同年、小沼勝監督の『箱の中の女』に助監督としてつく。その後、『ラブ・ストーリーを君に』('88 澤井信一郎監督)、『噛む女』('88 神代辰巳監督)、『Aサインデイズ』('89 崔洋一監督)、『赤と黒の情熱』('92 工藤栄一監督)等に参加。撮影所というシステムの中でキャリアを積む。

'92年、テレビ朝日〈本当にあった怖い話〉シリーズの「幽霊の棲む旅館」「呪われた人形」「死霊の滝」で監督デビュー。同年末、文化庁芸術家在外研修員としてヨーロッパに渡り、ロンドンでの映画研究の傍ら、欧州の映画人との交流を広げる。その間、映画監督ジョセフ・ロージーに関するドキュメンタリー映画『ジョセフ・ロージー／四つの名を持つ男』を企画し、ロンドン及び地方のロージーゆかりの地や人を訪ね、取材・撮影を進める。'94年に仕上げの費用調達のために一時帰国し、ドキュメンタリーの話をWOWOWに持ち掛けたところ、プロデューサーと意気投合。監督自身の温めてきた企画の一つ、撮影所を舞台にしたホラームービー『女優霊』('96)で《J・MOVIE・WARS》3期のトップをきり、評価される。

'98年、『リング』で心臓鷲づかみの深層心理に訴えかける演出で、日本映画界に一大ホラーブームを巻き起こす。『リング』『リング2』('99)は両作品とも、日本はもとよりアジア各国でも大ヒットを記録。その後もホラーやドキュメンタリー、恋愛ドラマなど、ジャンルを問わず話題作を発表。日本のみならず世界からも評価が高く、2002年、ハリウッドの大手エージェントと契約し、監督オファーが殺到している。『リング』が『ザ・リング』('02 ゴア・ヴァービンスキー)とドリームワークスによりリメイクされ、日本でも公開されたほか、『女優霊』『カオス chaos』『仄暗い水の底から』の3作品もハリウッドでのリメイクが進行している。

Filmography
'92 幽霊の棲む旅館
(TV)
呪われた人形
(TV)
死霊の滝
(TV)
'95 女教師日記・禁じられた性
(ビデオ)
'96 女優霊 ※1
㊙盗撮ナンパ道

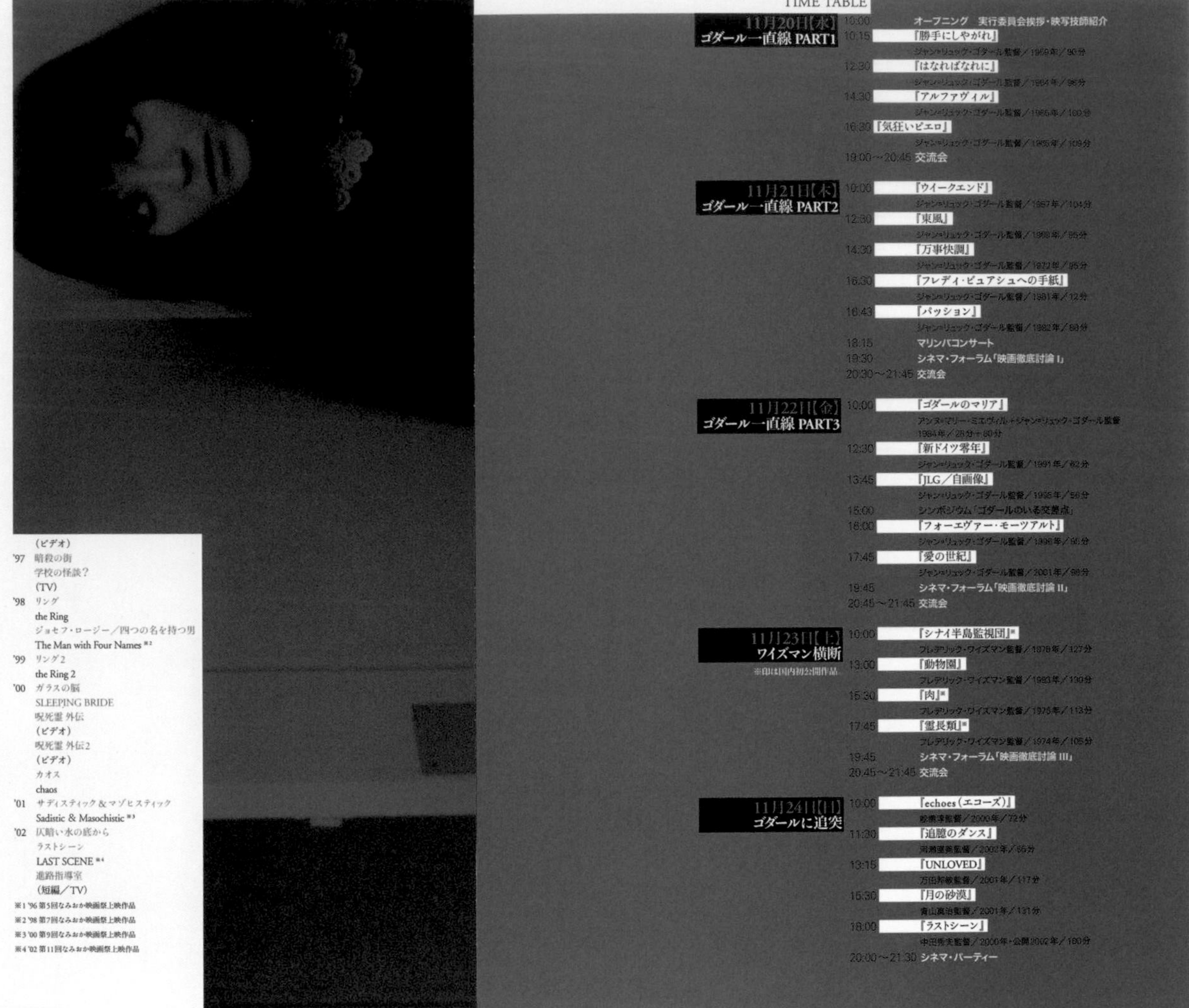

(ビデオ)
'97 暗殺の街
学校の怪談?
(TV)
'98 リング
the Ring
ジョセフ・ロージー／四つの名を持つ男
The Man with Four Names ※2
'99 リング2
the Ring 2
'00 ガラスの脳
SLEEPING BRIDE
呪死霊 外伝
(ビデオ)
呪死霊 外伝2
(ビデオ)
カオス
chaos
'01 サディスティック＆マゾヒスティック
Sadistic & Masochistic ※3
'02 仄暗い水の底から
ラストシーン
LAST SCENE ※4
進路指導室
(短編／TV)
※1 '96 第5回なみおか映画祭上映作品
※2 '98 第7回なみおか映画祭上映作品
※3 '00 第9回なみおか映画祭上映作品
※4 '02 第11回なみおか映画祭上映作品
TIME TABLE
11月20日【水】
ゴダール一直線 PART1
10:00 オープニング　実行委員会挨拶・映写技師紹介
10:15 『勝手にしやがれ』
12:30 『はなればなれに』
14:30 『アルファヴィル』
16:30 『気狂いピエロ』
19:00〜20:45 交流会
11月21日【木】
ゴダール一直線 PART2
10:00 『ウイークエンド』
12:30 『東風』
14:30 『万事快調』
16:30 『フレディ・ビュアシュへの手紙』
16:43 『パッション』
18:15 マリンバコンサート
19:30 シネマ・フォーラム「映画徹底討論 I」
20:30〜21:45 交流会
11月22日【金】
ゴダール一直線 PART3
10:00 『ゴダールのマリア』
12:30 『新ドイツ零年』
13:45 『JLG／自画像』
15:00 シンポジウム「ゴダールのいる交差点」
16:00 『フォーエヴァー・モーツアルト』
17:45 『愛の世紀』
19:45 シネマ・フォーラム「映画徹底討論 II」
20:45〜21:45 交流会
11月23日【土】
ワイズマン横断
※印は国内初公開作品
10:00 『シナイ半島監視団』※
13:00 『動物園』
15:30 『肉』※
17:45 『霊長類』※
19:45 シネマ・フォーラム「映画徹底討論 III」
20:45〜21:45 交流会
11月24日【日】
ゴダールに追突
10:00 『echoes(エコーズ)』
11:30 『追憶のダンス』
13:15 『UNLOVED』
万田邦敏監督／2001年／117分
15:30 『月の砂漠』
青山真治監督／2001年／131分
18:00 『ラストシーン』
中田秀夫監督／2000年・公開2002年／100分
20:00〜21:30 シネマ・パーティー

COVER

BOOK 書籍 **TN Probe Vol.12 Species: foa's phylogenesis TN Probe Vol.12 Species: foa—種の系譜** 2003

PB, E: TN プローブ TN Probe E: 勝山里美 Satomi Katsuyama AD: 古平正義 Masayoshi Kodaira (FLAME)

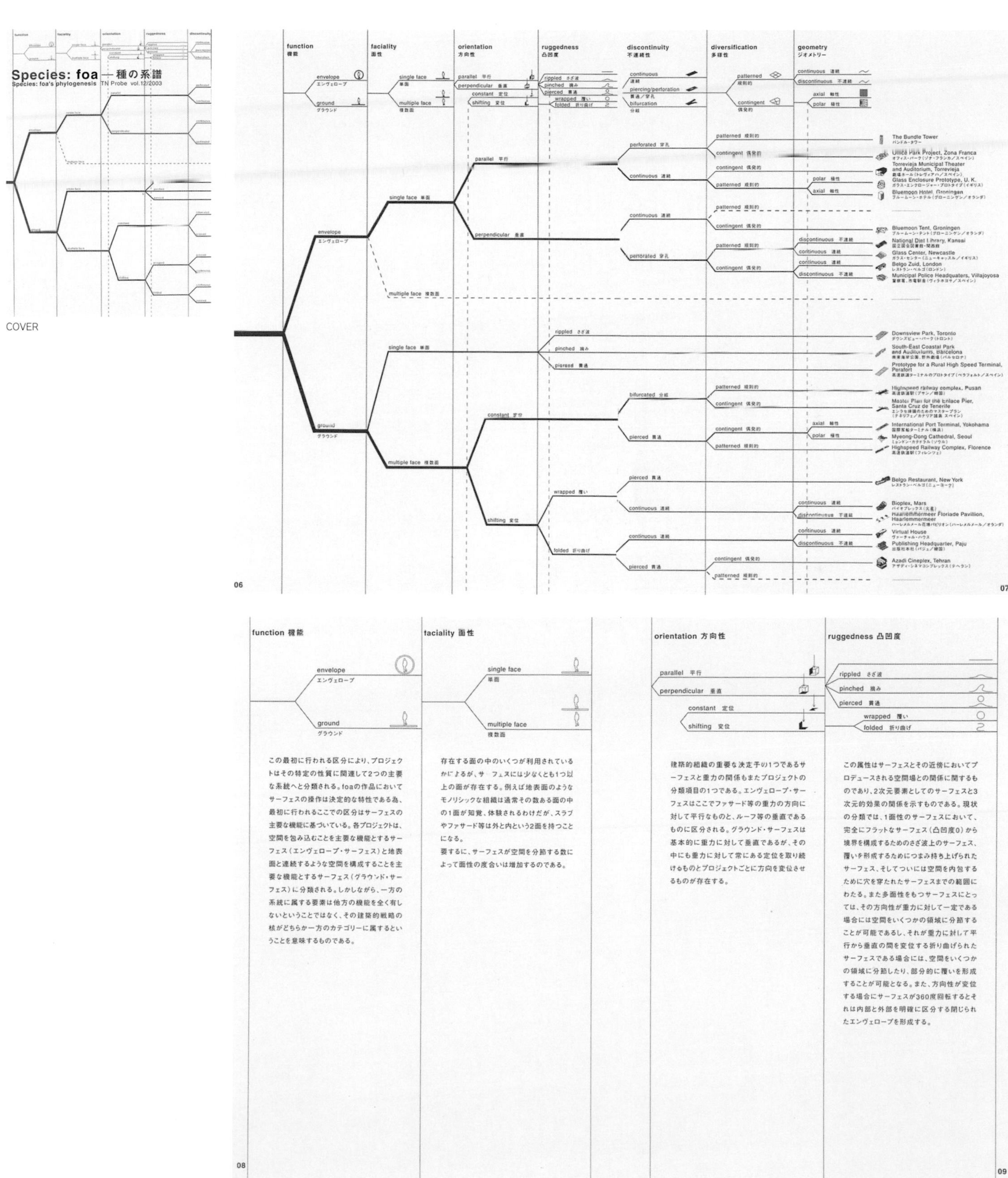

PAMPHLET パンフレット **Marunouchi 1-Chome Yaesu Project 丸の内1丁目八重洲プロジェクト 2002**

CL: 森トラスト（株） Mori Trust Co., Ltd. AD: 西村 武 Takeshi Nishimura D, DF:（有）コンプレイト completo inc. CG:（株）キャドセンター Cad Center

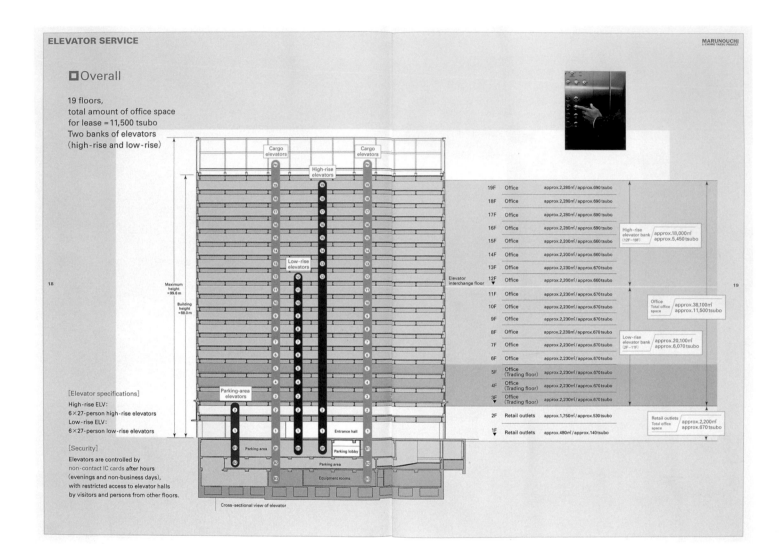

ELEVATOR SERVICE

MARUNOUCHI 1-CHOME YAESU PROJECT

Overall

19 floors,
total amount of office space
for lease = 11,500 tsubo
Two banks of elevators
(high-rise and low-rise)

Cargo elevators
High-rise elevators
Low-rise elevators
Parking-area elevators
Maximum height = 99.6 m
Building height = 88.0 m
Entrance hall
Parking area
Parking lobby
Equipment rooms

Cross-sectional view of elevator

Floor	Use	Area
19F	Office	approx.2,280㎡ / approx.690 tsubo
18F	Office	approx.2,280㎡ / approx.690 tsubo
17F	Office	approx.2,280㎡ / approx.690 tsubo
16F	Office	approx.2,280㎡ / approx.690 tsubo
15F	Office	approx.2,200㎡ / approx.660 tsubo
14F	Office	approx.2,200㎡ / approx.660 tsubo
13F	Office	approx.2,230㎡ / approx.670 tsubo
12F (Elevator interchange floor)	Office	approx.2,200㎡ / approx.660 tsubo
11F	Office	approx.2,230㎡ / approx.670 tsubo
10F	Office	approx.2,230㎡ / approx.670 tsubo
9F	Office	approx.2,230㎡ / approx.670 tsubo
8F	Office	approx.2,230㎡ / approx.670 tsubo
7F	Office	approx.2,230㎡ / approx.670 tsubo
6F	Office	approx.2,230㎡ / approx.670 tsubo
5F	Office (Trading floor)	approx.2,230㎡ / approx.670 tsubo
4F	Office (Trading floor)	approx.2,230㎡ / approx.670 tsubo
3F	Office (Trading floor)	approx.2,230㎡ / approx.670 tsubo
2F	Retail outlets	approx.1,750㎡ / approx.530 tsubo
1F	Retail outlets	approx.480㎡ / approx.140 tsubo

High-rise elevator bank (12F–19F): approx.18,000㎡ approx.5,450 tsubo

Office Total office space: approx.38,100㎡ approx.11,500 tsubo

Low-rise elevator bank (2F–11F): approx.20,100㎡ approx.6,070 tsubo

Retail outlets Total office space: approx.2,200㎡ approx.670 tsubo

[Elevator specifications]

High-rise ELV:
6×27-person high-rise elevators
Low-rise ELV:
6×27-person low-rise elevators

[Security]

Elevators are controlled by non-contact IC cards after hours (evenings and non-business days), with restricted access to elevator halls by visitors and persons from other floors.

18 19

COVER

CORPORATE PROFILE　会社案内　　　CORPORATE PROFILE 2002　EC物流会社案内 2002

CL: (株) EC物流　EC Butsuryu Inc.　CD, AD: 古賀賢治　Kenji Koga　D: 屋嘉比盛弘　Morihiro Yakabi　DF: (株) シーワイエー (コレクティブ イエロー アーティスト)　Collective Yellow Artist Inc.

COVER

Strategy
物流のローコスト、スピード化、
正確性で経営課題を克服します。
3

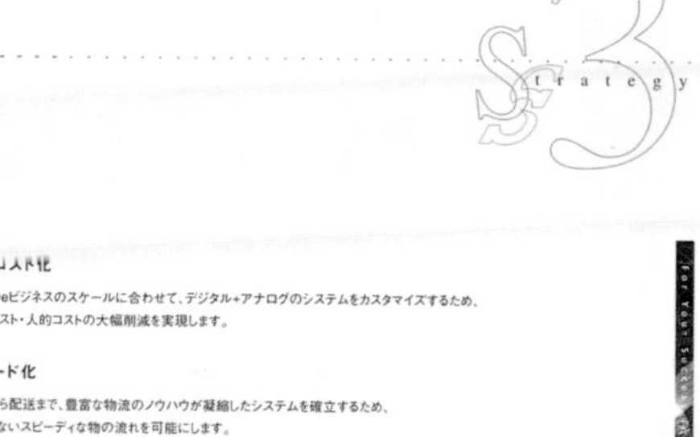

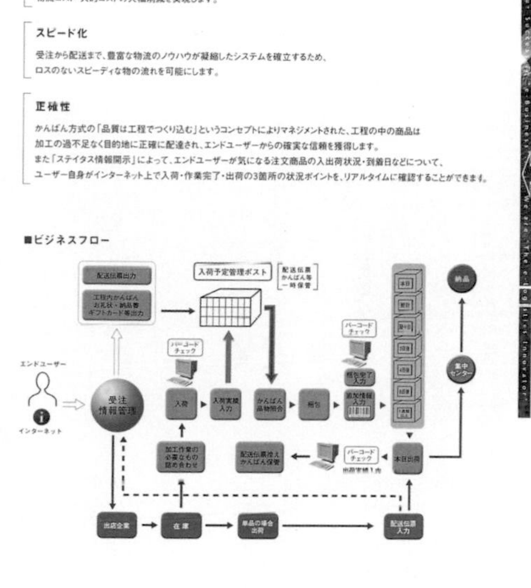

トータルマネジメントが、
貴社に安心を与え、
エンドユーザーの信頼を高めます。
4
Strategy

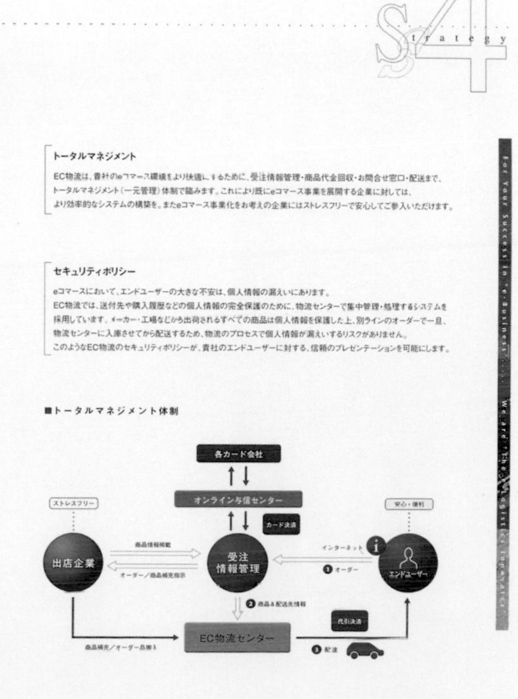

ADMISSIONS INFORMATION 学校案内　　AICA Course Guide　AICA入学案内　2002

CL: 学校法人秋田経理情報学園 秋田経理情報専門学校 Akita Institute of Computing & Accounting　CD, AD, D: 阿部健一 Kenichi Abe　P: 誉田慎一 Shinichi Honda　CW: 畠 譲 Yuzuru Hata　DF: (有) マゼンタ Magenta

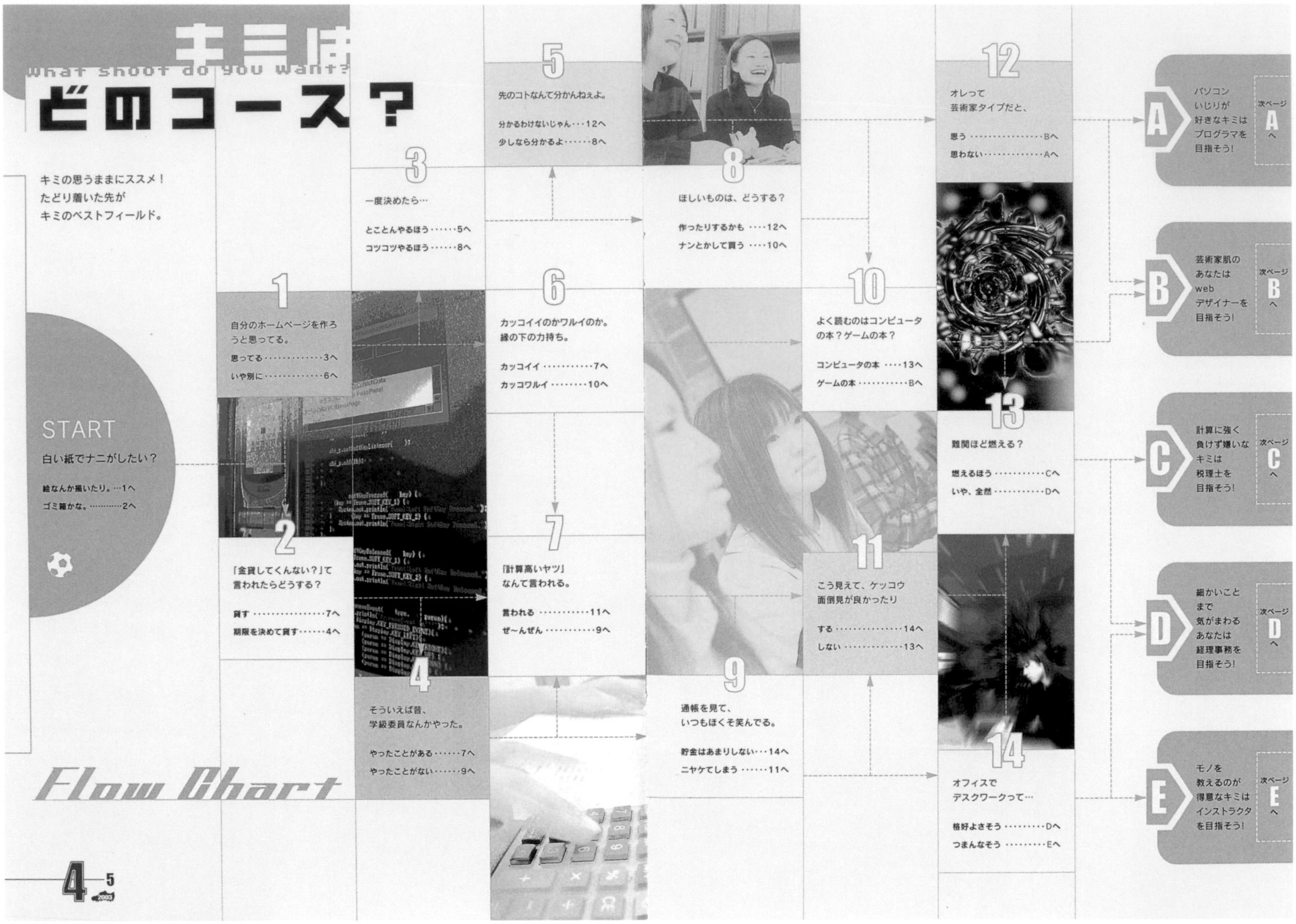

キミは
what shoot do you want?
どのコース？
キミの思うままにススメ！
たどり着いた先が
キミのベストフィールド。
START
白い紙でナニがしたい？
絵なんか描いたり。…1へ
ゴミ箱かな。…………2へ
1
自分のホームページを作ろうと思ってる。
思ってる ……………3へ
いや別に ……………6へ
2
「金貸してくんない？」て言われたらどうする？
貸す ………………7へ
期限を決めて貸す……4へ
3
一度決めたら…
とことんやるほう……5へ
コツコツやるほう……8へ
4
そういえば昔、学級委員なんかやった。
やったことがある……7へ
やったことがない……9へ
5
先のコトなんて分かんねぇよ。
分かるわけないじゃん…12へ
少しなら分かるよ……8へ
6
カッコイイのかワルイのか。縁の下の力持ち。
カッコイイ …………7へ
カッコワルイ ………10へ
7
「計算高いヤツ」なんて言われる。
言われる …………11へ
ぜ～んぜん …………9へ
8
ほしいものは、どうする？
作ったりするかも ….12へ
ナンとかして買う ….10へ
9
通帳を見て、いつもほくそ笑んでる。
貯金はあまりしない…14へ
ニヤケてしまう ……11へ
10
よく読むのはコンピュータの本？ゲームの本？
コンピュータの本 ….13へ
ゲームの本 …………Bへ
11
こう見えて、ケッコウ面倒見が良かったり
する ……………14へ
しない ……………13へ
12
オレって芸術家タイプだと、
思う ………………Bへ
思わない……………Aへ
13
難関ほど燃える？
燃えるほう …………Cへ
いや、全然 …………Dへ
14
オフィスでデスクワークって…
格好よさそう ………Dへ
つまんなそう ………Eへ
A パソコンいじりが好きなキミはプログラマを目指そう！ 次ページ A へ
B 芸術家肌のあなたはwebデザイナーを目指そう！ 次ページ B へ
C 計算に強く負けず嫌いなキミは税理士を目指そう！ 次ページ C へ
D 細かいことまで気がまわるあなたは経理事務を目指そう！ 次ページ D へ
E モノを教えるのが得意なキミはインストラクタを目指そう！ 次ページ E へ
Flow Chart
4 5

AKITA INSTITUTE OF COMPUTING & ACCOUNTING
COURSE GUIDE
2003
KICK OFF!
AICA
COVER

A
B
C
D
E
システムエンジニアコース
IT
デジタルクリエイターコース
税理士コース
経理
経理OAコース
オフィススペシャリスト
コース
6 7

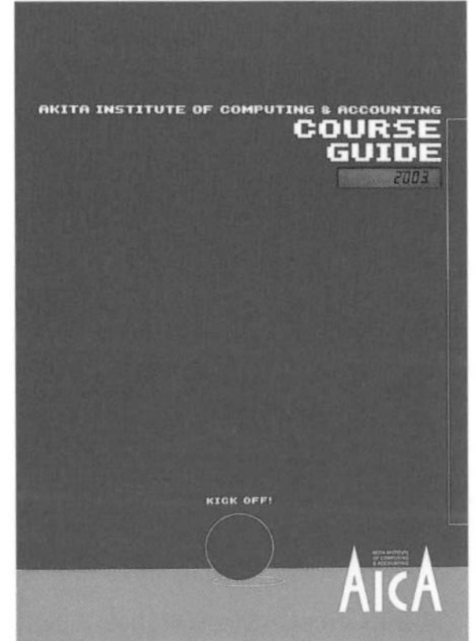

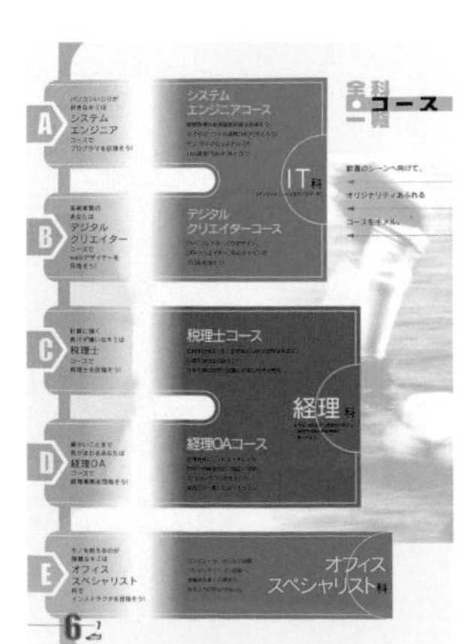

MAGAZINE 雑誌 **photon フォトン** issue 1 2002

CL: マックスレイ（株） MAXRAY PB: （株）大伸社 Daishinsha Co., Ltd. E, CD: 宮瀬浩一 Koichi Miyase E: 宍戸哲也 Tetsuya Shishido / 本下真次 Shinji Honge / 三宅智子 Tomoko Miyake AD: 前田義生 Yoshio Maeda
D: 永田伊知子 Ichiko Nagata / 嘉津綾子 Ayako Katsu / 寺村直子 Naoko Teramura P: 岡田久仁子 Kuniko Okada / 小野雅士 Masashi Ono CW: 瀬上昌子 Masako Segami / 三品 香 Kaori Mishina
DF: （有）クリエイティブオフィス・マエ creative office mae, inc.

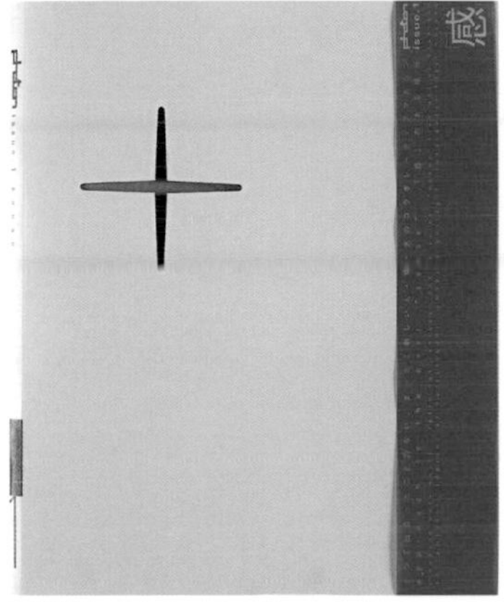

COVER

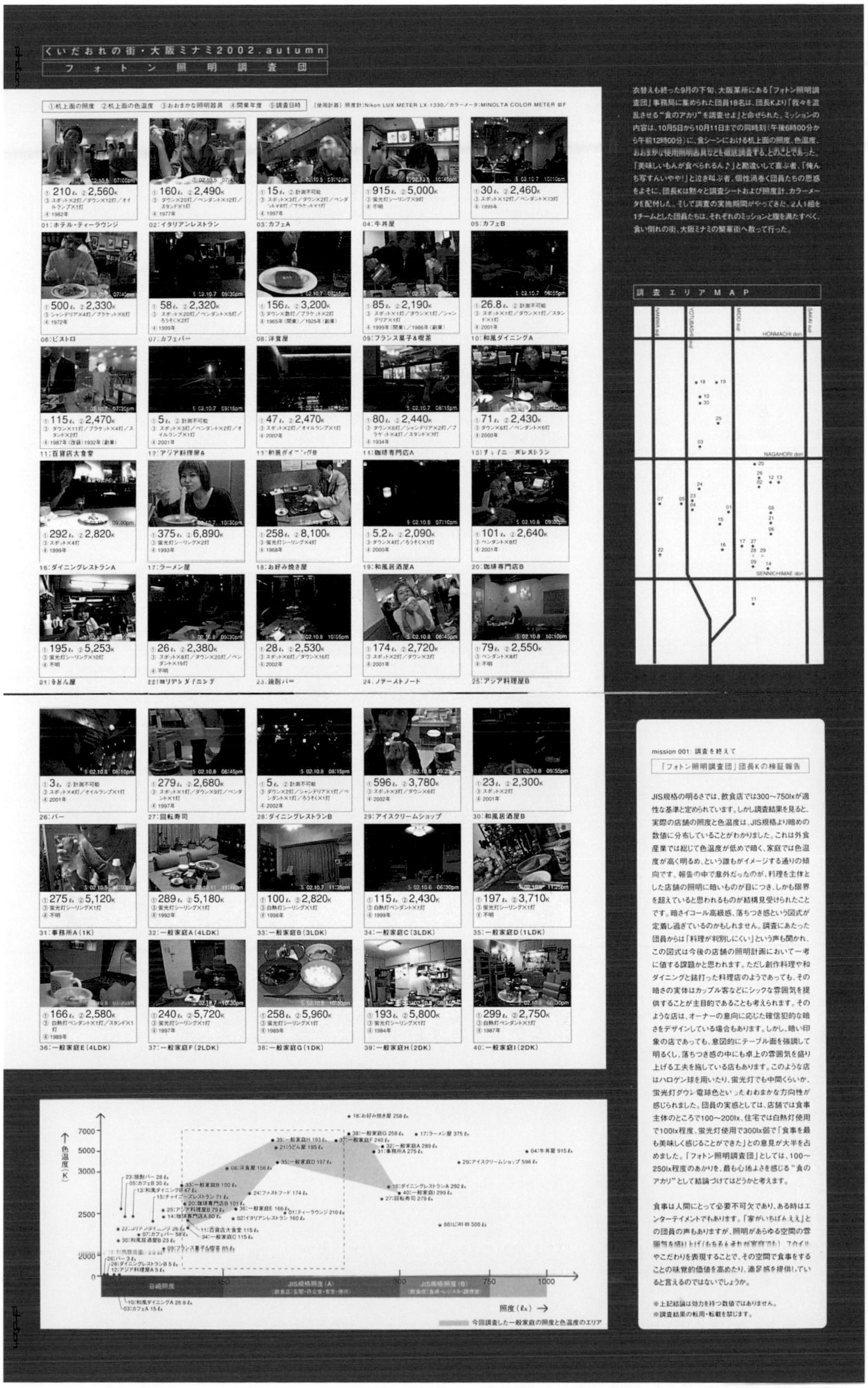

くいだおれの街・大阪ミナミ2002.autumn
フォトン照明調査団

①机上面の照度 ②机上面の色温度 ③おおまかな照明器具 ④開業年度 ⑤調査日時

01:ホテル・ティーラウンジ 02:イタリアンレストラン 03:カフェA 04:牛丼屋 05:カフェB
06:ビストロ 07:カフェバー 08:洋食屋 09:フランス菓子&喫茶 10:和風ダイニングA
11:百貨店大食堂 12:アジア料理屋A 13:和風ダイニングB 14:珈琲専門店A 15:チャイニーズレストラン
16:ダイニングレストランA 17:ラーメン屋 18:お好み焼き屋 19:和風居酒屋A 20:珈琲専門店B
21:うどん屋 23:鉄板バー 24:ファーストフード 25:アジア料理屋B
26:バー 27:回転寿司 28:ダイニングレストランB 29:アイスクリームショップ 30:和風居酒屋B
31:事務所A(1K) 32:一般家庭A(4LDK) 33:一般家庭B(3LDK) 34:一般家庭C(3LDK) 35:一般家庭D(1LDK)
36:一般家庭E(4LDK) 37:一般家庭F(2LDK) 38:一般家庭G(1DK) 39:一般家庭H(2DK) 40:一般家庭I(2DK)

衣替えも終った9月の下旬、大阪某所にある「フォトン照明調査団」事務局に集められた団員18名は、団長Kより「我々を混乱させる"食のアカリ"を調査せよ」と命ぜられた。ミッションの内容は、10月5日から10月11日までの同時刻（午後6時00分から午前12時00分）に、食シーンにおける机上面の照度、色温度、おおまかな使用照明器具などを徹底調査する、とのことであった。「美味しいもんが食べられるん♪」と勘違いして喜ぶ者、「俺んち写すんいやや!」と泣き叫ぶ者、個性渦巻く団員たちの思惑をよそに、団長Kは黙々と調査シートおよび照度計、カラーメータを配付した。そして調査の実施期間がやってきた。2人1組を1チームとした団員たちは、それぞれのミッションと腹を満たすべく、食い倒れの街、大阪ミナミの繁華街へ散って行った。

調査エリアMAP

mission 001: 調査を終えて

「フォトン照明調査団」団長Kの検証報告

JIS規格の明るさでは、飲食店では300〜750lxが適性な基準と定められています。しかし調査結果を見ると、実際の店舗の照度と色温度は、JIS規格より暗めの数値に分布していることがわかりました。これは外食産業では総じて色温度が低めで暗く、家庭では色温度が高く明るめ、という誰もがイメージする通りの傾向です。報告の中で意外だったのが、料理を主体とした店舗の照明に暗いものが目につき、しかも限界を超えていると思われるものが結構見受けられたことです。暗さイコール高級感、落ちつき感という図式が定着し過ぎているのかもしれません。調査にあたった団員からは「料理が判別しにくい」という声も聞かれ、この図式は今後の店舗の照明計画において一考に値する課題かと思われます。ただし創作料理や和ダイニングと銘打った料理店のようであっても、その暗さの実体はカップル客などにシックな雰囲気を提供することが主目的であることも考えられます。そのような店は、オーナーの意向に応じた確信犯的な暗さをデザインしている場合もあります。しかし、暗い印象の店であっても、意図的にテーブル面を強調して明るくし、落ちつき感の中にも卓上の雰囲気を盛り上げる工夫を施している店もあります。このような店はハロゲン球を用いたり、蛍光灯でも中間くらいか、蛍光灯ダウン電球色といったおおまかな方向性が感じられました。団員の実感としては、店舗では食事主体のところで100〜200lx、住宅では白熱灯使用で100lx程度、蛍光灯使用で300lx弱で「食事を最も美味しく感じることができた」との意見が大半を占めました。「フォトン照明調査団」としては、100〜250lx程度のあかりを、最も心地よさを感じる"食のアカリ"として結論づけてはどうかと考えます。

食事は人間にとって必要不可欠であり、ある時はエンターテイメントでもあります。「家がいちばんええ」との団員の声もありますが、照明があらゆる空間の雰囲気を盛り上げ（もちろんそれが家庭でも）、アイディアやこだわりを表現することで、その空間で食事をすることの味覚的価値を高めたり、満足感を提供していると言えるのではないでしょうか。

※上記結論は効力を持つ数値ではありません。
※調査結果の転用・転載を禁じます。

CATALOG カタログ　**au Catalog au総合カタログ**　**February 2003**

CL: KDDI (株) KDDI CORPORATION　CD: 大森秀政 Hidemasa Omori　AD: 小島晃雄 Teruo Kojima　D: 上野正之 Masayuki Ueno　P: 末武和人 Kazuto Suetake　ADVERTISING AGENCY: (株) 博報堂 HAKUHODO Inc.
DF: (株) アーツ arts, Inc.

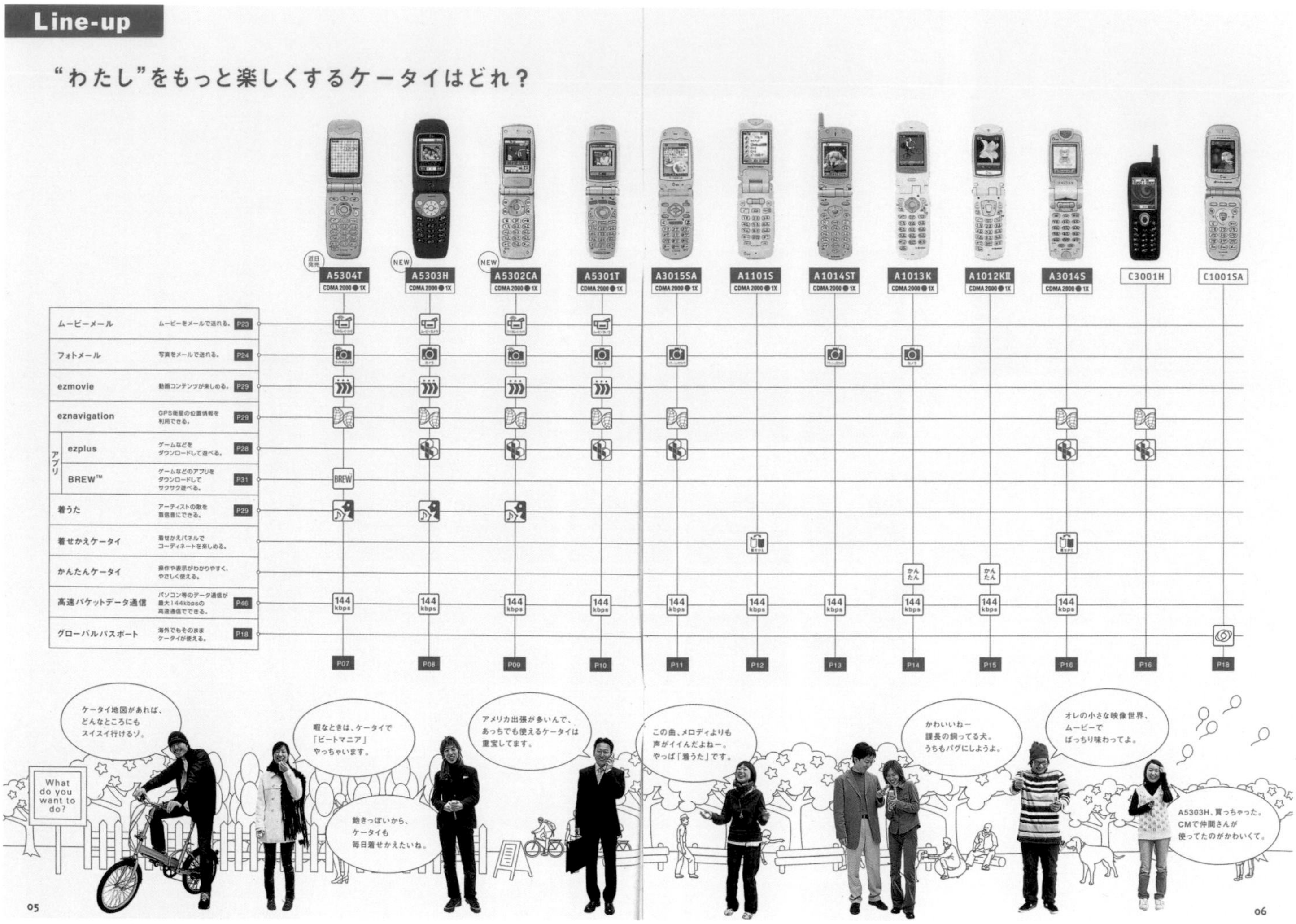

Line-up

"わたし"をもっと楽しくするケータイはどれ？

			A5304T (近日発売) CDMA 2000 1X	A5303H (NEW) CDMA 2000 1X	A5302CA (NEW) CDMA 2000 1X	A5301T CDMA 2000 1X	A3015SA CDMA 2000 1X	A1101S CDMA 2000 1X	A1014ST CDMA 2000 1X	A1013K CDMA 2000 1X	A1012KII CDMA 2000 1X	A3014S CDMA 2000 1X	C3001H	C1001SA
ムービーメール	ムービーをメールで送れる。	P23	●	●	●	●								
フォトメール	写真をメールで送れる。	P24	●	●	●	●	●		●	●				
ezmovie	動画コンテンツが楽しめる。	P29	●	●	●	●								
eznavigation	GPS衛星の位置情報を利用できる。	P29	●	●	●	●	●					●	●	
アプリ ezplus	ゲームなどをダウンロードして遊べる。	P28		●	●	●	●					●	●	
アプリ BREW™	ゲームなどのアプリをダウンロードしてサクサク遊べる。	P31	BREW											
着うた	アーティストの歌を着信音にできる。	P29	●	●	●									
着せかえケータイ	着せかえパネルでコーディネートを楽しめる。							●				●		
かんたんケータイ	操作や表示がわかりやすく、やさしく使える。									かんたん	かんたん			
高速パケットデータ通信	パソコン等のデータ通信が最大144kbpsの高速通信でできる。	P46	144 kbps	144 kbps	144 kbps	144 kbps	144 kbps	144 kbps	144 kbps	144 kbps	144 kbps	144 kbps		
グローバルパスポート	海外でもそのままケータイが使える。	P18												●
			P07	P08	P09	P10	P11	P12	P13	P14	P15	P16	P16	P18

ケータイ地図があれば、
どんなところにも
スイスイ行けるゾ。

What do you want to do?

暇なときは、ケータイで
「ビートマニア」
やっちゃいます。

飽きっぽいから、
ケータイも
毎日着せかえたいね。

アメリカ出張が多いんで、
あっちでも使えるケータイは
重宝してます。

この曲、メロディよりも
声がイイんだよねー。
やっぱ「着うた」です。

かわいいねー
課長の飼ってる犬。
うちもパグにしようよ。

オレの小さな映像世界、
ムービーで
ばっちり味わってよ。

A5303H、買っちゃった。
CMで仲間さんが
使ってたのがかわいくて。

05　06

COVER

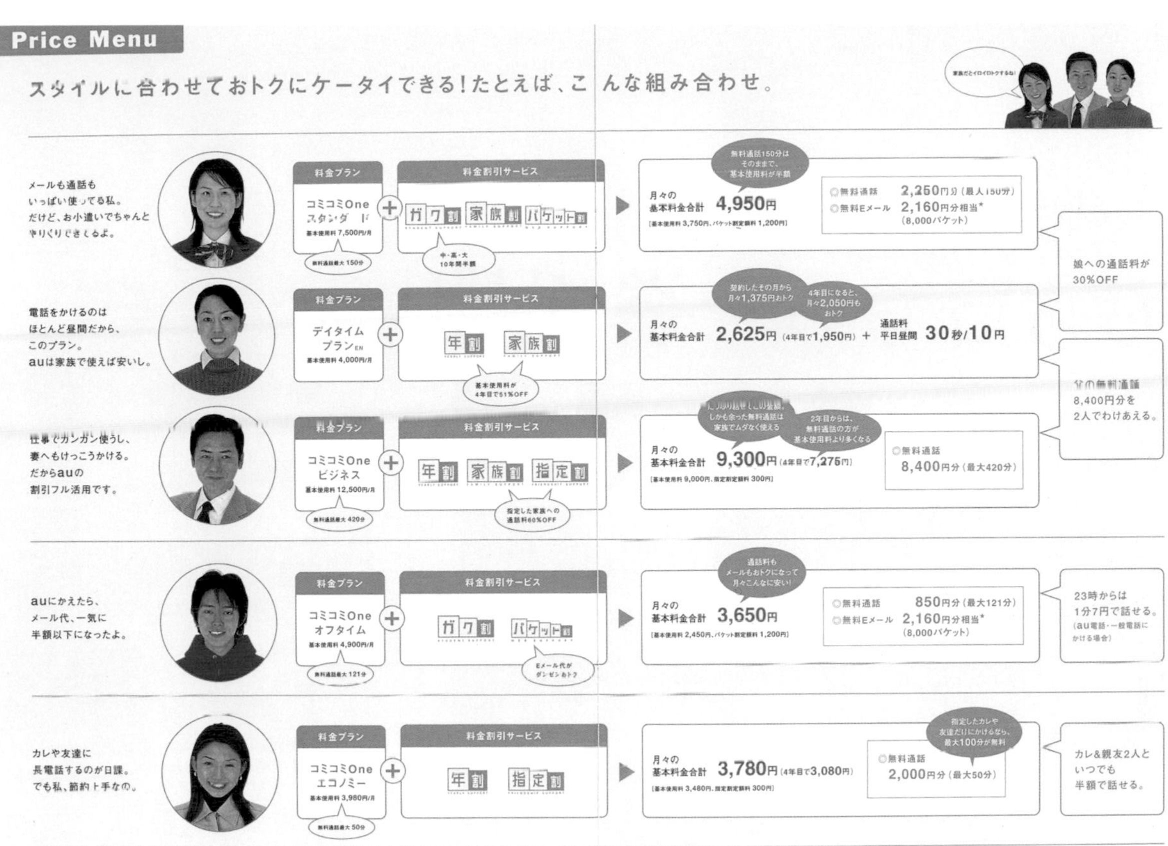

Price Menu
スタイルに合わせておトクにケータイできる!たとえば、こんな組み合わせ。
メールも通話もいっぱい使ってる私。だけど、お小遣いでちゃんとやりくりできるよ。
料金プラン
コミコミOne スタンダード
基本使用料 7,500円/月
無料通話最大 150分
料金割引サービス
ガク割 家族割 パケット割
中・高・大 10年間半額
無料通話150分はそのままで、基本使用料が半額
月々の基本料金合計 4,950円
無料通話 2,250円分(最大150分)
無料Eメール 2,160円分相当*(8,000パケット)
娘への通話料が30%OFF
電話をかけるのはほとんど昼間だから、このプラン。auは家族で使えば安いし。
デイタイムプランEN
基本使用料 4,000円/月
年割 家族割
基本使用料が4年目で51%OFF
月々の基本料金合計 2,625円(4年目で1,950円)+ 通話料 平日昼間 30秒/10円
父の無料通話8,400円分を2人でわけあえる。
仕事でガンガン使うし、妻へもけっこうかけるしだからauの割引フル活用です。
コミコミOne ビジネス
基本使用料 12,500円/月
無料通話最大 420分
年割 家族割 指定割
指定した家族への通話料60%OFF
月々の基本料金合計 9,300円(4年目で7,275円)
無料通話 8,400円分(最大420分)
auにかえたら、メール代、一気に半額以下になったよ。
コミコミOne オフタイム
基本使用料 4,900円/月
無料通話最大 121分
ガク割 パケット割
Eメール代がグンゼンおトク?
月々の基本料金合計 3,650円
無料通話 850円分(最大121分)
無料Eメール 2,160円分相当*(8,000パケット)
23時からは1分7円で話せる。(au電話・一般電話にかける場合)
カレや友達に長電話するのが日課。でも私、節約上手なの。
コミコミOne エコノミー
基本使用料 3,980円/月
無料通話最大 50分
年割 指定割
月々の基本料金合計 3,780円(4年目で3,080円)
無料通話 2,000円分(最大50分)
カレ&親友2人といつでも半額で話せる。

Price Plan

使い方に合わせて選べる料金プランを多彩にご用意。長く使えばさらにおトク。

[料金割引サービスで、さらにおトク。しかも、無料通話はそのまま。]

		基本使用料	通話料	年割 YEARLY SUPPORT 基本使用料	家族割 FAMILY SUPPORT 基本使用料(「年割」併用の場合)	家族割 通話料	ガク割 STUDENT SUPPORT 基本使用料	ガク割 通話料*4
1日10分以上かける	コミコミOneビジネス	12,500円/月 無料通話 最大420分*1(8,400円分)を含む	30秒/10円 終日	au加入年数 1年目 12,000円/月 2年目 10,500円/月 3年目 9,900円/月 4年目以降 9,300円/月	au加入年数 1年目 9,000円/月 2年目 7,875円/月 3年目 7,425円/月 4年目以降 6,975円/月	家族間の通話料 30%OFF	6,250円/月 無料通話 最大420分(4,200円分)を含む	30秒/5円
1日5〜10分くらいかける	コミコミOneスタンダード	7,500円/月 無料通話 最大150分*1(4,500円分)を含む	20秒/10円 終日	au加入年数 1年目 7,000円/月 2年目 6,100円/月 3年目 5,700円/月 4年目以降 5,300円/月	au加入年数 1年目 5,250円/月 2年目 4,575円/月 3年目 4,275円/月 4年目以降 3,075円/月		3,750円/月 無料通話 最大150分	20秒/5円
1日1回かける	コミコミOneエコノミー	3,980円/月 無料通話 最大50分*1(2,000円分)を含む	15秒/10円 終日	au加入年数 1年目 3,480円/月 2年目 3,080円/月 3年目 2,880円/月 4年目以降 2,780円/月	au加入年数 1年目 2,610円/月 2年目 2,310円/月 3年目 2,160円/月 4年目以降 2,085円/月	「指定割」併用で指定した家族への通話料 60%OFF*3	1,990円/月 無料通話 最大50分(1,000円分)を含む	15秒/5円
待受がメイン	コミコミOneライト	3,480円/月 無料通話 最大10分*1(600円分)を含む	10秒/10円 終日	au加入年数 1年目 2,980円/月 2年目 2,580円/月 3年目 2,380円/月 4年目以降 2,280円/月	au加入年数 1年目 2,235円/月 2年目 1,935円/月 3年目 1,785円/月 4年目以降 1,710円/月		1,740円/月 無料通話 最大10分(300円分)を含む	10秒/5円
夜・休日によくかける	コミコミOneオフタイム	4,900円/月 無料通話 最大121分*1(1,700円分)を含む	平日: 8:00〜19:00 1分/50円*2、19:00〜23:00 1分/16円、23:00〜8:00 1分/14円 / 土日祝: 1分/14円、1分/16円	au加入年数 1年目 4,400円/月 2年目 3,900円/月 3年目 3,700円/月 4年目以降 3,500円/月	au加入年数 1年目 3,300円/月 2年目 2,925円/月 3年目 2,775円/月 4年目以降 2,625円/月		2,450円/月 無料通話 最大121分	1分/8円*2 1分/7円*2
平日昼間によくかける	デイタイムプランEN	4,000円/月	平日: 8:00〜19:00 30秒/10円、19:00〜8:00 10秒/10円 / 土日祝: 10秒/10円	au加入年数 1年目 3,500円/月 2年目 3,000円/月 3年目 2,800円/月 4年目以降 2,600円/月	au加入年数 1年目 2,625円/月 2年目 2,250円/月 3年目 2,100円/月 4年目以降 1,950円/月		2,000円/月	平日昼間 30秒/5円

最初にご用意いただく金額

[基本使用料に関するご注意]

[通話料に関するご注意]

[通話料金表] コミコミOneオフタイム

MAGAZINE 雑誌　WARAKU 和樂　Nobember 2002

PB: 小学館 SHOGAKUKAN PUBLISHING Co., Ltd.　E: 花塚久美子 Kumiko Hanatsuka　AD: 木村裕治 Yuji Kimura　P (COVER): 森川 昇 Noboru Morikawa　P: 三浦憲治 Kenji Miura
DF: 木村デザイン事務所 KIMURA DESIGN OFFICE, Inc.

COVER

MAGAZINE 雑誌 WARAKU 和樂 October 2002
PB: 小学館 SHOGAKUKAN PUBLISHING Co., Ltd. E: 花塚久美子 Kumiko Hanatsuka AD: 木村裕治 Yuji Kimura P (COVER): 森川 昇 Noboru Morikawa DF: 木村デザイン事務所 KIMURA DESIGN OFFICE, Inc.

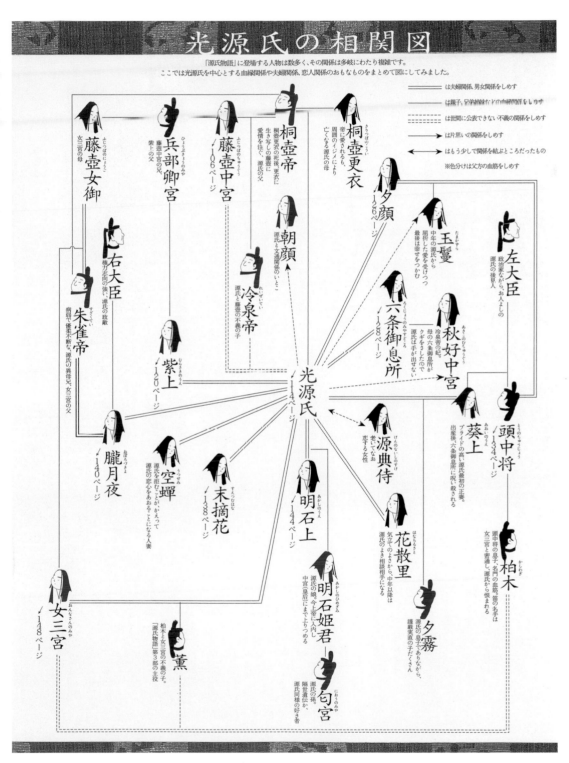

COVER

光源氏の相関図

「源氏物語」に登場する人物は数多く、その関係は多岐にわたり複雑です。
ここでは光源氏を中心とする血縁関係や夫婦関係、恋人関係のおもなものをまとめて図にしてみました。

＝＝ は夫婦関係、男女関係をしめす
― は親子、兄弟姉妹などの血縁関係をしめす
＝＝（破線） は世間に公表できない不義の関係をしめす
→ は片思いの関係をしめす
↔ はもう少しで関係を結ぶところだったもの
※色分けは父方の血筋をしめす

藤壺女御（ふじつぼのにょうご）
女三宮の母

兵部卿宮（ひょうぶきょうのみや）
藤壺中宮の兄、紫上の父

藤壺中宮（ふじつぼのちゅうぐう）
↙106ページ

桐壺帝
桐壺更衣の死後、更衣に生き写しの藤壺に愛情を注ぐ、源氏の父

桐壺更衣（きりつぼのこうい）
帝に愛されるも、周囲のイジメにより亡くなる源氏の母

夕顔
↙126ページ

朝顔
源氏と文通関係のいとこ

玉鬘（たまかずら）
中年の源氏から屈折した愛を受けつつ最後は幸せをつかむ

左大臣
政治家ながら、お人よしの源氏の後見人

右大臣
権力志向の強い、源氏の政敵

朱雀帝（すざくてい）
病弱で優柔不断な、源氏の異母兄、女三宮の父

冷泉帝（れいぜいてい）
源氏と藤壺の不義の子

六条御息所（ろくじょうのみやすどころ）
↙128ページ

秋好中宮（あきこのむちゅうぐう）
冷泉帝の妃。母の六条御息所がクギをさしたので源氏は手が出せない

紫上（むらさきのうえ）
↙120ページ

光源氏
↙114ページ

葵上（あおいのうえ）
プライドの高い源氏最初の正妻。出産後、六条御息所に呪い殺される

頭中将（とうのちゅうじょう）
↙134ページ

朧月夜（おぼろづきよ）
↙140ページ

空蟬（うつせみ）
源氏を拒むことが、かえって源氏の恋心をあおることになる人妻

末摘花（すえつむはな）
↙138ページ

源典侍（げんのないしのすけ）
老いてなお恋する女性

明石上（あかしのうえ）
↙144ページ

花散里（はなちるさと）
気立てのよさから、中年以降は源氏のよき相談相手になる

柏木（かしわぎ）
頭中将の息子、名門の血筋。笛の名手は女三宮と密通し、源氏から恨まれる

女三宮（おんなさんのみや）
↙148ページ

薫
柏木と女三宮の不義の子。「源氏物語」第3部の主役

明石姫君（あかしのひめぎみ）
源氏の娘。今上帝に入内し中宮（皇后）にまで上りつめる

夕霧
源氏の息子でありながら、謹厳実直の子だくさん

匂宮（におうのみや）
源氏の孫。隔世遺伝か、源氏同様の好き者

BOOK 書籍　**Chinese Tea Book 選び方・いれ方・楽しみ方入門 中国茶の本**　2002

PB: (株) 永岡書店 NAGAOKA SHOTEN PUBLISHING Co., Ltd.　D: 伊丹友広 Tomohiro Itami / 大野美奈 Mina Ohno / 大野晴美 Harumi Ohno　P: 日置武晴 Takeharu Hioki　DF: イット イズ デザイン IT IS DESIGN

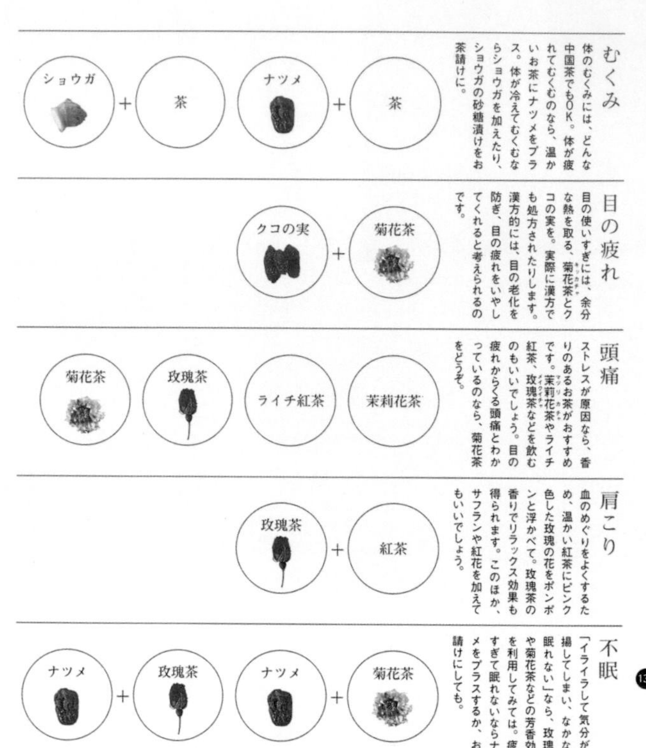

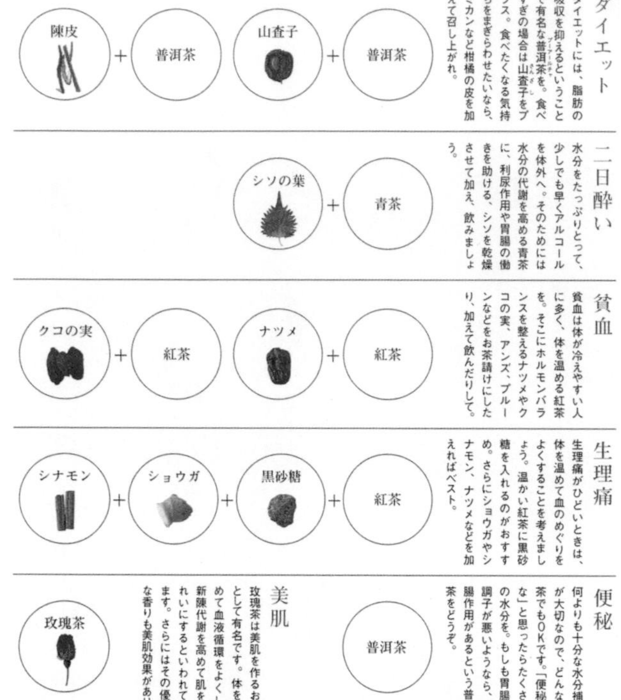

COVER

MAGAZINE 雑誌　Pict-up ピクトアップ　No.21 April+May 2003

PB: 演劇ぶっく社 ENGEKI BOOK　E: 八王子真也 Shinya Hachioji / 泊 貴洋 Takahiro Tomari / 浅川達也 Tatsuya Asakawa / 戸塚未来 Miki Totsuka / 岩本早良 Solah Iwamoto / ツル Tsuru　AD: 釣巻敏康 Toshiyasu Tsurimaki
D: 中川智樹 Tomoki Nakagawa / 佐々木 賢 Ken Sasaki　P (COVER): 竹内スクル Suguru Takeuchi　DF: 釣巻デザイン室 Tsurimaki Design Studio

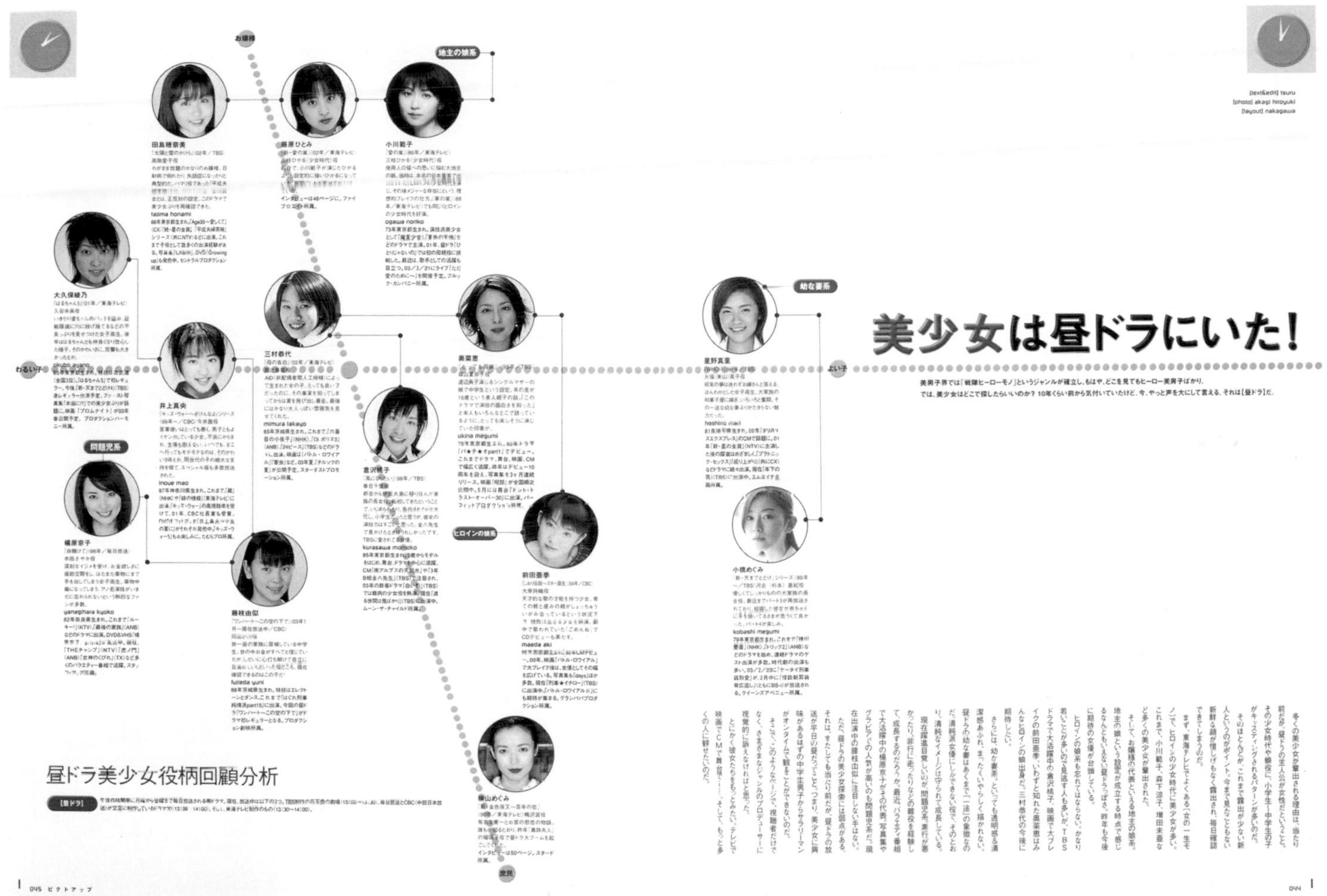

(text&edit) tsuru
(photo) akagi hiroyuki
(layout) nakagawa

美少女は昼ドラにいた!

美男子界では「戦隊ヒーローモノ」というジャンルが確立し、もはや、どこを見てもヒーロー美男子ばかり。
では、美少女はどこで探したらいいのか？ 10年くらい前から気付いていたけど、今、やっと声を大にして言える。それは【昼ドラ】だ。

お嬢様　地主の娘系　幼な妻系　わるい子　よい子　問題児系　ヒロインの娘系　悪役

多くの美少女が輩出される理由は、当たり前だが、昼ドラの主人公が女性だということ。その少女時代や娘役に、小学生〜中学生の子がキャスティングされるパターンが多いのだ。

そのほとんどが、これまで露出が少ない新人というのがポイント。今まで見たこともない新鮮な顔が惜しげもなく露出され、毎日確認できてしまうのだ。

まず、東海テレビでよくある〈女の一生モノ〉で、ヒロインの少女時代に美少女が多い。これまで、小川範子、森下涼子、増田未亜など多くの美少女が輩出された。

そして、お嬢様の代表といえる地主の娘系。地主の娘という設定が成立する時点で感じるなんともいえない昼ドラっぽさ。昨年も今後に期待の女優が台頭している。

ヒロインの娘系も忘れてはならない。かなり若いことが多いので見逃す人も多いが、TBSドラマで大活躍中の倉沢桃子、映画で大ブレイクの前田亜季、いわずと知れた奥菜恵はみんなヒロインの娘出身だ。三村恭代の今後に期待したい。

さらには、幼な妻系。といっても透明感&清潔感あふれ、まったくいやらしく描かれない。昼ドラの幼な妻はあくまで「一途」の象徴なのだ。清純派女優にしかできない役で、そのとおり、清純なイメージは守られて成長している。

現在躍進目覚しいのが、問題児系。素行が悪かったり、非行に走ったりなどの難役を経験して、成長するのだろうか。最近、バラエティ番組で大活躍中の柳原京子がその代表。写真集やグラビアでの人気が高いのも問題児系だ。現在出演中の藤枝由似に注目しない手はない。

ただ、昼ドラの美少女探索には弱点がある。それは、またしても当たり前だが、昼ドラの放送が平日の昼だってこと。つまり、美少女に興味があるはずの中学生男子からサラリーマンがオンタイムで観ることができないのだ。

そこで、このようなページで、視聴者だけでなく、さまざまなジャンルのプロデューサーに視覚的に訴えなければと思った。

とにかく彼女たちをもっとみたい。テレビで映画でCMで舞台で……。そして、もっと多くの人に魅せたいのだ。

昼ドラ美少女役柄回顧分析

【昼ドラ】

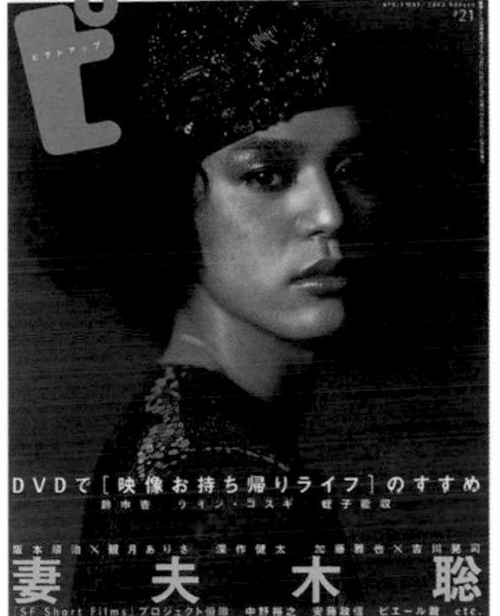

COVER

FREEPAPER フリーペーパー　J-WAVE TIMETABLE　J-WAVE タイムテーブル　Vol.174 2003

CL: (株) エフエムジャパン FM JAPAN　E: 佐藤友彦 Tomohiko Sato (J-WAVE)　AD: 島尻一成 Kazunari Shimajiri　D: 小島瑞奈 Mizuna Kojima　I (COVER): シギハラサトシ Satoshi Shigihara
CW: (有) インクス広告制作所 inks　DF: (株) ソニー・ミュージック・コミュニケーションズ Sony Music Communications Inc.

COVER

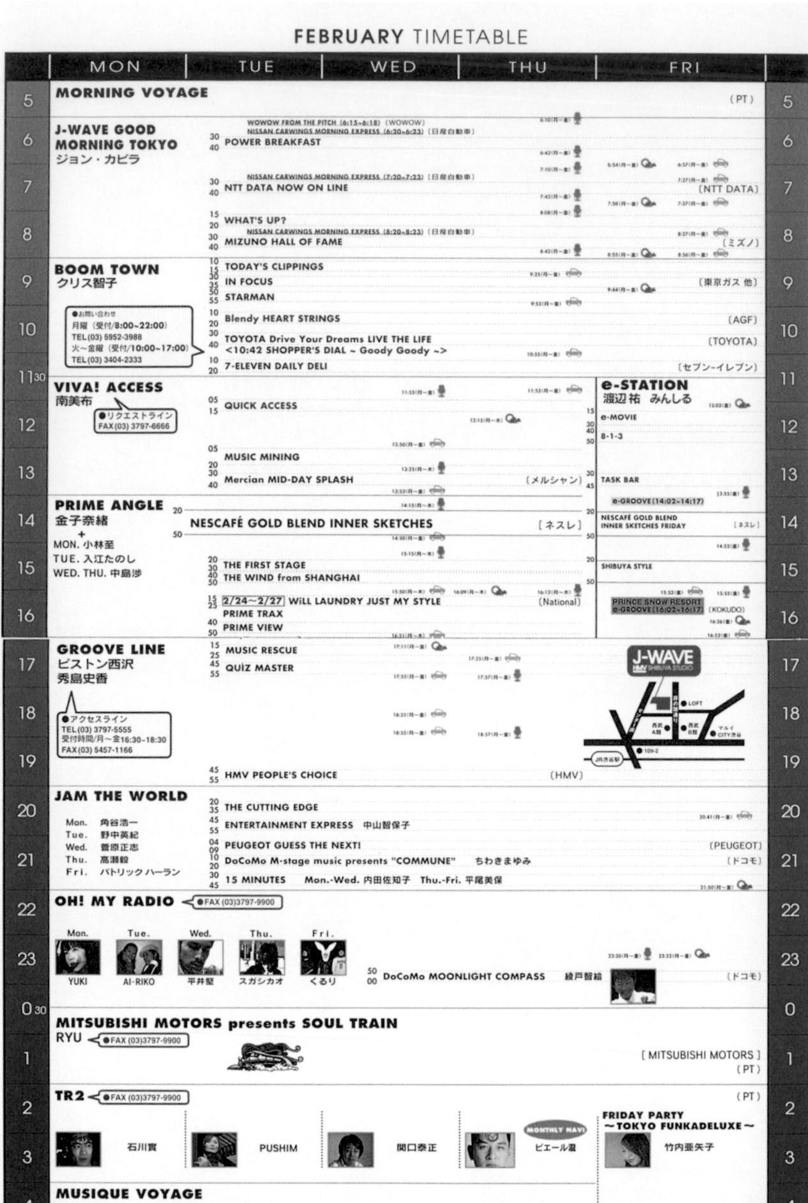

MONTHLY PICK-UP!!

J-WAVE HOLIDAY SPECIAL
MAZDA DEMIO STYLE CLIPS
2/11 Tue. 9:00~17:55
提供: mazda

自分らしく生きるために。
シーンをリードする若きカリスマの言葉から、こだわりのライフスタイルやサクセスのヒントを学べ! みなさんの夢の実現を応援する9時間スペシャル・プログラム。メッセージも大募集!

UNITED ARROWS presents
PLEASE, PLEASE Dr. GALLO!
2/11 Tue. 18:00~19:55
提供: ユナイテッドアローズ、汐留シティセンター

ヴィンセント・ギャロ、導く。
かつてない斬新な悩み相談室がJ-WAVEに登場! ドクターに扮するのはマルチな分野で活躍する時の人、ヴィンセント・ギャロ。相談者のさまざまな悩みや質問に耳を傾け、彼独特の感性でアドバイスしていきます。はたして彼の発する言葉は、あなたの胸にどう響く?

COMING SOON!

まもなくJ-WAVE PASS、始動!
新しいエンターテインメントの世界へ。最新技術を駆使したICチップ内蔵の非接触型カード"J-WAVE PASS"が、あなたをナビゲートします。サービスの受付開始は2月。もうすぐです。詳細は来月号の本誌、もしくはJ-WAVEホームページをマメにチェック!

読者のみなさんと本誌をつなぐ「タイムテーブルオープンボックス」。番組の感想からタイムテーブルで取り上げてほしいことまで、なんでもお気軽にメールください。みなさんの熱いご意見、ご要望、お待ちしています。
メールアドレス→ timetable@j-wave.co.jp
(J-WAVEホームページのTIMETABLEにも投稿フォームがあります)

FREEPAPER フリーペーパー　metro min. メトロミニッツ　No.3 February, No.5 March 2003

PB: スターツ出版（株） STARTS PUBLISHING CORPORATION　E: 斎藤真知子 Machiko Saito　AD, D (COVER): アオコ Aoco　AD: エー・ディー・エス A.D.S　P (COVER): 寝ころびギョラニストbigmouth bigmouth　D: 原野 拓 Taku Harano (Knee High Media Japan)　P: 赤澤昴宥 Kou Akazawa / 岡村智明 Tomoaki Okamura　CW (COVER): P. NAOTAKE　WRITER: ニーハイメディア・ジャパン Knee High Media Japan

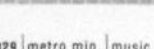

COVER

COVER

PR MAGAZINE PR誌 SALUS 東急沿線生活情報誌「サルース」 Vol.23 February 2003
PB: 東京急行電鉄（株） Tokyu Corporation

COVER

"SALUS"は、ラテン語で「あいさつ」という意味です

すてきな毎日は、サルース（あいさつ）から始まる。

COVER ILLUSTRATION:宗 誠二郎
PHOTOGRAPHER:新田 健二 是枝 右恭 佐々木 智治

今月のスケジュール

FEBRUARY

開催中～26日（水）
エットレ・ソトサス展
横浜美術館アートギャラリー
TEL.045（221）0300

1日（土）
横山幸雄ピアニストそして作曲家
フィリアホール
TEL.045（982）9999

5日（水）
大倉山水曜コンサート
「ピアノリサイタル」
横浜市大倉山記念館ホール
TEL.045（544）1881

8日（土）・9日（日）
フリーマーケット
代々木公園
TEL.03（3226）6800（リサイクル運動市民の会）

15日（土）
高木綾子フルート・リサイタル
フィリアホール
TEL.045（982）9999

19日（水）
大倉山水曜コンサート
「ギターの調べ」
横浜市大倉山記念館ホール
TEL.045（544）1881

20日（木）
SALUS 3月号発行

20日（木）
下丸子 JAZZ倶楽部
大田区民プラザ小ホール 大ホール
TEL.03（3750）1611

22日（土）
松山バレエ団公演
めぐろパーシモンホール版 新「白鳥の湖」全幕
めぐろパーシモンホール
TEL.03（5701）2913

25日（火）
サーカス アコースティックコンサート
アプリコ大ホール
TEL.03（3750）1611

1日（土）
フリーマーケット
世田谷公園（噴水横広場）
TEL.03（3226）6800（リサイクル運動市民の会）

1日（土）～3月30日（日）
展覧会「明るい窓：風景表現の近代」
横浜美術館
TEL.045（221）0300

7日（金）
労音なんぶ寄席
三遊亭歌武蔵独演会
アプリコ小ホール
TEL.03（3730）7561（労音南部センター）

12日（水）
大倉山水曜コンサート
「ヴァイオリンデュオ ラ・メール」
横浜市大倉山記念館ホール
TEL.045（544）1881

16日（日）
フィリアホール共催コンサート
「ヴェネツィア合奏団」
フィリアホール
TEL.045（982）9999

19日（水）
お昼のミニコンサート
あおば音楽ひろば
青葉区役所1F区民ホール
TEL.045（978）2295（青葉区役所生涯学習支援係）

19日（水）
大倉山水曜コンサート
「アルモニー・アンティーク バロック音楽の夕べ」
横浜市大倉山記念館ホール
TEL.045（544）1881

20日（木）
下丸子 らくご倶楽部
大田区民プラザ小ホール
TEL.03（3750）1611

23日（日）
フリーマーケットIN日本丸
日本丸ドック周辺他（雨天中止）
TEL.03（3226）6800（リサイクル運動市民の会）

27日（木）
須川展也 サクソフォン・リサイタル
アプリコ大ホール
TEL.03（3750）1611

1 2 3 4 5 6 7 8 9 10 11 12 13 14 15 16 17 18 19 20 21 22 23 24 25 26 27 28

●東急沿線の生活サイト"サルース" 沿線イベント情報●
http://www.salus.ne.jp/event/
沿線のイベント情報をインターネットでご提供。イベント開催をご予定の方も、ぜひアクセスしてみてください！（＊掲載料無料・営利／非営利問わず）
Web

Web マークの情報は salus サルース でもご覧になれます。http://www.salus.ne.jp/magazine/

作品提供者

ア
(有) アウトサイドディレクターズカンパニー　061
(株) 曙　155
(株) 飛鳥新社　075
アスクル (株)　124, 194
(株) アゾーンアンドアソシエイツ　167
アリヤマデザインストア　049, 121, 182
アルネ / (株) イオグラフィック　051, 123
エクスナレッジホーム / (株) エクスナレッジ　010 - 013, 068, 116, 117, 164, 165, 196 - 199
(株) NDCグラフィックス　100, 101
(株) エフエムジャパン　047, 214
エムエスジー　151
LB中洲通信 / (有) ツー・スリー　060
オリホ　148

カ
カーサ ブルータス / (株) マガジンハウス　133, 160, 161
(株) 学習研究社　087
梶谷デザイン　038, 074
カンペール　159
京菓匠 鶴屋吉信　154
(有) クリエイティブオフィス・マエ　032, 052, 069, 188, 207
ケイツー　042, 090, 136
KDDI (株)　053, 208, 209
コアグラフィックス　057 - 059, 096, 147, 148, 170 -173
広告fsd / (株) 博報堂　029, 115
広告批評 / マドラ出版 (株)　110, 111
commons & sense / (有) シーユービーイー　023, 095
(有) コンプレイト　033, 050, 134, 142, 143, 204

サ
ZAKKA BOOK / (株) マガジンハウス　048
(株) 佐藤園　035
サボテン大好き / (株) 講談社　122, 180
(株) ジー・エム・ティー　145
(株) シーワイエー (コレクティブ イエロー アーティスト)　125, 205
(株) 芝パーク出版　189
シム / シム-コミュニティ　026, 176
ジョイス・ジャポン / 東京プレスセンター (株)　056, 109
SURE SHOT! / (株) ワールド　104
(株) スクラッチマガジン　062, 150
スターツ出版 (株)　044, 045, 188, 215
スタジオ・ボイス / インファス　017, 158, 162, 195
(株) スタジオビス　152
スプーン / (株) プレビジョン　015, 149
住む。/ (有) 編集座　036, 080 - 083
(株) 宣伝会議　040, 041, 091, 119, 138
(株) ソニー シーピー ラボラトリーズ　153
ソルティ / (有) 糖衣社　120

タ
WWD FOR JAPAN / インファス　018, 019, 163, 200, 201
ダンス・スタイル / (株) リットーミュージック　105, 181
中世の里なみおか映画祭実行委員会　020, 114, 202
通勤・通学スポーツ自転車の本 / (株) 枻出版社　175
TN プローブ　031, 070, 203
(有) ディーディーデザインワークス　144
季刊 デザイン / 筑波出版会　021, 112, 113
東京急行電鉄 (株)　216
TOTO出版　076
都心に住む / (株) リクルート　025, 166
(株) ドラフト　054, 098

ナ
(株) 永岡書店　034, 092, 093, 141, 212
日本放送出版協会　014, 072, 073, 183

ハ
(株) 博報堂　067, 102, 103
ハンズ / (株) ハンズ・コム　174
ビー・シュア / (株) デュウ　088, 186, 187
(株) ビーエヌノジ　128
ビーズアクセサリーBOOK / (株) 双葉社　123, 190
ぴあ (株)　064, 097, 125
(株) ピクト　030, 084, 085, 118, 135
ピクトアップ / 演劇ぶっく社　024, 095, 213
ヒッティ / (株) メディアプロダクション　055, 179
(株) 扶桑社　140, 192, 193
プラスイング / (株) プラスイングプレス　022, 108, 137, 178
プラスエイティーワン / ディーディーウェーブ (株)　028, 106, 107
フリーフライヤー / (株) 枻出版社　177
PAPER SKY / ニーハイメディア・ジャパン　132, 168, 169
ボールパーク・タイム! / (株) ぶんか社　063
ポジビジョン　027

マ
マーサ・スチュワート・マーサ / (株) マーサ・スチュワート・ジャパン　043, 086
(株) マーブルトロン　174
(有) マゼンタ　071, 127, 206
メニューマガジン / (株) 枻出版社　089, 184, 185
森チャック スパルタ マッサージ / (株) マガジンハウス　126

ヤ
ユウデザイン　066

ラ
流行通信 / インファス　016, 130

ワ
(有) ワーハ　046
和菓子 / (株) 講談社　039, 077
和樂 / 小学館　037, 078, 079, 156, 210, 211

Index of Submittors

Submittors

LAYOUT STYLE GRAPHICS

レイアウト スタイル グラフィックス
目次・扉・ノンブル・柱 etc.――パーツ別に見るエディトリアルデザイン

Designers
阿部かずお　Kazuo Abe (Rhythmic Garden)
甲谷 一 / ジャケットデザイン　Hajime Kabutoya / Jacket Design

Editor
三富 仁　Hitoshi Mitomi

Photographer
藤本邦治　Kuniharu Fujimoto

Translator
パメラ・ミキ　Pamela Miki

Coordinator
織原靖子　Yasuko Orihara

Publisher
三芳伸吾　Shingo Miyoshi

2003年6月6日　初版第1刷発行

発行所　ピエ・ブックス
〒170-0005 東京都豊島区南大塚2-32-4
営業　Tel: 03-5395-4811　Fax: 03-5395-4812
e-mail: sales@piebooks.com
編集　Tel: 03-5395-4820　Fax: 03-3949-4821
e-mail: editor@piebooks.com

印刷・製本　株式会社歩プロセス

Printed in Japan

ISBN4-89444-263-9 C3070

SEASONAL/EVENT/SALES POSTCARD DESIGN
季節案内／イベント案内／セール案内のポストカードデザイン

Pages: 192 (Full Color) 各¥9,800+Tax

季節案内編は年賀状・暑中見舞・クリスマスカードの特集。イベント案内編は企業の記念イベントや展示会・映画の試写会・個人の結婚式・誕生・引越しの案内状の特集。セール案内編は様々な流通のセール案内・企業の新商品案内の特集です。

The "Seasonal" collection focuses on New Year's, Mid-summer, Christmas and other season's greetings. The "Event" collection on announcements for company anniversaries, exhibitions, film showings, and private milestones such as marriages, births, and address changes. The "Sales" collection features a variety of new product, sale, and other promotional postcards.

CORPORATE PROFILE GRAPHICS Vol. 3
コーポレイト プロファイル グラフィックス 3

Pages: 224 (Full Color) ¥13,500+Tax

世界各国から集まった最新の会社・学校・施設案内カタログから、デザインの質の高い作品ばかり約200点を業種別に分類。構成、コンセプト、レイアウトを十分に堪能できるように、カバーから中ページまで見やすく紹介しています。

The latest catalogs of companies, schools, and institutions from around the world, categorized by specialty. Covers and selected inside pages from 200 high-quality catalogs are presented side-by-side to help make their underlying concepts and layouts more readily visible.

NEW BUSINESS CARD GRAPHICS Vol. 2
ニュー ビジネスカード グラフィックス 2

Pages: 224 (Full Color) ¥12,000+Tax

デザイナーや企業の名刺から、飲食店や販売店のショップカードまで、幅広い業種の優れた作品約850点を、シンプルでシックなデザインからポップでハイパーなデザインまで、4つのタイプ別に紹介。アイデア満載の1冊です。

A new and even more comprehensive volume of our popular business card series. More than 850 selections, ranging from designers' personal name cards and corporate business cards to restaurant and retail shop cards. The cards are categorized by genre: simple, chic, pop, and hyper.

LIMITED RESOURCES/LIMITLESS CREATIVITY
限られた予算 VS 自由な発想 グラフィックス

Pages: 208 (Full Color) ¥13,500+Tax

低予算でかつインパクトのある広告物、自然素材を生かしたパッケージ、個性的で楽しい仕掛けのある案内状や招待状の数々など約200作品を、そのデザインコンセプトと共に掲載。1ページめくるたびに新しいアイデアに出会える1冊です。

A collection of works based on ideas that turn limitations into creative advantages. Low budget/high impact promotional pieces, packaging that brings out the best of natural materials, highly individual playfully devised announcements and invitations—more than 200 unique works presented with their design objectives. The ideas on each page of this volume are as innovative as the next.

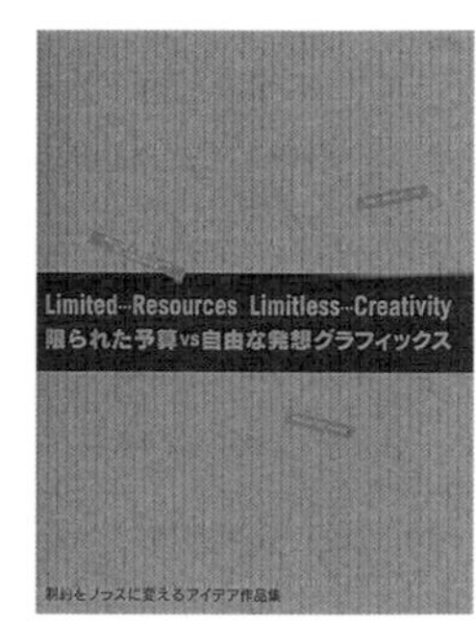

TYPOGRAPHIC COMPOSITION: TEXT & TABLE LAYOUT DESIGN
タイポグラフィック コンポジション: 目次から本文のレイアウトまで

Pages: 224 (Full Color) ¥13,000+Tax

本書は、会社案内、カタログ、雑誌、書籍といった多様な媒体の中で展開される優れた文字組・表組のレイアウトを、『目次』、『テキストが多い場合の文字組』、『ビジュアル中心の文字組』、『表組』の4つのカテゴリーに分類しています。

This volume present the some of the finest examples of typographic composition from a variety of print media-including company profiles, catalogs, magazines, and books-grouped in four basic categories: table of contents pages, primarily text pages, captions/supplementary text on primarily visual pages, and tables.

CATALOG + WEB GRAPHICS
カタログ+ WEB グラフィックス

Pages: 304 (Full Color) ¥15,000+Tax

販売促進を目的としたカタログ & パンフレットと、そのホームページのデザインを衣食住の商品別に分類し約70作品を紹介。優れたデザインのカタログ & ホームページを、様式の違いが比較・一覧できるように同紙面上に掲載しています。

Exceptional catalog and website design compiled in one volume! A collection of over 70 catalogs, pamphlets and corresponding webpages designed to promote sales, categorized by their products' relation to the subjects "food, clothes, and shelter." Both print and web pages are presented on the same spread to facilitate comparison of how these superb designs translate in the different mediums.

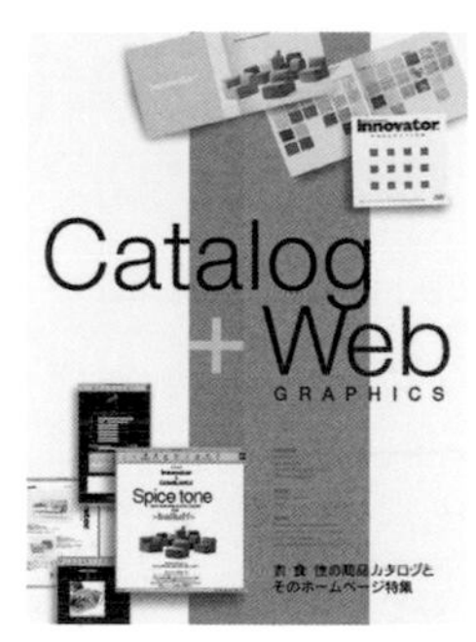

NEW BUSINESS STATIONARY GRAPHICS
ニュー ビジネス ステーショナリー グラフィックス

Pages: 288 (Full Color) ¥14,000+Tax

レターヘッド、封筒、名刺は企業のイメージを伝える大切なツールです。機能的かつ洗練された作品からユニークで個性的な作品まで、世界22カ国のデザイナーから寄せられた作品から約450点を厳選し紹介します。好評の前作をより充実させた続編。

Letterheads, envelopes, and business cards are just a few of the essential business tools used to reinforce a company's image. More than 450 outstanding works—from the functional and refined to the unique and individualistic—by designers from 22 countries around the world. Even more substantial than our popular previous edition.

JAPANESE STYLE GRAPHICS
ジャパン スタイル グラフィックス

Pages: 224 (Full Color) ¥15,000+Tax

現代の日本人クリエイターたちが「和風」にこだわり、日本を感じさせる素材（文様、イラスト、写真、色彩など）を取り入れてデザインした作品、日本の文字が持つ形の美しさや文字組みにこだわった作品を、アイテム別に紹介しています。

A graphic design collection that focuses on how contemporary Japanese creators perceive and express things Japanese. Outstanding graphic works that consciously exploit Japanese aesthetics, materials (including patterns, drawings, photographs, and color) and the unique characteristics and beauty of the Japanese syllabaries as forms and in composition.

ADVERTISING PHOTOGRAPHY IN JAPAN 2002
年鑑 日本の広告写真2002

Pages: 240 (Full Color) ¥14,500+Tax

気鋭の広告写真をそろえた（社）日本広告写真家協会（APA）の監修による本年鑑は、日本の広告界における最新のトレンドと、その証言者たる作品を一堂に見られる貴重な資料として、国内外の広告に携わる方にとって欠かせない存在です。

A spirited collection of works compiled under the editorial supervision of the Japan Advertising Photographers' Association (APA) representing the freshest talent in the Japanese advertising world. An indispensable reference for anyone concerned with advertising in or outside Japan.

THE TOKYO TYPE DIRECTORS CLUB ANNUAL 2002
TDC年鑑 '02

Pages: 252 (Full Color) ¥15,000+Tax

温故知新の精神を大切にしながら、更に新しい次世代のタイポグラフィー＆タイポディレクション作品を探究する国際グラフィックデザイン・コンペティション「TDC」。インタラクティブ作品も拡充、より幅広いメディアの優れた作品を紹介しています。

JTDC—the international graphic design competition that investigates new generations of typography and type direction in light of masterpieces from the past. With the inclusion of interactive pieces in recent years, the 2002 annual presents outstanding works from an extensive range of media.

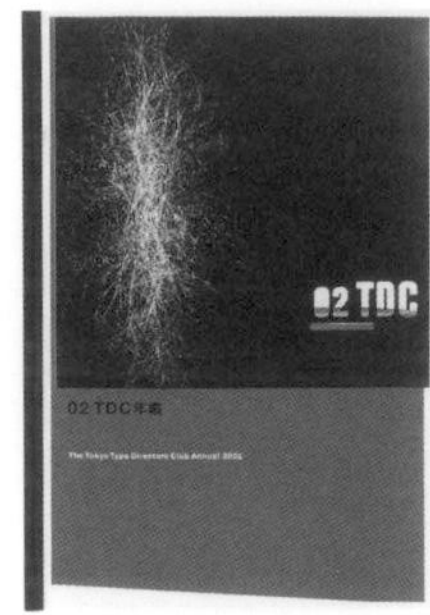

DIRECT MAIL ON TARGET
PR効果の高いDMデザイン

Pages: 224 (Full Color) ¥14,000+Tax

「送り手の思いを届ける」をコンセプトに、素材感を生かした作品、また封を切ったときの驚きや喜びを味わう作品など、イメージを消費者に訴えるダイレクトメールの数々を特集！新しく柔軟な発想が求められるDM制作にかかせない一冊です。

600 direct mail pieces designed to "deliver the intended message." This collection presents a wide variety of impression-making direct mailers that exploit the qualities of the materials they are made of, and surprise and delight their recipients upon opening. A must for anyone interested in creating new and uniquely conceived direct mail.

PRESENTATION GRAPHICS 2
プレゼンテーション グラフィックス 2

Pages: 224 (Full Color) ¥15,000+Tax

好評の前作をより充実させた続編。世界12カ国40名以上のクリエイターによるデザイン制作の発想からプレゼンテーション、完成までの特集。話題作品のアイデアスケッチをはじめ、今まで見ることのできなかった制作の裏側を紹介した貴重な1冊。

The sequel of our popular first edition. More than 40 creators from 12 countries illustrate the complete presentation process, from initial idea sketches and to polished comps. This unique, invaluable book shows aspects of the design world that rarely reach public domain.

CHARACTER WORLD
キャラクター ワールド

Pages: 232 (Full Color) ¥14,000+Tax

企業、団体、商品、イベントなどのPRに使用されたイメージキャラクターとシンボルマークを特集。基本的に収録作品は広告、ノベルティグッズ、パッケージなどの使用例と、キャラクター・プロフィール、制作コンセプトもあわせて紹介しています。

A special collection of image characters and symbol marks designed for use as PR tools for companies, organizations, products, and events. In addition to advertisements, novelties, packaging, and other actual examples of their applications, the works showcased are accompanied by design objective descriptions and character profiles.

TRAVEL & LEISURE GRAPHICS 2
トラベル＆レジャー グラフィックス 2

Pages: 224 (Full Color) ¥15,000+Tax

ホテル、旅館、観光地、交通機関からアミューズメント施設までのグラフィックス約350点を一挙掲載！！パンフレットを中心にポスター、DM、カードなど…現地へ行かなければ入手困難な作品も含め紹介。資料としてそろえておきたい1冊です！

A richly varied selection of 350 samples of travel and leisure guide graphics. The collection conveniently presents tour information, sightseeing guides, posters, promotional pamphlets from airline, railroad companies, hotels, inns, facilities, and more. Pick up this one-volume reference, and have it all at your fingertrips without having to leave your seat, let alone leave town!

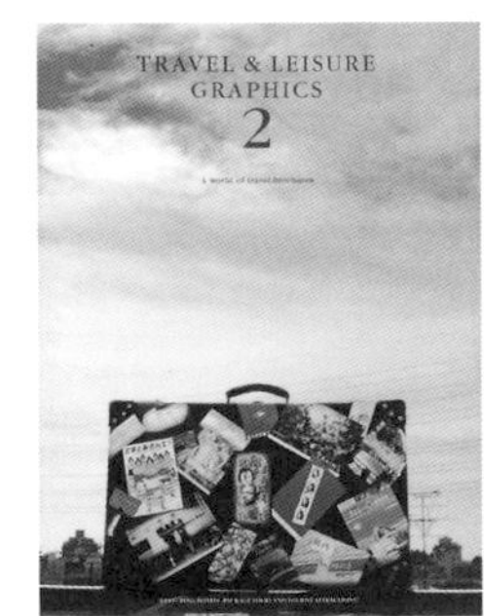

TYPOGRAPHIC COMPOSITION IN JAPAN
日本の文字組・表組 デザイン

Pages: 224 (Full Color) ¥14,000+Tax

日本語はタテ組もヨコ組も可能であり、使用される文字も多様性に富んでいます。本書は会社案内、PR誌、カタログ、雑誌…などの媒体から優れた日本語の文字組・表組のレイアウトを目次、本文レイアウト、表組のカテゴリー別に紹介します。

Japanese can be composed horizontally or vertically, using a variety of characters and syllabaries. This book presents outstanding examples of Japanese typography and tabulated data from media such as company profiles, PR brochures, catalogs, and magazines, categorized as: Table of Contents, Main Text, and Tables.

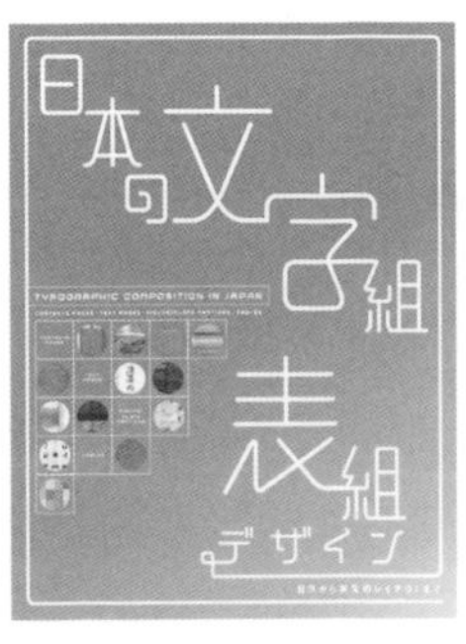

PAPER IN DESIGN
ペーパー イン デザイン

Pages: 192 (Full Color) + Special reference material (paper samples) ¥16,000+Tax

DM、カタログをはじめ書籍の装丁、商品パッケージなど、紙素材を利用し個性的な効果を上げている数多くの作品をアイテムにこだわらず紹介。掲載作品で使われている紙見本も添付、紙のテクスチャーを実際に確かめることができる仕様です。

A special collection of graphic applications that exploit the role paper plays in design. This collection presents a wide range of applications—DM, catalogs, books, and product packaging, etc.—in which paper is used to achieve unique visual statements. Actual paper samples accompany each work to demonstrate their texture and tactile qualities.

PICTOGRAM AND ICON GRAPHICS
ピクトグラム＆アイコン グラフィックス

Pages: 200 (160 in Color) ¥13,000+Tax

ミュージアムや空港の施設案内表示から雑誌やWEBサイトのアイコンまで、業種別に分類し、実用例とともに紹介しています。ピクトグラムの意味や使用用途などもあわせて紹介した、他に類をみないまさに永久保存版の1冊です。

The world's most outstanding pictograms and applications. From pictographs seen in museums, airports and other facility signage to icons used in magazines and on the web, the examples are shown isolated and in application with captions identifying their meanings and uses. Categorized by industry for easy reference, no other book of its kind is as comprehensive—it is indeed a permanent archives in one volume!

MAIL ORDER GRAPHICS: Catalog + Web
通販カタログ+WEB グラフィックス

Pages: 304 (Full Color) ¥15,000+Tax

世界各国の通販カタログと通販Webサイトの中からデザイン、機能性に優れた作品を厳選。カタログとWebサイトの両方を駆使し、大きな反響を得ている数々の通販デザインを紹介しています。デザイナーからの声も載せた貴重な一冊です。

Mail-order design that moves consumers and sells products! This collection presents functionally and visually outstanding examples of catalog and website design, which working in tandem have created sensations in the world of mail order. With commentary by the designers, this volume forms a valuable resource of catalog design—both in-print and on-line.

BUSINESS PUBLICATION STYLE
PR誌企画&デザイン 年間ケーススタディ

Pages: 224 (Full Color) ¥15,000+Tax

PR誌の年間企画スケジュールとビジュアル展開を1年分まとめて紹介します。特集はどういう内容で構成しているのか？エッセイの内容と執筆人は？など、創刊・リニューアル時の企画段階から役立つ待望の1冊です。

Year-long case studies of 40 critically selected PR magazines.What should the content of the feature stories composed ? What should the subject of the essays be and who should write them? This eagerly awaited collection promises to assist in the planning stages for the inauguration or renewal of business periodicals.

NEW COMPANY BROCHURE DESIGN 2
ニュー カンパニー ブローシャー デザイン 2

Pages: 272 (Full Color) ¥15,000+Tax

デザインの優れた案内カタログ約150点とWEB約50点を厳選。WEBサイトはカタログと連動した作品を中心に紹介しています。また各作品の企画・構成内容がわかるように制作コンセプト・コンテンツのキャッチコピーを具体的に掲載しています。

A selection of over 150 superbly designed brochures and 50 corresponding websites. All works are accompanied by descriptions of their design objectives and catch copy, to provide added insight into their planning and compositional structures.

SMALL PAMPHLET GRAPHICS
スモール パンフレット グラフィックス

Pages: 224 (Full Color) ¥14,000+Tax

街や店頭で見かける様々な企業、ショップのパンフレットを衣・食・住・遊の業種別に紹介します。気軽に持ち帰ることができる数多くの小型パンフレットの中からデザイン性に優れた作品約300点を厳選しました。

A collection introducing a wide variety of company and shop pamphlets found in stores and around town, grouped under the categories "food, clothes, shelter, and entertainment." 300 small-scale pamphlets selected for their outstanding design qualities from the great many pieces available to customers for the taking.

ONE & TWO COLOR GRAPHICS IN JAPAN
日本の1&2色 グラフィックス

Pages: 224 (Full Color) ¥15,000+Tax

2色までの刷色で効果的にデザインされた日本のグラフィック作品を、使用された刷色の色見本とDICナンバーを紹介。グラデーションが効果的な作品やダブルトーンの作品には、色のかけ合わせと濃度変化がわかるカラー・チャートを併載しています。

A collection of Japanese graphics that are effectively reproduced using only one or two ink colors. Posters, flyers, direct mailers, packaging and more, that have no less impact than their four-color competition. Each work is presented together with color swatches and the DIC numbers of their ink colors used.

NEW SHOP IMAGE GRAPHICS
ニュー ショップ イメージ グラフィックス

Page: 224 (Full Color) ¥14,000+Tax

大好評！ショップの空間演出＆グラフィック・デザインの特集、第2弾！日々新しくオープンする、雑貨店、飲食店、ブティックなどの様々なショップ。オリジナリティ溢れる魅力的な最新のショップを衣・食・住に分類して紹介します。

The unique graphics and dramatic architectural interiors of the most talked about new stores! This sequel to our popular collection on shop interiors and their supporting graphics, presents the most original and attractive recently opened variety stores, restaurants, and boutiques in aclassification that covers the three essential areas of living: food,clothes, and shelter.

ENVIRONMENT/WELFARE-RELATED GRAPHICS
環境・福祉 グラフィックス

Pages: 240 (Full Color) ¥15,000+Tax

環境保全への配慮が世界的な常識となりつつある今日、企業も積極的に環境・福祉など社会的テーマを中心にした広告キャンペーンを展開しています。国内外の優れた環境・福祉広告を紹介した本書は今後の広告を考えるために必携の1冊となるでしょう。

Environmental conservation is now a worldwide concern, and corporate advertising campaigns based on environmental and social themes are on the rise. This collection of noteworthy local and international environment/welfare-related publicity is an essential reference for anyone involved in the planning and development of future advertising.

NEW LOGO WORLD
ニュー ロゴ ワールド

Page: 416 (Full Color) ¥15,000+Tax

世界中から集めた最新ロゴマーク約3000点を収録。幅広いジャンル、世界40カ国以上のクリエイターを網羅した充実の一冊です。CIとして、商品やイベントのロゴとして、その「顔」となる個性的で洗練されたデザインの秀作を紹介します。

The third and most fantastic volume in our logo mark series features over 3000 of the world's newest logomarks. These top works, representing a comprehensive range of designers from more than 40 countries, act as the uniquely refined "face" in corporate identity, as well as product and event branding.

365 DAYS OF NEWSPAPER INSERTS 2
365日の折込チラシ大百科 2

Page: 256 (Full Color) ¥14,000+Tax

札幌から福岡まで国内の主要都市13カ所、365日を通して収集した折込チラシを業種別に約1000点掲載。年々グレードアップするチラシデザインのテクニックを余すところなく発揮した作品が満載の1冊です。

The sequel to our popular leaflet collection! 1000 superb newspaper inserts collected in 13 major Japanese cities oduring the course of one year, categorized by industry. This volume is packed with leaflets that give full play to ever-improving design techniques.

SMALL JAPANESE STYLE GRAPHICS
スモールジャパン スタイル グラフィックス

Page: 224 (Full Color) ¥15,000+Tax

日本伝統の文様・イラスト・色彩等、和のテイストが随所にちりばめられたグラフィック作品を1冊にまとめました。古き良き日本の美意識を取り入れ、現代のクリエイターが仕上げた作品は新しい和の感覚を呼びさまします。

Traditional Japanese motifs, illustrations, colors—collection of graphicworks studded with the essence of "wa" (Japanese-ness) on every page. See how contemporary Japanese designers incorporate time-honored Japanese aesthetics in finished works that redefine the sensibility known as "Japanese style."

EVERYDAY DIAGRAM GRAPHICS
エブリデイ ダイアグラム グラフィックス

Page: 224 (Full Color) ¥14,000+Tax

本書はわかりやすいということにポイントを置き、私たちの身の回りや街で見かける身近なダイアグラムを特集しました。マップ・フロアガイド・チャート・グラフ・仕様説明など、わかりやすいだけでなく、見ていて楽しいものを紹介しています。

This collection features diagrams of the sort we constantly meet in our daily lives, selected with their ready 'digestibility' in mind. The maps, charts, graphs, floor guides and specifications introduced here are not just easy to understand, they' re fun to look at, too.

NEW CALENDAR GRAPHICS
ニュー カレンダー グラフィックス

Pages: 224 (Full Color) ¥13,000+Tax

国内外のクリエイターから集めた個性豊かなカレンダー約200点を、企業プロモーション用、市販用と目的別に収録した、世界の最新カレンダーを特集!! カレンダーの制作現場に、欠かすことの出来ない実用性の高い一冊です。

Over 200 of the newest and most original calendars from designers around the world! Categorized by objective, this collection includes calendars for the retail market as well as those designed as corporate publicity pieces.

NEW ENCYCLOPEDIA OF PAPER-FOLDING DESIGNS
折り方大全集 DM・カタログ編

Page: 240 (160 in Color) ¥7,800+Tax

デザインの表現方法の1つとして使われている『折り』。日頃何げなく目にしているDMやカード、企業のプロモーション用カタログなど身近なデザイン中に表現されている『折り』から、たたむ機能やせり出す、たわめる機能まで、約200点の作品を展開図で示し、『折り』を効果的に生かした実際の作品を掲載しています。

More than 200 examples of direct mail, cards, and other familiar printed materials featuring simple / multiple folds, folding up, and insertion shown as they are effected by folding along with flat diagrams of their prefolded forms.

ピエ・ブックス

〒170-0005 東京都豊島区南大塚2-32-4
TEL: 03-5395-4811 FAX: 03-5395-4812
www.piebooks.com

PIE BOOKS

2-32-4 Minami-Otsuka Toshima-ku Tokyo 170-0005 JAPAN
TEL：+81-3-5395-4811 FAX：+81-3-5395-4812
www.piebooks.com